A solas
con
Jesús

A solas
con
Jesús

Un momento de meditación en la vida diaria

ALEJANDRO BULLÓN

Pacific Press® Publishing Association
Nampa, Idaho
Oshawa, Ontario, Canada

Título del original: *Mais semelhante a Jesus*, Casa Publicadora Brasileira, Tatuí, Sâo Paulo, Brasil, 1994.

Editor: Aldo D. Orrego
Traductor: Roberto Gullón
Tapa: Hugo O. Primucci

El autor asume la responsabilidad por la exactitud de las citas bíblicas y del espíritu de profecía que aparecen en esta obra.

Impreso y distribuido en Norteamérica por
PUBLICACIONES INTERAMERICANAS
División Hispana de la Pacific Press® Publishing Association:
P. O. Box 5353, Nampa, Idaho 83653, EE. UU. de N. A.

Primera edición: 1998
20.000 ejemplares en circulación

ISBN 950-573-672-X
Printed in the United States of America

El autor

Alejandro Bullón Páucar nació en Jauja, Perú, y estudió y se graduó de Teología en el Seminario de la Unión Peruana, cercano a Lima. Trabajó diez años en su país como consejero de jóvenes, y luego fue invitado a continuar el desarrollo de dicho ministerio en el Brasil (primero sirvió en la Unión Este Brasileña, y luego en la Unión Central Brasileña).

Actualmente es evangelista de La Voz de la Esperanza, un programa radial con sede en la División Norteamericana. Hasta el año pasado se desempeñó como secretario de la Asociación Ministerial de la División Sudamericana de los Adventistas del Séptimo Día, y también como evangelista para toda América del Sur. Él se define a sí mismo como predicador, y su mensaje principal subraya la necesidad de conocer a Jesús como la solución para todos los problemas humanos. Ha escrito varios libros, tales como *Conocer a Jesús es todo*, *La crisis existencial*, *Tú eres mi vida* y *Vuelve a casa, hijo*.

Está casado con Sara Orfilia y tiene cuatro hijos: José, de 23 años; Rubén, de 21: Samuel, de 19; y Moacyr, de 17.

Aclaración

El texto de los versículos de la Biblia pertenece a la versión Reina-Valera 1995, excepto cuando se indique lo contrario.

Además, las siguientes abreviaturas tienen el significado que se indica a continuación: pág. = página; págs. = páginas; vers. = versículo/os; cap. = capítulo; caps. = capítulos; *Ibíd.* = el mismo libro.

1º de enero

El mensaje de la cruz vacía

Pues me propuse no saber entre vosotros cosa alguna sino a Jesucristo, y a este crucificado. **1 Corintios 2:2.**

Desde mi ventana miro el césped seco de Brasilia, y pienso: "Otra vez se murió el césped". La meseta sobre la cual se levanta Brasilia tiene un clima ingrato. De mayo a septiembre no cae una gota de agua, y la humedad del aire llega a límites alarmantes. Uno mira el césped y siente dolor. Se tiene la impresión de que nunca volverá a renacer, de que está definitivamente arrasado. Entonces un amigo se acerca y me dice: "Tú no conoces el césped de Brasilia. Espera a que caigan las primeras lluvias y, de donde piensas que ya no existe, renacerá el césped".

Puede que te estés preguntando: "¿Qué tiene que ver conmigo el césped de Brasilia?" Te respondo: "Mucho, porque en el atardecer del año que se fue, tal vez quedó por allí un plan marchitado por el tiempo, o un sueño cubierto de polvo por las circunstancias. No importa, las primeras gotas de lluvia de un año nuevo están llegando, y de ahí, de donde parece que no hay nada más, puede renacer la esperanza".

A lo largo del año que acaba de terminar imaginé muchas veces la cruz de Cristo. He pensado en ella de muchas formas. He visto y llevado a mucha gente a mirar al Salvador, que dio su vida para salvar a la humanidad. Hoy quiero desafiarte a mirar la cruz vacía. ¿Sabes por qué? Porque en la cruz, cuando Jesús murió, todo parecía perdido. Todo su trabajo parecía malogrado. ¿Dónde estaba el fruto de su obra? ¿Dónde estaban los resultados de su esfuerzo? Sus discípulos lo habían abandonado; todos sus sueños parecían haberse convertido en cenizas. ¿Te pasó algo parecido alguna vez? Entonces, mira la cruz; obsérvala vacía, sin nadie. ¿Sabes qué quiere decir eso? Que puede acontecer una aparente derrota. O puede parecerte que el mal está triunfando sobre las esperanzas y los sueños. O quizá te sientas triste, viendo cómo la obra a la cual dedicaste toda tu vida parece caer a pedazos a tus pies. La derrota es un hecho trágico y real. El fracaso puede ser doloroso y amargo.

Pero, ¿por cuánto tiempo? Por hoy y mañana, tal vez. Sin embargo, al tercer día la tristeza se transformará en alegría, y la derrota en victoria; la muerte dará lugar a la vida.

Desde mi ventana miro el césped seco de Brasilia, y ya no me siento triste. Miro hacia arriba y no veo ni una sola nube anunciando lluvia, pero sé que la lluvia vendrá, como viene el mes de enero cada año. Y entonces la vida renacerá, los sueños reverdecerán y la tristeza huirá para dar lugar a la alegría.

Este es el mensaje de la cruz vacía y del césped seco de Brasilia.

Más semejantes a Jesús

*Amados, ahora somos hijos de Dios y aún no se ha manifestado lo que he-
mos de ser; pero sabemos que cuando él se manifieste, seremos semejantes a
él, porque lo veremos tal como él es. 1 S. Juan 3:2.*

La mañana está calma en la playa de Acuípe, en Ilhéus. El mar impetuoso se agita inquieto e incansable.

El viento sopla y refresca la arena caliente, haciendo más agradable el
ambiente. Todo parece perfecto: el movimiento rítmico de las olas, el cielo
azul, el casi uniforme diseño de los cocoteros y la arena blanca que contrasta
con el verde intenso de las aguas.

Podría ser perfecto, pero no consigo sacarme de la cabeza la imagen
del joven que me buscara anoche, después de la predicación, todavía bajo los
efectos de la droga. Sus ojos parecían querer saltar de sus órbitas. Su rostro,
marcado por la vida, por el sufrimiento, por el peso de la culpa y por la sensación de fracaso, estaba todo deformado. "Soy una basura, pastor", dijo angustiado, "y no consigo salir, no consigo, ¡no consigo!"

La mañana está calma aquí en la playa. El mundo podría ser bello y
perfecto. Los hombres podrían ser felices como cuando Adán salió de las
manos del Creador, pero la imagen del joven de ayer trae a mi mente una
pregunta: ¿Qué sucedió a lo largo del camino? ¿Por qué nos miramos en el
espejo de la vida y detestamos la forma de nuestro ser? ¿Por qué sentimos
que nuestro temperamento está muy lejos de lo que debería ser? ¿Por qué
cargamos traumas, complejos, deformaciones de carácter? ¿Por qué a veces
nos sentimos esclavos de pasiones y vicios, encadenados a sentimientos y
pensamientos que nos gustaría abandonar?

Cuando contemplamos la belleza del carácter de Jesús se apodera de
nosotros un sentimiento de pequeñez e insignificancia que nos hace suspirar,
pensando: "¡Cómo me gustaría ser como él: tranquilo en medio de la tormenta, manso en medio de la ira, puro en medio de la impureza, dulce en
medio de la amargura!" ¿Es posible tener el carácter de Jesús? El versículo de
hoy dice que sí. Dios quiere reproducir en nuestra vida el carácter maravilloso del Salvador. Las meditaciones de cada día, a lo largo de este año, tienen
como objetivo mostrar la manera como Dios trabaja en nuestra vida para
que podamos reflejar el carácter de Jesús.

Y mi oración es que, en este año, crezca en tu corazón el deseo de ser
cada día ¡MÁS SEMEJANTE A JESÚS!

La justicia es una persona

En sus días será salvo Judá, e Israel habitará confiado; y este será su nombre con el cual lo llamarán: "Jehová, justicia nuestra". Jeremías 23:6.

Cuando yo era muchacho, mi madre oraba diciendo: "Oh, Señor, cúbreme con tu manto de justicia divina". Muchas veces trataba de imaginarme cómo sería ese manto. Después fui creciendo y oí decir en la iglesia que Dios estaba dispuesto a darnos su justicia. Posteriormente, aprendí que la justicia es un atributo divino. Pero, lo que el texto de hoy nos está diciendo es que la justicia no es un objeto, no es simplemente un atributo, no es algo; es ALGUIEN.

"Este será su nombre... Jehová, justicia nuestra". Jesús es la justicia, y cuando Dios nos da su justicia, nos da a Jesús. No existe justicia separada de él, porque él es la justicia.

Esta mañana el Señor nos invita a que salgamos de un cristianismo teórico, a que dejemos de vivir preocupados apenas con definiciones teológicas y a que entremos en la realidad de la vida práctica, porque si la justicia es una persona, entonces el cristianismo es una experiencia personal. Ser justo es una experiencia personal, y practicar actos de justicia es el resultado de convivir con la Persona-Justicia que es Jesús.

Esta mañana, antes de salir para las actividades del día, ¿está reunida toda la familia? ¿Qué tal si cada uno sale tomado de la mano de la maravillosa Persona-Justicia? ¿Qué tal andar con Jesús a lo largo del día, recordando que al estar con él estamos con la Justicia? Niños y jóvenes, ¿les gusta tener amigos? Adolescentes, ¿les gusta tener siempre un amigo especial a quien confiarle sus secretos? Los adultos, ¿no aprendimos que vale la pena tener un amigo a quien podamos acudir en los momentos de tristeza? ¿Por qué no hacer, entonces, de la Persona-Justicia ese amigo? ¿Por qué no encarar la vida cristiana y la vida justa como esa experiencia incomparable de convivir con un amigo en quien poder confiar?

Mientras encaremos la vida justa como un nivel de vida ideal que los cristianos tienen que alcanzar con el fin de estar preparados para ir al cielo, estaremos siempre distorsionando el plan de Dios para nosotros; pero, cuando entendamos y comencemos a enseñarle a nuestros hijos que la justicia, en lugar de ser únicamente una meta a alcanzar, es también una Persona que está con los brazos abiertos y con quien precisamos aprender a convivir, tendremos paz, y nuestros hijos, lejos de tener miedo de la religión o de vivir frustrados, desearán ser cristianos y vivirán el auténtico cristianismo que sale de la mediocridad de la teoría para convertirse en realidad de la vida práctica.

Haz tuya estas palabras: "Señor, ayúdame a verte no como un Dios distante, sino como una Persona cercana. Vive en mí, oh Dios, en este día. Habita en mí por la presencia de tu Santo Espíritu. Voy a la lucha de la vida, pero voy seguro de tu compañía. ¡Tú eres mi Justicia!"

Tu pasado tiene futuro

De modo que si alguno está en Cristo, nueva criatura es: las cosas viejas pasaron; todas son hechas nuevas. **2 Corintios 5:17.**

La carta terminaba así: "Esa es la historia de mi vida: un error tras otro, una tontería tras otra. ¿Y qué resta? Sólo harapos, sólo pedazos que nadie podrá juntar. La vida concluyó. Ya no hay más futuro para mí, nadie más cree en mí, todos me condenan".

Quedé allí, con la carta sobre la mesa, mirando a través de la ventana de mi sala, y entonces me acordé de otra chica que vivió hace casi dos mil años.

Su nombre era María, y había hechos tantas cosas equivocadas en la vida —se había "golpeado la cara" y se había herido tanto—, que nadie era capaz de creer que pudiera levantarse. Pero un día se encontró con Jesús, y fue perdonada y transformada. Su gratitud fue tan grande que, durante una fiesta, en medio de mucha gente, lavó los pies de Jesús con un perfume costoso, y los besó y secó con sus largos cabellos. Entonces, un fariseo la vio y pensó: " 'Si este fuera profeta, conocería quién y qué clase de mujer es la que lo toca, porque es pecadora' " (S. Lucas 7:39). Fíjate en lo que dijo el fariseo: "...es pecadora". Para los hombres, alguien que "fue" siempre continuará siendo, cargará el estigma de su pecado para siempre. Para Jesús, ella "había sido" una pecadora, no lo era más porque él estaba entre la mujer y su pasado; y él es lo que hace la diferencia entre el pasado y el presente, entre la vida y la muerte, entre el fracaso y la victoria.

Jesús no cuenta el pasado, por más improductivo que haya sido.

Para él, la historia de mi vida es apenas historia, por más que esté llena de episodios escabrosos. Lo que cuenta para él es mi presente y mi futuro, y él siempre ve un futuro glorioso y promisorio en cualquier persona.

A veces uno cae, se levanta, pide perdón, vuelve a caer y nuevamente pide perdón. Tú dices, avergonzado: "Señor, aquí estoy otra vez". Y Jesús te mira con amor y te pregunta: "¿Otra vez? ¿Por qué dices otra vez si es la primera vez que te veo aquí?" Sabes, cuando Jesús perdona, olvida. Él arroja tu pasado en lo profundo del mar y te muestra el azul límpido de un cielo sin límites, lleno de posibilidades futuras.

Al lado de la Justicia no hay lugar para la injusticia

No os unáis en yugo desigual con los incrédulos, porque ¿qué compañerismo tiene la justicia con la injusticia? ¿Y qué comunión la luz con las tinieblas? 2 Corintios 6:14.

Constantemente recibo cartas y converso con personas que dicen: "Pastor, estoy cansado de luchar. Creo que nunca lograré llegar". Son personas sinceras que un día aceptaron el cristianismo, pero que nunca sintieron la alegría de una vida victoriosa. "Cuanto más lucho –dicen–, parece que más defectos aparecen en mi vida". ¿Qué hacer para resolver esta situación? Es preciso entender un principio simple de la vida cristiana: Al lado de la justicia no hay lugar para actos pecaminosos. Nuestro gran problema está en que queremos vencer los defectos de carácter o los actos pecaminosos por nosotros mismos, separados de Jesús.

Si tuvieras un naranjo y no desearas naranjas, ¿qué harías? ¿Montarías guardia día y noche, con un cuchillo en la mano, para cortar todas las naranjas que aparezcan, o cortarías el naranjo?

El problema del ser humano no consiste en robar, mentir o matar, sino en estar separado de Jesús. El hombre no es un pecador porque mata, sino que mata porque es pecador. Nuestra gran preocupación debería ser arrancar el naranjo, porque desapareciendo el naranjo no habrá más naranjas.

El apóstol Pablo es claro al establecer el principio de que al lado de la justicia no hay lugar para la injusticia. Hay personas que se pasan toda la vida tratando de vencer los defectos de carácter por sí solas, mientras Jesús está esperando con los brazos abiertos a que corran a él y vivan una vida permanente de comunión y victoria. Cuando vinimos a este mundo, vinimos con una naturaleza pecaminosa, es decir, separados de Dios, y mientras llevemos esta naturaleza dentro de nosotros, siempre nos gustará vivir lejos de Jesús.

Posiblemente, al conocer el cristianismo, también hayamos conocido principios morales, pero el cristianismo, para ser auténtico, tiene que ser más que una colección de principios morales. Tiene que estar basado en principios espirituales. Los principios morales actúan de afuera hacia adentro y, por lo general, afectan al aspecto exterior. Los principios espirituales, por otra parte, actúan de adentro hacia afuera. Lejos de Jesús sólo podemos conseguir, en la mejor de las hipótesis, moralismo, pero el moralismo no es cristianismo. Con un poco de dominio propio y principios morales podemos pasar toda la vida sin ir a un motel, pero no podemos sacarnos el motel de la cabeza. Pero si vamos a Jesús y él crea dentro de nosotros principios espirituales, los pensamientos impuros desaparecerán y, como resultado, no iremos al motel. La diferencia es muy grande.

Necesitamos ir a Jesús cada día. Necesitamos aprender a convivir con él a través de un período diario de oración y estudio de su Palabra, y, después, a lo largo del día, necesitamos mantener un cántico en el corazón y aprovechar todas las oportunidades para hablar de su amor a otras personas.

Habla, Señor

Vino Jehová, se paró y llamó como las otras veces: "¡Samuel, Samuel!" Entonces Samuel dijo: "Habla, que tu siervo escucha". 1 Samuel 3:10.

Samuel vivió en una época en que "escaseaba la palabra de Jehová" (vers. 1).

Eso no significa que Dios no quisiera comunicarse con el ser humano. Dios siempre trató de hablarle al hombre, de muchas maneras. Sucede que en aquellos días la gente no oía más la voz de Dios. La Biblia dice que "Elí era muy viejo, pero cuando supo lo que sus hijos hacían con todo Israel y cómo dormían con las mujeres que velaban a la puerta del Tabernáculo de reunión, les dijo: '¿Por qué hacéis cosas semejantes? Oigo hablar a todo este pueblo de vuestro mal proceder. No, hijos míos, porque no es buena fama la que yo oigo, pues hacéis pecar al pueblo de Jehová...' Pero ellos no oyeron la voz de su padre" (cap. 2:22-25).

Fue en esas circunstancias que Dios se presentó a Samuel, un joven que había aprendido desde pequeño a ser sensible a la voz de Dios. La historia es bien conocida. La respuesta de Samuel quedó registrada como una de las frases más dulces a los oídos de Dios: "Habla, que tu siervo escucha".

Hoy vivimos en días muy parecidos a los de Samuel. La gente está confundida por millares de voces. El existencialismo, el racionalismo, y una sucesión interminable de "ismos", presentan cada uno una teoría más moderna e interesante que el otro. Muy poca gente está dispuesta a decir: "Habla, Señor, que tu siervo oye". La mayoría está más dispuesta a oír otras voces antes que la voz de Dios.

¿Oíste a alguien decir: "No es esto lo que quiero para mí"? ¿Escuchaste alguna vez a alguien argumentar, diciendo que nadie tiene el derecho a decirle lo que es o no es moral?

Los amigos de Jesús, los que salieron de la rutina de ser simplemente buenos miembros de iglesia y entraron en una vida de compañerismo permanente con Jesús, esa maravillosa dimensión del cristianismo, son sensibles a su voz. Andan por las calles, estudian en las universidades, compran, venden, manejan vehículos en las carreteras, participan de la vida cotidiana de un país que crece cada día, pero a cada minuto están listos para decir: "Habla, Señor, que tu siervo escucha".

Hoy es un nuevo día para ti. ¿Estás por salir? ¿Están preparados el portafolio, la mochila, el auto? ¿No te olvidas de lo que realmente importa? ¿Qué tal decir: "Señor Jesús, ¿estás listo para salir conmigo?"? Deseo que tengas un día maravilloso, y que a lo largo de él no olvides que Jesús está a tu lado. Siempre sé sensible a su voz.

¿Que no estás por salir de casa? ¿Que estás en la cama, enfermo? Mira a Jesús y dile: "Habla Señor, a través de esta situación, que tu siervo escucha".

Sólo podemos ser justos en él

Al que no conoció pecado, por nosotros lo hizo pecado, para que nosotros seamos justicia de Dios en él. **2 Corintios 5:21.**

¿Cómo llega a ser justo un hombre? Depende. Si creo que la justicia es solamente algo moral, trataré de ser un hombre justo observando un comportamiento moral correcto. Pero si mi concepto de la justicia es personal, entonces trataré de vivir una experiencia de comunión personal con la Persona-Justicia.

El texto de esta mañana nos dice: "...para que nosotros seamos justicia de Dios en él". La única manera de ser justo es correr a los brazos de Jesús y vivir una vida permanente de comunión con él.

Guillermo abandonó la casa paterna cuando tenía sólo 12 años. Salió por el mundo "para realizarse". Se sentía oprimido, casi asfixiado, por los consejos paternos. No quería fronteras para su vida, ni límites, ni reglas, ni horarios para entrar o salir de casa. Huyó en busca de "libertad", para "conocer todo lo que la vida ofrece". Al principio, todo era fantástico y maravilloso. Nuevos amigos, nuevas sensaciones. Pero, sin darse cuenta, fue sumergiéndose peligrosamente en las aguas turbulentas de los vicios: cigarrillos, bebidas y drogas. Hasta que un día la cuerda se rompió; fue herido de bala por la policía y terminó en la cárcel. Sólo en una celda fría, en Recife, vio pasar el tiempo y consiguió reflexionar acerca de su insensatez. Hacía años que no sabía nada de sus padres y hermanos. ¿Por qué había huido de la casa? ¿Había valido la pena la aventura de recorrer caminos tortuosos? Tuberculoso, con la salud quebrantada y con sus sueños hecho pedazos, se preguntó si habría alguna salida. ¿Pedirle ayuda a los padres? ¿Para qué? Tenía vergüenza de que descubrieran su lamentable estado. Viéndose cercado y sin escape, se preparó para ir consumiéndose poco a poco en la prisión.

Cierto día, un grupo de estudiantes de Teología inició un trabajo de evangelización en esa cárcel. En dichas circunstancias, Virgilio, uno de los jóvenes que se había convertido hacía pocos años, encontró detrás de las rejas a su hermano Guillermo; hermano que ahora estaba delgado, enfermo, envejecido y maltratado por las circunstancias. Ambos se abrazaron, y Virgilio apeló en nombre de Jesús a que Guillermo abriese el corazón al Salvador.

—No puedo —dijo Guillermo—; ya es muy tarde para mí. Arruiné mi vida, soy la vergüenza de la familia.

—No es verdad —respondió el hermano mayor–. Jesús te ama, y si crees en él, él entrará en tu vida y perdonará tu pasado y te hará un hombre justo.

Guillermo fue a Jesús; cayó de rodillas en la celda. Comenzó a vivir una vida de comunión permanente con la Persona-Justicia, y hoy es un joven pastor en el norte del Brasil.

Tú también puedes ir esta mañana a Jesús y dejar que revolucione toda tu vida. Vive con él a lo largo del día.

Corazón rebelde

Engañoso es el corazón más que todas las cosas, y perverso; ¿quién lo conocerá? **Jeremías 17:9.**

Todo el Brasil se enteró de la noticia: "Éverton Rômulo Madeira, de 12 años, saltó en estado de sonambulismo del quinto piso del edificio donde vive".

Pero lo que más me impresionó fue la respuesta del padre. Cuando un periodista le preguntó qué haría ahora que sabía que su hijo era sonámbulo, con total naturalidad dijo:

—Voy a colocar rejas en todas las ventanas, para que no salte otra vez.

¿Y qué sucedería si, por acaso, el muchacho tuviera que dormir en un cuarto sin rejas?

A veces confundimos las cosas. Prestamos atención a detalles externos y olvidamos los problemas fundamentales. Los cristianos no estamos libres de ese peligro. Corremos el riesgo de pensar que lo realmente valioso es qué hacemos o dejamos de hacer, cuando lo fundamental es qué somos. Nuestros actos son el resultado natural de lo que somos. El problema del muchacho que salió en los titulares de los diarios no es que salte ventanas. Su problema es el sonambulismo. De la misma manera, el problema del ser humano no es hacer cosas malas; es ser malo. Nacemos en pecado, separados de Dios, y nos gusta vivir así. Llevamos dentro de nosotros una naturaleza que nos lleva a hacer cosas malas. Llámese a eso tendencia, inclinación, propensión, o lo que sea. El hecho es que eso está ahí, presente, y que es una naturaleza que no le gusta vivir con Dios.

Esa naturaleza nos lleva lejos de él. Y el resultado de vivir separados de Dios es que terminamos haciendo cosas malas.

El propósito del cristianismo es llevar a las personas de vuelta a Dios. Llevarlas a confiar en él, que es el único capaz de crear dentro de nosotros una nueva naturaleza. Pero a veces los cristianos están más preocupados en corregir los actos equivocados, en poner "rejas en todas las ventanas". ¿Y qué hay con eso? Si no podemos saltar por la ventana, ¿no seríamos capaces de abrir el gas de la cocina y morir envenenados en la inconsciencia del sonambulismo?

Si para ser cristianos bastase sólo con no hacer cosas erradas, sería suficiente con colocar al individuo en una celda solitaria y haríamos de él un cristiano de "10 puntos". Pero el cristianismo no sólo tiene que ver con los límites de la conducta exterior, sino que trasciende dichos límites. Va a las raíces. Cura allí adentro. Cambia el corazón, transforma la naturaleza, reproduce en la persona la mente de Cristo. Y el resultado de toda esa maravilla, llamada conversión, es una vida llena de actos buenos, y de cada vez menos actos malos.

¿Soy cristiano? Cristo, ¿sólo da forma o también da esencia? Medita en eso a lo largo de esta jornada.

Justicia hueca

Por tanto, os digo que si vuestra justicia no fuera mayor que la de los escribas y fariseos, no entraréis en el reino de los cielos. **S. Mateo 5:20.**

Sólo existen dos maneras de llegar a ser justos. La primera es yendo a Jesús, la Persona-Justicia, y viviendo con él una vida de permanente comunión. La segunda es tratando solitos de corregir todos los defectos de carácter y adquirir las virtudes descritas en la Palabra de Dios.

La justicia de los fariseos y los escribas era de este segundo tipo. Estaban preocupados sólo con lo que se veía, con el aspecto exterior, con el comportamiento moral. No buscaban la autenticidad de los frutos. Estaban preocupados únicamente por producir frutos.

El joven rico es un triste ejemplo de esto. Cualquiera que observara la vida del joven rico, llegaría a la conclusión de que con él todo estaba bien. Ninguna junta de iglesia tendría que llamarle la atención y disciplinarlo. Moralmente, vivía una vida correcta, pero espiritualmente estaba perdido. Se sentía vacío, hueco, infeliz.

Dios se complace en ver que sus hijos sean victoriosos. Vino a este mundo, en la persona de su Hijo Jesús, no para simplemente librarnos de la culpa del pecado, sino también para libertarnos del poder que el pecado ejerce sobre nosotros. Él no quiere ver hijos sólo justificados, sino también santificados. Quiere hijos obedientes y llenos de frutos de justicia. Pero para eso tiene un método exclusivo: la vida de comunión que el ser humano tiene que vivir de manera ininterrumpida con la fuente de la verdadera justicia, que es Jesús.

Los fariseos no entendieron eso. Pensaban que lo único que importaba era portarse bien y a su modo. Con un poco de moralismo y dominio propio conseguían aparentar, pero Jesús les dijo: "Vuestra justicia es como trapos de inmundicia" (ver Isaías 64:6). ¿Por qué? Sencillamente, porque todo lo que el hombre consigue únicamente por su esfuerzo es cáscara, hueco.

Esta mañana Jesús nos mira y nos dice: "Hijos, si vuestra justicia no fuere diferente que la justicia de los fariseos y los escribas, entonces tendréis el mismo fin".

Jesús estaba con los brazos abiertos, esperando que los judíos fuesen a él y viviesen con él una vida de comunión permanente, y que, como resultado de esa experiencia, fuesen hombres llenos de frutos de justicia. Muchos judíos no lo recibieron, sino que lo condenaron y crucificaron, y trataron solos de producir su propia justicia. Tú conoces el fin de la historia.

Ahora el problema es tuyo. ¿Correrás a los brazos de Jesús y comenzarás el día tomado de su mano? ¿O tratarás de portarte bien solo, por ti mismo? ¿De qué tipo es tu justicia? No salgas a la lucha diaria sin Cristo. Deja que él viva en ti su vida victoriosa.

Cristianismo de fachada

Efraín se ha mezclado con los demás pueblos; Efraín es como torta no voltea-da. **Oseas 7:8.**

¿Puede haber mayor decepción que una torta bonita por fuera y cruda por dentro? Dios observaba con tristeza a su pueblo y veía que era un pueblo preocupado solamente por cuidar las apariencias. No tenían vida interior. No vivían conectados a la única fuente de poder que es Dios, sino que eran hombres y mujeres desesperadamente preocupados sólo por mostrar buenas obras, una conducta correcta que exteriormente despertase elogiosos comentarios.

Años después, Jesús vino a este mundo y los hombres de su tiempo tenían el mismo problema. Esta vez Jesús no los llamó "torta no volteada". Fue más duro, los llamó "sepulcros blanqueados" (S. Mateo 23:27) ¿Qué es un sepulcro blanqueado? Ve al cementerio y observa esos túmulos trabajados artística-mente en mármol blanco. Quedarás maravillado con las fachadas hermosas de los panteones, llenas de flores y de detalles atractivos. Pero lo que no puedes ver es la realidad interior de esos túmulos. Es un espectáculo repugnante, há-bilmente disfrazado por la blanca fachada del mármol.

El ser humano, nacido separado de Dios, es especialista en disfrazar. Vini-mos al mundo cargando la naturaleza pecaminosa. Esa naturaleza es egoísta, y lo que más le gusta es aparentar. Cuando somos niños no disfrazamos el egoísmo humano. Somos, en cierta manera, auténticos. Si vemos a alguien que no nos simpatiza, lo decimos enseguida, sin rodeos. Si alguien que no nos gusta nos ofrece un caramelo, lo rechazamos sin demora. Si en una rueda de amigos queda el último pedazo de una torta, somos los primeros en querer tomarlo. Pero, a medida que vamos creciendo, aprendemos a esconder nuestros verdaderos senti-mientos y a disfrazar nuestras reacciones. En una rueda de amigos puede quedar el último pedazo de una torta y nosotros, aún deseándolo, decimos No. Incluso sonreímos cuando algo nos desagrada. Decimos "Mucho gusto", aunque en el fondo del corazón deseemos no ver nunca más a esa persona.

Todo eso se transfiere, de alguna manera, a la vida espiritual. Casi in-conscientemente nos habituamos a hacer del cristianismo un asunto de facha-da. En el último mensaje que Dios dio a su iglesia, registrado en la carta a Laodicea, encontramos la misma preocupación de Jesús. "Sois tibios", dice él. La tibieza es el resultado del frío y del calor. De alguna manera, la iglesia de los últimos días es una iglesia de dos lados, como Efraín, que tenía un lado cocido y un lado crudo; como los judíos del tiempo de Cristo, que tenían un lado bonito y otro feo. La iglesia de Laodicea tiene un lado caliente y el otro frío. El resultado es la tibieza. Pero Jesús presenta el único remedio: "Que te vistas de vestiduras blancas" (ver Apocalipsis 3:15-18).

Un día, en el Edén, fue sacrificado un cordero y con su piel se resolvió el problema de la desnudez humana. Siglos después, en el Calvario, el Cordero de Dios fue crucificado y con su sacrificio se resolvió el problema de la tibieza. En él, el cristianismo deja de ser una fachada para transformarse en auténtico.

Las buenas obras que llevan a la perdición

Muchos me dirán en aquel día: "Señor, Señor, ¿no profetizamos en tu nombre, y en tu nombre echamos fuera demonios, y en tu nombre hicimos muchos milagros?" Entonces les declararé: "Nunca os conocí. ¡Apartaos de mí, hacedores de maldad!" S. Mateo 7:22, 23.

¿Pensaste alguna vez por qué los hombres mencionados en este texto se pierden en el día del ajuste de cuentas? No se pierden porque robaron, mataron o cometieron adulterio; no se pierden por haberse portado mal. Por el contrario, la vida de esos hombres estuvo llena de buenas obras hasta el punto de "expulsar demonios", "profetizar" y "hacer milagros". ¿Te imaginaste alguna vez a alguien perdiéndose luego de hacer cosas tan buenas como ésas? ¿Quiere decir que cuando Jesús vuelva habrá gente que se perderá a pesar de haber hecho cosas semejantes, cumpliendo todo al pie de la letra y sin haberse salido nunca de la línea?

Eso es justamente lo que quiere decirnos el texto de esta mañana. Nadie puede depositar la confianza de su salvación en un buen comportamiento, ni en sus obras "maravillosas" o "prodigiosas".

La respuesta que Jesús dio a esos hombres, "Nunca os conocí", debería hacernos pensar. "Nunca vivieron una vida de comunión conmigo. Estaban en la iglesia, tenían cargos en ella, participaban en sus actividades, pero no pasaban tiempo conmigo en la meditación, la oración y el estudio de mi Palabra. Cuántas veces los vi con el corazón lleno de tristeza corriendo de un lado para el otro, siempre ocupados, siempre atareados con trabajos que tenían que ver con mi obra, pero sin vivir para la obra ni para mí. A veces abrían la Biblia sólo para apagar el grito de la conciencia, y luego salían como locos hacia las actividades del día. A la noche, siempre llegaban cansados y no tenían más tiempo, ni energía para quedar conmigo. Nosotros nunca convivimos. Nunca tuvimos tiempo para conocernos. Son extraños para mí".

—Pero Señor, ¿nuestras obras no cuentan? Mira nuestra vida, no sólo guardamos todos los mandamientos, sino que "profetizamos", "expulsamos demonios", "hicimos milagros"... Eso, ¿no cuenta?

—Contaría, hijos, si todo eso fuese el resultado de una vida de comunión conmigo. ¡Ah!, cómo esperaba que vuestra vida fuese una vida llena de frutos, pero frutos auténticos, frutos del Espíritu y no esos frutos resultantes tan sólo del esfuerzo humano. No, hijos, esos frutos que presentan son para mí como trapos de inmundicia. Ustedes son "hacedores de maldad".

"Nunca os conocí" ¿Y qué en cuanto a ti? ¿Estás separando el tiempo necesario para conocer a Jesús? ¿Estás dispuesto a salir esta mañana llevando a Jesús contigo, manteniéndote unido a él a través de la oración silenciosa y simplemente conservando un himno en el corazón?

Tú nunca estás solo .

Guárdame, Dios, porque en ti he confiado. **Salmos 16:1.**

Cuando cierta vez iba de Madrid a París, en el tren expreso Puerta del Sol, conocí una historia de soledad. Mi compañero accidental de viaje era un español de ojos tristes y arrugas en el rostro. Viajaba con la mirada perdida a través de la ventanilla.

—¿Va a París? —le pregunté.

Me dijo que no, que se dirigía a Burgos, su tierra natal. Entonces me habló de la tragedia de vivir en una ciudad grande como Madrid.

—Vine a Madrid con mi familia en busca de trabajo. Y nada. Uno se siente solo, girando por las calles como un peón. Los perros, cuando se encuentran, por lo menos mueven la cola. Pero los seres humanos ni se saludan.

Hizo una pequeña pausa, y prosiguió:

—Una noche había llovido mucho y la barraca donde vivíamos estaba mojada por dentro. Mi hijo menor estaba con fiebre y no cesaba de llorar. Mi esposa yacía en el hospital. Llamé a los vecinos, pero ninguno tenía tiempo para ayudarme. Salí en busca de un médico, quien me dijo que el lugar era peligroso a esas horas, y que solamente iría si le pagaba el doble. Me daban ganas de morir. ¡Solo... solo en medio de tanta gente!

La experiencia de ese español es la misma que la de miles y miles de personas que andan por las calles de las grandes ciudades de cualquier país. Perdida en la multitud, cada persona es un ser solitario y desesperado. Con razón, muchos psicólogos dicen que la más terrible enfermedad de este fin de siglo es la soledad.

Las ciudades absorben al ser humano. Uno no hace más que correr, desde que el día nace hasta altas horas de la noche. Párate al atardecer, en una esquina, en el centro de cualquiera de nuestras ciudades, y verás que la gente corre locamente. Nos arrastran en medio de ese torbellino. Nadie conoce a nadie. Cada uno vive su historia, cada uno corre detrás de su sueño.

Si nos parásemos a pensar que existe un Ser que se preocupa por cada persona, que se interesa por nuestros sueños y que percibe cada sonrisa y cada lágrima, el mundo sería diferente. La soledad no existiría.

Trapos de inmundicia

Pues todos nosotros somos como cosa impura, todas nuestras justicias como trapo de inmundicia. Todos nosotros caímos como las hojas y nuestras maldades nos llevaron como el viento. Isaías 64:6.

El ser humano nace separado de Dios, y lo que más le gusta hacer es vivir lejos de él. Por tal motivo, la justicia que Dios espera de nosotros no puede ser mera justicia humana; tiene que ser algo más profundo. La simple mudanza exterior de hábitos, o el simple buen comportamiento que podemos conseguir con un poco de esfuerzo y dominio propio, no cuentan para Dios. Veamos lo que Elena G. de White, una reconocida autora cristiana, comenta al respecto:

"No es suficiente un mero cambio externo para ponernos en armonía con Dios. Hay muchos que tratan de reformarlo corrigiendo este o aquel mal hábito, y esperan llegar a ser cristianos de esta manera, pero ellos están comenzando en un lugar erróneo" (*Palabras de vida del gran Maestro*, pág. 69). "Muchos de los que se llaman cristianos son meros moralistas cristianos" (*Ibíd.*, pág. 256).

Ninguna reforma auténtica comienza con la comida, el cabello o la ropa. El mero cambio de hábitos no es cristianismo. "Están comenzando en un lugar erróneo". Eso no quiere decir que la comida, la ropa o el comportamiento no tengan nada que ver con la vida del cristiano. ¡Claro que tienen que ver! Pero ellos son el resultado y no la causa. Cualquier cosa que el hombre haga separado de Dios, está manchado por el orgullo y el egoísmo, que son la marca registrada del pecado. ¿Quieres verlo? Si alguien, que no tenga una verdadera experiencia con Jesús, cambiara los hábitos de su comportamiento para mejorar, eso lo llenaría de soberbia, lo hará sentirse más justo que los demás y, por más que lo niegue, sus actitudes revelarían el orgullo que siente por sus logros y su menosprecio por quienes no alcanzaron determinadas normas de buenos modales.

El versículo de hoy dice que todas "nuestras justicias [son] como trapo de inmundicia". Si una persona no vive una auténtica vida de comunión con Jesús, no tiene condiciones de vivir las verdaderas obras de la justicia de Dios, porque la mancha del pecado está en todo lo que realiza. Lo que le gusta es aparentar, que los demás lo vean. Se complace en la forma de las cosas y juzga y condena implacablemente a quienes no consiguen mostrar "actos de justicia". Eso, para Dios, es como trapo de inmundicia.

Que hoy nuestra oración sea: "Señor, tú eres mi justicia; sin ti no soy nada. Quiero vivir cerca de ti, andar contigo a lo largo de este día; sentir tu presencia permanente, mostrándome el camino y produciendo en mis actos los verdaderos frutos de tu justicia".

El nombre de otro

"Yo soy Esaú, tu primogénito", respondió Jacob. "He hecho como me dijiste. Levántate ahora, siéntate y come de mi caza, para que me bendigas". **Génesis 27:19.**

Jacob quería la primogenitura porque ella significaba una bendición especial. ¿Hay algo de malo en querer recibir una bendición divina? ¿No es la salvación la mayor bendición de Dios, y no queremos todos alcanzar la salvación? El problema de Jacob era que no entendía cuál era el camino correcto para recibir esa bendición. "He hecho como me dijiste", dijo a su padre, "levántate... y come de mi caza, para que me bendigas". Jacob pensaba que Dios daba la bendición por merecimientos humanos. ¿Habrá alguien hoy que piense que la salvación es el premio por "haber hecho como me dijiste"?

El padre le preguntó: "¿Quién eres tú, hijo mío?" Y Jacob tuvo vergüenza de decir: "Soy Jacob". Jacob significaba "ladrón, engañador, mentiroso". Era muy duro reconocer todo eso. Era más fácil esconderse detrás del nombre de otro. "Yo soy Esaú", dijo. Y en ese momento vestía las ropas de su hermano y exhalaba el olor del hermano (vers. 18, 19). ¿Por qué somos siempre así? De un lado somos Esaú, del otro somos Jacob. Por fuera, generalmente, está todo bien, pero por dentro no pasamos de pobres Jacobs, presentando nuestras buenas obras para alcanzar la salvación.

La historia bíblica nos dice que Jacob fue a una tierra distante, donde permaneció veinte años, tratando de alcanzar la bendición. Fue engañado, pero a pesar de todo progresó financieramente. ¿Progreso financiero significa progreso espiritual? Jacob continuaba vacío, procurando la bendición anhelada que nunca alcanzó.

Esa noche, a orillas del río, quedó solo y lloró implorando la bendición. Allí se le apareció Jesús y le hizo la pregunta que le había hecho veinte años antes: "¿Cómo te llamas? ¿Quién eres?" Esta vez Jacob no trató de gambetear, ni huir como siempre lo había hecho. Cayó a los pies de Jesús, y dijo: "Yo soy Jacob". Soy un ladrón, engañador y mentiroso. Pero Jesús colocó el dedo en la boca del arrepentido Jacob, y dijo: "Hijo mío, ya no eres Jacob, tú eres Israel, príncipe de Dios" (ver el cap. 32:22-30).

Dios espera eso mismo de ti y de mí: "Hijo, deja de huir, deja de escaparte, reconoce lo que eres. Entonces, haré por ti lo que tú no tienes fuerzas para hacer por ti mismo".

Cristianismo de cerca

Llegaron a Mara, pero no pudieron beber las aguas de Mara, porque eran amargas; por eso le pusieron el nombre de Mara. **Éxodo 15:23.**

El pueblo de Israel hacía tres días que andaba por el desierto sin encontrar agua. Al tercer día, cuando estaban llegando al límite de la resistencia, vieron a lo lejos la silueta de enormes palmeras, y donde hay palmeras generalmente existe agua. ¡Estaban salvados!

Llegaron al oasis con las últimas energías que les quedaban. Allí había una hermosa fuente de agua. Aparentemente todo estaba bien, pero la decepción del pueblo fue grande al comprobar que esas aguas no servían para beber. Eran amargas.

En otra ocasión Jesús y sus discípulos se acercaban a Jerusalén. No estaban con sed sino con hambre, y de repente vieron a los lejos la silueta de una enorme higuera, llena de hojas. Y cuando una higuera tiene ese aspecto es, generalmente, porque está cargada de higos. El Maestro y los discípulos corrieron, pero al llegar cerca quedaron decepcionados porque la higuera no tenía higos, sólo tenía hojas.

¿Percibes en estas dos experiencias cómo es decepcionante esperar algo de alguien y ver que no es como pensábamos?

La historia de la higuera dice que Jesús la maldijo y al día siguiente estaba completamente seca. ¿Te preguntaste alguna vez por qué Jesús la maldijo? No fue, como muchos piensan, porque no tenía frutos, sino porque aparentaba tenerlos.

El cristiano que no tiene frutos en su vida, pero por lo menos siente la necesidad de tenerlos, ya posee un motivo para buscar a Jesús. Pero la persona que aparenta tener frutos fabrica sus propios frutos, y vive contento pensando que sus frutos humanos dejan feliz a Jesús, sin saber que la justicia humana es como trapo de inmundicia.

Para que puedas ver si los frutos de una persona son auténticos o falsos, necesitas convivir con ella. De lejos todos los frutos parecen iguales. De lejos, donde hay palmeras hay agua, donde hay hojas hay frutos. Se necesita estar cerca para ver.

Me pregunto esta mañana: "¿Pueden mi esposa y mis hijos ver los frutos de mi vida? ¿O soy pastor solamente en el púlpito; soy cristiano sólo en la iglesia, mientras trato a mi familia sin amor. Y comprensión?"

Los frutos auténticos sólo pueden aparecer en la vida cuando el árbol tiene las raíces bebiendo de la fuente. Y la fuente es Jesús.

16 de enero

Oyendo la voz de Dios

Pero Pedro y Juan respondieron diciéndoles: "Juzgad si es justo delante de Dios obedecer a vosotros antes que a Dios". Hechos 4:19.

Pedro y Juan tienen dos historias parecidas. Un día llegaron a Jesús con su temperamento orgulloso e impetuoso, que les creaba constantes problemas. ¡Ay de los que se cruzaban en su camino! Un día Juan pidió que cayese fuego del cielo y acabase con los samaritanos. Pedro desenvainó la espada y le cortó la oreja a Malco. Pedro estaba siempre levantando la mano para ser el primero. Juan le pidió a su madre que intercediese ante el Maestro para garantizarle un lugar especial en el futuro reino de Cristo.

Pedro era el hombre rudo, grosero y lleno de improperios; Juan, el hijo del trueno. Ambos eran pobres esclavos de un temperamento egoísta y prepotente, que alegaban siempre que todo lo hacían en nombre de la justicia.

¿Acaso Juan no había pedido permiso para hacer descender fuego del cielo sobre una aldea de samaritanos que no quisieron recibirlos? ¿Acaso Pedro no había sacado la espada para defender a su Maestro? ¿No era justicia lo que ambos defendían?

Cuántas veces, en nombre de Jesús, herimos a las personas, destrozamos corazones, arrancamos lágrimas de inocentes. Sentimos la voz de Dios, diciendo: "Hijo, no, así no", o "Hijo, es de esta otra manera...", pero no le hacemos caso. La voz interior de nuestros gustos y conveniencias personales es mayor.

Necesitamos permanecer a los pies de Jesús, convivir con él y aprender de él como lo hicieron Pedro y Juan. En esa relación de amor con Jesús, necesitamos aprender a ser sensibles a su voz, sin importar lo que nuestra naturaleza reclame, lo que nuestros preconceptos pidan o lo que nuestra conveniencia diga. No importa si por eso vienen el peligro o las pruebas. En la escuela de Cristo aprendemos a amarlo y a preguntarnos: "¿Es justo delante de Dios obedecer a vosotros antes que a Dios?"

Que Dios te bendiga en este día. Sal a la calle siempre listo para preguntarte a ti mismo: "¿Estoy escuchando la voz de Dios?" Hay muchas voces que te llamarán: en el ómnibus, en el trabajo, en la escuela e, incluso, en casa. Muchas voces tratarán de desviar tus ojos de Dios.

La voz egoísta de la naturaleza pecaminosa, que todavía llevamos con nosotros, tratará de conducirte por caminos extraños y peligrosos. En ese momento, pregúntate como Pedro y Juan: "¿Es justo delante de Dios obedecer a vosotros antes que a Dios?"

Yo sé que él me ama. Yo también lo amo. Por tanto, ¿es justo esto que estoy haciendo?

17 de enero
El mayor argumento en favor del cristianismo

Al contrario, santificad a Dios el Señor en vuestros corazones, y estad siempre preparados para presentar defensa con mansedumbre y reverencia ante todo el que os demande razón de la esperanza que hay en vosotros. **1 S. Pedro 3:15.**

Un viejo pastor contaba la historia del anciano que nervioso, casi echando fuego por los ojos, advertía a un miembro de iglesia: "¿Usted no sabe que tomar café es pecado?" Y el feligrés, con la simplicidad de las almas nobles, le respondía: "¡Calma, hermano, porque yo bebo café pero usted se pone nervioso!"

Si percibiste el espíritu de la historia, verás cuánta razón tenía el apóstol Pablo cuando nos aconsejó que debemos estar siempre preparados para defender nuestros principios, dar razón de lo que creemos y presentar de manera clara las enseñanzas de Dios, pero haciéndolo todo con mansedumbre y reverencia.

¿Cuánto poder tiene el mensaje de que el café altera los nervios, cuando dicho mensaje viene de los labios de un hombre incapaz de controlar su temperamento irascible?

El mayor argumento en favor del cristianismo no son ni los conceptos ni las enseñanzas cristianas, sino la vida transformada de una persona. Naturalmente, necesitamos conocer la doctrina, y debemos estar preparados para dar razón de la esperanza que hay en nosotros. Pero todo eso es hueco si no está apoyado por una vida serena y por una actitud de amor.

En los primeros años de mi ministerio Dios me usó, en una villa miseria de la capital peruana, para ayudar a libertar a una mujer de la bebida y de la promiscuidad en que vivía. Dios transformó la vida de esa pobre mujer, la liberó del vicio, arrancó de su vida el pasado de tristeza y miseria, le devolvió el marido y los hijos y la hizo completamente nueva en Cristo.

Algunos años más tarde supe que había llevado a los pies de Jesús a más de treinta personas. Quedé intrigado y me pregunté cómo era que una mujer simple, que apenas sabía leer y escribir, podía llevar en un año a más de treinta personas a Jesús.

Le pregunté: "¿Cómo hizo? Quiero saber su secreto". Y ella, con la mirada mansa y la sencillez de su corazón, me respondió: "No lo sé, pastor, yo sólo les cuento lo que era, cómo vivía, cómo había perdido a mi familia por causa del vicio, y cómo Cristo me encontró, me transformó y me devolvió la familia. Las personas se quedan mirándome, y después van a Jesús".

Que Dios te ayude en este día, al andar y trabajar, al estudiar y vivir, a ser el mayor argumento en favor del poder transformador de Jesús.

Jesús es quien da valor a las personas

La gloria de esta segunda Casa será mayor que la de la primera, ha dicho Jehová de los ejércitos; y daré paz en este lugar, dice Jehová de los ejércitos. **Hageo 2:9.**

La inauguración del templo de Salomón fue coronada por la gloria de Dios, que llenó toda la casa, y por el fuego que consumió el holocausto del sacrificio. La Sra. Elena de White dice que cuando, siglos después, se inauguró el segundo templo, "no se vio que una nube de gloria llenase el santuario recién erigido. Ningún fuego descendió del cielo para consumir el sacrificio sobre su altar" (*Profetas y reyes*, pág. 439).

¿En qué sentido entonces, según el profeta Hageo, la gloria de la última casa sería mayor que la de la primera? El mismo profeta nos da la respuesta: "Daré paz en este lugar, dice Jehová de los ejércitos". Siglos más tarde vendría alguien que les diría a los hombres: "La paz os dejo, mi paz os doy" (S. Juan 14:27).

La gloria del segundo templo no dependería del brillo de sus luces, ni de la riqueza de su construcción. Todo eso es pasajero; no es más que gloria terrena y efímera que pasa. Cristo sería la diferencia. Él, personalmente, llenaría de gloria ese templo, y lo que está queriendo decirnos esta mañana es que no importa cuán sencilla y humilde pueda ser una persona, no importa cuán rechazado y menospreciado pueda sentirse alguien, Jesús puede llenar de gloria la casa por la presencia de su Espíritu Santo.

Nosotros, los seres humanos, generalmente damos mucha importancia a las cosas que se ven. Medimos el éxito o el fracaso por números y estadísticas. Juzgamos la gloria por el brillo. Pero con Dios las cosas son diferentes. Él juzga a las personas por la comunión que mantienen con la fuente de toda verdadera gloria: Jesús. No le importan la apariencia ni el grado de instrucción, ni la raza o la posición social.

¿Tienes la seguridad de que Jesús habita en tu corazón por medio de la persona de su Espíritu Santo? ¿Santifica él tu vida y "llena de gloria el templo"? Su presencia transforma una simple construcción de ladrillos o cemento en el santo templo de Dios. Su presencia puede también transformar un simple cuerpo humano en el santo templo del Espíritu Santo.

Ve hoy por la vida con un sentimiento de gratitud a Dios porque su presencia y compañía hacen de ti una persona especial. Enfrenta las luchas de este día sabiendo que, bajo el control del Espíritu de Dios, puedes ser invencible, y que la gloria divina será vista por los hombres en la sencillez de tu mirada y en la pureza de tus palabras.

Bienvenido a la familia de Dios

Porque tú, Dios, has oído mis votos; me has dado la heredad de los que temen tu nombre. **Salmos 61:5.**

Más de 15.000 personas llenaban el gimnasio deportivo "Gigantinhio", de Porto Alegre. Antes de comenzar la reunión se me acercó un joven de ojos verdes y saco de color gris.

—¿Se acuerda de mí? —me preguntó.

Respondí que no.

—Y era imposible que se acordara. Hace cinco años, cuando usted estuvo aquí la última vez, yo era un mendigo, vestido con ropa sucia, oliendo mal y durmiendo como cualquier animal, en la calle. Esa vez entré en este lugar porque los portones estaban abiertos y porque afuera hacía frío.

—Esquivé a los guardas —continuó diciéndome— y conseguí llegar hasta Sonete [la joven que cantaba]. Ella me dio la mano, no sintió asco de mí, me prestó atención; miró mi rostro y no mis ropas. Eso tocó profundamente mi corazón. Significaba que en este mundo existía gente que podía aceptarme tal como yo era. Sentí que Dios me extendía la mano y comencé a creer que podría salir de esa situación. Era un pobre adicto a las drogas, un alcohólico inveterado, había perdido a la familia, a los amigos y tirado mi futuro a la basura. Pero Jesús me encontró y me rescató. Míreme, ahora soy totalmente diferente. Las cosas cambiaron por completo.

Después, Mauro Luiz me habló de sus luchas, de cómo testifica del amor de Jesús en el circo donde trabaja como payaso. Esa noche tuve la alegría de presentarlo a las miles de personas que llenaban el "Gigantinhio", como uno de los testimonios vivos del poder transformador de Dios.

Esa es la maravilla del evangelio. Dios busca al hombre, lo acepta como es, con sus traumas, complejos y deformaciones de carácter. Lo recibe con su pasado tormentoso, pero lo ve como sabe que un día llegará a ser por su poder transformador. Nadie en este mundo necesita vivir angustiado pensando que para él no existe solución. Hubo solución para miles de vidas que en un momento de desesperación corrieron a refugiarse en los brazos de Jesús. En su amor, él te toma como una piedra tosca y va trabajando hasta transformarte en un diamante capaz de reflejar la gloria divina.

Haz hoy, de ese maravilloso Jesús, tu compañero en todas las actividades que tengas delante de ti.

El precio del pecado

Purifícame con hisopo y seré limpio; lávame y seré más blanco que la nieve.
Salmos 51: 7.

Al principio se sintió asustada por la presión que el rey ejercía con sus miradas y declaraciones de doble sentido. No aceptaba siquiera la idea de serle infiel a su marido. Pero necesitaba ser gentil con el rey. Al fin de cuentas, su esposo era uno de los principales comandantes del ejército de David.

Con el correr del tiempo ya no le pareció tan detestable la presión. Se sentía lisonjeada por despertar esos sentimientos en el rey. Después comenzó a gustar de la situación y, finalmente, adulteró.

Cuando se dio cuenta de la realidad de su pecado, trató de justificarse a sí misma. Inconscientemente cargó toda la culpa en el rey. "¿Qué podía hacer", pensaba, "si él tiene todo el poder? Sólo fui una víctima; tenía que ceder, el empleo de mi marido estaba en juego". Fuera como fuese, el corazón dolía. Mucho más todavía cuando empezó a ver las consecuencias de su pecado: su esposo fue asesinado en el cumplimiento del deber, y quedó embarazada del rey y el bebé nació enfermo. Cada vez que contemplaba el sufrimiento de su hijo, la conciencia le gritaba: "Tú tienes la culpa; eres tú quien debería estar sufriendo, eres tú quien debería haber muerto".

Un día dejó de justificar su error. Cayó de rodillas en la soledad de la noche y reconoció como David: "Soy la única culpable; no fui víctima, acepté voluntariamente. Todo lo demás es pretexto". Ahí comenzó a renacer. Se levantó de las cenizas. Se sintió perdonada. La conciencia dejó de atormentarla y fue la feliz madre de Salomón, el rey sucesor.

Betsabé es el típico caso de las personas "presionadas-acosadas" por el jefe. De las que tienen que hacer concesiones para conservar el empleo o la posición, o para subir en la carrera de la vida. Pero la historia de esa mujer nos confirma el concepto bíblico de que para tener paz en el corazón, no necesitamos dar explicaciones ni autojustificarnos. Lo que necesitamos es confesar para ser perdonados.

Es una lástima que a veces, en la vida, es preciso pasar noches y noches de insomnio; desfilar por los consultorios de los psicoanalistas y tomar muchos comprimidos para entender que no existe paz sin perdón, ni felicidad plena sin un arreglo de cuentas con Dios y con la propia conciencia.

No más traumas

Rut respondió: "No me ruegues que te deje y me aparte de ti, porque a donde-
quiera que tú vayas, iré yo, y dondequiera que vivas, viviré. Tu pueblo será
mi pueblo y tu Dios, mi Dios". Rut 1:16.

Rut, la moabita, aparece en el registro bíblico como parte del árbol genealógico de Jesús. En la vida de Rut no encontramos nada errado. Pero su
origen era vergonzoso: era descendiente de la familia de Moab. ¿Quién fue
Moab? Viajemos por un momento a Sodoma y Gomorra. Estas ciudades impenitentes serán destruidas y, según el consejo divino, Lot, su esposa y sus dos
hijas deben huir a los montes. La Biblia dice que, en el camino, la esposa de
Lot se vuelve para mirar la ciudad y queda transformada en estatua de sal. Lot
y las hijas se esconden en una cueva. Mientras el fuego de Dios pasa sobre Sodoma y Gomorra, acontece uno de los capítulos vergonzosos de la humanidad. Las hijas de Lot, pensando que todos los hombres del mundo han muerto
y que no tendrán descendencia, embriagan al padre y cometen incesto con él.
El fruto de esa relación ilícita es Moab, que posteriormente da origen a los
moabitas, una nación pagana e idólatra.

Rut era la típica mujer avergonzada de su origen. Eso, sin duda, había
dejado marcas en su vida. Tenía traumas y complejos de los cuales no se podía
liberar. Pero un día fue alcanzada por el evangelio eterno y tuvo que hacer
una decisión que definiría el rumbo de su vida. Por un lado estaba la tierra de
Moab, con sus tradiciones, su idolatría y promiscuidad. Por el otro, una tierra
desconocida hacia donde Dios quería llevarla. Todo lo nuevo siempre provoca
temor, pero ella sentía la voz de Dios llamándola, y obedeció. Miró a su suegra
Noemí y le dijo: "Tu pueblo será mi pueblo y tu Dios, mi Dios".

Nunca más se arrepintió de la decisión que tomara. Ese día finalizó la
vergüenza de su origen. Nunca más fue atormentada por los traumas del origen incestuoso de sus antepasados. Más tarde se casó con Booz y hoy, cuando
revisamos el árbol genealógico de Jesús, podemos encontrar su nombre entre
los ascendientes.

¿Cuál es tu origen? ¿Te molesta de alguna manera? ¿Alguna vez sentiste
vergüenza del lugar donde naciste o del padre que te engendró? Ve a Jesús.
Continuarás con el mismo nombre, con el mismo origen, pero ya nada te mo-
lestará; porque cuando Jesús llega a la vida de una persona, trae libertad.

Monumentos de la creación y la redención

Entonces bendijo Dios el séptimo día y lo santificó, porque en él reposó de toda la obra que había hecho en la creación. Génesis 2:3.

En el último versículo del capítulo 1 de Génesis, Moisés dice que "vio Dios todo cuanto había hecho, y era bueno en gran manera. Y fue la tarde y la mañana del sexto día" (vers. 31). A continuación, el Dios creador santifica el sábado, levantándolo como un monumento de la creación terminada. Un mundo perfecto para un hombre perfecto. Una verdadera obra de arte. Dios contempla su obra, tal como un pintor contempla satisfecho su cuadro recién terminado, y ve que es "bueno en gran manera".

De repente aparece la figura de Lucifer, el ángel caído, y como un muchacho malvado coloca su mano en la pintura fresca de la creación y arruina todo el cuadro de equilibrio y felicidad en que se movía el hombre.

Hoy se hace necesario reconstruir la creación arruinada. Es preciso restaurar al hombre caído, es imperativo colocar nuevamente cada cosa en su lugar, cada color en su verdadero tono, cada matiz en la medida adecuada.

Y Cristo vino al mundo para eso. Asumió la forma de hombre y vivió entre los hombres, y desde ahí trató de reconstruir en el ser humano la imagen perdida de Dios. A lo largo de treinta y tres años, Jesús trató de enseñar a los hombres por palabra y por ejemplo que la única salida para el problema humano es su retorno a Dios. Vivió en medio de una humanidad cansada, loca, desesperada, y repetidas veces clamó: "Venid a mí todos los que estáis trabajados y cargados" (S. Mateo 11:28). Trató de cumplir la misión que le encomendó el Padre. "Me es necesario hacer las obras del que me envió, mientras dura el día; la noche viene, cuando nadie puede trabajar" (S. Juan 9:4).

Jesús encontró en su camino a ciegos, leprosos, paralíticos, endemoniados, prostitutas, ladrones, y su corazón se llenaba de dolor y compasión. No era ése el hombre perfecto que Dios había creado y puesto en el jardín. ¿Qué había sucedido a lo largo del camino? Pero él estaba allí, para restaurar al ser humano, y vivió cada minuto de su vida en la Tierra cumpliendo su misión.

Finalmente, un viernes por la tarde, Jesús miró desde la cruz del Calvario al mundo y vio que la obra de la redención que había venido a realizar estaba completa. En su agonía, entre la vida y la muerte, exclamó: "¡Consumado es!", y el sábado descansó en la tumba, "conforme al mandamiento" (S. Juan 19:30; S. Lucas 23:56).

Pero el sábado se levantó no sólo como un monumento de la creación sino también como un monumento de la redención. Como si fuera el aniversario de la obra creadora y también el aniversario de la obra redentora. Nadie puede cambiar el aniversario de una persona. ¿Por qué, entonces, ese afán por cambiar el día que Dios separó en la creación y confirmó en la redención?

Andar con Dios

Caminó, pues, Enoc con Dios, y desapareció, porque lo llevó Dios. **Génesis 5:24.**

Algunas veces oí la historia de Enoc contada para los niños de una manera diferente. Ellos dicen que Enoc y Dios eran muy amigos. Andaban, caminaban, jugaban y dormían juntos. Pero Enoc era muy dormilón, y Dios siempre tenía que despertarlo con un codazo mientras le decía: "Despierta Enoc, que ya es muy tarde". Entonces ambos saltaban de la cama, se cepillaban los dientes y, después de tomar el desayuno, salían juntos como siempre. Corrían por los campos, nadaban en la laguna, buscaban frutas, charlaban, descansaban debajo de los árboles y, cuando el sol empezaba a ocultarse, Enoc le decía a Dios: "Señor, ya es tarde, volvamos a casa". Y los dos volvían y dormían juntos para recomenzar todo al día siguiente.

Un buen día, Dios despertó a Enoc y le dijo: "Mira cómo brilla el Sol; parece que hoy será un día diferente".

Se levantaron y comenzaron las actividades de siempre, pero ese día anduvieron más que nunca, distraídos con la maravillosa comunión en que ambos vivían. De repente el Sol comenzó a ocultarse, y Enoc dijo: "Señor, ya es tarde, tenemos que volver". Pero Dios respondió: "Hijo, hoy anduvimos tanto que mi casa está más cerca que la tuya. ¿Qué te parece si hoy vamos a mi casa?" Y ese día Enoc desapareció, porque Dios lo llevó a su propia casa.

Aunque contada para los niños, esta historia nos muestra de manera simple la belleza y la sencillez del cristianismo.

El cristianismo no es nada más que vivir una maravillosa experiencia de comunión y compañerismo con Jesús. Hacer de él el centro de nuestra vida. Relacionar todo con él. Permitir que participe de nuestras tareas y actividades diarias. Hacer de su presencia algo real, como ese muchacho que le pidió a su padre que se acostara del otro lado porque Jesús estaba acostado de su lado derecho.

Está comenzando un día más. ¿Por qué no hacer de él un día diferente? ¿Por qué no hacer de la presencia de Cristo una presencia viva?

¿Cómo? Conservando un cántico en el corazón, relacionando todo con Jesús y aprovechando cualquier oportunidad para hablar a otros del amor de Cristo.

Primero Jesús, después la victoria

Buscad primeramente el reino de Dios y su justicia, y todas estas cosas os serán añadidas. **S. Mateo 6:33.**

La promesa de hoy es mucho más que simplemente la garantía de que no pasaremos necesidades en la vida material si siempre le damos a Dios el primer lugar. En realidad, el texto de San Mateo 6:33 muestra cómo es que Dios quiere reproducir el carácter de Jesús en la vida de sus hijos. "Buscad primero el reino de Dios y su justicia". ¿Qué es justicia? Ya vimos repetidas veces que la justicia es Jesús. La justicia no es una cosa, es una persona. El consejo divino es: Buscad, buscad a la Persona-Justicia. Esto es lo primero que debes hacer; es lo básico. Y todo lo demás será añadido.

La gran ansiedad que vivimos en la vida cristiana es por no haber reproducido en nosotros el carácter de Jesús. Miramos nuestra vida y nos desesperamos. No nos gusta hablar de lo que hablamos, ni pensar en lo que pensamos, y mucho menos hacer lo que hacemos. Detestamos nuestro temperamento y carácter, los que muchas veces nos crean dificultades en nuestra relación con las personas.

¿Qué hacer para abandonar los defectos y adquirir las virtudes? El consejo es: Busca primero a Jesús, la Justicia. Relaciónate cada día con él. Haz de esto tu gran preocupación, y después espera los milagros de Jesús en tu vida. Puede ser que digas: "Pastor, esta receta es muy sencilla; es un evangelio barato. Tenemos que esforzarnos, tenemos que luchar; no podemos estar sólo orando y estudiando la Biblia, y quedar de brazos cruzados esperando que Jesús haga todo por nosotros".

Un momento. Debes entender las cosas claramente. No coloques el carro delante de los bueyes. Piensa un poco. El consejo divino es: "Buscad *primeramente* el reino de Dios y su justicia", y la justicia es Cristo. ¿Qué sucede cuando vas a él, cuando no solamente oras y estudias la Biblia de mañana, sino que vives con Jesús una vida de constante comunión a lo largo del día? Él habita en tu corazón por medio del Espíritu Santo. Ya no eres tú quien vive, es Cristo el que vive en ti (Gálatas 2:20). ¿Y qué es lo que el Espíritu Santo hace en ti? Santifica tu voluntad. Tú no eres más que un hombre con voluntad pecaminosa, pero ahora pasas a ser un hombre con voluntad santificada por la presencia del Espíritu Santo en tu vida. Entonces, cuando llegue la tentación, cuando surja un momento difícil en que tu temperamento será probado, la voluntad santificada saldrá siempre victoriosa. ¿Por qué? Porque fuiste a buscar a Jesús y viviste con él, y la presencia de Jesús en tu vida santificó tu voluntad y la llevó a la victoria. "Todo fue añadido".

¡Esa es la promesa. Cree en ella!

Conocer para confiar

Pero sin fe es imposible agradar a Dios, porque es necesario que el que se acerca a Dios crea que él existe y que recompensa a los que lo buscan. **Hebreos 11:6.**

Fe es confianza. Tener fe en Dios es confiar en él; pero nadie puede confiar en alguien que no conoce, y nadie puede conocer a una persona si no convive con ella.

Si tuvieras un vecino a quien saludaras todas las mañanas al salir al trabajo y todas las tardes al regresar a casa, pero con quien no tienes la oportunidad de trabajar, de andar, de comer juntos, en fin, de convivir, ¿podrías decir que lo conoces? Naturalmente, conoces su rostro, la ropa que usa y hasta el color de sus ojos... pero ¿eso es conocerlo? ¿Podrías confiar tu vida a esa persona?

Cuando alguien dice que no tiene fe, está queriendo decir que no confía en Dios, y el hecho de no confiar en él significa que no lo conoce, porque no convive con él, no pasa tiempo con él.

Eso es lo que Pablo está queriendo decir cuando afirma que sin fe es imposible agradar a Dios.

¿Qué es lo que deja triste a Dios? Él creó al ser humano para vivir cerca de su corazón. Le gustaría andar con el ser humano como lo hizo con Enoc, Abraham, Noé y los otros hombres de la Biblia. Pero el ser humano muchas veces está preocupado por otras cosas en lugar de correr a los brazos de Jesús y vivir con él una vida de comunión permanente.

No hay nada que deje a Dios más triste que el hecho de que alguien no quiera pasar tiempo con él.

Cuando esa tarde Dios llegó al jardín y se encontró con el hombre caído, no se entristeció sólo porque había comido un fruto. Lo que lastimó su corazón fue la ausencia del hijo. ¿Dónde estaba el hijo querido que corría a sus brazos y disfrutaba de su compañía?

La fe no es algo que el hombre produce en soledad. La fe es confianza, y la confianza nace naturalmente de la relación de dos personas que viven juntas.

¿Haces de Dios tan sólo el Ser supremo que habita en las alturas del cielo? ¿O Dios es para ti un amigo que participa día a día de tu vida cotidiana?

Al salir esta mañana hacia tus actividades diarias, permite que Jesús vaya contigo. Consúltalo antes de tomar una decisión de escoger una ropa, oír una música o servirte una comida; en fin, deja que él participe de tus sueños y planes. Convive con él. Conócelo y confía en él. Sé una persona de fe.

El secreto del crecimiento

Por la mañana siembra tu semilla, y a la tarde no dejes reposar tus manos; pues no sabes qué es lo mejor, si esto o aquello, o si lo uno y lo otro es igualmente bueno. Eclesiastés 11:6.

Esta es una figura sacada del mundo de la agricultura. La idea comienza a ser trabajada en el versículo 1: "Hecha tu pan sobre las aguas; después de muchos días lo hallarás". Ningún árbol produce frutos de un momento para otro. Primero es necesario plantar, regar, cultivar, abonar, esperar que salga el Sol, que venga la lluvia, que aparezcan las flores y finalmente los frutos.

"Por la mañana siembra tu semilla, y a la tarde no dejes reposar tus manos", es la sugerencia de Salomón. ¿Cómo podemos aplicar este consejo a la vida espiritual en la maravillosa expectativa de verse producido en nosotros el carácter de Jesús?

Aquí Dios está tratando de mostrarnos para qué vale el esfuerzo humano. Tú tienes que arar la tierra, plantar la simiente, abonar, cultivar la tierra, pero no puedes hacer salir el Sol o que caiga la lluvia. No puedes hacer germinar la semilla, o que crezca la planta.

El esfuerzo deliberado del hombre es para dejarse atraer por el poder de la cruz. Puede que te preguntes: "¿Tengo que esforzarme para dejarme atraer por Jesús?" Claro, ¿y sabes por qué? Porque todos nosotros cargamos la naturaleza pecaminosa y a ella no le gusta vivir en comunión con la justicia. Le gusta vivir separada de Jesús, se complace en hacer las cosas erradas de la vida y sus preferencias son contrarias al carácter de Jesús. Incluso cuando vamos a Jesús, sólo estamos respondiendo a su atracción, porque la iniciativa de la salvación es divina. No somos salvos porque queremos; es Jesús el que inspira en nosotros tanto el querer como el hacer, a través de su buena voluntad.

Por lo tanto, es necesario un esfuerzo deliberado para orar, estudiar la Biblia, testificar y mantenernos unidos a Jesús cada minuto. Si nos descuidamos, en un abrir y cerrar de ojos estaremos apartándonos de él. "Por la mañana siembra tu semilla, y a la tarde no dejes reposar tus manos", es la instrucción de Salomón, y él sabía lo que estaba diciendo: conoció los dos lados de la vida, y finalmente fue victorioso. El libro de Eclesiastés fue escrito después que Salomón cayera profundamente en el pecado y experimentase días de soledad, desesperación y vacío interior. Pero venció, y ahora, victorioso en Cristo, dice: "Haz tu parte, no dejes reposar tus manos, coloca la simiente y después espera". Hacer salir el Sol no es asunto tuyo. Hacer germinar, brotar y crecer la planta es un problema de Dios. Búscalo de mañana y de tarde. Cada minuto de la vida siente que él está a tu lado, santificando tu voluntad y llevándote a las grandes obras de victoria que él promete a sus hijos.

27 de enero

La fuente de la vida

Entonces abrió Dios la cuenca que hay en Lehi, y salió de allí agua. Sansón bebió, recobró su espíritu y se reanimó. **Jueces 15:19.**

Sansón acababa de matar a mil filisteos con una quijada de asno. Después de esa victoria compuso un verso en el que atribuyó toda la gloria a su fuerza y no al Dios de su fuerza. Dios siempre está deseoso de darnos victorias, pero sabe que muchas veces los fracasos son más didácticos que las victorias para llevarnos a depender más de él.

Sansón olvidó al Señor de su fuerza e inmediatamente comenzó a sentir las consecuencias de su apartamiento de Dios. La sed implacable lo atormentó y lo llevó casi a la muerte.

Dios nos quiere enseñar una lección extraordinaria hoy. Un día Sansón, lleno del Espíritu de Dios, fue capaz de matar por sí solo a mil filisteos. Al día siguiente, ese mismo Sansón, sin Dios, estaba a punto de morir víctima de las circunstancias.

Nuestra victoria de hoy no es garantía de que mañana seremos victoriosos. Si hoy estamos con Cristo, seremos victoriosos, pero mañana continuaremos siendo victoriosos sólo si continuamos con Cristo.

En medio de su desesperación, Sansón clamó a Dios. "Entonces abrió Dios la cuenca que hay en Lehi, y salió de allí agua. Sansón bebió, recobró su espíritu y se reanimó".

Un día los soldados hirieron a Jesús en el Calvario y de esa herida brotó agua y sangre. Hoy puedes correr a los pies de la cruz y beber, recuperar el aliento y revivir. ¿No es maravilloso?

Si hoy estás en la cama de un hospital y los médicos te dicen que tu caso es serio, mira hacia la fuente del Calvario y recupera las esperanzas.

Si tus negocios andan mal, mira a la fuente del Calvario y recuerda que si el ser humano sólo tiene delante de sí el fracaso, aún queda la oportunidad de Dios. No importa cuáles sean las circunstancias que estés enfrentando, si sientes que faltan las fuerzas, que ya no tienes ánimo para intentar de nuevo, que la sed te está llevando a la muerte, clama como Sansón: "Me ayudaste tantas veces en el pasado, y hoy ¿moriré de sed y caeré en las manos de mis enemigos?" (ver el vers. 18).

Ten la seguridad de que Dios te mostrará la fuente del Calvario. Podrás beber, recuperar el aliento y revivir.

A veces Dios permite que lleguemos a un momento límite en la vida para llevarnos a confiar más en él que en nuestras fuerzas. Prueba con Jesús; él nunca falla.

28 de enero

¿Nos gozaremos en su salvación?

Se dirá en aquel día: "¡He aquí, este es nuestro Dios! Le hemos esperado, y nos salvará. ¡Este es Jehová, a quien hemos esperado! Nos gozaremos y nos alegraremos en su salvación". Isaías 25:9.

¿Alguna vez te detuviste a pensar cómo, cuando Jesús vuelva, "nos gozaremos y nos alegraremos en su salvación" si no aprendemos a disfrutar de su presencia en esta vida? La vida del cristiano no puede ser una vida de miedos, inseguridades y dudas. El cristiano no puede andar por la vida "como pisando huevos", por miedo a romperlos; no puede vivir en un estado de ansiedad permanente de estar o no estar haciendo la voluntad de Dios. Su vida tiene que ser una vida de paz, de descanso en Cristo y de obediencia natural a sus mandamientos.

La vida cristiana tiene que ser una vida de comunión, una relación de amor. Tenemos que disfrutar el compañerismo de Jesús cada día y esperar con ansiedad el día de su venida en gloria y majestad.

En ese día habrá solamente dos grupos: Por un lado estarán los que correrán hacia los montes y las peñas y clamarán: "Caed sobre nosotros y escondednos del rostro de aquél que está sentado sobre el trono, y de la ira del Cordero" (Apocalipsis 6:16). Serán quienes no tuvieron en cuenta a Dios para nada: vivieron una vida libertina, dieron rienda suelta a sus apetitos e inclinaciones, no fueron lavados en la sangre del Cordero y ahora, en el gran día, no pueden resistir su presencia. Y en ese grupo también estará otro tipo de personas: las que buscaron y aceptaron a Dios por miedo, a quienes él llevó en momentos críticos a obedecer; las que, cuando pasó el peligro, continuaron viviendo una vida de desobediencia. Estas personas no se regocijaban con la compañía de Jesús; vivieron simplemente para los padres, para los hombres. Su imagen era todo lo que les importaba. Vivieron en función de la apariencia, y ahora, al llegar el gran día, también son consumidos por el miedo.

El segundo grupo de personas estará compuesto por los que fueron a Jesús como estaban. Entendieron el amor de Cristo y lo buscaron arrepentidos. Fueron lavados en la sangre del Cordero y vivieron con él la más hermosa historia de amor. Cuando Jesús aparezca en gloria y majestad, y la naturaleza tiemble y los elementos de la tierra se descompongan, éstos levantarán los brazos y dirán: "¡He aquí, este es nuestro Dios! Le hemos esperado, y nos salvará". La vida eterna será para éstos la prolongación definitiva del compañerismo que aprendieron a cultivar con Cristo en la Tierra.

Haz de este día un día de compañerismo con Jesús. Conserva un cántico en el corazón. Ten la certeza de su presencia a tu lado, y prepárate para disfrutar esa comunión personal con él por la eternidad.

Victoria en Cristo

Pero gracias sean dadas a Dios, que nos da la victoria por medio de nuestro Señor Jesucristo. **1 Corintios 15:57.**

La vida de Luis era un ejemplo de victoria. Trabajaba en la torre de control del aeropuerto internacional de Santa Cruz, Bolivia, hablaba cuatro idiomas y era un profesional bien conceptuado, hasta que por esas cosas de la vida comenzó a enviciarse con el alcohol y finalmente terminó sumergido en el mundo de las drogas.

Perdió el empleo, y después perdería también la familia, la dignidad y el respeto propio. Andaba por las calles de su ciudad como un pobre trapo humano, durmiendo en los nichos vacíos del cementerio. Nadie que lo viera podría imaginarse que Luis era hijo de una de las familias mejor conceptuadas de la sociedad santacruceña.

Cuando todo parecía perdido, y cuando ya no quedaba más esperanza humana, un día Luis encontró a Jesús. Pablo dijo: "Gracias sean dadas a Dios, que nos da la victoria por medio de nuestro Señor Jesucristo".

Jesús cambió la vida de Luis. Lo sacó de la miseria en que vivía, hizo de él un hombre victorioso y le devolvió no sólo la dignidad y el respeto propio, sino también la familia.

En el libro del Apocalipsis, que es el último mensaje de Dios para los hombres, encontramos repetidas veces la promesa: "Al que venciere". Esto quiere decir que la victoria es posible. Puede ser una realidad, como ha sido en la vida de tantas personas a lo largo de la historia, y también puede ser una realidad en tu propia vida.

Cuando Jesús estuvo en este mundo, Satanás trató de derrotarlo muchas veces, pero nunca lo consiguió. Quiso matarlo cuando era niño, pero no pudo. Trató de derrotarlo en el desierto, pero fracasó. En el Getsemaní hizo de todo para que Jesús desistiera de su misión, y perdió. Finalmente, pensó que había vencido cuando Jesús murió en la cruz. Mas al tercer día resucitó, salió del sepulcro y venció a la muerte, y Satanás entendió que estaba perdido para siempre, y que sus posibilidades de victoria habían sido reducidas a cero.

Ese Cristo victorioso es tuyo hoy. Tómate de su brazo poderoso a lo largo del día.

Amor incomprendido

Pero Dios muestra su amor para con nosotros, en que siendo aún pecadores, Cristo murió por nosotros. **Romanos 5:8.**

Cuando el capitán Luis Cassis, profesor de vuelo de la Escuela Boliviana de Aviación, descubrió que su esposa había sido bautizada en la Iglesia Adventista del Séptimo Día, quedó totalmente preso de la ira. No podía admitir que ahora, habiendo ambos nacido en una iglesia tradicional, y habiendo sellado su compromiso matrimonial en la misma iglesia, su esposa, sin su consentimiento, decidiera cambiar de religión.

La persecución que el capitán Cassis inició contra su esposa y contra la iglesia fue implacable. Decía que "odiaba a los adventistas y que quería verlos a todos muertos".

Cierto día el pastor de la iglesia de su esposa estaba en el hospital al borde de la muerte. Precisaban urgentemente un tipo de sangre que nadie tenía por allí. Entonces la esposa recordó: "Es el tipo de sangre de mi marido". Fueron a buscarlo y le dijeron: "Necesitamos que usted done sangre para el pastor de la iglesia de su esposa".

"Lo que más quiero es que ese hombre muera", fue la primera respuesta de su corazón, pero su sentido de humanidad, de solidaridad y de amor fue mayor que su odio. Hizo la donación. Pero después se sintió mal por haberla hecho; sintió como si hubiese sido derrotado. Hasta que alguien le dijo: "El amor de Dios se demostró en que, siendo sus enemigos, Cristo murió por nosotros. No se ponga triste, porque esa actitud maravillosa que usted tuvo sólo pudo haber sido inspirada por Jesús".

Hace poco tiempo dirigí una campaña evangelizadora en La Paz, y ese capitán fue uno de los primeros en aceptar la invitación de unirse a la Iglesia Adventista a través del bautismo.

¿Quién puede comprender la inmensidad del amor de Jesús? Odiado, ridiculizado, herido y crucificado en el Calvario, mira al ser humano y le dice: "Hijo, puedes pensar que no existo, que este asunto del cristianismo es pura tontería, puedes tener rabia de mí porque crees que traje problemas a tu familia, pero yo te amo. Yo muero aquí por ti porque eres lo mejor que tengo en este mundo".

¿Cómo resistirse ante semejante amor?

Hoy puedes abrir el corazón a Jesús y decirle: "Señor, acepto tu sacrificio por mí". Que Dios te bendiga en este nuevo día de actividades que tienes delante de ti.

El día terrible del Señor

Tocad la trompeta en Sión y dad la alarma en mi santo monte. Tiemblen todos cuantos moran en la tierra, porque viene el día de Jehová, porque está cercano. Joel 2:1.

El capítulo 1 de Joel describe la terrible realidad del día del Señor. Es una descripción que causa espanto, terror y miedo, y los líderes son llamados en el capítulo 2 a tocar la trompeta en Sión y a anunciar en el santo monte de Dios que ese día está muy cercano.

Nuevamente aparece la pregunta: ¿Debemos llevar a la gente a vivir una vida de comunión con Jesús por amor o por miedo?

Cuando era estudiante de Teología, oí decir a un viejo profesor de homilética que todo gran sermón debía tener algunas frases de fuego y de infierno, pero que debía terminar llevando la esperanza de salvación a los hombres. Parece que en algunos momentos de la experiencia humana Dios tiene que usar el único lenguaje que el ser humano es capaz de entender: el castigo, el látigo y la amenaza. Cuando Israel salió de 400 años de esclavitud en Egipto, sólo entendía ese lenguaje. Sería inútil hablar con amor a un pueblo esclavo, que únicamente entendía el código de la amenaza y del castigo.

A veces, como padres, tenemos que dar unas palmadas a nuestro hijo, pero nuestra mayor alegría es llevarlo a tomar sus propias decisiones de manera equilibrada y madura. Sería triste y hasta perjudicial tener que castigar físicamente a un hijo de 15 años. El castigo físico tiene, bíblicamente, su lugar en un momento determinado del proceso educativo.

El plan de Dios para su pueblo era exactamente ese: llevarlo del lenguaje duro y amenazador que entendían, al lenguaje del Calvario, que es un lenguaje de amor. No era el deseo de Dios que los hombres obedecieran los mandamientos sólo por el hecho de haber sido escritos con letras de fuego y ser entregados al pueblo en medio de truenos y humo. Lo que Dios deseaba era escribir la ley en el corazón de los hombres, y que éstos la obedecieran por amor.

En el libro de Joel hallamos descripto el día del Señor como un día terrible y lleno de destrucción, pero al final del capítulo 2 encontramos la misericordia divina. Es como si Dios dijera: "Por cualquiera de estos dos caminos quiero llevarlos a la salvación, pero prefiero que sea por este último".

¿Te preguntaste ya qué es lo que te induce a obedecer? ¿Obedeces sólo porque existe una norma escrita? ¿O porque amas al Señor Jesús y quieres verlo feliz?

Quien desea ser cada día más semejante a Jesús, vivirá con él la más linda historia de amor, y en esa convivencia sentirá que el carácter de Cristo se reproduce en su vida. Obedecerá, pero su obediencia será el resultado de su esfuerzo santificado por la presencia permanente del Espíritu Santo en su vida.

1° de febrero

La gran reunión

Entonces conoceréis que yo soy Jehová, vuestro Dios, que habito en Sión, mi santo monte. Joel 3:17.

En el versículo 28 del capítulo 2 de Joel encontramos la promesa de un gran encuentro entre Dios e Israel, pero esa reunión nunca ocurrió porque Israel no cumplió la condición. "Todo aquel que invoque el nombre de Jehová, será salvo" (2:32), decía la promesa, pero Juan afirma que él "a lo suyo vino, pero los suyos no lo recibieron" (S. Juan 1:11). Años más tarde, Dios repitió la promesa a su pueblo en Apocalipsis 14:1. Aparentemente, las figuras cambian un poco, y ya no es Dios el que está con sus hijos en el monte de Sión. Ahora es el Cordero con los 144.000 en el monte de Sión. Evidentemente, Sión es el lugar donde Dios pretende reunir a sus hijos para el conflicto final.

La pregunta de hoy es: ¿Qué simboliza el monte de Sión? Para encontrar la respuesta tenemos que ir al Antiguo Testamento y descubrir qué era el monte de Sión en aquel tiempo. Según el texto de esta mañana, Sión era el lugar donde Dios habitaba: ¿Cuál es el lugar del que Dios dice: "Donde están dos o tres congregados en mi nombre, allí estoy yo" (S. Mateo 18:20)? Sión era también el lugar donde Dios pretendía congregar a sus hijos (Joel 2:15, 16): ¿Cuál es el lugar donde Dios está hoy congregando a sus hijos? Sión también era el lugar donde Dios hablaba: ¿Cuál es el lugar donde Dios reúne hoy a sus hijos para alimentarlos con su Palabra?

Al leer el capítulo 14 de Apocalipsis descubriremos que Dios está reuniendo en el "monte de Sión" a sus hijos de todos los rincones de la Tierra, y usa un instrumento que aparece descripto en los versículos 6 al 12. Ese triple mensaje angélico llama a los seres humanos a reconocer a Dios como el único Dios creador y a adorarlo sólo a él, identificado su firma de Creador. La segunda parte del mensaje es una invitación a aceptar a Jesús como el único Redentor, la única fuente de Justicia, el único Mediador que hoy ministra en el santuario celestial en favor del hombre. La tercera parte del mensaje es una orden para salir de todos los rincones e ir a la gran reunión en la iglesia de Dios. Sión, sin duda, es la iglesia de Dios en la Tierra.

La iglesia está simbolizada por un monte, porque el monte siempre es símbolo de seguridad. Pero ¡ay! de los seres humanos si sólo depositan su confianza en la estructura, olvidando que la roca es Cristo; olvidando que los convocados a esa reunión tienen "mi nombre y el nombre de mi Padre escritos en su frente" (ver Apocalipsis 14:1).

Al salir esta mañana para las tareas cotidianas, sal confiado en la Roca.

Que tus pensamientos estén siempre permeados por la sangre del Cordero. Que tus actitudes sean las actitudes del Cordero. No tengas miedo de nada, porque tus pies están afirmados sobre la Roca de los siglos y, como resultado de eso, formas parte de esa gran reunión en el monte de Sión.

Someteos a vuestros maridos

Las casadas estén sujetas a sus propios maridos, como al Señor, porque el marido es cabeza de la mujer, así como Cristo es cabeza de la iglesia, la cual es su cuerpo, y él es su Salvador. Efesios 5:22, 23.

La Epístola a los Efesios tiene un desarrollo progresivo que pocas personas perciben. En el capítulo 1 comienza presentando a Cristo como el autor de nuestra redención. Después, en el capítulo 2, el apóstol Pablo enfatiza que la salvación es por gracia, y que sólo Dios, mediante la cruz de Cristo, es capaz de unir a las personas y ayudarlas a convivir en amor.

En el capítulo 3, Pablo ruega a los sinceros efesios que sean capaces de entender que la unidad de la fe y los frutos de una vida santa pueden surgir únicamente cuando los hombres son bañados en la sangre de Jesús y transformados por su gracia. Es entonces cuando aconseja a las casadas a someterse a su marido. ¿Cómo entender este consejo de Pablo en un mundo en el que los hombres y las mujeres luchan por ver quién es el mejor?

Los hombres que nunca fueron a Cristo, aunque puedan estar en la iglesia, tomarán este versículo para usarlo como licencia para dominar a sus esposas, sintiéndose superiores a ellas. Las mujeres que nunca tuvieron una experiencia con Jesús, pensarán que la Biblia es "machista" al pedir que la esposa se someta a su marido.

Pablo sabía que este consejo, en las manos de personas sin una experiencia viva con Jesús, sería una bomba de tiempo. Por eso emplea los primeros capítulos de la epístola para llevar a los hombres a entender que tanto el hombre como la mujer son "nada" sin Cristo.

La exhortación de Pablo a la sumisión es el resultado natural de una vida de comunión con Cristo. Es la manera de vivir de personas cuya mentalidad fue transformada por Cristo. "Las casadas estén sujetas a sus propios maridos, como al Señor", es el consejo. El Señor no pisa a nadie, no humilla a nadie. Él respeta, valoriza, ama. El Señor se entrega por la persona amada, y finalmente conquista y espera en silencio.

Los maridos que sólo conocen a Jesús de nombre, pero que nunca tuvieron una experiencia real con él, son incapaces de conquistar como Jesús lo hizo. Las mujeres que apenas llevan el nombre de Cristo, pero que no pasan tiempo a solas con él, son incapaces de someterse, aunque el marido sea un cristiano genuino. Mientras tanto, el hogar se va cayendo a pedazos. ¿Por qué? ¿Por qué tiene que ser así? Levanta los ojos esta mañana y mira a Jesús con los brazos abiertos, invitándote a una vida llena de amor. En él está la solución. Él es la única salida.

Los problemas de la lengua

Todos ofendemos muchas veces. Si alguno no ofende de palabra, es una persona perfecta, capaz también de refrenar todo el cuerpo. **Santiago 3:2.**

El capítulo 3 de Santiago es el capítulo de la Biblia que más se extiende en el estudio del poder la lengua. Al comienzo da la impresión de que todo el problema del ser humano está en el mal uso de la lengua, y que refrenando ésta, podrá controlar todos los otros impulsos. Quien no ofende con palabras, dice Santiago, es varón perfecto, capaz también de refrenar todo el cuerpo. Quien lea solamente este versículo estará queriendo corregir los problemas en el lugar equivocado. Pero quien continúe la lectura, hasta el versículo 12, descubrirá que la raíz del problema está en el corazón: "¿Puede acaso la higuera producir aceitunas, o la vid higos?", es la pregunta con la cual Santiago trata de llevarnos a la verdadera raíz del problema.

Cuántas personas andan por la vida heridas, lastimadas, desilusionadas y ofendidas por una simple palabra pronunciada por una persona, y esa persona ni siquiera sabe cuáles fueron los efectos de su palabra. En algunas personas una palabra sarcástica, ofensiva, se transformó en un estilo de vida; a veces ni nos damos cuenta de que nuestras palabras, como flechas de fuego y envenenadas, producen dolor y tristeza a nuestros semejantes.

Existen muchos tipos de disculpas que inventamos para continuar usando la palabra dura. Algunas son: "Siempre digo la verdad", "Soy muy franco", "Conmigo no existen medias palabras", "Soy sincero", "Yo no ando con vueltas", "Digo lo que tengo que decir". ¿Quién dice que la verdad y la honestidad lastiman o hieren a alguien? Las personas no son heridas por la verdad, ni por la sinceridad, sino por la manera como se dice esa "verdad".

Nunca podré olvidar la entrevista que tuve con mi presidente cuando era un joven pastor. En el fondo yo sabía que estaba equivocado, pero no quería reconocerlo, y me fui a la entrevista "armado hasta los dientes". "La mejor defensa", pensaba para mí, "es el ataque"; y yo iba "dispuesto a atacar". Pero la manera como él encaró el asunto, la manera como dijo las "verdades", me desarmó, acabó con mis argumentos y me hizo pedir perdón y corregir mis defectos, lo que más tarde fue clave en mi ministerio.

¿Cómo controlar la lengua sin controlar el corazón? Y ¿cómo controlar el corazón sin permitir que Jesús habite en él? No pueden existir dos controles. "¿Acaso alguna fuente echa por una misma abertura agua dulce y amarga?", pregunta Santiago en el versículo 11. Si te das cuenta de que tienes dificultades con la lengua, de que hablas cosas correctas en los momentos inoportunos, o de que hablas lo que no es verdad por el gusto de hablar o decir cosas buenas de manera equivocada, y sientes que esa actitud ya te trajo muchos problemas en la vida, créeme, el secreto no es cerrar los ojos y contar hasta diez antes de hablar. Ese método es humano y los métodos humanos sólo curan por fuera. El verdadero remedio es ir a Jesús y vivir con él una vida de comunión permanente.

El premio de la victoria

He peleado la buena batalla, he acabado la carrera, he guardado la fe. Por lo demás, me está reservada la corona de justicia, la cual me dará el Señor, juez justo, en aquel día; y no sólo a mí, sino también a todos los que aman su venida. 2 Timoteo 4:7, 8.

En 1969 visité la prisión Mamertina en la ciudad de Roma. Por esa época era un joven de 20 años, lleno de conflictos espirituales, y la experiencia fue una de las más emocionantes de mi vida. Cerré los ojos e imaginé al anciano Pablo, ya cansado, escribiendo la epístola al joven Timoteo. Su carta contiene palabras de fe y esperanza. Es una declaración de un ancianito victorioso. "No tengo miedo de la muerte", decía. "Estoy listo para partir, pero cumplí todo lo que tenía que cumplir. Vencí, y ahora sólo espero la corona de victoria".

¿Podrías imaginarte que ese ancianito victorioso era el mismo hombre que escribió Romanos 7, donde expresó un grito de desesperación: "¡Miserable de mí! ¿Quién me librará de este cuerpo de muerte?" (vers. 24)?

¿Dónde estaba el conflicto de querer servir a Dios y no poder? ¿Dónde habían quedado las buenas intenciones y las promesas no cumplidas? Todo eso era nada más que un triste pasado. Ahora, al fin de sus días, aguardaba la muerte sin temor, seguro de la victoria y de la vida eterna.

Mis amados, quedo emocionado cada vez que pienso en esta última declaración de Pablo. ¿Quiere decir que a pesar de los conflictos y de la lucha interior que hoy experimento, a pesar de que hoy tal vez "esté en mí el querer, pero no el efectuarlo", a pesar de todo eso, yo también puedo ser un victorioso en Cristo? Exactamente. Es exactamente eso lo que Pablo está queriendo decir cuando añade: "Y no sólo a mí, sino también a todos los que aman su venida" (2 Timoteo 4:8).

En ese grupo, con toda seguridad, estás incluido. Hoy puedes llegar a ser victorioso en Cristo. Esa es la promesa de Dios.

Al salir esta mañana para las actividades del día, lleva en tu mente esta promesa. Apodérate de ella con fe. No andes turbado por los errores de ayer. Hoy es un nuevo día, y todo el poder de los cielos está a tu disposición. Olvidando todo lo que queda atrás, proyéctate hacia delante, al premio de la soberana vocación en Cristo.

¿Qué significa "golpear el cuerpo"?

Sino que golpeo mi cuerpo y lo pongo en servidumbre, no sea que, habiendo sido heraldo para otros, yo mismo venga a ser eliminado. **1 Corintios 9:27.**

En mi país existió una mujer que fue canonizada como Santa Rosa de Lima. La historia registra hechos interesantes de su vida, como la ocasión cuando se colocó una cadena en la cintura y tiró la llave del candado en un pozo. Con el tiempo comenzó a engordar y la cadena apretada hería sus carnes. En otra oportunidad decidió pasar muchas noches sin dormir, y para impedir que el sueño la venciera, amarró sus largos cabellos a un clavo en la pared, y cada vez que ella dormitaba e inclinaba la cabeza hacia delante, era despertada por los tirones de los cabellos. Llegó a ser famosa, entre otras cosas, por los tipos de penitencia que hacía.

En el texto de hoy, ¿estará el apóstol Pablo defendiendo la idea de la autoflagelación? "Golpeo mi cuerpo y lo pongo en servidumbre". ¿Qué está queriendo decir el apóstol? Para los griegos la materia era mala en sí misma, y debía ser maltratada para perfeccionar el espíritu. ¿Debemos castigar el cuerpo porque en él están las tendencias pecaminosas? ¿Qué es lo que nos lleva a pecar? ¿La sangre, la carne o la mente?

Cuando nacemos en este mundo, nacemos apartados de Dios, y lo que más desea la naturaleza pecaminosa es vivir separada de Dios. No queremos saber nada de Dios, ni vivir en comunión con él, ni sujetarnos a su voluntad. Somos independientes, queremos vivir sin restricciones de ningún tipo, queremos ser los capitanes de nuestro propio destino. Este es nuestro gran problema. Es necesario deponer nuestra suficiencia. "Golpear el cuerpo" no es hacer que pase hambre, sed o frío; "golpear el cuerpo" es darle lo que la naturaleza humana más detesta: llevarla a depender, a no hacer las cosas sola, por cuenta de ella.

Por increíble que parezca, la naturaleza pecaminosa también es independiente, y hasta puede que te guste guardar los mandamientos, sólo que por motivos equivocados. Ese era el problema de los fariseos: se portaban bien para "ser vistos de la gente"; les gustaba dar apariencia de bondad. El enemigo siempre se siente feliz con ese tipo de obediencia.

Obedecer por el único medio que Dios tiene para llevar a sus hijos a una vida justa, que es el camino de la dependencia, no es fácil, porque nuestra naturaleza "no se sujeta a la Ley de Dios, ni tampoco puede" (ver Romanos 8:7). Es preciso golpearla y ponerla bajo servidumbre, renunciar a su independencia, no hacer caso de ella, caer a los pies de Jesús y decirle: "Señor, tira por el polvo mi suficiencia humana, y haz por mí lo que es imposible que yo haga por mí mismo".

Este es el único camino que Dios reconoce. De otro modo, habiendo predicado a otros, corremos el peligro de ser descalificados como el joven rico.

Hagamos de este día, un día de dependencia total de Jesús.

La paciencia de los santos

Aquí está la paciencia de los santos, los que guardan los mandamientos de Dios y la fe de Jesús. **Apocalipsis 14:12; RVR 60.**

La paciencia es uno de los frutos del Espíritu Santo, y es también uno de los rasgos distintivos del carácter de Cristo. El texto de hoy presenta la paciencia como una de las características del pueblo de Dios de los últimos días. Este es un pueblo perseguido, que vive en circunstancias difíciles, pero es un pueblo que aprendió a vivir en comunión con Cristo. Su paciencia no significa morderse los labios para no proferir una palabra ofensiva contra los enemigos. La demostración de su paciencia no es controlarse para no gritarle al conductor del vehículo que hizo una maniobra imprudente en el tránsito. Su paciencia no es el dominio de sus emociones en el momento exacto. No, la paciencia de este pueblo es algo que nace del corazón. Ellos no hablan improperios, pero no por causa de su autocontrol. Ellos hablan de manera suave porque así lo sienten en el corazón.

¿Cómo llegó ese pueblo a semejante grado de paciencia? No sólo actúan con paciencia. Son pacientes. No se preocupan únicamente por lo que se ve. Lo que se ve es la vida exterior, pero lo que no se ve de ellos es lo que está en el fondo sus corazones.

¿Dónde está el secreto? ¿Dónde está la receta para vivir de esa manera? La última parte del versículo tiene la respuesta: ellos tienen la fe de Jesús. Viven en comunión con Jesús. Son amigos de Jesús, y el carácter de Cristo es reproducido en la vida de quienes un día escogieron al Señor como su Salvador.

¿Acaso Juan no se acercó un día a Jesús llevando las características de un carácter impetuoso e irascible? ¿Acaso Pedro no fue al Maestro con la carga de una personalidad deformada por el ambiente de los puertos?

Ambos discípulos aceptaron a Jesús como su Salvador. Ambos vivieron cada día con él. Ambos lo amaban de todo su corazón, y ambos fueron finalmente transformados en su compañía. ¿Puede alguien decir: "Para mí no hay solución"? No importa cuán fuerte sea tu temperamento. No importa si con él ya lastimaste a mucha gente querida. No importa si alguna vez pensaste que sería imposible cambiar. Jesús te dice esta mañana: "Ven a mí, hijo, y aprende a ser manso y humilde de corazón".

Mucho más de lo que esperamos

Y a Aquel que es poderoso para hacer todas las cosas mucho más abundantemente de lo que pedimos o entendemos, según el poder que actúa en nosotros. **Efesios 3:20.**

En un lugar del mundo que no identificaré, para proteger la imagen de la persona, me buscó un joven consumido por el tipo de vida que llevaba. Me contó cosas terribles. Era homosexual, drogadicto y, muchas veces, hasta vendía su cuerpo para sobrevivir. A lo largo de mi ministerio encontré personas de todo tipo, y vi cómo Jesús es maravillosamente "poderoso para hacer todas las cosas mucho más abundantemente de lo que pedimos o entendemos".

Pero aquel día sentí dolor por ese joven y, en cierta manera, "dudé" del poder divino. Cuando se fue, pensé que nunca más lo volvería a ver. Dejar las drogas en el punto en que estaba, ya sería un milagro, pero mudar las tendencias arraigadas, hacer una higiene completa de su manera de pensar y sentir, ¡ah!, era demasiado. Claro que Dios es capaz de hacer un milagro, pero ese día entendí que aún tenía mucho que aprender de Dios. Oré con él, le conté los milagros que Dios hizo en otros lugares, con otras personas. En algunos momentos de la conversación, acusó a Dios: "¿Por qué Dios me creó con estas tendencias? ¿Por qué soy así?" Había nacido y crecido en medio de una familia cristiana. "Tal vez si no fuese así", dijo el joven, "hoy la conciencia no me atormentaría tanto, ni tendría el peso de saber que estoy haciendo algo que desagrada a Dios".

Algunos días después recibí una carta suya. Pedí ayuda a algunos especialistas. El Dr. César Vasconcellos, del Hospital Silvestre, respondió a mi pedido y me mandó algunos artículos. Luego le escribí al joven una larga carta. Oré muchas veces. A veces, cuando veía en la calle a alguien parecido, me acordaba de él y me dolía el corazón al recordar sus lágrimas de impotencia, fracaso y desesperación. Me acordaba de su angustia por querer ser de otra manera. De veras había ido muy lejos, pero si pedía ayuda era porque el Espíritu de Dios todavía hablaba a su corazón. Todavía había esperanza.

Dos años después recibí otra carta de él. Era una carta diferente. "Un día el Señor va a tener una sorpresa conmigo", decía.

Y un día lo encontré otra vez. Vestía un traje azul marino y una corbata de colores, muy moderna. Al fin del culto me abrazó. No lo reconocí. Nunca lo hubiera reconocido si no se identificaba y luego me contara algunos detalles. "¡No puedes ser tú!", exclamé. "¿Usted no cree en los milagros que predica?", me dijo sonriendo. Sí, yo tenía que continuar conociendo a "Aquel que es poderoso para hacer todas las cosas mucho más abundantemente de lo que pedimos o entendemos".

Hoy él vive en otro país. Decía: "Necesitaba cortar todas mis raíces. Aquí y ahora, soy feliz en Cristo. Vivo bien, tengo un buen sueldo, y un día usted va a oficiar en mi casamiento". Esto es lo que Jesús promete: "Te haré de nuevo, te devolveré el respeto y la dignidad. Borraré completamente tu pasado y reproduciré en ti mi carácter". ¿Crees en eso?

La obediencia de los hijos

Hijos, obedeced en el Señor a vuestros padres, porque esto es justo. **Efesios 6:1.**

La obediencia es un fruto de la vida cristiana. La obediencia como un simple código moral es de poco valor para Dios, pero como fruto espiritual es un olor agradable para gloria de su nombre.

Casi siempre usamos el texto de hoy para "recordarle" a los hijos el deber de obedecer, pero el lector cuidadoso se dará cuenta de que hay verdades maravillosas encerradas en el texto. Por ejemplo: ¿Cómo se hace para que la obediencia sea auténtica? ¿Por qué obedecer? La obediencia, ¿es el resultado de ser o el de hacer?

"Sé obediente", dice Pablo. El apóstol va a la esencia de las cosas. Hay una enorme diferencia entre ser obediente y obedecer. El que simplemente está dispuesto a obedecer, lo hará mientras sea vigilado. Su preocupación será la de que todo el mundo quede satisfecho al observar su comportamiento. Pero el que es obediente encara la obediencia no como un deber, sino como un estilo de vida. La obediencia brota de un corazón regenerado y transformado por el Espíritu de Dios. Por eso el consejo de Pablo es que seamos obedientes en el Señor. No existe otro camino que nos lleve a la genuina obediencia; es sólo en el Señor. En su poder y en su gracia. Porque "esto es justo", añade Pablo, y si recuerdas que la justicia no es apenas un atributo sino una Persona, entonces tendrás un cuadro completo de lo que el apóstol está queriendo decir: "Hijos, busquen a Jesús, hagan de él el centro de su vida, vivan en compañerismo permanente con él. Hagan de él su gran amigo. En él encontrarán el perdón, la transformación y el poder para vivir y para ser, y no solamente para aparentar".

Si tú eres hijo, pregúntate: "¿Es Jesús una simple teoría, una doctrina, un nombre bonito que oí hablar a mis padres desde que era niño? ¿O es Jesús un amigo en quien puedo confiar y con quien me gusta pasar mucho tiempo a solas?"

Yo, como padre, pienso: "¿Estoy tratando de mostrar a mis hijos que Jesús es una Persona, o estoy más preocupado en que ellos 'no se salgan de la línea', sin preocuparme de enseñarles que el cristianismo no es simplemente una colección de prohibiciones, sino un estilo de vida y compañerismo con la Persona más extraordinaria y maravillosa que el mundo jamás haya visto: Jesús?"

Luz para el camino

Lámpara es a mis pies tu palabra y lumbrera a mi camino. **Salmos 119:105.**

En 1973 se realizó en la ciudad de Belo Horizonte, Brasil, un gran congreso de jóvenes organizado por el Pr. Assad Bechara. El pastor le había pedido a Costa Junior que compusiera el himno oficial del congreso, cuyo tema debía ser "Piedras". Pero el tiempo pasaba y la inspiración no aparecía por ningún lado. El joven compositor, que había intentado inútilmente componer el himno, sentía la presión del tiempo porque la fecha del congreso se acercaba inexorablemente.

Una noche, después de regresar de las clases en la Facultad de Música de San Pablo, Costa Junior se arrodilló y le pidió a Dios que le diera la música sobre el referido tema. Al terminar la oración oyó con mucha claridad una voz que le decía: "Ve a la Biblia".

Era casi medianoche cuando comenzó a buscar en la Biblia todo lo que tuviera que ver con "piedras". Pero mientras sus ojos buscaban la palabra "piedra", su corazón encontró el brillo de la persona de Jesús. Se acordó de la Piedra Angular. Lo contempló en el silencio de la noche; se sintió conmovido, tocado, inspirado. El día casi amanecía y el himno estaba listo:

"Nosotros éramos como piedras de la calle,
pateadas, pisadas por los pies,
nos golpeábamos contra otras piedras,
rodábamos siempre del revés.

Hasta que caímos en el abismo,
sin forma, quebradas, sin luz,
quedamos en las tinieblas de la noche,
perdidas, a la sombra de la Cruz.

La piedra que los hombres quebraron,
llegó a ser la Piedra Angular,
la Piedra que fue rechazada,
es la Piedra que puede salvar.

Si llegares a perderte,
trata de encontrar a Jesús,
la Joya de las joyas, amigo,
es la Piedra que la vida traduce".

En muchas situaciones de la vida la Palabra de Dios puede ser una lámpara para nuestros pies y una luz para iluminar el camino. Aunque la Biblia es un libro que habla de historia, geografía, sociología y tantas otras cosas, es principalmente el libro del Cordero. Jesús es el personaje central de principio a fin. Desde el Génesis hasta el Apocalipsis hay un hilo rojo que atraviesa cada una de sus páginas: es la sangre que un día fue derramada en la cruz del Calvario para librar al hombre de la muerte.

Victoria sobre el enemigo

¿Qué, pues, diremos? ¿Perseveraremos en el pecado para que la gracia abunde? ¡De ninguna manera! Porque los que hemos muerto al pecado, ¿cómo viviremos aún en él? **Romanos 6:1, 2.**

En los capítulos 4 y 5 de la Epístola a los Romanos, Pablo nos presenta el camino para alcanzar la salvación. El apóstol es claro al decir que somos justificados solamente por la fe en Jesucristo. En el capítulo 6 discute los resultados de una vida justificada. La obra de la salvación no sólo tiene que ver con la vida pasada del ser humano, también tiene que ver con la vida presente y futura. Cristo no desea librarnos únicamente de la culpabilidad del pecado. También quiere librarnos del poder que el pecado ejerce sobre nosotros y, finalmente, de la presencia del pecado en la naturaleza humana. Teológicamente llamamos a estas tres fases: justificación, santificación y glorificación.

Lo que realmente importa es lo que el evangelio es capaz de hacer cuando llega a una vida. Todo lo que tenemos que hacer es correr a los brazos de Jesús con nuestras flaquezas y pecados, caer arrepentidos a sus pies y permanecer en comunión con él. Permaneciendo en Cristo, no permaneceremos más en pecado; habiendo muertos al pecado, disfrutaremos de la vida plena en Cristo.

Conocí a Rose en la ciudad brasileña de Fortaleza, mientras realizaba la campaña de evangelización conocida como REVIVE. Todas la noches Rose era tomada por el enemigo y gritaba aterrorizadoramente a lo largo de la predicación. El último sábado estaba en la fila de los candidatos al bautismo, cuando fue poseída nuevamente por el enemigo. Los diáconos la llevaron al camarín, pero ella pidió que la volviesen a llevar a la pila bautismal.

Cuando, ayudada por los diáconos, ya estaba dentro de las aguas bautismales, el enemigo luchó una vez más para controlar la voluntad de esa angustiada joven. Pensé que no debía bautizarla en esas condiciones, pero sus ojos suplicantes parecían decirme: "Pastor, por favor, bautíceme". Hice la oración y la bauticé en el nombre del Padre, del Hijo y del Espíritu Santo, y al salir del agua toda la iglesia pudo ver el brillo de felicidad en los ojos de Rose. La abracé y le dije que no debía temer nada de allí en adelante, porque Jesús la había libertado.

Nueve meses después me encontré con ella y, con los ojos todavía brillando de regocijo, me dijo: "Pastor, soy victoriosa en Cristo; el enemigo nunca más me atormentó. Mantengo comunión diaria con Jesús a través de la Biblia y de la oración, y estoy testificando a 38 personas a quienes estoy llevando a Cristo".

El poder que libertó a Rose es tuyo hoy. ¿Lo aceptas?

Él terminará lo que comenzó

Estando persuadido de esto, que el que comenzó en vosotros la buena obra la perfeccionará hasta el día de Jesucristo. **Filipenses 1:6.**

Siempre fui un admirador de ese hombre que dio media vuelta en su vida cuando iba hacia Damasco, persiguiendo a los cristianos. Durante muchos años me preocupó el drama de la vida espiritual que él describía en el capítulo 7 de su carta a los Romanos: "No consigo entender mi procedimiento, porque el bien que quiero hacer no lo hago, y el mal que detesto, eso hago" (ver los vers. 15-20). Y en el versículo 24, del mismo capítulo, exclamaba desesperado: "¡Miserable de mí! ¿Quién me librará de este cuerpo de muerte?"

Muchos teólogos creen que Pablo está hablando de su experiencia antes de la conversión, pero, por lo que sabemos, las personas no convertidas no experimentan esa lucha, porque lo que domina y controla sus vidas es una única naturaleza: la pecaminosa. Para que haya lucha tiene que haber dos naturalezas. El dicho popular dice que cuando uno no quiere, dos no pelean.

Que el apóstol esté hablando de una lucha, demuestra que está hablando de la lucha que experimenta la persona que aceptó a Jesús, incluso después de la conversión. ¿Por qué sucede eso? Porque la naturaleza pecaminosa muerta todavía puede resucitar. Eso depende de la manera como la tratamos. Si después de la conversión continuamos alimentándola, entonces estará en forma y con fuerzas para tratar de controlar la vida nuevamente.

En el versículo de hoy el apóstol Pablo presenta un consejo que debe ser asimilado por quien desea ser cada día más semejante a Jesús. El que comenzó la buena obra, ciertamente la terminará. ¡Qué gran promesa! No puedo olvidar el drama que viví cuando era joven, siendo un pastor. En mis horas de devoción personal contemplaba mi vida y me desesperaba. No aceptaba la idea de que un pastor tuviera ciertos pensamientos o sentimientos. Pero los años pasaron, y no es que hoy me haya acostumbrado a aceptar la mediocridad espiritual, no, pero al ver el pasado noto que Jesús ya sacó muchas cosas malas de mi vida. Entonces miro hacia el futuro y veo que todavía existe mucho que debe ser sacado, pero ya no me desespero. Creo que quien comenzó la obra en mí, ciertamente la terminará. Y tengo paz y confianza en el amor maravilloso de Jesús.

En la prisión Mamertina vi el lugar donde Pablo pasó los últimos días de su vida. Ancianito, solo, preso pero victorioso, escribió: "He peleado la buena batalla, he acabado la carrera, he guardado la fe" (2 Timoteo 4:7). En otras palabras: "¡Vencí!" Ya no había más desesperación en su vida. Ya no había la angustia de querer hacer el bien sin conseguirlo. Había descubierto el secreto: "Olvidando todo lo que queda atrás, me proyecto adelante" (ver Filipenses 3:13). "Todo lo puedo en Cristo que me fortalece" (cap. 4:13), y el resultado final fue la victoria. Esa puede ser también tu realidad, ¡ahora!

Tratad a vuestras esposas con dignidad

Vosotros, maridos, igualmente, vivid con ellas sabiamente, dando honor a la mujer como a vaso más frágil y como a coherederas de la gracia de la vida, para que vuestras oraciones no tengan estorbo. **1 S. Pedro 3:7.**

María Aparecida y Raúl llegaron un día a mi escritorio, con el hogar al borde del colapso. ¿Dónde estaban los sueños que un día los llevaron al altar? ¿Qué sucedió en apenas cinco años de matrimonio?

—Fueron apenas seis meses de felicidad, pastor —dijo ella llorando—. Después todo fue agresión y angustia, que hoy se está transformando en desprecio e indiferencia.

Estamos viviendo en tiempos críticos para la familia. Los novios llegan al casamiento llevando debajo de la manga la posibilidad del divorcio si las cosas no salen bien. Cada día se acepta con más naturalidad la separación de un matrimonio.

Lo interesante es saber que todos los matrimonios llegan al altar queriendo ser felices y amándose mucho. ¿Por qué, entonces, fracasan los hogares? Está probado por la propia vida que para ser feliz en el casamiento no basta simplemente con querer ser feliz, ni amar mucho al cónyuge, porque si fuese así, la gran mayoría de los casamientos sería un éxito.

¿Qué es lo que está faltando, entonces? "Vivid la vida común del hogar sabiamente", dice Pedro. La sabiduría y el equilibrio son dones que sólo Cristo puede dar. Para que un matrimonio dure toda la vida es necesario que sea construido sobre bases sólidas, y no apenas sobre sentimientos y buenas intenciones humanas.

El marido necesita ir cada día a los pies de Jesús y deponer ante él su intransigencia, su radicalismo, su autoritarismo. Necesita decir: "Señor, habita en mí por la presencia de tu Santo Espíritu y transforma mi carácter. Ayúdame a considerar a mi esposa como a 'vaso más frágil', y enséñame a tratarla con respeto y dignidad".

Jesús, que ve y comprende todo, sin duda irá puliendo las aristas de nuestro carácter y nos enseñará a vivir la esencia del evangelio en la "vida común del hogar".

Ese día Raúl me contó que hacía mucho que no se encontraba con Dios. La vida era tan agitada y llena de actividades que no le quedaba tiempo para estar a solas con Dios. Estaba prosperando financieramente, pero su hogar se caía a pedazos. Juntos llegamos a la conclusión de que valía la pena esforzarse por separar cada día un tiempo para Jesús. Tengo la certeza de que él está aprendiendo en la escuela de Cristo, porque un día los vi de nuevo en la iglesia tomados de la mano.

Ese maravilloso Jesús que está poniendo equilibrio en ese hogar, esta mañana está dispuesto a entrar en el tuyo y colocar cada cosa en su lugar. Sólo debes decirle: "¡Señor, acepto!"

El secreto de la victoria de Jesús

Orad sin cesar. 1 Tesalonicenses 5:17.

El cristianismo es una vida de permanente comunión con Cristo. Existen dos tipos de comunión. La comunión formal, que no es lo mismo que comunión "formalista", sino formal en el sentido en que es metódica y regular. Esta comunión incluye el tiempo que separamos diariamente para dedicarnos al estudio de la Biblia, la oración, la meditación y también para participar en los cultos de la iglesia. El otro tipo es la comunión informal, la que mantenemos con Jesús a lo largo del día, mientras realizamos nuestras diversas actividades.

El consejo de Pablo esta mañana es: "Orad sin cesar". El apóstol está hablando aquí del espíritu de oración que debe caracterizar la vida del cristiano. El apóstol trabajaba "de noche y de día" (1 Tesalonicenses 2:9), y también oraba "de noche y de día" (cap. 3:10).

¿Entiendes lo que está queriendo decir el apóstol? Está hablando de la comunión informal. El cristiano debe hacer de su vida una oración interminable, no en el sentido de quedar de rodillas el día entero, sino en el sentido de relacionar con Cristo todo lo que hace.

Elena de White aconseja a las dueñas de casa que oren mientras arreglan la casa o preparan el pan. ¿Puedes trabajar, estudiar, practicar deportes, comprar y vender en espíritu de oración? Tal vez ésta sea la gran lucha del cristiano. Si puedes prestar atención a los detalles de tu propia vida, observarás que no existe gran dificultad en separar diariamente un tiempo para tu devoción con Jesús. Nuestro gran problema está en que no mantenemos la comunión informal a lo largo del día. "Orad sin cesar"; éste es el punto clave de la vida cristiana. Cuando la Biblia afirma que Enoc, David, Abraham, Noé y tantos otros héroes de la fe andaban con Dios, está mencionando precisamente el espíritu permanente de oración que estos hombres habían conseguido en su experiencia.

La vida de Jesús fue una vida de permanente oración (S. Marcos 1:35). Y si él, que era Dios hecho carne, necesitaba diariamente de la comunión con el Padre, ¿cuánto más nosotros, hombres debilitados por casi seis mil años de pecado?

Jesús vino a este mundo no tanto para enseñarnos que debemos ser victoriosos, sino para mostrarnos cómo se vive para alcanzar los grandes frutos de la victoria. Vino a indicarnos el camino del poder que cualquier hombre puede conseguir, porque Dios está dispuesto a dar ese poder a los que, reconociendo su debilidad, lo buscan diaria e incesantemente.

¿Quién será contra nosotros?

¿Qué, pues, diremos a esto? Si Dios es por nosotros, ¿quién contra nosotros?
Romanos 8:31.

De repente, Vanina y Alejandro aparecieron en los titulares de todos los diarios. Un día que parecía rutinario para los dos universitarios, se transformó en la mayor pesadilla. Durante varios días, todo Brasil siguió con atención los noticiarios, anhelando que el secuestro de los estudiantes en la puerta de la facultad tuviese un final feliz. Y lo tuvo. Para alegría de todos, fueron liberados después de pagar el rescate exigido. Luego vinieron las entrevistas y los reportajes. Entre las muchas cosas que se hablaron, me impresionó una frase de Vanina: "Cada vez que pensaba en Dios, me sentía segura".

¿Te diste cuenta de que pensar en Dios y estar unido a él es una necesidad absoluta en el ser humano? La gran tragedia del hombre moderno radica en el hecho de haber perdido la visión correcta de Dios. Y se siente infeliz, porque no puede vivir sin Dios. Tú fuiste creado para permanecer en continuo contacto con tu Creador. Cuando te separas del Creador, comienzas a crear dioses sustitutos. ¿Quieres verlo?

Esconde a Dios de un niño y él adorará el Sol o las estrellas, el viento o las montañas; adorará a sus antepasados, a la mar o a la Luna. Y cuando crezca, con seguridad adorará sus propios sueños e ideales, su arte o su técnica.

Pero, aunque tú adores tu propia voluntad o tu inteligencia, o, desengañado por los dioses místicos, te vuelvas a los sentidos y a los placeres, allá en el fondo de tu alma estarás buscando a tu Creador.

Puedes hacer lo que quieras: negar la existencia de Dios y afirmar que él es fruto de la imaginación de almas débiles que tratan de compensar la falta de coraje para enfrentar la vida; y puedes decir que no pasa de ser la intención de mentes expertas para engañar a los ingenuos. Lo que quieras. Pero allá en el fondo del corazón siempre habrá un vacío extraño que ni el poder o la cultura serán capaces de llenar, y mucho menos el dinero, el placer o la fama.

Lo maravilloso de todo es que Dios no te reclama nada. Él te ama sin importarle lo que piensas acerca de él, sin mirar si tu conducta es buena o mala, sin considerar tus realizaciones o fracasos, sin tener en cuenta tu apariencia o el nombre de tu familia.

En la hora de la pesadilla, Vanina entendió mejor que nadie lo que estás leyendo. En medio de la oscuridad, llena de incertidumbres, ansiedades y temores, sintió a Dios como un amigo que susurraba al oído: "Hija, estoy aquí. No me puedes ver, pero estoy aquí y nada te va a suceder".

Ese Dios es tuyo. Sal hoy con él.

No murió, solamente duerme

Entró y les dijo: "¿Por qué alborotáis y lloráis? La niña no está muerta, sino dormida". S. Marcos 5:39.

El teléfono trajo la noticia fatal. "Debes ir urgentemente, Doris te necesita". Doris es una de mis hermanas, casada con un joven pastor que cumplía su ministerio en una región difícil, infectada por revolucionarios del grupo guerrillero Sendero Luminoso y por traficantes de drogas, en la región amazónica de mi país, el Perú.

Una noche, mientras ese joven pastor regresaba a su casa, después de presentar el evangelio a un grupo de personas, fue fusilado por manos asesinas, en una carretera solitaria.

En el avión que me conducía a Lima, tuve muchos interrogantes en mi corazón. ¿Por qué Dios no protegió la vida del joven pastor? Después me acordé de que Dios nunca prometió que sus hijos no pasarían por el valle de sombra o de muerte; lo que sí prometió es que nunca quedarían solos, que siempre estaría cerca en la hora del sufrimiento.

Naturalmente, al hombre no le gusta sufrir, porque no nació para sufrir. El sufrimiento es un elemento extraño en su experiencia. El ser humano fue creado para vivir y ser feliz, pero, infelizmente, el pecado entró en el mundo y trajo consigo el sufrimiento, el dolor y la muerte.

Llegué alrededor de la una de la madrugada a la casa de mi madre. Abracé a mi hermana, que tenía apenas 30 años, y a sus dos hijas pequeñas, que quedaban para criar. La acompañé durante las terribles horas de la despedida. En el cementerio, tomé su mano. Había lágrimas en sus ojos, pero no desesperación. Los hijos de Dios pueden llorar pero no se desesperan nunca, porque saben a dónde ir cuando la tristeza toca a la puerta del corazón, y, sobre todo, saben que la muerte es apenas un sueño y que luego vendrá el día en que Jesús devolverá a sus hijos todos los amados que un día le fueron arrebatados por la muerte. ¿Estás en este momento atravesando el valle de la sombra de muerte? No te desesperes. Hay una mano poderosa sustentándote en medio del dolor. ¿Perdiste hace poco a un ser querido? No te desanimes. En breve Jesús colocará de nuevo en tus brazos al ser querido que perdiste. No habrá más dolor, ni llanto, ni tristeza. Las cosas viejas habrán pasado, y todo será hecho nuevo. El Sol del día eterno brillará.

Levanta la cabeza, enjuga las lágrimas. La vida continúa y Jesús está contigo.

Una nueva oportunidad

Estos son los descendientes de Noé: Noé, hombre justo, era perfecto entre los hombres de su tiempo; caminó Noé con Dios. **Génesis 6:9.**

En la vida de Noé, como sucede con muchos seres humanos, hubo un episodio que, sin duda, lo perturbó por mucho tiempo. Fue un momento vergonzoso que trajo oprobio a toda la familia. Quedó borracho y, bajo los efectos de la embriaguez, apareció desnudo delante de los vecinos y la familia, provocando escándalo y burlas.

Seguramente al día siguiente, cuando le contaron lo que había hecho, Noé no tuvo coraje de salir a la calle y mirar a los vecinos.

Pero cuando el escritor bíblico hace un resumen de la vida de este patriarca, dice que era un hombre justo e íntegro entre sus contemporáneos, porque andaba con Dios.

Aquí hay algo maravilloso que necesitamos entender. En el momento en que Noé se embriagó, sin duda que estaba lejos de Dios, porque no es posible estar en comunión con Dios y practicar actos pecaminosos al mismo tiempo. Pero la gracia de Dios lo alcanzó, y Noé se levantó y, aunque en su pasado había episodios vergonzosos, al fin de su vida fue considerado un hombre justo y perfecto.

Cuánta esperanza para los que un día fueron heridos por los dardos del enemigo. Cuánta esperanza para quienes un día resbalaron, cayeron y conocieron el gusto de la derrota.

El secreto de Noé fue aprender a andar con Dios. No es fácil, no. A veces, atraídos por el brillo de este mundo, soltamos el brazo poderoso de Jesús y nos golpeamos, pero él siempre está con el brazo extendido.

Alguien dijo que muchas veces la caída puede ser tan fuerte que no queden fuerzas ni para levantar la mano. Pero con sólo mirar a Jesús —quien sabe todo, interpreta nuestro grito de socorro y corre hasta nosotros—, él nos levanta, nos cura las heridas y nos declara justos, como si nunca hubiésemos caído.

Sea nuestra oración hoy: "Gracias, Señor, por ser así, por amarme y comprenderme y por darme siempre nuevas oportunidades. Toma mi mano y guíame por los caminos de la vida".

El siervo sufriente

Entonces su amo lo llevará ante los jueces, lo arrimará a la puerta o al poste, y le horadará la oreja con lezna. Así será su siervo para siempre. Éxodo 21:6.

Aquí encontramos otra figura maravillosa de Cristo. El relato que nos trae el texto de hoy nos habla de un incidente de la vida doméstica. Un siervo hebreo es el protagonista de la historia: el tiempo de su esclavitud acabó; el amo ya no tiene derecho sobre él. Puede quedar libre si quiere, pero la libertad no tiene atractivo para él. Existen vínculos que lo unen a su señor. Sus mayores alegrías están aquí, y, finalmente, concluye: "Amo a mi Señor, a mi mujer y a mis hijos; no quiero salir libre" (vers. 5).

Entonces, en una ceremonia sencilla, llaman a los jueces y a los testigos y se le hace una herida en el cuerpo como símbolo visible y permanente: "Su amo lo llevará ante los jueces, lo arrimará a la puerta o al poste, y le horadará la oreja con lezna. Así será su siervo para siempre". A partir de ese momento el siervo no es siervo por obligación, sino porque quiere.

En Salmos 40:6 encontramos la figura de Cristo como siervo. Jesús dice: "Padre, mis orejas han sido agujereadas por tu propia mano".

Tal vez nuestra mente finita nunca llegue a entender la inmensidad del amor de Cristo, que, siendo igual a Dios, dejó todo por amor al hombre. Los ángeles se ofrecieron para venir en su lugar; no podían soportar la idea de ver a Jesús en la posición de un siervo, muriendo la muerte ignominiosa de la cruz. Pero ningún ser creado podía hacer la expiación por el hombre; sólo lo podía hacer Jesús y nadie más. En la forma de siervo, vino a este mundo y tuvo que andar lentamente cada paso marcado en la profecía. Su comida y bebida eran hacer la voluntad de su Padre. No tuvo descanso; vivió en una ciudad despreciada. Trabajó como carpintero y usó sus herramientas. Bebió el cáliz de su humillación y, cuando se aproximó el momento final, aceptó el cáliz más amargo: el jardín del Getsemaní fue su agonía. El siervo cargó con el pecado de todo el mundo. No reclamó, no exigió justicia; sencillamente amó en silencio y finalmente murió.

Ese es el carácter de siervo que quiere reproducir en la vida de quienes lo siguen: la docilidad de su carácter para entregar mansamente las orejas, ser agujereados y servirlo por amor. ¿Cómo llegar a ese punto de carácter? Sólo hay un camino: vivir cada día y cada minuto sintiendo su presencia a nuestro lado. Más que eso, sentir su presencia en nosotros, por medio del Espíritu Santo.

La iglesia de Dios

Entonces el dragón se llenó de ira contra la mujer y se fue a hacer la guerra contra el resto de la descendencia de ella, contra los que guardan los mandamientos de Dios y tienen el testimonio de Jesucristo. **Apocalipsis 12:17.**

En 1963 era pastor entre los aborígenes de la tribu campa, en el interior de la selva peruana. Estábamos preparando una gran reunión con los hermanos indios de todas las aldeas, y terminaríamos el encuentro con un gran bautismo.

Como invitado a esa reunión vendría de la capital un pastor jubilado. Para llegar al lugar del encuentro era necesario viajar un día en ómnibus, cuatro horas en camión y dos horas más en canoa por el río. Los preparativos para la gran fiesta espiritual me tenían ocupado por completo. No podía viajar hasta La Merced —ciudad hasta donde el ómnibus llegaba— para esperar al pastor visitante. Entonces le pedí a un joven indio que hiciera esa tarea por mí.

—¿Cómo sabré quién es el pastor Aguilar, si en el ómnibus vendrán por lo menos cuarenta personas? —fue la pregunta del joven indio.

—No te preocupes —respondí—. En este papel están escritas las características del pastor. Es ancianito, tiene el cabello blanco, es alto, delgado, usa anteojos, tiene una mancha grande en el lado izquierdo de la cara y anda siempre con corbata.

Más tranquilo, el joven indígena viajó a La Merced y, al caer la tarde, estaba de vuelta trayendo consigo al pastor visitante.

En este mundo existen nueve grandes religiones, y sólo dentro de la religión cristiana existen por lo menos 3.000 subdivisiones. ¿Cómo saber cuál es la verdadera iglesia de Dios? Esa pregunta la hace mucha gente, pero la respuesta de Dios está en el versículo de hoy. El texto describe las dos características principales de la verdadera iglesia de Dios en nuestros días: tiene la fe de Jesús y guarda los mandamientos de Dios.

Para ser la iglesia verdadera no basta tener una de las características. Son necesarias ambas. Creer en Jesús de todo corazón, levantar a Jesús como el centro de la vida y del mensaje, y, como resultado de la fe en Jesús, vivir una vida de obediencia a los mandamientos de Dios.

Tú puedes hoy buscar esa iglesia. En ella Dios está tratando de reunir a sus hijos para el gran encuentro final con Cristo. Mi sueño es ver y poder abrazar a Jesús en ese día.

¿Podremos conocernos personalmente tú y yo al lado de Jesús?

Resucitados para una nueva vida

Con él fuisteis sepultados en el bautismo, y con él fuisteis también resucitados por la fe en el poder de Dios que lo levantó de los muertos. **Colosenses 2:12.**

Conozco a muchas personas maravillosas, que van a la iglesia de vez en cuando, apoyan a la familia en todo, creen en Jesús y su mensaje, pero no toman la decisión de bautizarse. Mi padre era uno de ellos.

El argumento que constantemente usan es que todavía no están preparados para tomar una decisión tan seria. Miran su propia vida y ven que hay muchas cosas que deben ser ajustadas y corregidas para poder ser bautizados.

El versículo de hoy nos muestra que la experiencia del cristiano no termina con el bautismo. El bautismo no es el certificado que la iglesia da a quien demostró que puede cumplir todas las normas establecidas en la Palabra de Dios. El bautismo es prácticamente el comienzo de la experiencia cristiana. Después del bautismo somos "resucitados [en él] por la fe en el poder de Dios".

A partir del bautismo comienza la experiencia maravillosa del compañerismo y la victoria en Cristo. Cada día es un día de aprendizaje. Fuimos resucitados para una nueva vida, y pasamos a ser como niños que están aprendiendo a andar.

¿Viste caminar a tu hijito? ¿No se cayó muchas veces antes de dominar el arte de caminar? ¿Y qué hacías cuando tropezaba y caía? ¿Corrías para castigarlo porque no había conseguido andar, o lo animabas a intentar de nuevo?

Dios es un Padre de amor dispuesto a ver crecer y madurar a sus hijos en la nueva experiencia de andar con él.

Si estás esperando a vivir una vida "perfecta" para tomar la decisión de bautizarte, nunca decidirás hacerlo porque solo nunca alcanzarás el ideal de Dios para ti.

El bautismo no es el fin del curso. Es el comienzo de la experiencia con Jesús, y la declaración pública de que lo amas y quieres vivir con él el resto de tu vida. Igual que en el matrimonio, la vida entre dos es una escuela que no tiene graduación. Vamos aprendiendo diariamente con los aciertos y los errores, pero conseguimos enfrentar las situaciones sustentados por el amor que nos une a otra persona.

Si estás en el valle de la decisión, haz de este día tu gran día. Abre tu corazón y di: "Señor, hoy decido entregarme definitivamente a ti y prepararme para participar del próximo bautismo".

¿Por qué confesar?

El que oculta sus pecados no prosperará, pero el que los confiesa y se aparta de ellos alcanzará misericordia. **Proverbios 28:13.**

Nadie precisa vivir atormentado por un error del pasado, porque Cristo pagó en la cruz del Calvario el precio por todos los pecados de todos los hombres de todos los tiempos. Cristo ya "adquirió" el derecho a perdonar. Teológicamente hablando, cuando confesamos nuestros pecados Dios no provee el perdón, sino que lo aplica. El perdón ya fue provisto en el Calvario.

Pero la vida cristiana no es sólo una exposición teológica. Es una relación personal con Cristo. Aunque teológica y potencialmente todos los pecados de todas las épocas podrían haber sido perdonados, yo tengo que confesarlos y luego aceptar la validez de ese perdón para mí. Yo tengo que aceptar, después confesar y luego decir: "Sí, Señor, acepto tu perdón porque soy un pecador y necesito de ti".

Existe un gran peligro en decir: "Yo no preciso confesar mis pecados para que Dios me los perdone, porque en el Calvario ya fue provisto el perdón". Esta declaración es verdadera y falsa. Universal y teológicamente es verdadera, pero personalmente es falsa. ¿De qué sirve tener un millón de dólares en el Banco si no firmo el cheque para retirarlo? El dinero existe, está en mi cuenta bancaria, pero necesito apoderarme de él y colocarlo en mi bolsillo para poder pagar mis deudas.

Cuando miramos hacia la cruz del Calvario y vemos morir al Hijo de Dios (la expresión del amor hecho hombre) sin gemir, sin reclamar, solamente muriendo en silencio y por amor. Cuando vemos su mirada —sin condenación, sin crítica, esperando, sufriendo y amando—, entonces lo único que puede hacer el corazón humano es caer de rodillas y decir: "Señor Jesús, soy un pecador, no merezco todo ese sufrimiento por mí, pero te necesito. Acéptame como estoy y dame el poder necesario para salir de esta situación".

Entonces, y sólo entonces, el perdón provisto en la cruz es válido para el hombre y se convierte en el comienzo de una vida de prosperidad.

21 de febrero

Dos veces padre

Pues no habéis recibido el espíritu de esclavitud para estar otra vez en temor, sino que habéis recibido el Espíritu de adopción, por el cual clamamos: "¡Abba, Padre!" Romanos 8:15.

Servir por obligación es una cosa, y servir por amor es otra completamente diferente. En los internados de los colegios sucede con frecuencia algo que ilustra muy bien lo que estoy tratando de decir.

Las chicas que trabajan en la lavandería planchan las camisas como parte de su obligación. ¿Qué significan esas camisas para ellas? Trabajo, remuneración y deber; nada más. Pero imagina que cierto día una chica comienza a gustar de un joven y, por coincidencia, cuando está trabajando en la lavandería, llega a sus manos la camisa del joven del cual gusta. ¿Cómo crees que dicha joven va a tratar esa camisa? Con seguridad que la va a planchar con mucho cariño, va a ser cuidadosa con cada parte de la camisa y, si pudiera, hasta va a colocarle un poco de perfume.

¿Dónde está la diferencia? En el amor, por supuesto; y es justamente a esa experiencia que el Señor Jesús quiere llevarnos.

Antes de conocerlo éramos esclavos del pecado, de los temores, de las dudas y de los prejuicios. Obedecíamos de alguna manera por temor a perdernos o sufrir las consecuencias de nuestro error. Pero un día lo conocimos y entendimos su amor maravilloso. Entendimos cómo él dejó todo y vino a este mundo para salvarnos, cómo nos ama y está dispuesto a aceptarnos tal como somos. Entonces nos apasionamos por él, somos conquistados por la atracción de la cruz y, voluntariamente, nos tornamos esclavos de su amor.

Las cadenas de la esclavitud ya no nos atan; ya no obedecemos por temor al castigo. Ahora estamos atados por las cuerdas del amor. Amamos, y porque amamos queremos ver a nuestro Señor Jesús siempre sonriente. Sus pensamientos pasan a ser nuestros pensamientos y sus sentimientos los nuestros. La Ley no está escrita sólo en tablas de piedra, sus principios están ahora grabados con amor en nuestro corazón y, a medida que los días pasan, vemos cada vez más su carácter reflejado en el nuestro. Las personas perciben que somos cada vez más semejantes a Jesús. Entonces, brota del corazón un canto de júbilo: "¡Abba, Padre!", que quiere decir "dos veces Padre".

Él no se olvidó de ti

Pero Sión ha dicho: "Me dejó Jehová, el Señor se olvidó de mí". "¿Se olvidará la mujer de lo que dio a luz, para dejar de compadecerse del hijo de su vientre? ¡Aunque ella lo olvide, yo nunca me olvidaré de ti!" **Isaías 49:14, 15.**

Habíamos terminado un campamento de jóvenes en el Parque de Exposiciones, en Brasilia, capital del Brasil, y todos preparaban sus mochilas para regresar a sus casas. Se desarmaban las carpas. Muy pronto sólo quedarían recuerdos de lo que había sido una semana maravillosa en la vida de casi veinte mil jóvenes.

Entonces vi, sentada en el borde de lo que había sido la plataforma central, a una chica de unos 16 años. Parecía una estatua. No se movía; miraba, inmóvil, fijamente, hacia un punto indefinido del horizonte.

—¡Hola! ¿Sientes nostalgia del campamento? —le pregunté, acercándome a ella.

Me miró con indiferencia, como si no me conociera. Intentaba ser dura, demostrar que no estaba sufriendo, pero no lo conseguía. Las lágrimas daban vueltas en sus ojos; más que lágrimas, el grito silencioso de un corazón carente, demasiado joven para ver los colores de la vida.

—¿Por qué todo lo que es bueno tiene que terminar? —preguntó angustiada—. El sueño concluyó, aquí encontré amigos fantásticos. Sabía que había gente a quien yo le importaba, pero el sueño pasó. ¿Por qué tiene que ser siempre así?

Después me habló de su vida, y terminó diciendo: "Nadie gusta de mí, a nadie le importo nada".

¿Ya pasó esa pregunta alguna vez por tu cabeza? Vivimos en un mundo contradictorio. Las personas viven apiñadas en departamentos, pero parece que nadie conoce a nadie. Si uno entra en alguna de las estaciones del subte del centro de la ciudad, se tiene la impresión de ser una sardina enlatada, pero, ¿a quién le interesa si tus pies duelen porque anduviste todo el día buscando empleo? O, ¿quién se interesa en conocer el volcán de tristeza que parece explotar dentro de tu pecho?

¿Te sentiste alguna vez como un objeto usado por otras personas? ¿Alguna vez fuiste tratado/a así por personas cercanas a ti? ¿No le interesas a nadie? ¿Nadie gusta de ti?

No olvides nunca la promesa de Dios: "¿Se olvidará la mujer de lo que dio a luz, para dejar de compadecerse del hijo de su vientre? ¡Aunque ella lo olvide, yo nunca me olvidaré de ti".

Semejantes a él

Sed, pues, vosotros perfectos, como vuestro Padre que está en los cielos es perfecto. **S. Mateo 5:48.**

Esta declaración ha atormentado a mucha gente, y es prácticamente el resumen del Sermón del Monte. En el versículo 45, Jesús presenta el ideal de Dios para nosotros: "Que seáis hijos de vuestro Padre que está en los cielos". Los hijos generalmente se parecen al padre en el carácter. Los padres y los hijos tienen una convivencia diaria y permanente, y casi sin darse cuenta los hijos siguen las pisadas del padre.

En el Sermón del Monte, Cristo está combatiendo la "perfección humana". Los judíos se preocupaban tanto con los mínimos detalles de la letra, que habían perdido el espíritu de la ley de Dios. Amaban a los suyos, eran gentiles y corteses, practicaban actos de "misericordia" entre ellos, pero ni miraban a los gentiles, o, en el mejor de los casos, los miraban con desprecio.

Jesús los desafía en el versículo 46: "Si amáis a los que os aman, ¿qué recompensa tendréis? ¿No hacen también lo mismo los publicanos?" Luego de ese versículo viene la orden: "Sed, pues, vosotros perfectos, como vuestro Padre que está en los cielos es perfecto". Vuestro Padre, el del versículo 45, "que hace salir su sol sobre malos y buenos y llover sobre justos e injustos".

Aunque el versículo de hoy se refiere a la perfección de carácter en general, el contexto nos muestra que Jesús habla en especial de la perfección en el relacionamiento con las personas, con los que no son de nuestra raza, con los que no pertenecen a nuestro grupo social, con quienes pertenecen a otra religión o tienen filosofías diferentes de las nuestras.

¿Puedes mirar con amor a un *punk*, o a un homosexual que defiende en la TV la posición de que el homosexualismo no es pecado y sí una nueva opción?

¿Eres capaz de orar por un neonazi, o por un líder político deshonesto? "¿Qué mérito tiene —pregunta Jesús— si amas a los que te aman?" Si el Padre que está en los cielos ama a los buenos y a los malos, sé perfecto como tu Padre. Sé capaz de aceptar y amar a las personas como son.

Es duro, ¿no es cierto? Pero el Padre también promete: "Estaré con vosotros todos los días hasta el fin del mundo" (ver S. Mateo 28:20). ¿Cómo? Por la presencia del Espíritu Santo en nuestra vida. Santificando nuestra voluntad. Purificando nuestros sentimientos y reproduciendo cada día en nuestra vida su carácter, para hacernos más semejantes a él.

No te desanimes

Jesús le contestó: "Ninguno que, habiendo puesto su mano en el arado, mira hacia atrás es apto para el reino de Dios". S. Lucas 9:62.

Conocí a Dirceu en un momento dramático de su vida. Se apasionó por Jesús, le entregó el corazón sin reservas y el Maestro transformó su vida completamente.

Entonces el enemigo lanzó todos los dardos contra él. Sus negocios se fueron a pique; perdió autos, casas, terrenos, todo. Meses después me encontré con él y, sabiendo la situación que atravesaba, le pregunté casi con temor:

—¿Cómo estás?

—Las cosas andan mal, pastor. Pero continúo amando a mi Señor Jesús. Prefiero todo el sufrimiento presente a la terrible angustia de vivir sin Cristo.

"Ninguno que, habiendo puesto su mano en el arado, mira hacia atrás es apto para el reino de Dios", dijo Jesús.

Si tú, amigo mío, aceptaste a Jesús y fuiste bautizado hace poco tiempo en la iglesia, entonces sin duda estás atravesando esos momentos difíciles en los que todas las fuerzas del enemigo se concentran para derribarte y hacer que mires hacia atrás. Pero acuérdate: no estás solo. Miles de ángeles están contemplando tu lucha. Es posible que estés pasando por un fuego. Incluso tu ropa puede comenzar a arder, pero escaparás ileso. Es la promesa de Dios.

Después de la prueba, sin duda que estarás más maduro. Habrás aprendido a depender menos de los recursos humanos y a confiar más en el poder de Dios.

En el camino hacia el reino de los cielos existe mucha gente herida y cansada porque miró hacia atrás, o hacia el costado, en lugar de mirar a Cristo. "Cuando el hombre dedica muchos pensamientos a sí mismo, se aleja de Cristo, manantial de fortaleza y vida. Por esto Satanás se esfuerza constantemente por mantener la atención apartada del Salvador e impedir así la unión y comunión del alma con Cristo. Los placeres del mundo, los cuidados de la vida y sus perplejidades y tristezas, las faltas de otros o tus propias faltas e imperfecciones; hacia alguna de estas cosas, o hacia todas ellas, procurará desviar la mente. No seas engañado por sus maquinaciones" (*El camino a Cristo*, pág. 71).

Que Dios te ayude en este día, y que incluso cuando seas tentado a mirar hacia atrás, mires solamente a Cristo, el "autor y consumador de tu fe". Conserva un cántico en tu corazón, coloca un casete de música inspiradora en tu auto y anda con Dios.

25 de febrero
El desafío y la promesa

Pero recibiréis poder cuando haya venido sobre vosotros el Espíritu Santo, y me seréis testigos en Jerusalén, en toda Judea, en Samaria y hasta lo último de la tierra. **Hechos 1:8.**

La pareja de viejecitos que llevó a mi madre al conocimiento del evangelio, prácticamente no sabía leer ni escribir, pero tenía una vida de maravillosa comunión con Cristo. Liberados de la ignorancia y la esclavitud del pecado, esos ancianitos habían experimentado en su vida la paz que sólo Cristo puede dar. Eran felices; uno podía darse cuenta de ese hecho al observar la manera como vivían, y al haber conocido a un Salvador maravilloso, no podían guardar eso para sí. Continuamente daban testimonio. Vivieron la vida testificando, y uno de los frutos de ese testimonio fue mi madre, que tuvo nueve hijos y veinte nietos, todos seguidores de Jesús.

¿Puedes imaginarte la dimensión del testimonio de esos viejecitos? Dios quiere que cada cristiano sea un testigo. La palabra testimonio aparece trece veces en Hechos de los Apóstoles. El libro de Hechos no contiene la biografía o las experiencias maravillosas de algún apóstol en particular; el libro de Hechos es el registro de una iglesia que testificaba. Nadie quedaba callado. Todos anunciaban "lo que habían visto y oído" (ver 1 S. Juan 1:3).

El desafío que aparece en Hechos 1:8 fue dado a una iglesia temerosa y triste, porque se aproximaba el momento de la partida del Maestro. El desafío de ser testigos en Jerusalén, Judea, Samaria y hasta lo último de la Tierra parecía un trabajo imposible de realizar.

Esto, unido al pensamiento de que Cristo sólo volvería cuando ese trabajo estuviere terminado, creaba en los discípulos una sensación de pérdida definitiva. Pero lo que comenzaron a entender ese día es que Jesús no presenta un desafío sin acompañarlo con una promesa: "Pero recibiréis poder cuando haya avenido sobre vosotros el Espíritu Santo". Entonces, y sólo entonces, me seréis testigos. Testificar no es algo que se hace como atributo humano. Testificar es también un fruto que brota en la vida de quien, por la comunión con Cristo, tiene la presencia del Espíritu Santo controlando voluntariamente su vida.

A lo largo de este día tendrás la oportunidad de relacionarte con otras personas. La mayoría de la gente no conoce a Jesús; vive angustiada, triste y vacía. Tú tienes la respuesta que atormenta el corazón de esos seres humanos. Tú conoces a Jesús. ¿Por qué no testificar ante ellos?

Nunca es tarde para decir sí

No me deseches en el tiempo de la vejez; cuando mi fuerza se acabe, no me desampares. **Salmos 71:9.**

En enero de 1985 regresé al Perú para visitar a mis padres y hermanos. Fue muy doloroso ver a mi anciano y cansado papá, apagándose lentamente. Había rechazado a Jesús durante 34 largos años. Siempre había huido e inventado disculpas, aunque sentía que el Espíritu Santo lo estaba llamando.

De repente, un cáncer asesino comenzó a devorar su vida, y entonces, entre lágrimas y dolores, reconoció que no estaba luchando contra la esposa, ni contra los hijos, ni contra la iglesia, sino contra Jesús. Y en el silencio de la noche, solito, entre lágrimas cayó de rodillas y aceptó al Señor Jesús.

En la Nochebuena de ese año, mi padre dijo: "Hijo, tengo un regalo para ti. Tú no lo sabes, pero hace más de un año que entregué mi vida a Jesús, y estuve esperando que llegaras para bautizarme".

Al sábado siguiente entré en la pila bautismal y bauticé a mi propio padre. Y en ese momento, dentro del agua, dijo: "Me siento feliz porque sé que Dios me aceptó, pero triste porque ya estoy viejo y entregué mi vida a Dios cuando ya no tengo fuerzas para hacer nada por él".

"No me deseches en el tiempo de la vejez", clamó David. Dios nunca rechaza. Está siempre con los brazos abiertos esperando el momento de la decisión, suplicando y llamando.

Mi padre cerró los ojos dos meses después, pero lo hizo con la bendita esperanza de la resurrección. Su cuerpo descendió al sepulcro consumido por el cáncer, pero en mi corazón brilla la esperanza de verlo resucitado y transformado para alabar el nombre de Jesús al lado de la familia cristiana, por toda la eternidad.

Dios te ama y está tocando a la puerta de tu corazón. Si eres joven, puedes decir: "Heme aquí". Mas si el tiempo pasó y eres ya un anciano, él te ama igualmente.

Nunca es tarde para decir sí a Jesús. Hoy ábrele el corazón y dile: "Señor, te acepto. Resistí mucho tiempo, traté de huir, corrí, pero no doy más; estoy aquí, acéptame".

27 de febrero

El dolor que cura

Y haced sendas derechas para vuestros pies, para que lo cojo no se salga del camino, sino que sea sanado. **Hebreos 12:13.**

Cierta tarde gris, mientras estaba en la estación "La Luz", en San Pablo (trataba de conseguir un taxi para dirigirme al barrio Belém, donde conducía una campaña evangelizadora), fui sorprendido por Elena, una policía que se ofreció para llevarme. En el camino me contó que me había conocido en uno de los momentos más trágicos de su vida, cuando deseaba morir por causa de la muerte de su hijo de 16 años. Me dijo que en ese entonces el mensaje que yo había predicado la había ayudado a entender que valía la pena confiar en Dios y continuar viviendo.

Muchas veces había contado este incidente al comenzar mi mensaje del por qué del sufrimiento, pero hace pocos días mi secretaria me sacó de una reunión, diciendo que alguien necesitaba urgentemente hablar conmigo.

Era Elena, la policía del vestido blanco y revólver calibre 38. Estaba desesperada.

—¿Por qué, pastor? —fue su primera pregunta—. Mi otro hijo de 15 años acaba de morir en un accidente de tránsito y no consigo entender el porqué.

¿Qué podía decirle a una mujer golpeada tantas veces por la tragedia? Algunos días después le escribí una carta de ánimo y gozo, pero el sufrimiento de Elena no conseguía salir de mi cabeza.

Esta mañana, leyendo la Biblia, encontré el versículo de Hebreos 12:13. En el capítulo 12 de Hebreos encontramos una exhortación a la constancia, paciencia y santidad. El versículo 11 dice: "Es verdad que ninguna disciplina al presente parece ser causa de gozo, sino de tristeza; pero después da fruto apacible de justicia a los que por medio de ella han sido ejercitados". Después menciona las "sendas derechas para [los] pies, para que lo cojo no se salga del camino, sino que sea sanado".

Hay un camino glorioso para ti, Elena, aunque en medio de las lágrimas y el dolor no consigas verlo. Existe un camino del cual no puedes salir. Ese camino es Jesús, y muchas veces el dolor y la tristeza golpean a la puerta de nuestro corazón porque Dios nos está llamando a ese camino glorioso que ha reservado para nosotros.

La meditación de hoy es para todas las Elenas que no logran entender el porqué del sufrimiento, con el fin de que levanten "las manos caídas y las rodillas paralizadas" (vers. 12), y logren glorificar el nombre de Dios en medio de las espinas del dolor, la tristeza y la nostalgia.

¿Jesús o la burra?

Entonces Jehová abrió la boca al asna, la cual dijo a Balaam: "¿Qué te he hecho, que me has azotado estas tres veces?" **Números 22:28.**

Balaam era un hombre confundido. Necesitaba un mensaje especial para despertarlo. Pero no había ningún pastor cerca, ni predicador, ni profesor de Biblia. Todo lo que había era un asna, y Dios le entregó el mensaje y ella habló.

Sin embargo, los hombres corren el peligro de olvidar al Dios del mensaje y seguir a la burra, y la burra también corre el peligro de pensar que ella es la que realmente vale.

Cuando era joven oí la historia del burrito que llevó a Jesús durante su entrada triunfal en Jerusalén. Todo el mundo gritaba hosannas —todo el mundo se inclinaba y agitaba palmas mientras Jesús pasaba—, pero el burrito pensó que los homenajes eran para él.

Esa noche el burrito llegó a su casa y le dijo a sus padres: "A partir de hoy tienen que tratarme con mayor consideración, porque soy muy importante. Esta mañana fui a la ciudad y todo el mundo se inclinó delante de mí y agitó palmas para homenajearme".

Los padres, dice la historia, quedaron intrigados con la noticia, y al día siguiente lo acompañaron a la ciudad para ver si era verdad lo que el hijo les había contado.

Para decepción del burrito, esta vez nadie lo miró, y hasta había gente que lo golpeaba para que se retirara del camino.

¡Hay de los mensajeros que, olvidando al Dios del mensaje, permiten que el orgullo y la suficiencia propia se apoderen de ellos! Y ¡hay de los hombres que, olvidando al Señor del mensaje, concentran su atención en el mensajero!

No somos seguidores de hombres. Jesús debería ser el centro de nuestra atención; el Jesús crucificado, resucitado y próximo a volver. Los hombres nos podrán fallar, decepcionar y hasta traicionar. Pero Jesús, nunca. Construir el discipulado sobre un hombre es edificar en la arena. Jesús es la Roca de los siglos; sólo en él estaremos seguros.

¿Soy seguidor de Jesús o estoy siguiendo a los hombres? Esta es una pregunta para ser respondida hoy.

Ve con Jesús, sigue la Estrella de la mañana. Él te conducirá al puerto seguro.

La niña de los ojos

Guárdame como a la niña de tus ojos; escóndeme bajo la sombra de tus alas.
Salmos 17:8.

En la mañana del martes 28 de julio de 1992, la Prof. Mirtes Ribeiro cantó un himno de loor a Dios. Antes de la presentación musical contó, con voz emocionada, un incidente que le había ocurrido durante las vacaciones, mientras arreglaba la cocina para después jugar con sus pequeños hijos, y que muestra la manera maravillosa como Dios protege a su pueblo. Según ella, esa experiencia la ayudó a encontrar un nuevo significado en el texto bíblico que escogí para hoy.

"Estaba secando los platos y los cubiertos, mientras los niños me ayudaban a guardar las cosas, cuando súbitamente uno de ellos emitió un gemido de dolor y se llevó la mano a los ojos. Me apresuré para ver lo que sucedía y quedé asustada al notar un cuchillo en la mano del otro niño. Instintivamente pedí a Dios protección. Tuve miedo, imaginando lo que podía haber acontecido; con cuidado retiré las manos del niño de sus ojos y noté que tenía los ojos en perfectas condiciones, aunque salía un hilo de sangre de la herida que la punta del cuchillo había causado a milímetros del ojo izquierdo".

Después de contarme esta historia, Mirtes abrió la Biblia, leyó Salmos 17:8 y cantó un himno que cobró un nuevo significado para todos los que estábamos presentes en esa reunión. "Guárdame como a la niña de tus ojos", dice el salmista. ¿Puede haber algo más delicado, más sensible y de mayor importancia que la niña del ojo? Los que por la gracia de Dios tienen una vista buena y los dos ojos perfectos, tal vez no entiendan plenamente lo que Dios está queriendo decirnos esta mañana.

Tú eres tan importante para Dios que él cuida de ti como lo más delicado. Los ángeles de Dios están siempre vigilando tus pasos.

Muchas veces el día termina y quizá pienses que fue un día sin mayores riesgos, pero, sin darte cuenta, la mano poderosa de Dios salvó tu vida.

Al salir hoy de casa, hazlo con la certeza del cuidado divino; siéntete escondido bajo la sombra de las alas divinas.

En medio de la violencia de las grandes ciudades, rodeado del peligro de asaltos y accidentes de tránsito, ve sin temor con los ojos firmes en el Autor y Consumador de tu fe: Cristo Jesús.

El poder de la palabra

Manzana de oro con figuras de plata es la palabra dicha como conviene. Proverbios 25:11.

¿Cuánto vale una palabra? Todo o nada. Depende de la palabra. Depende del momento y hasta de la forma como se la dice.

Algunos apenas consiguen decir una palabra. Eso cuando no están totalmente ausentes. Ausentes de la realidad, del amor y de la vida. Otros dan un paso adelante. Logran decir algo casi primitivamente, a duras penas, pero no son capaces de entender el valor real de una simple palabra. No consiguen usarla para hacer algo positivo. No consiguen construir. En la mejor de las hipótesis, solo destruyen, derriban y lastiman.

Están, sin embargo, los que conocen el verdadero valor de una palabra, de una simple palabra. Y con ella son capaces de construir imperios, propagar ideas, rehacer vidas, encender esperanzas, cambiar los caminos del mundo.

Una palabra. Una sola palabra dicha en el momento oportuno y de la manera correcta cambió el rumbo de mi vida.

Hace muchos años, un grupo de adolescentes se inscribía para un concurso de oratoria. Un joven tímido no se animaba ni siquiera a pensar en la posibilidad de hablar en público. "Yo nunca lo lograré", pensaba. Faltaba solamente uno para completar el grupo de diez participantes. Ese joven estaba temblando y sintiéndose incapaz, cuando el experimentado profesor se le acercó, en el minuto final, y con una sola palabra llena de ánimo y ternura, definió tal vez su futuro. Su voz parecía una invitación y al mismo tiempo una orden: "¡Ve!" Solamente eso. Y mi vida cambió. Fui, vencí en el concurso y comencé a creer que podía. Hoy, cuando hablo para miles de personas en diferentes países, nadie podría imaginar al venerable profesor con su palabra oportuna: "¡Ve!"

¡Cuánto puede una palabra! Una sola palabra dicha por Dios cambió el destino de la raza humana. Estábamos condenados, porque el salario del pecado es la muerte. Nuestro futuro era incierto o, quién sabe, demasiado asegurado. Sería el fin de todo, la muerte eterna, el "acabóse". Pero el Padre nos dio la Palabra en la vida de su Hijo. En un principio era la Palabra, y la Palabra era Dios.

Quien vaya a él y viva con él sólo tendrá palabras de amor, porque él es amor. Quien vaya a él y viva con él sólo tendrá palabras de verdad, porque él es la verdad. Quien vaya a él y viva con él sólo tendrá palabras de vida, porque él es la vida. Haz que él sea hoy el centro de tu vida.

Mira al Cordero

Entonces alzó Abraham sus ojos y vio a sus espaldas un carnero trabado por los cuernos en un zarzal; fue Abraham, tomó el carnero y lo ofreció en holocausto en lugar de su hijo. **Génesis 22:13.**

Era el momento fatal. Ya no había esperanza humana de salvación para Isaac. Abraham estaba obedeciendo la orden divina. Había salido de su casa con la esperanza de que Dios cambiase su plan. Cada hora que pasaba, el anciano patriarca esperaba una nueva orden de Dios. Transcurrieron tres días, y finalmente llegaron al monte del sacrificio. Dios, ¿podía todavía cambiar su orden? Tal vez; pero no sucedió. Allí estaba Isaac sobre el altar de piedra, dispuesto al sacrificio. Finalmente, Abraham levantó el cuchillo, listo para dar el golpe certero que segaría la joven vida de su hijo. Era el hijo de la promesa, el hijo con quien tanto había soñado, el hijo esperado. ¿Cómo podía todo tener un fin tan triste?

Y cuando todo parecía terminado, oyó la voz de Dios que les decía: "No extiendas tu mano sobre el muchacho ni le hagas nada, pues ya sé que temes a Dios, por cuanto no me rehusaste tu hijo, tu único hijo" (vers. 12).

"Entonces alzó Abraham sus ojos y vio a sus espaldas un carnero trabado por los cuernos en un zarzal".

¿Ya te diste cuenta de que en los momentos más dramáticos de la vida humana siempre aparece el cordero? Adán y Eva estaban vestidos con ridículas hojas de higuera, y un cordero fue sacrificado para que tuvieran vestidos durables. La muerte rondaba las casas de Egipto, y un cordero tuvo que morir para que su sangre identificara las casas que no debían ser tocadas.

Lo que Dios está queriendo decirnos hoy es que la solución para nuestros problemas sólo puede estar en el Cordero. "Abraham... tomó el carnero y lo ofreció en holocausto en lugar de su hijo".

Todos nosotros estábamos condenados a muerte, porque todos pecamos, pero Dios nos dio a su Hijo para morir en lugar de nosotros. Cristo es el Cordero de Dios que quita el pecado del mundo.

¿Sientes el frío de una conciencia culpable? Mira al Cordero; su lana puede calentarte.

¿Andas tropezando en medio de la oscuridad de la vida? Mira al Cordero, su grasa podrá proporcionarte el combustible para iluminar las tinieblas.

¿Sientes hambre que el pan no puede satisfacer, y sed que el agua no puede calmar? Mira al Cordero, y recuerda que un día Jesús dijo: "Quien coma mi carne no tendrá hambre; quien beba mi sangre no tendrá sed" (ver S. Juan 6:35).

Si llegaste hasta el punto de pensar que ya no existe solución para tu problema, si estás viviendo hoy el momento más crítico de tu vida, si todo te parece oscuro y sin salida, por favor, deja de mirar tus problemas y mira al Cordero. Él podrá abrir la ventana por donde el Sol tornará a entrar en tu vida.

A los amigos les gusta conversar

Y al orar no uséis vanas repeticiones, como los gentiles. S. Mateo 6:7.

Hay momentos en la vida en que uno se siente solo, indefenso, impotente. De repente, todo parece oscuro. Puede haber una multitud a tu alrededor, pero estás solitario y triste. Tal vez incomprendido, abandonado, rechazado. En esas horas, cuán bueno es saber que existe Alguien bien cerca de ti. No puedes verlo, ni tocarlo, pero puedes sentirlo. Está allí, mirándote con amor. Es el amigo de todas las horas, de todas las circunstancias. Su nombre es Jesús, o Emanuel, que quiere decir: "Dios con nosotros".

¿Hablaste alguna vez con él? ¿Ya le abriste el corazón como si fuera tu mejor amigo?

Quiero hablar contigo sobre la oración, ese acto maravilloso de conversar con Dios como se conversa con un amigo.

Hay mucha gente por ahí que piensa que la oración es un instrumento para pedir cosas a Dios, y que Dios tiene la obligación de responder. Pero cuando pasan los días y parece que la oración no es respondida, se pierde la motivación para continuar orando.

Ahora pregunto: Si tienes un amigo, ¿conversas con él solamente para pedirle cosas, o conversas con él por el placer de conversar? La oración es un vehículo de comunicación con Dios, y su gran objetivo es cultivar el compañerismo con él, conversar con él, pasar el tiempo a su lado, aunque eso no descarta la posibilidad de pedir. Pero si oras sólo para pedir cosas, pronto, pronto no tendrás más voluntad de orar.

Uno de los mayores enemigos de la oración es el formalismo (que, de paso, no combina con el cristianismo). La oración no puede ser algo formal, aprendió de memoria. Repetir siempre las mismas palabras por considerar que es nuestro deber hacerlo no es cultivar el compañerismo con Dios. El secreto de una oración poderosa está en la sinceridad.

Debemos ir a Dios como estamos, abrirle el corazón y contarle todos nuestros sueños, tristezas, alegrías; en fin, hablarle y contarle lo que estamos sintiendo, lo que salió o no salió bien durante el último día; compartir con él nuestras dudas, nuestros aciertos y desaciertos. Necesitamos hacer eso todo el día, el día entero.

Cuando hablamos con Dios, no es para informarle sobre nuestros actos. Él sabe todo. Conoce hasta los secretos más íntimos de nuestro corazón. Necesitamos hacer eso para colocar nuestro ser en dependencia de él. Somos nosotros los que necesitamos de él, somos nosotros los que necesitamos sentirnos seguros a su lado y sentir su fuerte brazo tomando nuestra frágil mano.

No es tiempo de dormir

Los marineros tuvieron miedo y cada uno clamaba a su dios. Luego echaron al mar los enseres que había en la nave, para descargarla de ellos. Mientras tanto, Jonás había bajado al interior de la nave y se había echado a dormir. Jonás 1:5.

El barco estaba al borde de la tragedia. El mar enfurecido golpeaba contra la pobre embarcación con la fuerza de sus olas gigantescas. Había confusión, desesperación y angustia. Los marineros, en su afán por salvarse, clamaban cada uno a su dios y comenzaron a tirar al mar la carga, con el fin de aliviar el peso del barco.

En medio de toda esa correría, sin que nadie entendiera la razón de tamaño acontecimiento, había un hombre llamado Jonás que sabía el porqué de todo. Sólo que él estaba echado y dormía un sueño profundo allá abajo, en la bodega de la embarcación.

Vivimos en los tiempos más turbulentos de la historia humana. Los hombres están muy confundidos y corren de un lado para el otro sin saber qué hacer. Todos son conscientes de que el barco se va a pique, pero parece que nadie sabe cuál es la salida. Unos procuran el poder, otros piensan que la solución está en el dinero, otros se imaginan que un cambio de la estructura social podría salvar a la humanidad y se sumergen en la política. Unos buscan a Dios dentro de sí, otros lo buscan en la naturaleza. Y también están los que corren detrás del conocimiento humano, la cultura, la filosofía; otros se esconden detrás de la incredulidad, los vicios o la satisfacción de los sentidos.

Sin embargo, en este mundo hay personas que saben el porqué de todo y cuál es la única salida. Sólo que parecen dormir tranquilamente allá abajo, en la bodega.

Los pastores José Clodoaldo Barbosa y José Carlos Bezerra viajaban hacia Maués a bordo de una lancha, cuando el cielo comenzó a cubrirse de nubes negras que anunciaban una tormenta. De repente, todo quedó oscuro. Olas gigantescas entraban en la embarcación inundándolo todo. José Carlos, piloto de la lancha, permaneció firme en el timón y, aunque había momentos en que parecía todo perdido, tenía su confianza depositada "en Aquel que no puede fallar". Fueron minutos que parecieron horas, pero finalmente salieron de la tempestad. Las aguas se calmaron y, cuando el peligro pasó, aconteció lo imprevisto: el motor de la lancha dejó de funcionar. ¿Qué hubiera sucedido si el motor fallaba en medio de la tormenta?

Estamos viviendo en la noche más oscura de nuestra historia. Allá afuera hay personas sinceras que corren desesperadas de un lado para el otro. En el Perú miles andan de rodillas detrás de la imagen del "Señor de los Milagros", manchando las calles de sangre. En el Oriente hay personas que se acuestan sobre brasas vivas buscando la salvación. Cada uno "tira la carga", esperando aliviar el peso de la embarcación, mientras que tú tienes la Palabra de Dios como una antorcha que alumbra en medio de la oscuridad. ¿Vas a decirle hoy a alguien que no necesita desesperar porque hay esperanza en Jesús?

6 de marzo

Los caminos de Dios

¡Profundidad de las riquezas, de la sabiduría y del conocimiento de Dios! ¡Cuán insondables son sus juicios e inescrutables sus caminos! **Romanos 11:33.**

José Carlos Bezerra, un joven pastor y comandante de la lancha Luzeiro XXI, cumplía su itinerario normalmente en esa mañana de 1985. De acuerdo con lo previsto, José Carlos debía parar en un determinado punto del río Madeira, pero repentinamente sintió dentro de sí la profunda convicción de que debía continuar. ¿Instinto? ¿Presentimiento? ¿Revelación? ¿Alguna vez te pasó algo parecido? Casi sin saber el motivo, José Carlos siguió avanzando por el río. La esposa le preguntó intrigada:

—¿No debíamos parar en aquel lugar?

—No sé, no sé lo que me está sucediendo.

Una hora después vieron a alguien que hacía señas desde el otro lado del río y se acercaron a la playa. Encontraron a un hombre desesperado, clamando por ayuda.

—Estoy aquí arrodillado hace tres horas, esperando que alguien apareciera para ayudar a mi esposa —dijo el hombre angustiado.

José Carlos y su esposa consiguieron, con la intervención de Dios, salvar la vida de esa mujer, que estaba teniendo serias dificultades de posparto. Hoy existe allí, en la Estancia San Pablo, a orillas del río Madeira, una iglesia erigida por el señor Miro, el hombre que en aquella mañana estaba a orillas del río pidiendo que Dios hiciera aparecer a alguien que entendiera de medicina para ayudar a su esposa.

"¡Cuán insondables son sus juicios e inescrutables sus caminos!", dice el apóstol Pablo. ¿Cómo entender los planes que Dios tiene para nosotros? ¿Cómo salvar la vida de esa pobre mujer allí, en el interior de la región amazónica, sin hacer sentir al joven pastor la profunda convicción de que debía continuar sin detenerse en el punto previsto del itinerario?

Es posible que hoy necesites tomar una decisión que será definitiva para resolver una situación. Pide con fe la orientación divina en su Palabra. Después, arrodíllate y haz tu decisión en nombre de Jesús. Deja que te oriente, actúa confiando en la "profundidad de las riquezas, de la sabiduría y del conocimiento de Dios". Él no fallará. Sabrá llevarte por caminos adecuados, abrirá las puertas en el momento oportuno y hará brillar el Sol en medio de la oscuridad. ¡Él es tu promesa! Confía en él.

71

Entre la vida y la muerte

A los cielos y a la tierra llamo por testigos hoy contra vosotros, de que os he puesto delante la vida y la muerte, la bendición y la maldición; escoge, pues, la vida, para que vivas tú y tu descendencia. Deuteronomio 30:19.

Estaba conversando con un grupo de jóvenes universitarios sobre la alteración de los valores en nuestros días. En un determinado momento, uno de ellos se levantó y protestó: "Eso depende de la cabeza de cada uno; nadie tiene el derecho de determinar la moral para nadie. Cada uno es responsable por sus actos".

Estábamos hablando del amor libre, del homosexualismo, del aborto, de las drogas, ¿entiendes? Y en ese terreno, ¿será verdad que cada uno es dueño de sus actos? ¿Qué es inmoral? ¿Quién determina los valores morales? ¿El padre, el pastor, las madres, cada uno? ¿Cómo funciona ese asunto? Con el paso del tiempo, ¿los valores morales cambian de una generación a otra, de una cultura a otra?

A lo largo de la historia el hombre trató varias veces de crear una moral para sí mismo. La frase "Yo sé lo que es bueno para mí" no es de hoy. Siempre fue así. Constantemente el hombre trató de cambiar las reglas del juego, de modificar los principios del comportamiento, de crear un nuevo código moral que se adaptara a su modo de ser y pensar.

Lo trágico es que, por más que la persona trate de justificar su comportamiento, no consigue eliminar el complejo de culpa que acompaña, de modo casi automático, a los actos inmorales. Por más que todo el mundo diga a nuestro alrededor: "Avanza", "Sigue adelante", "No hay nada de malo"; por más que la persona se diga a sí misma: "Es fantástico", "Es legal", "Está todo correcto"; la verdad es que continúa angustiándose y sintiéndose culpable, aunque no sabe bien el porqué. Es entonces cuando aparecen los desencuentros, consigo mismo y con las personas con quienes se relaciona. La vida se complica y se transforma en una confusión.

Dios es soberano y, en la sabiduría de su amor, es él quien determina lo que es bueno y lo que es malo, lo que está correcto y lo que está incorrecto. Y lo hace por amor.

El ser humano es libre, libre para aceptar los principios morales que Dios estableció para protegerlo, o libre para rechazar esos principios. Libre para oír o dejar de oír. Libre para aceptar lo que él determinó como correcto o para seguir su propio camino. Dios te avisa: si sigues el camino que él ha trazado, tendrás la vida; si no lo sigues, tendrás la muerte. Tú eres el que escoge. Dios no te impide que escojas el camino equivocado, pero no te permite que a ese camino lo llames el camino correcto. Las criaturas no tenemos la atribución de hacer la moral. Es Dios quien hace la moral, porque él es amor, y la moral que realmente vale es la que tiene origen en el amor.

Dios oyó la voz del muchacho

Oyó Dios la voz del muchacho, y el ángel de Dios llamó a Agar desde el cielo y le dijo: "¿Qué tienes, Agar? No temas, porque Dios ha oído la voz del muchacho ahí donde está". **Génesis 21:17.**

En 1960 se realizó en la ciudad de Lima, Perú, un congreso de jóvenes. Era la primera vez que yo salía del interior hacia la capital, y también la primera vez que tenía la oportunidad de ver a tantos cristianos juntos. En la pequeña congregación de mi ciudad nunca se reunían más de veinte personas, y ahora estaba allí, deslumbrado, con casi mil jóvenes provenientes del Perú, de Bolivia y del Ecuador.

Por aquella época yo era apenas un adolescente de 12 años. El congreso fue maravilloso. Canté, vibré y participé como nunca.

Cuando todo terminó, me quedé solo en el auditorio, y arrodillado le dije a Dios: "Señor, ayúdame a estudiar para ser un pastor. Un día quiero ser un líder de jóvenes y hacer un congreso tan grande como éste".

Lo que yo no podía saber ese día era que Dios estaba escuchando "la voz del muchacho" ahí donde estaba.

Dos años más tarde terminé los estudios secundarios. Posteriormente estudié Teología, y algunos años más tarde fui ordenado al sagrado ministerio.

El tiempo pasó. Llegué a ser director de jóvenes en mi país, y luego la iglesia me invitó a servir en el Brasil. Allí, un día, Dios y un equipo maravilloso de amigos me ayudaron a organizar un congreso para diez mil jóvenes, y después otro para veinte mil.

Mi oración de adolescente de 12 años estaba respondida.

Si eres padre y en el desierto de esta vida descubres que tu hijo no irá muy lejos —cuando la sed de filosofías, vicios y existencialismo parecen estar sofocándolo—, recuerda, tu hijo no siempre fue así. Un día, cuando era muchacho, tuvo sueños, oró y, tengo la seguridad, Dios oyó "la voz del muchacho" y responderá su oración.

Si eres hijo y tienes la impresión de que la vida le dio a otros la oportunidad que te negó a ti, si alguna vez pasó por tu mente la idea de que no conseguirás realizar tus sueños, arrodíllate, clama al Señor y recuerda: "Dios ha oído la voz del muchacho". No hay clamor que él no escuche, no hay lágrima que él no conozca, no existe un sueño que él no sea capaz de realizar, si ese sueño es colocado en sus manos.

Ellos todavía vendrán

Y tus descendientes volverán acá en la cuarta generación, porque hasta entonces no habrá llegado a su colmo la maldad del amorreo. **Génesis 15:16.**

Después de asegurarle que su descendencia sería como la arena del mar, Dios le prometió a Abraham la tierra de Canaán. Una de las cláusulas de la promesa decía: "Volverán acá en la cuarta generación". Seguramente el patriarca preguntó: "¿Por qué en la cuarta generación? ¿Por qué no ahora?" Y la respuesta de Dios fue: "Porque hasta entonces no habrá llegado a su colmo la maldad del amorreo".

¿Cuál era la "maldad del amorreo"? En el capítulo 18 de Levítico puedes encontrar la descripción de la conducta de ese pueblo que vivía en la tierra de Canaán: una promiscuidad sin precedentes. Depravaciones propias de una generación sin Dios. Parecía que todos ellos —cananeos, amorreos, jebuseos, heteos— no tenían otra cosa que hacer sino inventar nuevas maneras de procurarse placer, porque las cosas naturales no les bastaban. Puedes ver ese cuadro en Levítico. Padres con hijos, hombres con hombres, mujeres con mujeres, seres humanos con animales; en fin, aberraciones y más aberraciones.

Pasaron dos siglos; Abraham había muerto. Los hijos fueron a Dios y le preguntaron:

—Señor, ¿cuándo nos darás la tierra?

Y la respuesta fue:

—Aún no ha llegado a su colmo la maldad del amorreo.

Ese pueblo continuó hundiéndose en la miseria. Pasaron cuatro siglos y Dios dijo: "Aún no ha llegado a su colmo la maldad del amorreo".

¿Eres capaz de imaginar la paciencia de Dios? Hoy día, muchas veces vamos a él y clamamos:

—Señor, ¿cuándo vendrás y pondrás fin a todo? Estamos cansados de vivir en este mundo, queremos la tierra prometida. ¿Falta mucho todavía?

Y la respuesta divina es:

—Todavía no ha llegado a su colmo la medida de iniquidad de los hombres.

—Pero Señor —podemos argumentar—, mira las playas de Copacabana, mira los quioscos de revistas, mira el centro de San Pablo por la noche... ¿no es eso suficiente?

—No, hijo mío —dice el Señor—. Yo amo a esas personas tanto como a ti, y morí también por ellas.

—Pero, Señor, ellas no quieren saber nada de ti.

—Ya lo sé, hijo mío, pero continuaré amándolas y esperándolas; tal vez un día vendrán a mí.

Finalmente, después de 430 años, Dios entregó la tierra. Finalmente, también Jesús vendrá a la Tierra. ¿Hiciste algo para que la gente lo sepa?

10 de marzo

La verdadera libertad

Así que, si el Hijo os liberta, seréis verdaderamente libres. S. Juan 8:36.

El ser humano fue creado libre. Para vivir y morir libre. Por eso se revela contra todo lo que lo lleva a la opresión o a la esclavitud. Está dispuesto a gritar, a exigir, a reclamar y, si es preciso, a morir por defender su libertad.

Puedes ver a los hombres siendo descuartizados como Túpac Amaru, en el Perú, o ahorcados como Tiradentes, en Vila Rica, Minas Gerais, Brasil. Puedes verlos luchando en el circo romano como Espartaco, o siendo quemados vivos como Juana de Arco, en Francia. En nuestros días, puedes encontrarlos en la Plaza de La Paz Celestial, con piedras, palos y explosivos caseros en las manos, o en las puertas de las embajadas o en las largas marchas de protesta con pancartas, banderas y otros símbolos de protesta. Todo por la libertad.

El otro día estaba viendo un grupo así. Muchos de ellos con cigarrillos en las manos. Había uno en especial que gritaba hasta quedar rojo. Fumaba un cigarro tras otro. Después me dijo que fumaba dos atados por día, y que cuando estaba nervioso llegaba a tres. Me dijo que sabía que el cigarrillo perjudicaba su salud, pero que no conseguía dejar de fumar.

Mientras tanto estaba allí, gritando por la libertad. ¡Que nadie se atreviese a atentar contra ese derecho suyo! Estaba dispuesto a enfrentar a cualquiera que quisiera suspender la marcha de protesta, a morir como un héroe en defensa de la libertad. Pero aceptaba pasivamente ser esclavo de un cigarrillo. Somos así, contradictorios.

A veces, ni somos capaces de entender los propios sentimientos.

Un joven con 14 años de edad, prácticamente comenzando la vida, encara al padre y le grita: "¡Quiero ser libre! Tengo derecho a tomar mis propias decisiones. ¡Soy tu hijo y no tu esclavo!" Minutos después se entrega a las juergas del sábado por la noche, incapaz de defender su propia libertad. Sumiso, esclavo de sus instintos y pasiones, se transforma en una víctima pasiva del mundo consumista o de la subyugante manera de pensar de su generación.

En el versículo de hoy Juan habla de LIBERTAD. Libertad con mayúscula. Libertad plena, no apenas de los opresores externos, sino también de nuestros temores internos, de nuestras pasiones misteriosas, de nuestros sentimientos alienados.

Sólo quien conoce a Jesús puede experimentar la verdadera libertad. Lejos de él, nuestra libertad se torna mezquina, fugaz, pasajera y, con frecuencia, pasa a ser libertinaje. Separados de él vivimos presos en una montaña de complejos. Pero cuando Jesús entra en la vida de una persona, todo cambia. Tú puedes, aparentemente, estar amarrado, impedido de ir y venir, pero ser libre.

11 de marzo

¡Esfuérzate! pero...

Nunca se apartará de tu boca este libro de la Ley, sino que de día y de noche meditarás en él, para que guardes y hagas conforme a todo lo que está escrito en él, porque entonces harás prosperar tu camino y todo te saldrá bien. Josué 1:8.

Para muchos, el versículo de esta mañana podría sugerir la idea de que la prosperidad y el éxito en la vida del cristiano es simplemente el resultado del fiel cumplimiento de todos los mandamientos. Pero en el versículo 5, antes de dar a Josué la orden del versículo 8, Dios le dice: "Como estuve con Moisés, estaré contigo".

Moisés era un hombre de una extraordinaria comunión con Dios. En el capítulo 11 de Hebreos es presentado en la galería de los vencedores. En cierta ocasión quedó a solas con Dios cuarenta días y cuarenta noches. Sólo tenemos registro de algo semejante en la vida de Jesús. Sin duda, la vida victoriosa de Moisés fue el resultado de su vida de comunión diaria con la fuente del poder.

Pero Moisés había muerto, por lo que la responsabilidad de liderar al pueblo de Dios, en la conquista de la tierra prometida, recaía sobre los hombros de Josué. "Nadie podrá hacerte frente", le dice Dios para animarlo, "como estuve con Moisés, estaré contigo". En otras palabras: "Viviremos juntos y juntos seremos invencibles. Esfuérzate, y tu esfuerzo, santificado por mi presencia en tu vida, será capaz de cumplir todo lo que está escrito en el libro de la Ley. Y el resultado final será la prosperidad y el éxito".

Es muy fácil olvidar el orden de las cosas establecido por Dios para una vida victoriosa: 1) Comunión con Cristo. 2) Él en nosotros santificando la voluntad. 3) Esfuerzo con la voluntad santificada por la presencia del Espíritu Santo. 4) Obediencia completa a los mandamientos, lo que trae consigo la prosperidad y el éxito.

Si invertimos el orden, ciertamente estaremos en problemas. El esfuerzo con la voluntad pecaminosa, propia del ser humano, nos llevará al fracaso. El esfuerzo humano es necesario, pero sólo es válido con la voluntad santificada, y la voluntad sólo es santificada por la presencia del Espíritu Santo en la vida; es decir, por la comunión ininterrumpida con Jesús.

Si por algún momento nos desligamos de Jesús, la voluntad deja de ser santificada, vuelve a ser una voluntad pecaminosa y no tiene la mínima posibilidad de victoria. En la mejor de las hipótesis, sólo puede aparentar, disfrazar, fingir que está cumpliendo todo, pero los actos son huecos por dentro. Por eso son como trapo de inmundicia delante de Dios.

¿Estás listo para salir a las actividades del día? Recuerda: Junta tu débil voluntad con la voluntad divina; deja que él viva en ti y sé victorioso en él.

Huyendo del peligro

El prudente ve el mal y se esconde, pero los ingenuos pasan y reciben el daño.
Proverbios 22:3.

Cuando era misionero en la selva peruana, aprendí a convivir con los peligros y las dificultades de una selva que no conocía. Uno de esos peligros era la presencia de víboras en los lugares más inesperados. Con el tiempo, creo que Dios me ayudó a desarrollar el extraño instinto de presentir cuando alguna serpiente andaba cerca.

En cierta ocasión me dirigía a la aldea de Zotami, por una senda estrecha en medio de la vegetación, cuando súbitamente sentí el peligro. Quedé completamente inmóvil, en silencio, observando cualquier detalle a mi alrededor. En pocos segundos vi a la víbora con la cabeza levantada, dispuesta a atacar. Por lo general, las víboras no atacan, sencillamente se defienden cuando alguien pasa su perímetro de protección. Con frecuencia, somos nosotros los que, sin darnos cuenta, entramos en el territorio de ellas, y es entonces cuando atacan motivadas por la supervivencia.

Esa mañana el indeseado animal estaba justamente a orillas de la senda. Yo no tenía otro camino por donde seguir, y pasar por entre la vegetación era algo que no me animaba a hacer en esas circunstancias. Quedé varios minutos esperando que ella se fuera, pero no se iba. Después de un tiempo bajó la cabeza y quedó agachada, a la espera.

De repente surgió una idea en mi mente. Tomé mi zapato y lo tiré hacia donde estaba la víbora. Instantáneamente ella saltó sobre el zapato y después desapareció a toda prisa.

Con qué sabiduría Salomón crea un contraste entre el necio y el prudente. ¿Por qué buscar el peligro? El prudente ve el mal y se aparta. Si Adán y Eva hubiesen hecho eso, no habrían sido entrampados. Dios les había advertido: El único lugar donde el enemigo puede engañarlos es cerca del árbol de la ciencia del bien y del mal. "Permanezcan lejos de él", dijo el Señor. Pero ellos pensaron: "¿Qué tiene de malo?", y jugaron con el peligro.

Conozco a jóvenes que arruinaron sus vidas por jugar con el mal. "¿Qué hay de malo en fumar un cigarrillo, sólo por curiosidad?" "¿Cómo voy a saber que la droga hace mal si no la pruebo?" "¿Por qué el sexo antes del casamiento es pecado, si el amor es maravilloso?", preguntan y justifican sus actitudes aproximándose al mal. "Pasan", experimentan, dice Salomón. Sólo que el tiempo es el juez implacable y da su veredicto: "drogadicto", "acabado", "condenado", "perdido". Que Dios nos ayude a ser inteligentes para evitar el mal.

La primera vez

Le descubrió, pues, todo su corazón y le dijo: "Nunca a mi cabeza llegó nava-
ja, porque soy nazareno para Dios desde el vientre de mi madre. Si soy rapa-
do, mi fuerza se apartará de mí, me debilitaré y seré como todos los hom-
bres. **Jueces 16:17.**

Hace algunos años, en una ciudad del estado brasileño de Minas Gerais, un hermano me invitó a almorzar. Durante el almuerzo me habló del único hijo que tenía, un joven hermoso, de ojos límpidos y rostro infantil. Todavía era un adolescente, pero el padre ya hacía planes para el futuro del hijo querido.

"Va a estudiar Medicina" —decía—, "y cuando sea médico no precisará trabajar para nadie. Yo le construiré su propio hospital". ¡Cuántos planes, cuánta expectativa, cuántos sueños!

Un año después volví a la misma ciudad, y, después que hube predicado, ese hombre me buscó angustiado y me dijo: "Pastor, tiene que ir a mi casa y ayudar a mi hijo".

Al entrar en el dormitorio del joven no pude reconocerlo. ¿Dónde estaba el bello joven de un año atrás? Pálido, con el miedo reflejando en los ojos, parecía un tigre enjaulado, desesperado por salir. Las drogas lo habían hecho añicos.

¿Cómo es que una persona adquiere un vicio? ¿Cómo es que se transforma en esclavo de una situación que acaba con el respeto propio y con la dignidad humana?

La única manera de caer en los vicios es dando el primer paso. Siempre existe una primera vez, y es muy difícil. La segunda y la tercera siempre serán más fáciles, y el fin será la desgracia y la ruina.

"Nunca a mi cabeza llegó navaja", dijo Sansón. Allí estaba el secreto de su éxito. Vivía una vida de comunión con Dios y el resultado era que "nunca había pasado navaja sobre su cabeza". ¿Podía él decir: "Nunca pasó un cigarrillo por mis labios", o "Nunca pasó una gota de alcohol por mi boca"?

El poder de Sansón no estaba en el cabello. El cabello era nada más que un pacto de entrega, de dedicación y de comunión con la fuente de su fuerza: Dios.

Tú tampoco eres bueno por el hecho de que no fumas o no bebes, o no haces cualquier otra cosa errada. Serás bueno en la medida en que vivas una vida de comunión con Jesús. Pero si vives esa experiencia, entonces "nunca pasará algo equivocado en tu vida".

Recuerda: La mejor manera de evitar la esclavitud del vicio es rehusar la primera vez. Toma hoy la mano poderosa de Jesús y dile: "Señor, soy tu hijo, y quiero hacer un pacto de amor contigo. Ayúdame a mantenerme lejos de todo lo que te causa tristeza".

El fin puede ser fatal

Hay camino que al hombre le parece derecho, pero es camino que lleva a la muerte. **Proverbios 14:12.**

Hace ya quinientos años que, en un mes de octubre, Cristóbal Colón y un grupo de aventureros españoles descubrieron un nuevo mundo después de navegar durante meses. "¡Tierra, tierra!", exclamó Rodrigo de Triana, y de esa manera se descubrió América.

La historia del ser humano está caracterizada por una interminable sucesión de descubrimientos. Se descubrió la ley de la gravedad, la electricidad... Continuamente se descubren cosas y se espera descubrir muchas más. Hoy, por ejemplo, la ciencia lucha por encontrar el remedio definitivo contra el cáncer, trata de hallar el secreto de la eterna juventud y hasta procura ubicar nuevos mundos fuera del sistema solar.

En lo íntimo del ser humano hay una extraña fascinación por todo lo desconocido. Eso está en el corazón del anciano, del niño y del joven. Esa inquietud por descubrir nuevos horizontes, conquistar nuevas fronteras y abrir cada día las cortinas de lo desconocido, es buena, pero también puede ser fatal si está mal encaminada.

El otro día me buscó un joven de 25 años, pero cualquiera que lo mirara le daría por lo menos 40. Estaba acabado físicamente y era fácil saber la causa. Las drogas consumían lentamente su vida.

El peligro de las drogas no es apenas físico. Los estragos físicos vienen siempre acompañados del sentimiento de culpa y del complejo de fracaso. "¡Ayúdeme, por favor!", decía el joven. "Si hubiese sabido la desgracia que me esperaba, nunca habría comenzado a usar drogas. Yo sólo quería probar, descubrir nuevas sensaciones".

¡Descubrir nuevas sensaciones! ¿Crees que el precio es justo? Existen descubrimientos que valen la pena lo que cuestan. Hasta la propia vida podría ser entregada. Es el caso de Alexander Fleming, descubridor de la penicilina, que la probó en su propio cuerpo para salvar millones de vidas. Pero, ¿crees que vale la pena "descubrir nuevas sensaciones" entrando en el mundo de las drogas, o del homosexualismo, o de la promiscuidad, o de cualquier otro vicio, y pagar un precio tan alto?

¿Sabías que nadie se envicia porque quiere? Todo el mundo quiere "tan sólo probar", "descubrir lo que hay detrás de eso". Cuando uno se da cuenta de la dependencia, a veces es demasiado tarde.

¿Por qué no aprovechar el ejemplo de la historia? ¿No te parece que las miles y miles de vidas arruinadas son un mensaje lo suficientemente persuasivo como para saber que no vale la pena escalar esa "montaña de nuevas sensaciones"?

15 de marzo

El problema es el corazón

Os daré un corazón nuevo y pondré un espíritu nuevo dentro de vosotros. Quitaré de vosotros el corazón de piedra y os daré un corazón de carne. Ezequiel 36:26.

Un colega y yo comprábamos papas en la feria del barrio, en una pequeña ciudad en algún lugar de América del Sur. La persona que nos atendía era una mujer muy sencilla, que seguramente apenas sabía leer y escribir y con certeza nunca había salido de ese pequeño rincón del mundo.

En lugar de una balanza, la mujer usaba un aparato artesanal que sólo tenía capacidad para pesar hasta medio kilo. Pero lo que me llamó la atención fue la habilidad con que la mujer tomaba dos o tres papas que ya habían sido pesadas y las colocaba de nuevo en la balanza hasta completar los dos kilos que queríamos comprar.

Miré a mi colega; él también se había dado cuenta de la "hábil jugada" de esa mujer sencilla. "No hay caso", le dije, "el problema es el corazón humano".

Cuando nace, el hombre ya viene con la naturaleza pecaminosa. Es egoísta, y sólo le gusta hacer cosas equivocadas. Cuando somos sencillos y casi analfabetos como la mujer de la historia, los actos equivocados son grotescos, simplotes y hasta ridículos. Pero cuando tenemos cultura y educación, nos volvemos sutiles y corteses en el arte de practicar el mal.

Por eso la promesa de Dios no tiene que ver con los actos. "Seréis purificados de todas vuestras impurezas, y de todos vuestros ídolos os limpiaré" (vers. 25), y "os daré un corazón nuevo y pondré un espíritu nuevo dentro de vosotros".

La promesa de Dios va a lo profundo, adonde está verdaderamente el problema: al corazón, a la naturaleza, a la raíz del mal.

Muchas veces somos engañados por superficialidades. Cada vez que se acerca una elección, la esperanza de que todo va a cambiar gana nuestro corazón. "Este partido político es el mejor", pensamos. "Este sistema es la solución", creemos, y casi siempre nuestras esperanzas se frustran. ¿Sabes por qué? Porque el problema no está en el sistema de las cosas, está en el corazón del ser humano. Comunismo, imperialismo, derecha, izquierda, centro; teóricamente, todos desean el bien. El problema es el corazón. Mientras el ser humano tenga un corazón inconverso, será egoísta por naturaleza, buscará sus propios intereses sin preocuparse por los demás. La cultura, la instrucción, hará al hombre más o menos sofisticado para la práctica de sus actos, pero los actos siempre serán egoístas.

La pregunta de esta mañana es: "¿Estoy realmente convertido, o mi conducta no es más que una sofisticada manera de aparentar que todo está bien?" La persona realmente convertida no necesita probar que lo está. Sencillamente, vive, y sus actos son frutos naturales y maravillosos para gloria y honra de Dios.

16 de marzo

La sabiduría de la vida

A cualquiera, pues, que me oye estas palabras y las pone en práctica, lo compararé a un hombre prudente que edificó su casa sobre la roca. S. Mateo 7:24.

Analicemos bien el versículo de esta mañana.

Un moralista que tratara de resumir un código moral, lo escribiría así: "Todo aquel, pues, que oye mis palabras y las practica, será semejante a un hombre bueno que edificó su casa sobre la roca". Pero Jesús, en lugar de usar el término "hombre bueno", usa "hombre prudente". Aquí está la clave del evangelio.

Jesús, en el Sermón del Monte, estaba poniendo al descubierto la naturaleza de la realidad implícita en nuestra relación con la vida. En otras palabras, Jesús estaba diciendo: "Te estoy enseñando cómo vivir. Si me escuchas, serás prudente; la casa de tu vida será edificada sobre la roca de la realidad, y cuando vengan las tormentas no caerá. Pero si no sigues esta manera de vivir, entonces serás un tonto; tu casa será edificada sobre la arena de la irrealidad, y cuando venga la tempestad y la vida cobre su precio, caerá con seguridad. Tú puedes aceptar este camino o rechazarlo, pero ésta es la única manera de vivir y ser feliz".

Cuando revisamos las enseñanzas de Cristo, se tiene la impresión de que lo que más le preocupaba era la tontería de los hombres.

Los vio siempre tratando de vivir contra la realidad del universo, contra las leyes que unen a los hombres, contra su propia naturaleza y contra Dios. "Eso no va a funcionar; sois tontos si tratáis de hacer las cosas así; lo único que vais a lograr va a ser lastimaros a vosotros mismos", alertó. Él vio que Dios no estaba castigando a los hombres, sino que los hombres estaban castigándose a sí mismos. El castigo es algo inherente a la ruptura de la realidad.

Que en este día nuestra oración sea: "Señor, ayúdame a ser sabio y a vivir según la ley de la vida establecida para mi felicidad".

Toma la mano de Dios

Abram tenía noventa y nueve años de edad cuando se le apareció Jehová y le dijo: "Yo soy el Dios Todopoderoso. Anda delante de mí y sé perfecto". Géne-sis 17:1.

Abraham, como tantos otros hombres bíblicos, fue considerado perfecto, pero el texto de esta mañana es básico para comprender qué entiende Dios por perfección: "Anda delante de mí y sé perfecto".

Andar con Dios significa mantener con él una comunión permanente e ininterrumpida. "En él somos hechos justicia de Dios", dice Pablo (ver 2 Corintios 5:21). Sólo somos perfectos en Cristo. Viviendo a su lado, él en nosotros y nosotros en él, nuestra voluntad es santificada por la presencia de su Santo Espíritu, y la voluntad santificada es invencible. Es el resultado es una vida de completa obediencia a la ley de Dios, no como fruto de nuestros esfuerzos humanos, sino como fruto de nuestra comunión con la fuente del poder: Cristo.

Sin embargo, hubo momentos en que Abraham cortó su comunión con Dios, y el resultado de esa separación fue la falta de confianza, la cobardía y hasta el adulterio.

¿Recuerdas que cuando Abraham llegó a Egipto dijo que Sara era su hermana y no su esposa? En realidad, Sara era medio hermana de Abraham. Él no mentía totalmente, pero estaba mintiendo.

Los que viven sin mantener comunión con Cristo, viven preocupados en no quebrantar la letra de las cosas, sin importarle el espíritu de la letra.

Aunque Sara era medio hermana de Abraham, el patriarca estaba siendo cobarde; tenía miedo de ser muerto por causa de la belleza de su esposa, y mintió.

Por supuesto, en el momento de la mentira, Abraham no era perfecto. Estaba lejos de Dios. Era pecador pero no por mentir, sino porque estaba separado de la justicia: Dios. El resultado de esa separación fue la cobardía y la mentira.

Pero eso no es lo importante. Todo el mundo puede resbalar y apartarse de Dios. Lo que realmente importa es que Abraham aprendió la lección. "Separados de mí nada podéis hacer" (S. Juan 15:5). Así que se levantó, tomó nuevamente la mano del Padre y continuó.

Cuando el viejo patriarca cumplió 99 años, Dios se le apareció y le recordó una vez más el secreto: "Anda delante de mí y sé perfecto".

Nunca es tarde para aprender. Nunca es tarde para comenzar de nuevo. ¿Ya tienes 99 años? ¿No? Entonces, levanta la cabeza, toma la mano de Dios y sigue adelante.

Renaciendo en medio del dolor

Ya había pasado de Peniel cuando salió el sol; y cojeaba a causa de su cadera.
Génesis 32:31.

Estábamos terminando el culto divino ese sábado, cuando el joven entró gritando en el templo. ¿Qué había ocurrido? En el patio de la iglesia otros dos jóvenes pedían ayuda para el amigo accidentado. Estaban pescando con dinamita y el explosivo estalló en la mano de uno de ellos. Esos jóvenes acostumbraban pescar en el horario del culto en lugar de alabar el nombre de Dios en la iglesia. El río quedaba a unos cien metros del templo; había allí un remanso de aguas profundas. Ellos encendían el estopín y, cuando faltaban algunos segundos para la explosión, tiraban el explosivo en el agua para no dar tiempo a que los peces huyeran.

Había hablado muchas veces con ese joven. Había dos cosas peligrosas en su conducta: pescar con dinamita y olvidar que el sábado era el día que debía entregarse a Dios como un día de loor y adoración. La fe de este joven disminuía cada día, no se acercaba a Jesús, tomaba todo en broma y, lo que era peor, jugaba con las cosas de Dios.

Algunos días después del accidente, fui a visitarlo. Estaba sentado en el patio de su casa, debajo de un árbol y con un bastón en la mano; golpeaba monótonamente el suelo con él, como si no tuviese motivación alguna.

No le dije casi nada. Oré y le dije que Jesús lo amaba mucho. Era miembro de la iglesia que yo pastoreaba en ese tiempo. Quería verlo animado y feliz a pesar del accidente. Al sábado siguiente llegué temprano a la iglesia y ese joven era uno de los primeros que aparecieron. Había perdido un brazo, y el muñón todavía estaba envuelto en vendas. Fui a saludarlo con alegría y observé lágrimas en sus ojos.

—¿Por qué, pastor? —preguntó—. ¿Por qué tuve que perder el brazo para entender que estaba jugando con Dios?

—No importa, muchacho —fue mi respuesta—. Lo que vale es que estás aquí nuevamente, en la casa de Dios.

Jacob también tuvo que confrontarse con la realidad en su experiencia de vida. Esa noche, "en el valle de Jaboc", resistió hasta donde pudo, y finalmente se rindió.

La Biblia no dice que Jacob luchaba contra el hombre, sino que el varón luchaba contra Jacob. Es Jesús el que siempre está tratando de mostrarnos la realidad. Es una pena que Jacob entendiera eso sólo cuando el hombre le tocó en su coyuntura. En medio de las lágrimas y los gritos de dolor, Jacob, finalmente, entendió que no podía huir de Jesús, y ése fue el comienzo de una nueva experiencia.

A la mañana siguiente, cuando "había pasado de Peniel... salió el sol; y cojeaba a causa de su cadera". Quizá toda la vida continuó cojeando, pero, ¿qué importaba eso? Ahora estaba con Jesús. ¿Será preciso llegar a este punto para que entendamos que estamos huyendo de Jesús?

Todos somos necesarios

Ninguno de nosotros vive para sí y ninguno muere para sí. **Romanos 14:7.**

La luz roja del semáforo nos obligó a parar en la esquina de la avenida Prestes Maia y Senador Queirós, en el corazón de San Pablo. Hacía un calor terrible. Mi compañero esperaba impaciente que cambiara la luz. En el asiento de atrás, su hijo adolescente miraba distraído por la ventanilla del automóvil. De repente se acercó al auto un muchachito con una bolsa de manzanas en la mano.

—Seis por uno veinte —dijo con ojos suplicantes.

Era un niño de la calle, de esos que andan por las esquinas limpiando los parabrisas, vendiendo cualquier cosa, o simplemente pidiendo una limosna. De esos que, de tanto pedir, un día deciden "tirar y correr". Y después viven corriendo, y no paran de correr en toda su vida. Era un muchacho sencillo, de esos que sin saber se transforman en discursos inflamados y artículos como éste.

Mi compañero lo miró y, a pesar del calor sofocante, se dio el trabajo de buscar dinero en su bolsillo y comprar una bolsa de manzanas.

—¿Vas a comer eso aquí, en el auto? —preguntó el hijo, con aire de experto—. ¡Esas manzanas están casi podridas!

—Yo no las compré para comer —respondió el padre—. Las compré para que el muchacho pueda comer.

¿Entendiste el mensaje?

Compromiso sería la palabra correcta en este caso. Todos tenemos que ver con todos. No somos islas. De alguna manera somos responsables por los que sufren, aunque vivamos en un mundo cada vez más egoísta, donde todos están contra todo el mundo, y donde todo el mundo trata sólo de protegerse y preocuparse por lo propio.

La dependencia es una ley de la vida. Dependencia, no en el sentido de falta de iniciativa propia, esperando que los demás hagan las cosas, sino dependencia en el sentido de saber que nuestras realizaciones, conquistas y victorias no son fruto apenas de nuestro propio esfuerzo, ya que otros también tuvieron que ver con eso. La tierra necesita de la lluvia para producir, pero la lluvia necesita primero ser nube, y para ser nube precisa del Sol; y el Sol, para calentar las aguas y producir la nube, necesita de la rotación de la Tierra.

Nadie es una isla. Todos precisamos de todos. Tal vez algunos precisen más que otros, y, si la vida nos hizo fuertes y nos colocó en un lugar privilegiado, es bueno preguntar: "¿Qué puedo hacer por mi prójimo?"

¿Soy capaz de levantar los ojos más arriba de mis intereses y comodidades y mirar hacia el hermano que está al lado? ¿Pienso que el infortunio, el hambre, la necesidad, la enfermedad y a veces la muerte, son patrimonio exclusivo de los demás? ¿Seré capaz de extender la mano, mientras tengo mano? ¿Seré capaz de mirar con simpatía, mientras tengo ojos? Ojalá que sí, porque un día la tristeza puede golpear también a mi puerta y entonces tal vez sea demasiado tarde.

Él siempre está presente

Dios es nuestro amparo y fortaleza, nuestro pronto auxilio en las tribulaciones. **Salmos 46:1.**

De repente, parecía que los sueños de Laura se hacían añicos. El novio, a quien tanto amaba, la dejaba apenas con una corta explicación, escrita en una tarjetita blanca: "Tengo que ser sincero: No me gustas; perdóname". Un mes después, el padre de ella moría en un trágico accidente de tránsito.

Era demasiado sufrimiento para una sola persona. Casi no dormía, preguntándole a Dios: "¿Por qué, Señor, por qué?" Como consecuencia de todo, su rendimiento en el trabajo quedó tan alterado que, algunos días después, perdió el empleo. En esas circunstancias la conocí.

Casi inconscientemente, Laura actuaba como una jueza y daba el veredicto. "Yo siempre fui una fiel cristiana, nunca hice mal a nadie y ayudé a mis semejantes en la medida de mis posibilidades; Dios fue injusto conmigo. Yo no merezco estar sufriendo de esta manera".

¿Es Dios realmente injusto? ¿O será que nosotros, a veces, somos injustos con él, reclamándole un juramento que nunca realizó? En Salmos 46:1 encontramos una bellísima promesa: "Dios es nuestro amparo y fortaleza, nuestro pronto auxilio en las tribulaciones". Observa lo que Dios está y no está prometiendo.

Dios nunca prometió que sus hijos jamás tendrían dificultades, tristezas o pruebas. Él promete que, en medio de las dificultades y luchas, pruebas y tristezas, los que confían en él nunca estarán solos. "¡Gran consuelo!", puedes pensar. "¿De qué me ayuda eso?" De mucho. Y ahí está toda la diferencia.

Sufren los malos y los buenos. Sufren los que maldicen y los que confían en él. Sólo que el sufrimiento en los primeros es como una herida purulenta: devora, pudre y finalmente mata. Mientras que el sufrimiento de los que confían en Dios es como una herida limpia. Duele, sangra, pero sana, y con el tiempo apenas quedan cicatrices o, a veces, ni siquiera eso.

Cuando mi hijo mayor tenía tan sólo dos años, fue sometido a una cirugía. La enfermera entró con la inyección de la anestesia. El muchacho, mirando con miedo, comenzó a lloriquear, y la enfermera dijo:

—No llores, no te va a doler.

El niño me miró, como si preguntase en silencio: "¿Es verdad que no me va a doler?" Tomando su mano, le dije con tranquilidad:

—Sí, te va a doler, hijito, pero aquí está mi mano. Si te duele mucho, aprieta mucho. Si te duele poco, aprieta poco, pero yo estaré contigo.

¿Entendiste? Cuántas veces miramos a Dios y le preguntamos: "¿Va a doler?" Y él, con su voz de Padre amante, nos consuela: "Sí, te va a doler, hijo. En un mundo de tristezas y lágrimas, muchas veces te va a doler, pero aquí está mi mano. Nunca estarás solo. Yo estaré contigo".

Los sentidos no son confiables

Descendió Sansón a Timnat y vio allí a una mujer de las hijas de los filisteos. Regresó entonces y lo contó a su padre y a su madre, diciendo: "He visto en Timnat una mujer de las hijas de los filisteos; os ruego que me la toméis por mujer". **Jueces 14:1, 2.**

El otro día conversaba con un joven que, en la opinión de los que lo querían, estaba a punto de tomar una decisión que le traería muchos problemas en el futuro.

—Pastor —dijo el joven–, siento que esto es lo mejor para mí. Es lo que quiero, es lo que me gusta y creo que tengo el derecho a equivocarme.

"He visto una mujer en Timnat", dijo Sansón. Da la impresión de que el joven de mi historia y Sansón se hubiesen puesto de acuerdo para dar la misma respuesta.

Seguramente, los padres de Sansón hicieron todo lo posible para mostrarle al hijo el tremendo error que estaba a punto de cometer. Le hablaron con amor, con energía, trataron de dialogar: "¿No hay mujer entre las hijas de tus hermanos, ni en todo nuestro pueblo?", preguntaban (vers. 3). Pero Sansón estaba decidido: "He visto", dijo, "y me agrada".

¿Son confiables nuestros sentimientos? Desdichadamente, mientras llevemos con nosotros la naturaleza con que nacimos, los sentimientos humanos nos traicionarán con frecuencia. Sólo pueden ser una guía segura si están santificados a través de una constante comunión con Jesucristo.

"Engañoso es el corazón más que todas las cosas, y perverso; ¿quién lo conocerá?", dice el profeta en Jeremías 17:9. ¿Cómo puede una persona que no vive una vida de comunión diaria con Jesús pensar que sus sentimientos son una guía segura y confiable?

El resultado de decidir porque "he visto", porque "me agrada", porque "siento que esto es bueno para mí", contrariando la voluntad de Dios, fue terrible para Sansón. Al final de sus días, sus ojos, esos ojos que determinaban sus decisiones, le fueron arrancados. Ciego, terminó sus días realizando el trabajo de un burro, haciendo girar las ruedas de un molino.

Ese joven que nació con un plan maravilloso para su vida, ese hombre que era la esperanza de su pueblo, que vino para quedar eternamente en la galería de los vencedores, tuvo un triste fin. En un momento de su vida sintió que era "lo mejor" para él, pero se engañó. El tiempo, juez implacable, dictó la sentencia: culpable y condenado.

Que Dios nos ayude en este día a depender de él, a consultarlo, a decidir con él. Él es nuestra única garantía de victoria. Separados de él, nada podremos hacer.

22 de marzo

Más seguro que un monte

Por tanto, no temeremos, aunque la tierra sea removida y se traspasen los montes al corazón del mar. **Salmos 46:2.**

Al entrar en la ciudad de Johannesburgo, en África del Sur, mi compañero de viaje me observó:

—Estás llegando a la ciudad de la fe.

—¿Por qué? —le pregunté casi instintivamente.

—¿Ves aquel monte? —me dijo señalándolo con el dedo—. El mes que viene, ese monte estará de este otro lado. ¡La fe de la gente es tan grande que mueve montañas!

Después, sonriendo, me explicó que esos montes son de arena, y esa arena, sacada de las minas, todavía contiene oro. Por eso son removidos de un lugar a otro, tratando de extraer al máximo posible el precioso metal.

Como ves, las "montañas" de Johannesburgo son "mudables". Pero, por lo general, las montañas son símbolos de eternidad, de permanencia, de confiabilidad.

Pienso, por ejemplo, en las montañas de mi país, el Perú. El Imperio Inca construyó su sede en las alturas de Machu Pichu; he ahí el secreto de su casi invencibilidad. Desde esas montañas, los incas contemplaban el horizonte, conquistaban nuevos territorios, dominaban a los enemigos. En las montañas estaba su seguridad. Hasta hoy, siglos después, sus famosas fortalezas, casi intactas, atraen a millares de turistas.

Sin embargo, en el Salmo 46, el poeta traspasa los montes al corazón del mar. En el versículo 3 describe a las montañas como temblando. ¿Puede una montaña temblar? Si la montaña (que es símbolo de seguridad) tiembla, ¡qué queda para las demás cosas!

Lo que Dios está queriendo decir es que hasta las cosas aparentemente eternas pueden un día fallar. Por ejemplo, hasta amigos confiables pueden traicionarnos.

¿Crees que tu juventud durará toda la vida? Cuidado, ¡un día la montaña puede temblar! ¿Crees que ahora que terminaste una carrera y tienes una posición, nadie puede turbarte? Mira la montaña, ¡hasta ella un día puede caer al mar! ¿Piensas que tu salud es de hierro? ¿Que tu patrimonio es tan grande que nunca desaparecerá? ¿Crees que el amor de quien te rodea nunca acabará? Ojalá que no. Pero es bueno que sepas que todo puede fallar.

Pero puedes estar seguro de esto: Aunque las montañas tiemblen, o todos nos abandonen, Dios estará siempre cerca de nosotros, aunque sólo volvamos los ojos hacia él como si fuese el último recurso de la vida, el intento final.

Dios estará siempre allí, sin reclamos, esperando con los brazos abiertos en forma de cruz. ¿Sabes por qué? Porque para él tú eres la cosa más linda que existe en el mundo. "Braman las naciones, los reinos titubean", dice el poeta, pero "el Señor de los ejércitos está con nosotros; nuestro refugio es el Dios de Jacob" (ver los vers. 7 y 11).

23 de marzo

Lo que realmente vale

Si se humilla mi pueblo, sobre el cual mi nombre es invocado, y oran, y buscan mi rostro, y se convierten de sus malos caminos; entonces yo oiré desde los cielos, perdonaré sus pecados y sanaré su tierra. **2 Crónicas 7:14.**

Salomón había terminado los últimos detalles de la construcción del templo. Era un templo deslumbrante en su estructura física, y sería motivo de alegría y satisfacción para todas las personas que de alguna manera habían contribuido en la edificación de la casa del Señor.

Esa noche, el Señor se le apareció a Salomón y le dijo que lo que realmente importaba del templo no era su aspecto exterior, sino lo que sucedería dentro de él.

El versículo de hoy ha sido usado muchas veces para decir que si la iglesia "no se convierte de sus malos caminos", Dios nunca podrá bendecirla. En realidad, éste es el propósito final de la declaración, pero el versículo contiene más que simplemente el objetivo. También muestra el método. ¿Cómo quiere Dios llevar a su iglesia perdonada y sanada a andar en los caminos correctos?

El texto menciona los pasos: 1) *Humillarse.* Reconocer la insuficiencia y debilidad, la incapacidad. Este reconocimiento llevará al pueblo de manera natural a buscar ayuda en un ser superior. Dios no puede hacer nada por quienes no reconocen su necesidad y no lo buscan. 2) *Orar.* Este es uno de los medios de comunión con Cristo. Orar no sirve para informar a Dios de nuestras actividades, sino para crear en nosotros el sentido de dependencia. Orar es mucho más que arrodillarse y repetir frases de rutina. Es vivir constantemente unido a Jesús y tenerlo siempre presente en nuestros pensamientos, sentimientos y acciones. 3) *Buscar el rostro del Señor.* ¿Cómo se contempla a Dios? A través del estudio de la Biblia y de la meditación. El cristiano debería pasar como mínimo una hora diaria meditando en el carácter de Jesús. La mejor manera de estudiar la Biblia es colocándonos en el lugar de los acontecimientos, y aplicar cada consejo divino a las diferentes circunstancias de nuestra vida.

Después de dar esos tres pasos viene el resultado: "Convertirse de los malos caminos".

La mayor alegría que Dios siente no se debe a la hermosura del templo o a la mucha o poca asistencia, sino a la actitud con que sus hijos lo buscan. Ir al templo debiera constituir un acto de gratitud, alabanza y testimonio. Deberíamos ir porque lo necesitamos, reconocemos nuestra dependencia y queremos exaltarlo y decirle que él es todo para nosotros.

El resultado final será una iglesia feliz y sana, que continuará creciendo cada día en su experiencia con Jesús.

El otro lado del pecado

Pero si así no lo hacéis, entonces habréis pecado ante Jehová, y sabed que vuestro pecado os alcanzará. **Números 32:23.**

Hace años tuve la oportunidad de conversar con una señora cuyo problema físico era un misterio para la ciencia médica. Había consultado a los mejores especialistas y nadie sabía decirle cuál era la causa de la parálisis que la atormentaba. Del cuello para abajo estaba prácticamente muerta, y no existía causa física para estar así.

Conocí a esa señora cuando estaba sana y llena de vida. ¿Cuál sería el motivo para que en cuestión de pocos meses quedara en estado deplorable? Mientras conversaba con ella, Dios me ayudó a detectar el origen de su mal. Dicha señora había llevado a muchas personas a la iglesia, había sido de esos miembros trabajadores e incansables, pero en algún momento de su vida cortó la comunión con Cristo y el resultado fue la infidelidad a los votos matrimoniales.

—Pastor, no tengo perdón —decía entre lágrimas—. Conocía la verdad, llevé a mucha gente al bautismo, sabía lo que estaba haciendo, no fui engañada; mi pecado fue consciente, no merezco el perdón.

El sentimiento de culpa de esta mujer era tan grande que creía que su pecado merecía la muerte, y su inconsciente había conseguido prácticamente matar su cuerpo, aunque no terminar con su vida.

Tomando sus manos inertes entre las mías y mirándola a los ojos, le dije:

—¿Usted no cree en el perdón que Dios enseñó a tanta gente?

—Tal vez Dios me haya perdonado, pastor —dijo ella—, pero yo no me perdono, y nunca me perdonaré.

Y lo más trágico del pecado tal vez esté aquí, querido amigo. No en el hecho de que Dios no sea capaz de perdonarnos, sino en la tragedia de que nosotros no queremos aceptar el perdón.

"Vuestro pecado os alcanzará", dice el texto de hoy. Aunque muchas veces tengamos que sufrir las consecuencias de haber quebrantado las leyes naturales, lo que el pecado tiene de pernicioso y destructivo es el complejo de culpa que apaga lentamente el deseo de vivir, de levantarse nuevamente, de recomenzar la comunión con Cristo. Es esa horrible sensación de estar perdido, de sentir que ya no existe una oportunidad; esa lenta destrucción de los valores, de la dignidad y del respeto propio.

Al salir hoy hacia las actividades del día, permitamos que Jesús tome nuestras manos y dejemos que nos guíe por las veredas de justicia. ¿Cómo hacer eso? Teniendo siempre en mente la presencia de Cristo, relacionando con él todo lo que hacemos. Sin duda, tener un himno en el corazón será una fuente permanente de inspiración a lo largo del día. Memorizar el versículo de hoy y repetirlo muchas veces, también ayudará. Aprender a convivir con Cristo es tal vez la tarea más dura del cristiano, pero en eso justamente consiste el cristianismo.

Deseo un día maravilloso para todos en el poder y la gracia de Jesús.

25 de marzo

Dios nunca nos chasquea

Pedid, y se os dará; buscad, y hallaréis; llamad, y se os abrirá. **S. Mateo 7:7.**

Hace muchos años tuve un sueño: organizar un campamento para miles de jóvenes. Sin embargo, también ocurrían dificultades y había montañas infranqueables. ¿Cómo conseguir un lugar para acomodar a tanta gente, con agua, instalaciones sanitarias y comida para todos?

Un domingo convoqué a un grupo de especialistas en diferentes áreas de trabajo. Hasta el lema teníamos listo: "Conócelo, ámalo y sírvelo", pero no sabíamos cómo concretar el evento.

El joven Costa Junior formaba parte del grupo, y le pedimos que compusiera el himno oficial del campamento, que se realizaría en Itabuna.

Esa noche, mientras Costa Junior regresaba a San Pablo, en un ómnibus de línea, Dios le dio la letra y la música del himno: "Conocer a Jesús es todo". Inexplicablemente, esa música desapareció nueve veces. Después de mucha oración y trabajo, finalmente el himno estuvo listo y fue cantado por diez mil jóvenes en Itabuna, por treinta mil personas en el estadio de Ibirapuera en San Pablo, y por varios miles en todo el Brasil y otros países del mundo.

Si Costa Junior hubiese desistido de escribir y reescribir el himno, si hubiese dejado de orar y pedir a Dios que le recordara la letra y la música iniciales, tal vez hoy la iglesia no tendría ese himno que trajo tanta inspiración a mucha gente.

Todos debemos soñar. Nosotros, los seres humanos, tenemos que soñar. Quien no es capaz de soñar, no tiene un motivo por el cual vivir. Pero nadie tiene el derecho a soñar si no está dispuesto a pagar el precio de su sueño; porque todo sueño tiene un precio, y a veces ese precio es muy caro: puede hasta costarnos la vida. Aunque ese no es el problema: podrán matar al soñador, pero nunca matarán el sueño.

"Pedid, y se os dará", dice el Señor Jesús. ¿Podríamos parafrasear este versículo, diciendo: "Soñad y pedid; buscad y llamad, y trabajad por vuestro sueño y se realizará"?

Itabuna, Brasilia, Ibirapuera, Maracanaziño: lugares donde la gente se congregó para oír la Palabra de Dios y se cantó el himno "Conocer a Jesús es todo". Lo que poca gente sabe es que todo eso es el fruto maravilloso del Espíritu de Dios al reunir a un grupo de hombres soñadores.

Sal esta mañana con fe. Pide, llama, busca, clama a Dios y trabaja por tus sueños. En poco tiempo, ya no será un sueño, será la más linda realidad.

Existe un lugar mejor para ti

Levantaos y andad, porque este no es lugar de reposo, pues está contaminado, corrompido grandemente. **Miqueas 2:10.**

El profeta Miqueas vivió durante un período crítico del pueblo de Dios, cuando Asiria era el poder mundial dominante. Acaz, rey de Judá, se había entregado a todo tipo de idolatría y había hecho, incluso, "pasar a sus hijos por el fuego, conforme a las abominaciones de las naciones que Jehová había arrojado de la presencia de los hijos de Israel" (2 Crónicas 28:3).

Dios levantó a Miqueas, en medio de toda esa idolatría y decadencia espiritual, para advertir a su pueblo de su iniquidad y para anunciar la liberación de Israel y la gloria y el gozo del reino mesiánico. Por esto, a lo largo del libro de Miqueas encontramos advertencias y promesas, castigo y misericordia.

En el versículo de hoy, Dios nos presenta una promesa maravillosa: "Levantaos y andad, porque este no es lugar de reposo".

Nosotros no fuimos creados para vivir en este mundo de sufrimiento, lágrimas y muerte. Este mundo está "contaminado, corrompido grandemente". No es este nuestro hogar, somos peregrinos que estamos en rumbo hacia una tierra mejor.

Hace 155 años un grupo de personas sinceras esperaba el regreso de Cristo y tenía la certeza de que había llegado el momento de entrar en el hogar. El 22 de octubre de 1844 quedará registrado en la historia como un día de chasco. Pero, en realidad, lo que encontramos en ese año es mucho más que un grupo de cristianos tristes porque Jesús no regresó.

El aparente incumplimiento de la promesa los llevó a estudiar con más cuidado las Santas Escrituras, y fue a través de las lágrimas y del estudio como redescubrieron el verdadero significado de Daniel 8:14.

En 1844 sucedería algo extraordinario en los cielos. Jesús, nuestro Sumo Sacerdote en el Santuario Celestial, pasaría del Lugar Santo al Lugar Santísimo y, según las Escrituras, comenzaría el juicio investigador (Apocalipsis 14:6-12).

Ese mismo año el mensaje de este juicio comenzaría a ser predicado con fuerza. Era el cumplimiento profético: la aparición de un movimiento que daría un nuevo énfasis al evangelio eterno al predicar la justicia de Cristo, la eternidad de la ley de Dios, la hora del juicio y el inminente regreso de Cristo a la Tierra. Así nació la Iglesia Adventista del Séptimo Día.

Su misión es anunciar el mensaje de Apocalipsis 14:6-12. El nacimiento de esta iglesia estaba anunciado proféticamente. Esta iglesia surgió para decir: "Levántate y anda, porque no es este el lugar de reposo; existe un lugar mejor para ti".

27 de marzo

¿Qué clase de promesa es ésa?

Él le dijo: "Señor, dispuesto estoy a ir contigo no sólo a la cárcel, sino también a la muerte". S. Lucas 22:33.

La declaración de Pedro es la típica declaración humana. ¿Cuántas veces le prometiste fidelidad a Dios y no cumpliste?

¿Quiere decir que nunca debemos prometer nada a Dios? "Muchos dicen: '¿*Cómo* me entregaré a Dios?' Deseas hacer su voluntad pero eres moralmente débil, sujeto a la duda y dominado por los hábitos de tu vida de pecado. Tus promesas y resoluciones son tan frágiles como telas de araña. No puedes gobernar tus pensamientos, impulsos y afectos. La conciencia de tus promesas no cumplidas y de tus votos quebrantados debilita tu confianza en tu propia sinceridad y te induce a sentir que Dios no puede aceptarte; mas no necesitas desesperar. Lo que necesitas comprender es la verdadera fuerza de la voluntad. Este es el poder que gobierna en la naturaleza del hombre: el poder de decidir o elegir. Todas las cosas dependen de la correcta acción de la voluntad. Dios ha dado a los hombres el poder de elegir; depende de ellos el ejercerlo. No puedes cambiar tu corazón, ni dar por ti mismo sus afectos a Dios; pero puedes *elegir* servirle. Puedes darle tu voluntad, para que él obre en ti tanto el querer como el hacer, según su voluntad. De ese modo tu naturaleza entera estará bajo el dominio del Espíritu de Cristo, tus afectos se concentrarán en él y tus pensamientos se pondrán en armonía con él".

¿En qué consiste entregar la voluntad a Dios? El texto continúa: "Por medio del debido ejercicio de la voluntad puede obrarse un cambio completo en tu vida. Al dar tu voluntad a Cristo, te unes con el poder que está sobre todo principado y potestad. Tendrás fuerza de lo alto para sostenerte firme, y rindiéndote así constantemente a Dios serás fortalecido para vivir una vida nueva, es a saber, la vida de la fe" (*El camino a Cristo*, págs. 47, 48).

Cada día, al salir de casa, debes decir: "Señor, habita hoy en mí por medio de la presencia de tu Santo Espíritu. A ti entrego hoy mi voluntad pecaminosa; santifícala, por favor". Entonces, cuando llegue el momento de la tentación, vuelve a clamar a Dios; sin importarte lo que sientas, no te alejes de él, deja que habite en tu corazón. Su presencia santificará la pobre voluntad humana y llegarás a ser invencible por el poder maravilloso de Jesús. Te deseo un día lleno de victorias.

El buen camino

Así dijo Jehová: "Paraos en los caminos, mirad y preguntad por las sendas antiguas, cuál sea el buen camino. Andad por él y hallaréis descanso para vuestra alma". Mas dijeron: "¡No andaremos!" Jeremías 6:16.

Este versículo ha sido usado algunas veces para decir que debemos vestirnos, andar y actuar como en la antigüedad. Pero el contexto en que se encuentra indica que el mensaje es diferente. "Preguntad por las sendas antiguas, cuál sea el buen camino. Andad por él", es el consejo divino. ¿Cuáles son esas sendas antiguas? ¿Cuál es ese buen camino? Cuando Jesús estuvo en la Tierra, dio personalmente la respuesta: "Yo soy el camino, la verdad y la vida; nadie viene al Padre sino por mí" (S. Juan 14:6).

Jesús es el camino. Las personas se olvidan de los principios cuando se olvidan de Jesús. Se conforman con este siglo cuando se olvidan de Jesús. Comienzan a tornarse frívolas cuando olvidan el camino.

Abandonar las sendas antiguas no es simplemente dejar principios o normas morales. Abandonar las sendas antiguas es perder de vista el camino, y el camino es Jesús.

El profeta Jeremías afirma en el versículo de hoy que el resultado de retornar a las sendas antiguas es que el pueblo encontrará descanso para el alma. ¿Te acuerdas de que en cierta ocasión Jesús también dijo: "Venid a mí todos los que estáis trabajados y cargados, y yo os haré descansar. Llevad mi yugo sobre vosotros... y hallaréis descanso para vuestras almas" (S. Mateo 11:28, 29)?

¿Cuál era la invitación de Jesús? ¿Estaba Jesús diciendo, simplemente, que sus hijos retornaran a las costumbres del pasado, o que retornaran a él? Jesús vino a este mundo para dar sentido a una religión moralmente correcta, pero, a veces, practicada sólo externamente. Los hijos de Israel en ese tiempo habían perdido de vista mucho más que los principios morales: habían perdido de vista el camino. Tratando de hallar las sendas antiguas, estaban perdiéndose en una maraña de detalles y diezmando hasta la menta y el eneldo. Pero Jesús vino para decir a su pueblo: "Esos detalles no son el camino; yo soy el camino. Si mi pueblo vive una vida de comunión conmigo, de manera natural vivirá abundantemente los principios eternos de la ley: mi carácter".

El profeta Jeremías termina diciendo: "Mas dijeron: ¡No andaremos! " Jesús también, antes de su muerte, dijo: "¡Cuántas veces quise juntar a tus hijos como la gallina junta sus polluelos debajo de las alas, pero no quisiste!" (S. Mateo 23:37).

"No andaremos", "No quisiste". Ahí estaba el Camino ofreciendo descanso para las almas, pero nadie quiso saber nada de él.

¿Qué vas a hacer hoy contigo mismo? Anda por el buen camino, pero no olvides que el buen camino es Jesús, y no simplemente un código moral.

Las ciudades de refugio

Para que por dos cosas inmutables, en las cuales es imposible que Dios mienta, tengamos un fortísimo consuelo los que hemos acudido para asirnos de la esperanza puesta delante de nosotros. Hebreos 6:18.

"¿Cómo sabré que Dios realmente me perdonó?", era la pregunta angustiada de esa señora. Cargaba sobre sí el peso de la culpa de algo tenebroso que no la dejaba ser feliz.

"Señora", le dije, "Dios afirma en su Palabra que si usted se aferra de esta promesa con fe, y cree que Jesús murió por sus pecados, su pasado quedará totalmente borrado y renacerá a una nueva vida".

El versículo de hoy habla de dos cosas inmutables, en las cuales es imposible que Dios mienta. ¿Cuáles son esas cosas inmutables? El texto se refiere a su Palabra y al juramento que hizo de que la cumplirá. Por supuesto, Dios no necesita hacer un juramento a nadie. Dios es Dios y su Palabra es confiable, pero camina la segunda milla y se anticipa a los temores humanos, sabe que la conciencia humana es un juez implacable y un verdugo despiadado. Por eso Dios habla y jura que cumplirá su Palabra.

La promesa sobre la cual hace el juramento se refiere a las ciudades de refugio, donde los pecadores encuentran liberación de su culpa; una figura tomada del Antiguo Testamento.

En los tiempos de Israel existían seis ciudades de refugio, y estaban localizadas en lo alto de las colinas para que los fugitivos no tuvieran dificultad en encontrarlas. Los caminos que conducían a esas ciudades eran espaciosos y constantemente cuidados. Y a lo largo del trayecto había carteles que indicaban el sentido correcto con una palabra en hebreo: "Miqlat", que quería decir "Refugio". Las letras debían ser grandes y claras, para que el fugitivo pudiera leerlas al mismo tiempo que corría.

Las personas corrían hacia esas ciudades cuando eran culpadas de algún delito. Era en ellas donde se escondían, pero la seguridad de esos hombres estaba garantizada únicamente mientras permanecieran en la ciudad.

Cristo es la ciudad de refugio de los cristianos. En el Calvario se colocó una frase bien clara en hebreo, griego y latín, para que los culpables de todos los tiempos pudieran leerla, incluso mientras corrían: "Jesús Nazareno, Rey de los judíos" (S. Juan 19:19). Allí en la cruz murió con los brazos abiertos, llamando a los hombres: "Venid a mí todos los que estáis cansados y afligidos. En mí hallaréis perdón".

Cristo no solamente habló. Juró sobre su palabra que perdonaría, y es por eso que nadie necesita vivir atormentado por la culpa.

¿Palabras frívolas?

Pero yo os digo que de toda palabra ociosa que hablen los hombres, de ella darán cuenta en el día del juicio. **S. Mateo 12:36.**

¿Cómo hablan los que quieren ser cada día más semejantes a Jesús? ¿Qué tipo de palabras sale de sus bocas? ¿Sobre qué conversan cuando están juntos?

El versículo de esta mañana está dentro de un contexto interesante. En los versículos anteriores Jesús explica que el corazón es COMO un cofre donde se esconden cosas buenas o malas, y que la palabra es el medio por el cual se saca lo que se guarda en el corazón. "De la abundancia del corazón habla la boca", deduce el Maestro (vers. 34). Y termina diciendo que en el día del juicio, los hombres darán cuenta de toda palabra frívola que hayan hablado.

Las personas pueden encarar este texto de tres maneras diferentes. La primera es llenarse de temor por las consecuencias en el día del juicio y tratar, a partir de hoy, de no hablar palabras frívolas.

La segunda es razonar de la siguiente manera: "Ya que los que tienen un corazón bueno hablan cosas buenas, entonces a partir de este momento hablaré solamente cosas constructivas".

La tercera es ir a Jesús y decirle: "Señor, que hable frivolidades es una evidencia de que mi corazón es malo y está lleno de pensamientos inmundos. Por favor, vive en mí y purifica mis sentimientos y pensamientos, santifica diariamente mi corazón por medio de la presencia de tu Santo Espíritu".

Y si a partir de ese momento el hombre vive una vida de comunión con Cristo, los pensamientos de Cristo pasarán a ser sus pensamientos, y las palabras que salgan de su boca serán, de manera natural, palabras edificantes.

Constantemente hemos colocado ante nosotros los ideales de vida del cristiano. Sin embargo, pocas veces hemos tratado de mostrar el medio por el cual se vive ese ideal.

En la Biblia nunca encontramos el problema sin la salida, el ideal sin la manera de alcanzarlo.

En el versículo de hoy, Jesús quiere decirnos: "Déjame resolver el problema del corazón, sanar los pensamientos, y entonces tus palabras reflejarán la pureza de tus sentimientos santificados por mi presencia".

Dios quiere que sus hijos sean más semejantes a él, inclusive en el tipo de conversación que mantienen.

Es preciso decidir

A pesar de eso, muchos, incluso de los gobernantes, creyeron en él, pero no lo confesaban por temor a los fariseos, para no ser expulsados de la sinagoga, porque amaban más la gloria de los hombres que la gloria de Dios. S. Juan 12:42, 43.

Una de las mayores barreras que las personas encuentran para seguir a Jesús es el prejuicio causado algunas veces por el *status*, y otras, por la presión social, religiosa o financiera.

En el capítulo 12 de San Juan encontramos tres diferentes actitudes de las personas con relación a Jesús. La primera es la de los griegos sinceros que siguieron a Jesús a pesar de entender que eso les causaría dificultades en el futuro, porque mantener sus nuevos principios en medio de la cultura griega no sería nada fácil (vers. 20-26).

La segunda actitud aparece en el versículo 37, de la siguiente manera: "Pero a pesar de que había hecho tantas señales delante de ellos, no creían en él". ¿Puede existir una ceguera mayor que la del hombre que no quiere ver? Vivimos en un mundo agnóstico y lleno de incredulidad. Queremos llevar todo al laboratorio. Estamos dispuestos a ejercer fe en muchas cosas menos en los asuntos espirituales.

Si alguien que no conocemos nos muestra el camino, vamos en la dirección indicada inducidos por una fe inconsciente de que esa persona está diciendo la verdad. Pero cuando descubrimos alguna declaración bíblica, nos detenemos, pensamos y comenzamos a dudar.

Dios nos dio el derecho a la duda. Somos libres para aceptar o rechazar, para creer o burlarnos. Vemos brillar el Sol y no creemos en el Dios que lo creó porque nunca lo vimos, pero vemos un reloj y creemos que existe un relojero, aunque tampoco lo hayamos visto.

Ese tipo de personas existía en el tiempo de Cristo: "Vieron señales, pero no creían".

La última clase de personas está descrita en el versículo de hoy. Son los temerosos. Aceptan la verdad en su corazón. No tienen una sola duda, por mínima que sea, pero tienen miedo de las personas, de la posición social, del "qué dirán". Viven en función de los compromisos sociales, profesionales o religiosos; aman más la gloria de los hombres que la gloria de Dios.

A lo largo de mi ministerio conocí a mucha gente así. Gente que, con lágrimas en los ojos, decía: "Pastor, sé que este es el camino, pero no tengo el coraje de romper con mis tradiciones y con tantas otras cosas que me amarran a esta vida. ¿Tendrá Dios misericordia de mí?"

Dios tendrá misericordia para continuar tocando a la puerta de tu corazón, pero no para tomar la decisión por ti, porque él te hizo un hombre libre, capaz de decidir.

Hoy puede ser para ti el gran día de la decisión. Ahora puede ser el minuto que estaba faltando en tu vida. ¡Dile sí a Jesús y sal transformado para desarrollar las actividades del día!

1° de abril

¿Por qué ir a la iglesia?

Después lo halló Jesús en el Templo y le dijo: "Mira, has sido sanado; no peques más, para que no te suceda algo peor". S. Juan 5:14.

El paralítico del estanque de Betesda acababa de ser curado y miró a su alrededor para agradecer a quien había hecho ese milagro en su vida, pero Jesús ya no estaba allí, "porque... se había apartado de la gente que estaba en aquel lugar" (vers. 13). Así sucedían las cosas con Jesús. Su misión era llevar la atención de los hombres a su Padre. Hacía lo que tenía que hacer y desaparecía sin esperar aplausos, ni homenajes, ni conmemoraciones, porque sabía que a nosotros, los seres humanos, nos gusta hacer ídolos de barro. Olvidamos al Salvador e idolatramos al instrumento humano. Jesús dejó aquí una lección para todos nosotros.

El versículo de hoy dice que "después lo halló Jesús en el Templo". Aquí hay un pensamiento profundo que necesitamos entender. El paralítico no fue al templo para ser curado. Él fue curado por Jesús. La iglesia no tiene poder para salvar. Ningún ser humano debe pertenecer a una iglesia pensando que ese es el medio de salvación. El paralítico fue al templo para alabar el nombre de Dios por haber sido curado. Allí se encontró con Jesús y pudo decirle: "Muchas gracias, Señor; alabo tu nombre porque me salvaste".

Por favor, nunca digas que fuiste salvo por Jesús si no estás asistiendo a la iglesia. No digas que tienes una gran experiencia salvadora con Jesús si en los días de culto te quedas en casa. La iglesia es el lugar donde los redimidos se encuentran con Jesús para alabar su nombre y agradecer por las bendiciones recibidas.

Es por eso que los feligreses deben cantar mucho, porque el cántico es la alabanza por excelencia. La iglesia donde no se canta puede estar dando evidencias de que le falta una experiencia salvadora en su vida.

Satanás hace que mucha gente piense que no necesita asistir a la iglesia porque en ella hay muchas personas cuyas vidas son un pésimo testimonio del evangelio, pero, bíblicamente, el motivo que debería llevarnos a ir al templo no debe ser saludar a los amigos que no vimos durante la semana. El motivo debería ser alabar el nombre de Dios, y ese acto de alabanza es capaz de unir los corazones y hacer desaparecer las diferencias que puedan existir entre las personas. Una iglesia unida por la alabanza y el espíritu de gratitud será también una iglesia unida en la misión de iluminar al mundo con la luz del evangelio. ¿Ya tuviste una experiencia de salvación con Jesús? Entonces ve a la iglesia y alaba el nombre de Dios.

El prójimo no tiene rostro

Respondiendo Jesús, dijo: "Un hombre que descendía de Jerusalén a Jericó cayó en manos de ladrones, los cuales lo despojaron, lo hirieron y se fueron dejándolo medio muerto". S. Lucas 10:30.

La parábola del buen samaritano es la respuesta de Jesús al doctor de la ley que le preguntó: "¿Quién es mi prójimo?" (vers. 29).

"Un hombre..." La Biblia no identifica a ese hombre. No menciona su raza, ni su *posición* social, ni su lengua, ni su nacionalidad. "Un hombre...", y nada más. No necesitamos saber otra cosa acerca de alguien que está pasando necesidad. Jesús ocultó los detalles de la identidad de ese hombre por algún motivo que necesitamos entender.

Entre Jerusalén y Jericó había varios kilómetros de carretera peligrosa, rocosa y desierta. Era el lugar preferido por ladrones y salteadores, quienes, amparados en la soledad y la oscuridad del lugar, podían hacer de los viajeros víctimas fáciles. Y en la historia encontramos a ese hombre como una de estas víctimas.

La Biblia dice que los salteadores lo despojaron. Estaba desnudo. Nadie podía identificarlo por la ropa, si eran finas o baratas, si eran de este o aquel país. También habían desaparecido los anillos y las joyas (que los hombres utilizaban en esos tiempos), de modo que nadie podía saber si eran joyas falsas o joyas auténticas las que llevaba, para poder de ese modo determinar su capacidad financiera. Y para completar el cuadro de anonimato, estaba inconsciente, no podía hablar y nadie podía oír el acento para decir si el hombre era argentino, brasileño, colombiano o mejicano.

Lo que Jesús quiere decirnos hoy es que nuestro prójimo no tiene rostro ni identidad. Lo que está tratando de enseñarnos es cuál debería ser nuestra actitud con los que sufren. Nuestra preocupación nunca debe ser identificar a la persona antes de ayudarla. No importa si la persona que sufre es rica o pobre, negra o blanca, culta o inculta, buena o mala, palestina o irakí. Como cristianos, debemos estar del lado de los que sufren. No podemos quedarnos del lado de los pobres contra los ricos, ni de los buenos contra los malos. "Un hombre..." Ese es nuestro prójimo.

Entre los pobres existen personas que sufren hambre y frío. Pero también hay personas que sufren entre los ricos: sufren angustia, soledad y crisis existencial. Y la orden de Jesús es ayudar a los que están sangrando. Los que sangran por fuera y los que sangran por dentro. No mires su rostro, ni su piel, ni su nacionalidad. Busca, simplemente, a los que sufren. Ése es tu prójimo.

A lo largo de este día, trata de encontrar a alguien que sufre y muéstrale el amor de Jesús.

La esencia del cristianismo

Respondió Jesús y le dijo: "El que me ama, mi palabra guardará; y mi Padre lo amará, y vendremos a él y haremos morada con él". S. Juan 14:23.

El amor es la esencia de la vida cristiana. Después de todo, el cristianismo no es otra cosa que un maravilloso relacionamiento de amor entre Cristo y el ser humano.

El versículo de hoy nos dice: "El que me ama, mi palabra guardará". La obediencia se presenta aquí como un resultado del amor.

En la segunda parte del texto, el evangelista Juan trata de mostrarnos cómo es que el amor por Dios nos llevará al camino de la obediencia. "Mi Padre lo amará, y vendremos a él y haremos morada con él".

El apóstol Pablo dijo en cierta ocasión: "Vuestro cuerpo es templo del Espíritu Santo" (1 Corintios 6:19). Aquí Jesús está tratando de explicarnos en qué consiste la maravillosa experiencia del cristianismo. Un día encontramos a nuestro Salvador, entendemos su amor, nos apasionamos por él, le abrimos el corazón y entonces él viene y hace morada en nosotros a través de la persona de su Santo Espíritu. A partir de ahí, "Cristo mora en nosotros", santifica nuestra voluntad y nos lleva de victoria en victoria, hasta la victoria final.

"El Espíritu Santo procura morar en cada alma. Si se le da la bienvenida como huésped de honor, quienes lo reciban serán hechos completos en Cristo. La buena obra comenzada se terminará; los pensamientos santificados, los afectos celestiales y las acciones como las de Cristo, ocuparán el lugar de los sentimientos impuros, los pensamientos perversos y los actos rebeldes" (*Consejos sobre la salud*, pág. 563).

Por eso, nuestra primera oración debería ser: "Señor, dame un corazón capaz de amar". Cuando el ser humano haya entregado a Jesús todo el corazón, cuando lo ame al punto de decir como Pedro: "¿A quién iremos?", entonces dirá naturalmente: "Señor, quiero verte feliz. Quiero vestirme, comportarme y alimentarme de tal modo que pueda ver siempre una sonrisa de alegría y satisfacción en tu rostro".

Cuando existe amor, la vida tiene sentido. Hasta las cosas difíciles cobran vida. El camino podrá estar lleno de espinas, pero los ojos sólo ven las flores.

Retiren el amor del cristianismo y éste se tornará un conjunto de reglas y prohibiciones huecas.

¿Qué tipo de cristianismo es el tuyo?

El Jesús de los casos perdidos

Salió de Judea y se fue otra vez a Galilea. Y le era necesario pasar por Samaria. S. Juan 4:3, 4.

El pueblo judío era un pueblo lleno de prejuicios. Cuando colocaba la marca en la cabeza de alguien, nada podía librar a esa pobre persona del estigma que cargaba como una especie de maldición para toda la vida.

En el versículo de hoy encontramos a Jesús yendo de Judea hacia Galilea. Judea quedaba abajo, al sur, y Galilea quedaba al norte, y entre ambas estaba Samaria, el pueblo condenado por los judíos. Hasta los discípulos, en cierta ocasión, sacudieron el polvo de sus sandalias y Juan pidió que cayera fuego del cielo y consumiera a los obstinados samaritanos. Los habitantes de Samaria eran tan rechazados que los judíos, para ir de Judea a Galilea, atravesaban el río Jordán y subían por el desierto, pero no pisaban la tierra de un pueblo que, en su opinión, "no tenía salvación".

Pero con Jesús las cosas son diferentes. Para él no existe caso perdido; para él nadie fue tan lejos que no pueda volver, nadie es tan duro que no pueda un día abrir el corazón. Jesús no necesitaba desviarse del camino para encontrarse con alguien indigno, porque para él todas las personas son necesitadas y lo precisan desesperadamente. Él vino a buscar y salvar a los perdidos. Vino a buscar los casos sin solución, las vidas desengañadas, los hombres sin esperanza de recuperación.

¿Acaso no curó al leproso, condenado a morir con su carne cayéndose a pedazos? ¿Acaso no resucitó a Lázaro, que ya olía mal? ¿No fue Jesús en persona quien sanó al paralítico que durante 38 años cargaba su miseria por el suelo de la vida?

Si eres un homosexual, tal vez pienses para ti: "Mi caso, es un caso sin esperanza". Si yo hablase con un marginal, un asesino o un estuprador, tal vez razonaría para mí: "¿Será que Dios puede hacer algo por semejante hombre?" Tú y yo tal vez atravesaríamos el río Jordán y subiríamos por el desierto para no pasar por Samaria, la tierra de los hombres condenados; pero, gracias a Dios, Jesús es el Salvador de los casos perdidos. Si sientes que eres uno de ellos, alaba el nombre de Dios ahora, porque Jesús vino por ti. Él te ama. "Le era necesario pasar por tu ciudad para encontrarse contigo". No todo está perdido. Para los hombres, tal vez sí. Para ti, quizá sí. ¡Pero para Dios, no! ¿Lo aceptas?

Para Dios siempre hay esperanza

Así que oró a Jehová y le dijo: "¡Ah, Jehová!, ¿no es esto lo que yo decía cuando aún estaba en mi tierra? Por eso me apresuré a huir a Tarsis, porque yo sabía que tú eres un Dios clemente y piadoso, tardo en enojarte y de gran misericordia, que te arrepientes del mal". Jonás 4:2.

El profeta Jonás es uno de los más extraños profetas de la Biblia. Es justamente todo lo que un profeta no debería ser. Mientras los profetas van adonde Dios los envía, Jonás huye. Mientras los profetas predican generalmente a hombres duros que no quieren aceptar el mensaje, cada vez que Jonás abre la boca las personas se arrepienten. Mientras los profetas viven tristes porque las personas, al no aceptar el mensaje, se dirigen a la muerte, Jonás se entristece porque las personas se arrepienten y cambian de vida.

Jonás va a Nínive después de mucha resistencia y cumple, finalmente, su misión. Su mensaje se reducía a decir: "¡Dentro de cuarenta días Nínive será destruida!" ¿Dónde está el llamado? ¿Por qué no presenta la justicia y la misericordia divinas? ¿No debe un verdadero profeta anunciar, en medio de las tragedias, el mensaje de esperanza?

Sin embargo, a pesar de la indiferencia y pobreza evangelizadora con que Jonás presenta el mensaje, el pueblo se arrepiente. Los resultados son extraordinarios. Toda la ciudad decide aceptar a Dios y cambiar de vida. Y Jonás no puede soportar semejante éxito evangelizador.

El libro de Jonás es un libro de conflictos permanentes. No entre el profeta y los habitantes de Nínive, como muchos podrían imaginar, sino entre Jonás y Dios. Dios, queriendo que los ninivitas se arrepientan y se salven, y Jonás, deseando que ese pueblo muera quemado por el fuego.

Para comprender a Jonás, tal vez sea preciso entender el ambiente en que vivía. Nínive oprimía al pueblo de Israel. Era la capital de Asiria, la más feroz y violenta nación de esos días. El profeta Nahúm la describe como una "¡...ciudad sanguinaria, toda llena de mentira y de pillaje!" (Nahúm 3:1).

Desde el punto de vista de Jonás, gente como ésa sólo merecía la muerte. Jonás huyó a Tarsis, no porque tuviera miedo de la incredulidad de Nínive, sino porque tenía miedo de que su predicación tuviera éxito, el pueblo se arrepintiera y Dios los perdonara. No, los ninivitas no merecían el perdón. Tenían que morir, porque para él el pecador sólo merece la muerte. No merece compasión, ni comprensión, ni paciencia; ¡sólo merece la muerte!

Gracias a Dios que en el día final no seremos juzgados por los hombres. Dios no pasará por alto ni un pecado, por mínimo que sea; Dios no cerrará los ojos a ningún defecto de carácter, por pequeño que sea. Pero está dispuesto a hacer hoy todo lo posible para salvar al pecador: llamarlo, cautivarlo e inspirar en él el arrepentimiento.

El Dios de Jonás continúa vivo y llamando a sus hijos. Continúa pensando que para él no existe ningún caso perdido; continúa creyendo y esperando. ¿Por qué no aceptar la invitación mientras todavía hay tiempo?

El secreto del poder

Orad en todo tiempo con toda oración y súplica en el Espíritu, y velad en ello con toda perseverancia y súplica por todos los santos. Efesios 6:18.

Repetidas veces encontramos el consejo de no hacer de la oración algo momentáneo, sino una actitud permanente de comunión con Cristo. "Orar en todo tiempo, orar sin cesar", es mucho más que separar determinado tiempo para estar a solas con Jesús. La vida del cristiano tiene que ser una vida de compañerismo permanente con Cristo, y no existe compañerismo sin comunión. No quiere decir que debamos hablar sin parar. Tú puedes caminar al lado de una persona de quien gustas, sin necesidad de estar conversando todo el tiempo con ella. Hay momentos en que estar en silencio, pero estar en comunión, mantiene el compañerismo. Tú serías incapaz de hacer algo que lastimase a ese amigo querido que está a tu lado.

Nosotros, los cristianos, tenemos que aprender a hacer de la oración algo permanente, orando "en todo tiempo con toda oración y súplica en el Espíritu", dice Pablo. Tenemos que aprender a vivir en un permanente espíritu de oración. Separar cada día un tiempo para arrodillarnos y estar a solas con Jesús nos ayudará a mantener el espíritu de oración en medio de nuestras actividades.

Necesitamos orar más. En un matrimonio, cuyo hijo estaba preso por causa de un delito que provocara mucho escándalo, la madre se lamentaba:

—Yo soy la culpable —decía entre lágrimas—. Si hubiera orado más, esta tragedia no hubiese sucedido.

Le pedí a la señora que no se culpara tanto a sí misma, que ya tenía suficiente dolor para soportar, pero ella continuó:

—En otros tiempos, yo oraba mucho por este hijo, pero mi vida espiritual se fue debilitando y comencé a orar menos; yo sé que si hubiera orado más, todo sería diferente hoy.

Sí, la vida sería diferente si todos oráramos más. "Uno de mis mayores pesares", dijo un pastor en su lecho de muerte, "es que no oré suficiente". Y cuando un médico le dijo a otro pastor que tenía pocas horas de vida, éste le dijo a sus familiares: "Déjenme pasar este tiempo en oración".

¡Amados míos, oremos más! Sólo es posible vivir una vida victoriosa si estamos en comunión permanente con Jesús. ¡Oremos más! La oración derrumba las dificultades, abre las puertas cerradas, da energía y poder para una vida victoriosa, y nos concede habilidad y fuerza para anunciar el evangelio. Así fueron las vidas de Abraham, Eliseo, Ezequías, Samuel, Pablo, Livingstone, Lutero, Robert Pierson, y una multitud de otros héroes de la fe. Todos ellos vencieron porque recibieron poder de lo alto, a través de la oración. ¡Oremos más!

¿Es demasiado hermoso para ser verdad?

Él volverá a tener misericordia de nosotros; sepultará nuestras iniquidades y echará a lo profundo del mar todos nuestros pecados. Miqueas 7:19.

"Juan Amén" era reconocido por ese nombre porque decía "Amén" en cualquier circunstancia. Al asistir a un programa, oír la radio o leer un artículo, él siempre decía "Amén" en voz alta.

En cierta ocasión, "Juan Amén" entró en el consultorio dental de la ciudad. El dentista, su amigo, pensó para sí: "Voy a prestarle una revista científica para que la lea mientras espera; supongo que no va a encontrar un motivo para decir 'Amén' ". Pero mientras el doctor atendía a otro paciente, oyó la conocida voz de Juan en un sonoro "Amén" del otro lado de la sala. El doctor salió y le preguntó: "¿Puedes decirme qué es lo que encontraste en una revista científica para decir 'Amén'?" Y Juan, con la tranquilidad de los que realmente disfrutan de paz en el corazón, respondió: "Mire, doctor, durante años yo pensaba que el punto más profundo del mar tenía 11.200 metros, pero en esta revista hay un artículo que dice que recientes exploraciones descubrieron que el punto más profundo tiene 11.300 metros. Por lo tanto, según la promesa divina, mis pecados están 100 metros más lejos de mí. ¿Usted no cree que es motivo suficiente para decir 'Amén'?"

Puede ser que alguien por ahí inventara esta historia de "Juan Amén", pero, sin duda, una de las más bellas promesas del Señor Jesús es la promesa del perdón, y 11.300 metros es poca distancia. "Lo profundo del mar" es una figura simbólica para expresar cómo Dios quiere olvidarse de nuestro pasado. Si tiras una moneda en alta mar, ¿tendrás la mínima posibilidad de encontrarla nuevamente? Pues eso es lo que Dios está tratando de decirnos esta mañana. "Hijo, si tienes realmente conciencia de tu pecado, si te sientes triste por haber lastimado mi corazón, si aceptas la oferta que te hago, entonces tu pasado, por más pecaminoso que haya sido, quedará olvidado para mí".

Un día, mientras predicaba en cierta iglesia, observé a una persona que lloraba. A la hora del llamado no consiguió levantarse y aceptar la invitación divina, pero después me buscó en los pasillos. Era una señorita hermosa y usaba un sombrero enorme y llamativo. "¿Usted me conoce?" Respondí que no. Llorando me dijo:

—No pude pasar al frente, toda mi vida ha estado llena de grandes errores, mi pasado es oscuro, lastimé a mucha gente; para mí no hay perdón.

—¿Usted no entendió el mensaje de esta noche? —le pregunté—. Jesús vino justamente para los que ya no saben más que hacer con su vida.

—Pero, pastor —dijo la joven—, esta promesa es demasiado hermosa para ser verdad. ¡No puede existir alguien así!

Pero la promesa existe y está ahí, a tu disposición. ¡Acéptala!

8 de abril

¿Adónde huir de los problemas?

Echa sobre Jehová tu carga y él te sostendrá; no dejará para siempre caído al justo. **Salmos 55:22.**

La semana en que escribí la meditación de hoy fue histórica para el Brasil. El Congreso Nacional autorizó al Senado a abrir un proceso de impedimento del presidente de la república, quien, finalmente, fue apartado del poder.

Al caer la noche, cuando ya estaba decretada la derrota del presidente, éste le escribió a su asesor de prensa un verso en francés del poeta Sully-Prudhomme. El verso decía: "Mi situación es como la de un pájaro que siente que la rama está temblando, pero, sin embargo, canta, porque sabe que tiene alas".

David, en el Salmo 55, de donde extrajimos el versículo de hoy, también quería tener alas. Decía: "¡Quién me diera alas como de paloma! Volaría yo y descansaría. Ciertamente huiría lejos; moraría en el desierto" (vers. 6, 7). Pero la vida le enseñó que no es posible huir de ciertas circunstancias. ¿Alguna vez te sentiste así ante los problemas de la vida? ¿Alguna vez pensaste: "Dejaré todo y huiré. Correré. Volaré"?

¿Huir adónde? En el desierto los problemas te acompañarán, porque tu memoria y tu personalidad irán contigo. No es posible huir de las cargas de la vida: la perplejidad irá contigo a cualquier lado, el deber no cumplido irá contigo adondequiera que huyas. ¿Qué debes hacer entonces con las cargas de la vida? ¿Adónde ir? "Echa sobre Jehová tu carga", es la respuesta divina, "y él te sustentará". ¿Cómo lo hará? A veces sacándote la carga; tiene suficiente poder para hacerlo. Puede hacer desaparecer la enfermedad, eliminar lo que te atormenta.

Yo ya tuve mi Getsemaní. Esa noche oscura que parece que no tiene fin. Ese fuego que arde y quema y sientes que acaba con tus sueños y tu futuro. Ya pasé horas y horas de rodilla pidiéndole a Dios que acabara con mi noche helada, y Dios, en su maravilloso amor, sacó la carga de mí y vi brillar de repente el Sol de un nuevo día.

Pero Dios no siempre saca la carga de nuestros hombros. Ha prometido que muchas veces no sacará la carga, sino que nos ayudará a llevarla. Pablo clamó cierta vez: "Saca este aguijón de mi carne", y el Señor le respondió: "Bástate mi gracia. Es todo lo que haré por ti. Quedaré a tu lado, te ayudaré, haré de ti un vencedor en medio de las circunstancias adversas" (ver 2 Corintios 12:7-10). A partir de ese momento, no encontramos ninguna otra oración de Pablo pidiendo que Dios lo librara del problema.

Amado mío, no importa cuál sea tu problema, aquí está el camino: "Echa sobre Jehová tu carga, él te sustentará. No trates de llevar la carga solo. No luches solo. No trates de detener la creciente solo. Coloca tu mano en la poderosa mano de Dios y sé un vencedor".

Nunca mires a los otros

Jesús le dijo: "Si quiero que él quede hasta que yo vuelva, ¿qué a ti? Sígueme tú". S. Juan 21:22.

La joven temblaba mientras yo predicaba. Había sido una gran líder de jóvenes, pero alguien fue injusto con ella y, por causa de esa situación, no sólo dejó el cargo, sino que también abandonó la iglesia. Durante años anduvo por el mundo pero nunca consiguió ser feliz, y en esa semana de reuniones no había faltado una sola noche.

Dios me inspiró esa noche para hablar directamente a su corazón. Traté de tocarla muchas veces, pero la sentía renuente, aunque el Espíritu de Dios la estuviera quemando por dentro. Últimamente miraba mucho a los que se decían cristianos y condenaba sus faltas e hipocresía. ¿Pueden los no creyentes encontrar faltas en los llamados cristianos? Dios tenga misericordia de nosotros, pero pueden. ¿Existen cristianos que sólo fingen y aparentan, pero no tienen ninguna sustancia por dentro? Dios tenga compasión, pero existen. Pero, ¿qué tiene eso que ver con mi experiencia con Jesús? Piensa bien. ¿Tirarías a la calle todo el dinero que tienes porque alguien descubrió que existe dinero falso en circulación? ¿Tirarías una caja de manzanas buenas sólo porque encontraste dos o tres podridas? Piensa bien. ¿Tirarías por la ventana el futuro glorioso que Dios ha reservado para ti sólo porque alguien que conoces no vive la vida cristiana como debería vivirla?

Esa noche fui insistente en tratar de llegar al corazón de la joven. El Espíritu de Dios me decía que tenía que ser esa noche, que ya estaba madura para la cosecha. El texto de mi mensaje fue el mismo de hoy. Pedro y Jesús iban caminando, cuando el discípulo cometió la insensatez de mirar al colega de al lado y preguntar: "Señor, ¿y qué de éste?" (vers. 21) La respuesta que Jesús le dio fue contundente: "Si quiero que él quede hasta que yo venga, ¿qué a ti? Sígueme tú".

Este es uno de los secretos de la vida cristiana. Nunca mires al hermano de al lado. Si es hipócrita o no te saludó, o habló mal de ti, o no vive lo que predica, "¿qué te importa a ti? Sígueme tú", es la orden de Jesús.

La joven había abandonado la iglesia por causa de los "otros". "Los otros" no se preocupaban mientras ella se moría lentamente. "¿Vale la pena el precio que estás pagando?", pregunté durante la predicación, y entonces vi aparecer lágrimas en sus ojos. Después hice el llamado y ella fue una de las primeras en pasar al frente esa noche. El padre le pagó el pasaje a un pastor, amigo de la familia, que viajó de Miami a Nueva York y, el sábado siguiente, Isabel fue bautizada en la iglesia hispana de Corona Queens.

Nunca olvides que, en la vida cristiana, el fracaso o la derrota dependen de nuestra comunión diaria con Jesús. No permitas que seres humanos interfieran en ella. El precio de tu salvación fue muy alto.

No existe misericordia sin el Cordero

Hay en Jerusalén, cerca de la Puerta de las Ovejas, un estanque, llamado en hebreo Betesda, el cual tiene cinco pórticos. S. Juan 5:2.

Multitudes de enfermos acampaban cerca del estanque de Betesda porque, según una tradición, un ángel aparecía de tanto en tanto y agitaba las aguas del estanque, y el primero que se introducía en ellas era curado de todos sus males.

La palabra hebrea Betesda quiere decir "misericordia", y el estanque de la misericordia estaba próximo a la Puerta de las Ovejas, que simbolizaba a Jesús, el Cordero de Dios que quita el pecado del mundo.

Lo que el versículo de hoy está tratando de decirnos es que no existe misericordia sin cordero, no hay gracia sin sangre, no hay perdón sin sacrificio. No existe Betesda dejos del Cordero.

En vano tratan los hombres de resolver los problemas lejos de Jesús. Allí, cerca del estanque, había hombres y mujeres clasificados en tres grupos: los ciegos, que no podían ver el peligro en que estaban, que andaban en las tinieblas chocando y lastimándose a sí mismos y a las personas más cercanas. También estaban los fracasados, incapaces de construir algo en la vida, los que llegan a viejos y nunca realizaron algo. Un día se miran en el espejo de la vida y se preguntan: "¿Qué hice de mí?" Son los que parecen cargar una maldición, porque arruinan todo lo que tocan. Inician una carrera y fracasan, se casan y no resulta, comienzan y van a la ruina, se inscriben en un curso y lo abandonan. Tratan todo, pero no construyen nada; son incapaces de hacer algo.

Además, cerca del estanque de Betesda había cojos. Hombres sin pies o con los pies estropeados, incapaces de andar, de mantenerse en pie por mucho tiempo; vivían cayendo y levantándose, y un día se cansaron y no se levantaron más.

Todos ellos —ciegos, cojos y fracasados— se quedaban cerca del estanque a la espera de que las aguas se agitaran. ¿Y tú? ¿Esperas algo en la vida? ¿Pensaste ya que la vida es un puñado de esperanzas? Los niños esperan crecer; los jóvenes esperan terminar sus estudios, encontrar un buen empleo y casarse; los adultos esperan jubilarse; y los viejos esperan ver crecer sus nietos. Toda la vida esperando.

Allá en Jerusalén, un paralítico que estaba enfermo hacía 38 años encontró la salvación cerca del estanque, porque un día Jesús, el Cordero de Dios, apareció en persona y le dijo: "Levántate, toma tu camilla y anda" (vers. 8).

Ese mismo Jesús está en este momento cerca de ti, diciéndote: "¿Puedo hacer alguna cosa por ti, hijo mío?" Respóndele antes de iniciar tus actividades del día.

El buen vino siempre viene después

Y le dijo: "Todo hombre sirve primero el buen vino, y cuando han bebido mucho, el inferior; sin embargo, tú has reservado el buen vino hasta ahora. S. Juan 2:10.

Entró en mi escritorio, descalzo, y si no afirmaba con vehemencia que era él, no lo habría reconocido. Como todo joven soñador, creyó que un día terminaría un curso superior y tendría un futuro promisorio delante de sí. Pero las luces de esta vida lo confundieron. Perdió el rumbo y se sumergió en los placeres inmediatos que el mundo ofrece. Después de haber conocido el otro lado del placer y haber descubierto que la vida se escapa por entre los dedos, se acordó de Dios y en su desesperación buscó la ayuda de un pastor.

Mientras lo llevaba al hospital San José de Taguatinga, pensé en silencio en el contraste entre los métodos divinos y los métodos del enemigo.

El enemigo presenta primero "el buen vino", los placeres y la aparente alegría, y después muestra el veneno que está detrás de todo eso. Jesús presenta primero el sufrimiento, el sacrificio, la renuncia y luego la vida eterna de paz y alegría.

El enemigo presenta en la TV un comercial hermoso: "Al éxito" muestra a un grupo de jóvenes saludables maniobrando con arrojo sus *jet* esquís; después se destaca una marca de cigarrillos. Pero él nunca muestra un pulmón consumido por el cáncer o un hígado cirrótico por los efectos del alcohol. El enemigo presenta las sensaciones alucinantes de los efectos inmediatos de las drogas, pero no habla de la desesperación ni de la locura que se apoderan del hombre después que terminan esos efectos. Muestra la perspectiva placentera de una aventura extraconyugal, pero no dice nada con relación al vacío del corazón y al complejo de culpa que sobreviene después que cesa el momento fugaz de placer.

Con Cristo las cosas son diferentes. "Si alguien quiere venir en pos de mí, niéguese a sí mismo" (S. Mateo 16:24), dice. "Mi yugo es fácil y ligera mi carga" (11:30), afirma. Muestra que el camino es "estrecho". "En el mundo tendréis aflicción" (S. Juan 16:33), dice él, pero finalmente presenta las delicias de una vida eterna de paz y felicidad, en un país donde no habrá más llanto, ni dolor, ni muerte.

Jesús siempre guarda el mejor "vino" para el final. Primero la cruz, después la gloria. Con el enemigo es diferente. Primero el placer fugaz, luego la desesperación, la locura y la muerte.

Si estás enfrentando dificultades por amor de Jesús, alaba el nombre de Dios y bebe serenamente el vino inferior. Después, enseguida, verás, incluso en esta vida, el maravilloso vino que Dios tiene reservando para ti.

El agua que satisface

La mujer le dijo: "Señor, no tienes con qué sacarla, y el pozo es hondo. ¿De dónde, pues, tienes el agua viva?" S. Juan 4:11.

La mujer samaritana era una mujer que había vivido toda la vida buscando algo mejor. Se casó y el casamiento no duró, y luego trató una segunda, una tercera y una quinta vez. Siempre tratando, siempre buscando, siempre intentando encontrar. Ese día, como todos los días, había ido al pozo a buscar agua. El agua del pozo duraba poco tiempo. Al día siguiente tenía que volver a buscar. Escogió el mediodía para dirigirse al pozo, porque en esa tierra calurosa no habría nadie a esa hora y ella también quería un poco de paz. Estaba cansada de las críticas y la condenación de las personas.

La samaritana es un símbolo del hombre moderno que busca un sentido para su existencia. ¿Qué es la vida? ¿Levantarse, comer, trabajar, retornar y dormir? Muchos hombres piensan que si tuvieran dinero, mucho dinero, serían felices; entonces inician una carrera sin tregua hasta conseguir lo que quieren, para descubrir que no es el dinero lo que da sentido a la vida. Otros corren detrás de las aventuras, el poder, la fama, los placeres o el reconocimiento; pero aunque muchas de esas cosas sean esenciales y útiles en la vida, no son las que dan verdadero sentido a la existencia. Tú puedes beber de todas las fuentes de este mundo y siempre quedarás con sed, porque las aguas de este mundo no satisfacen.

En la Segunda Guerra Mundial muchos soldados murieron de sed en alta mar. Alrededor de ellos había agua, millones y millones de litros de agua, pero el agua del mar no satisface; por el contrario, provoca más sed.

Ahora la samaritana estaba delante de Jesús, quien le ofrecía el agua que, si la bebía, le impediría tener sed alguna vez, y ella le pregunta: "Señor, no tienes con qué sacarla, y el pozo es hondo. ¿De dónde, pues, tienes el agua viva?"

Muchos hombres continúan preguntando hoy: ¿Cómo puede el cristianismo resolver mis problemas? ¿Qué puede hacer Jesús para llenar el vacío de mi corazón? "Creer en Cristo" es demasiado simple. "Preciso algo más racional, más científico, más coherente", dicen, y se quedan en la indecisión, en la angustia, en la búsqueda incesante.

Pero lo que Jesús está queriendo decirnos esta mañana es que él no necesita una cuerda para sacar el agua. No necesita "comprimidos" para darte una noche de sueño tranquilo. No necesita circunstancias confortables para darte paz, porque él es el agua y también es la paz.

¿Por qué no decirle antes de salir para el trabajo: "Señor, te acepto como mi Señor y Salvador. Ven, y camina a mi lado a lo largo del día"?

La plenitud del poder

Cuando llegó el día de Pentecostés estaban todos unánimes juntos. **Hechos 2:1.**

Nuestro versículo habla de la lluvia temprana del Espíritu Santo, ese acontecimiento extraordinario cuando el Espíritu de Dios se manifestó en forma de lenguas de fuego, con gran estruendo y poder. La promesa de Dios es que en nuestros días el Espíritu Santo se revelará con mucho más poder que el de Pentecostés; a este acontecimiento lo llamamos "la lluvia tardía".

Cuando era pequeño oía hablar mucho de la lluvia tardía. Los hermanos clamaban, hacían ayunos y vigilias, con el fin de recibirla. Ya pasé la mitad de mi vida y el fenómeno del poder prometido sigue siendo esperado para el futuro. "Cuando venga la lluvia tardía", decimos constantemente. Pero no acontece nada.

¿Por qué no viene? Mi respuesta puede asustar a mucha gente. La lluvia tardía nunca vendrá mientras nuestra atención esté concentrada sólo en ella. ¿Cómo? ¿Quiere decir que no debemos esperar la lluvia tardía? Sí, debemos esperarla. Sin embargo, antes debemos clamar por la lluvia temprana en nuestra vida. Pero, ¿no vino en el Pentecostés? Es verdad, pero sólo es verdad en la historia de la iglesia, no en la experiencia del cristiano. En lo personal, es necesario que la lluvia temprana venga primero, para que luego caiga la lluvia tardía.

La lluvia temprana es el primer trabajo del Espíritu Santo. Consiste en guiarnos a toda la verdad, mostrarnos el camino y darnos conciencia de las cosas erradas de la vida. Y sólo en la medida en que aceptemos ese trabajo, sólo en la medida en que aceptemos las primeras gotas del Espíritu Santo, estaremos preparados para la plenitud de la lluvia tardía.

En el Pentecostés, el Espíritu Santo se manifestó con poder, mientras "estaban todos unánimes juntos". El original griego denota una idea mayor que simplemente una reunión física; expresa una idea de espíritu, propósitos y sentimientos.

¿Cómo es que la iglesia llega a ese tipo de unidad? Prestando oídos a la voz del Espíritu Santo, que habla: "Ve y pide perdón", "No hables eso, porque vas a lastimar a tu hermano", "Reconoce tu pecado y pide perdón". Ésta es la lluvia temprana, y sólo los que acepten las primeras gotas estarán listos para las grandes manifestaciones de poder que el Espíritu de Dios está pronto a manifestar.

A lo largo de este día, trata de oír la voz de Dios, déjate guiar por ella y prepárate para las maravillas que el Señor hará en tu vida.

14 de abril

¿Estamos trabando la lucha correcta?

Todo aquel que lucha, de todo se abstiene; ellos, a la verdad, para recibir una corona corruptible, pero nosotros, una incorruptible. 1 Corintios 9:25.

Cuando piensas en el dominio propio y en la fuerza de voluntad que un atleta debe ejercer para alcanzar sus objetivos, ¿reflexionas solamente en que no puede fumar, beber y trasnochar, o meditas en algo más?

Cuando era joven, me gustaba mucho jugar al fútbol. Algunos colegas que jugaban conmigo en el equipo del barrio llegaron a ser profesionales. Por aquella época teníamos un preparador físico muy exigente. Nos parecía que sentía placer en dejarnos exhaustos de tanto correr y hacer ejercicios. Conviviendo con ellos aprendí en qué concentra el atleta su fuerza de voluntad. Llegar a cien flexiones abdominales no era nada fácil, cuando se habían conseguido apenas cuarenta y el cuerpo ya no aguantaba más.

Esos jóvenes se preparaban para tener fuerza en la hora del juego; para, si fuere preciso, poder correr un tercer tiempo. Una vez conseguida la preparación física necesaria, evitaban fumar, beber y trasnochar, para no perder la fuerza y el vigor que habían conseguido. Evitaban el cigarrillo, las bebidas y las mujeres no para conseguir preparación física; evitaban todo eso para no perder la preparación física.

En la vida cristiana corremos el peligro de concentrar toda nuestra pobre voluntad humana en no robar, matar o mentir, pensando que así estamos preparándonos para el cielo. Pero la salvación es Cristo, la vida es Cristo, y él también es la fuente de poder. Tenemos que ir a él a través de la Biblia y de la oración, y para que estas dos actividades no se tornen monótonas, tenemos que añadir el contar a otros lo que Jesús hizo en nuestra vida.

Es aquí donde tenemos que concentrar toda la energía, el dominio propio y la fuerza de voluntad. La obediencia será el resultado de nuestra voluntad santificada por Cristo. Estar unidos a Jesús tiene que ser nuestra prioridad en la vida cristiana.

"Constantemente Satanás nos presenta engaños para inducirnos a romper este lazo, para elegir separarnos de Cristo. Sobre esto necesitamos velar, luchar, orar, para que ninguna cosa pueda inducirnos a *elegir* otro señor" (*El camino a Cristo*, pág. 72).

¿Vamos a luchar? Muy bien, ¿Pero para qué? El enemigo astuto puede llevarnos a trabar una lucha equivocada. Puede distraer nuestra atención, de manera que perdamos de vista al Autor y Consumador de nuestra fe, y vivamos atareados con detalles que deberían ser un resultado natural de la vida cristiana.

Haz de Jesús, hoy y siempre, el centro de tu vida y tu cristianismo.

El evangelio sólo funciona cuando es practicado

Aquel, respondiendo, dijo: "Amarás al Señor tu Dios con todo tu corazón, con toda tu alma, con todas tus fuerzas y con toda tu mente; y a tu prójimo como a ti mismo". Le dijo: "Bien has respondido; haz esto y vivirás". S. Lucas 10:27, 28.

La multitud estaba reunida y oía las enseñanzas de Jesús, cuando un doctor de la ley se levantó y preguntó: "Maestro, ¿haciendo qué cosa heredaré la vida eterna?" (vers. 25). La pregunta, aparentemente inocente, no nacía de un corazón que deseaba ser salvo, sino de alguien que quería hacer pasar un momento desagradable a Jesús. La gente se dio cuenta de la intención del doctor y se preparó para la gran confrontación. A los hombres siempre les gusta ver que el circo arda. De un lado, Jesús, el hijo de un carpintero; del otro, un rabino con un doctorado en Teología. ¿Cómo terminaría la discusión? La pregunta estaba en el aire. ¿Qué respondería Jesús?

El relato bíblico dice que Jesús preguntó: "¿Qué está escrito en la ley? Tú estudiaste Teología en la mejor facultad y después viajaste al extranjero para hacer un curso de posgrado. ¿Qué aprendiste?" (ver el vers. 26).

En ese momento la arena se transformó en una sala de aulas y el doctor hizo una brillante exposición del evangelio. Nada de lo que dijo estaba equivocado. La teología era correcta. No había demasiado énfasis en ningún aspecto. Todo estaba bien; todo como la iglesia enseña, como está en las Escrituras. Y la multitud quedó admirada con tanta sabiduría. ¿Qué podría decir Jesús ahora? Hubo un silencio absoluto. Todas las miradas se dirigieron a Jesús, y el Maestro, con su voz calma, aconsejó: "Respondiste bien. Un 10 en teoría. Ahora lleva eso a la práctica y vivirás".

Nota 10, en teoría. ¿Qué valor tiene? Un día, un joven desesperado conversó conmigo y me dijo: "Pastor, ya leí todo sobre justificación por la fe, pero continúo perdido". ¡Qué tragedia! Un 10 en teoría. Capaz de ir al pizarrón y demostrar qué es la justificación, la santificación, la glorificación; capaz de explicar detalles de la justicia imputada y de la justicia impartida; en fin, 10 en teoría. Pero la teoría no salva, sólo muestra el camino, y el camino es Jesús. Nadie aprende a nadar estudiando libros sobre el movimiento de los brazos y de las piernas, o sobre los secretos de la respiración. Tiene que entrar en el agua, y muchas veces tiene que tragar agua.

En la vida cristiana es igual. La teoría es necesaria, pero junto con ella tienes que vivir la vida de comunión en la práctica, de lo contrario la teoría se transformará en una maldición. Que Dios te bendiga en este día.

¿Qué tipo de esfuerzo es el tuyo?

Someteos, pues, a Dios; resistid a diablo, y huirá de vosotros. **Santiago 4:7.**

El enemigo de Dios es astuto, cobarde y traicionero, y a lo largo de los siglos ha dejado en la orilla del camino de los tiempos un sinnúmero de vidas arruinadas, sueños destruidos y esperanzas deshechas. He conversado muchas veces con personas atadas por los vicios, esclavizadas por ciertas situaciones y dominadas por hábitos nocivos, que preguntan: "Pastor, dígame, ¿cómo puedo salir de esta situación? El enemigo es mucho más fuerte que yo; no consigo vencer por más que me esfuerzo".

El versículo de hoy es la respuesta bíblica al problema de la tentación y del fracaso humano. En realidad, el versículo no está hablando de dos etapas en la lucha contra el enemigo. Corremos el peligro de pensar así: "Primero me someto a Dios, oro, estudio su Palabra, y después doy el segundo paso: resistiré al enemigo cuando llegue la tentación". Pero si actuamos así, con seguridad estaremos condenados al fracaso.

En el versículo 4, Santiago habla de que el ser humano tiene que escoger entre ser amigo de Dios o amigo del mundo. Después, en el versículo 5, el apóstol menciona que el Espíritu Santo mora dentro de los que aceptan ser amigos de Jesús. En el versículo 6 continúa explicando el tema, afirmando que es preciso ser humildes para aceptar la dependencia del poder de Dios, y luego viene el versículo 7, que dice: "Someteos, pues, a Dios". El resultado de esa sumisión, de ese buscar el poder de Dios reconociendo que no tenemos fuerza humana, es la presencia del Espíritu Santo que mora en nosotros y santifica nuestra voluntad. Sólo la voluntad santificada puede resistir al diablo, pero para que exista voluntad santificada se precisa una vida de permanente comunión con Jesús. No puede haber intermitencia, no existen dos etapas. No es primero esto, y después aquello. Son ambas juntas, porque en el momento en que nos separamos de Jesús nuestra voluntad llega a ser una pobre voluntad pecaminosa que está condenada al fracaso.

El esfuerzo humano puede tener éxito cuando es el esfuerzo de una voluntad santificada por el Espíritu Santo. Si el esfuerzo humano es apenas el esfuerzo de la voluntad pecaminosa, no tendrá la mínima posibilidad de victoria. Lo máximo que conseguirá es aparentar. Esa es la razón por la que hoy debemos tener la certeza de la presencia permanente de Jesús a nuestro lado.

Cómo ser semejante a Jesús

Yo soy la vid, vosotros los pámpanos; el que permanece en mí y yo en él, este lleva mucho fruto, porque separados de mí nada podéis hacer. **S. Juan 15:5.**

En una de las últimas noches que Jesús pasó con sus discípulos aquí en la Tierra, luego de hablar acerca del Consolador que vendría para reconfortarlos, y después de expresarles la promesa de su segunda venida, el Salvador les presentó el secreto para una vida victoriosa y llena de frutos abundantes.

"Yo soy la vid", dijo con ternura. "Yo soy la fuente de la vida, la fuente del poder, la fuente de las buenas obras. Vosotros sois las ramas, sois dependientes. Sin mí, nada podéis hacer".

Algo tan sencillo, pero tan difícil de aceptar y llevar a la práctica. Tan difícil de vivir. La dependencia es sentir la insuficiencia humana; saber que él es todo y buscarlo con ansiedad, diariamente, cada minuto, cada segundo. Es aprender a vivir la vida relacionando todo con él. ¡Ah! Qué fácil es aceptar eso en la teoría, pero, ¿cuántos son capaces de llevar la comunión permanente al terreno de la práctica?

"Como la flor se dirige hacia el sol, para que los brillantes rayos la ayuden a perfeccionar su belleza y simetría, así debemos tornarnos hacia el Sol de justicia, con el fin de que la luz celestial brille sobre nosotros, para que nuestro carácter se transforme a la imagen de Cristo... Así también tú necesitas el auxilio de Cristo, para poder vivir una vida santa, como la rama depende del tronco principal para su crecimiento y fructificación. Fuera de él no tienes vida. No hay poder en ti para resistir la tentación o para crecer en la gracia o en la santidad" (*El camino a Cristo*, pág. 68).

Recibo decenas y decenas de cartas personales, sinceras, que preguntan: "Pastor, ¿qué hago? Estoy cansado de luchar. ¿Cómo hago para cambiar mi carácter y abandonar los hábitos errados? La vida es una pesada carga, difícil de llevar".

Jesús no había planeado que el cristianismo llegase a ser una carga para nadie, pero cuando "el hombre trata de guardar los mandamientos de Dios solamente por un sentido de obligación —porque se le exige que lo haga—, nunca entrará en el gozo de la obediencia. Él no obedece". Al contrariar la inclinación humana, los pedidos de Dios son considerados una carga. Cuando eso sucede, "podemos saber que la vida no es una vida cristiana. La verdadera obediencia es el resultado de la obra efectuada por un principio implantado dentro" (*Palabras de vida del gran Maestro*, pág. 70).

Haz de este día un día de comunión con Jesús. Permítele que él habite en tu corazón, por medio del Espíritu Santo. Deléitate en su compañía. Deja que él santifique tu voluntad y la haga más semejante a la de Jesús.

La receta de la victoria

El pecado no se enseñoreará de vosotros, pues no estáis bajo la Ley, sino bajo la gracia. **Romanos 6:14.**

"Durante mucho tiempo pensaba que tenía que guardar los mandamientos para tener paz, hasta que un día descubrí que primero debía tener paz para estar en condiciones de guardar los mandamientos", dijo un gran predicador.

La declaración de ese pastor es la esencia del versículo de esta mañana. ¿Por qué el pecado no tiene más dominio sobre el hombre? ¿Cómo llega el hombre a ser victorioso? Pablo dice: Porque "no estáis bajo la Ley, sino bajo la gracia". ¿Quiere decir que la Ley ya no tiene más vigencia para el cristiano?

No es eso lo que dice el texto. Lo que no tiene más vigencia para el cristiano es el dominio del pecado. Mientras su vida se concentraba en leyes, mandamientos y normas, era un pobre esclavo del pecado. El pecado lo gobernaba, lo dominaba y oprimía, porque la Ley, las normas y los reglamentos tienen propósitos instructivos, pero no tienen poder ni vida para transformar al ser humano.

Pero el hombre descubre un día a Jesús, cree en su gracia redentora, se echa en los brazos de la misericordia y experimenta la paz que Jesús ofrece a los que van a él tal cual están. Entonces, y sólo entonces, el ser humano está en condiciones de llegar a ser victorioso.

Ahora, redimido por Jesús, transformado por su poder, perdonado por su gracia, aceptado por su misericordia, el hombre es libre no sólo de la culpa del pecado, sino también libre del poder que el pecado ejercía en él antes de conocer a Jesús.

A partir de ese momento, el ser humano anda con Jesús, y ya no es él quien vive, sino que es Jesús quien vive en él por la presencia de su Santo Espíritu. Ahora acepta la ley y la obedece porque sabe que ella es un reflejo del carácter de Dios, que los mandamientos son consejos de vida que velan por su bienestar; por tanto, no trata de esquivarlos, ni de burlarlos o rechazarlos. No son ellos los que rigen su vida. Es Cristo. Las leyes, los mandamientos y las normas son únicamente una revelación de la voluntad de Jesús para su vida.

No salgas de casa con miedo de pecar. Si hay algo de lo cual debes tener miedo, es de lastimar el corazón de tu Amigo y Salvador Jesús.

19 de abril

Cómo vencer la envidia

Cruel es la ira e impetuoso el furor, pero ¿quién podrá sostenerse delante de la envidia? **Proverbios 27:4.**

La envidia, como todo sentimiento pecaminoso, es un fruto del pecado. Somos envidiosos porque estamos separados de Jesús, y separados de él nunca estamos completos; cargamos un estado vacío interior que nos hace sentir inferiores a los demás.

La envidia nos lleva a querer sacar algo del otro, porque no estamos satisfechos con lo que tenemos. Sólo que la envidia es mucho más perniciosa que otros frutos pecaminosos, porque trabaja en el interior de las personas; no se la ve, se la disfraza y en la penumbra de la intimidad va arrojando su veneno y atormentando el corazón.

En el texto de hoy el sabio Salomón habla de ira y de furor, que son frutos pecaminosos exteriores. Todo el mundo puede detectar al hombre furioso por las tonterías que comete. Todo el mundo puede señalar al irascible por las locuras que hace cuando pierde el control de la situación. Pero ¿quién detecta al envidioso? Por eso, Salomón pregunta: "¿Quién podrá sostenerse delante de la envidia?"

Podemos huir del hombre furioso e irascible, escondernos o defendernos porque podemos verlo en el momento del ataque; el pobrecito queda con la cara roja, tiembla, habla improperios y hasta puede arrojar espuma por la boca. Del envidioso nadie huye, porque nadie lo ve. Está cerca de ti disfrazado de amigo, pero no conoces el veneno que su corazón destila. Muchas veces, hasta coloca su brazo en el hombro de la víctima y generalmente acaba traicionándola.

¿Qué hacer si la hiel de la envidia está envenenando mi alma? ¿Si la felicidad y el éxito de los demás me hacen infeliz o fracasado? ¿Qué hacer si me duele que otros vayan más rápidos que yo, y corran y no se cansen?

La respuesta está en Jesús. A su lado no existe lugar para sentimientos pecaminosos. Él completa el vacío humano: hace que el hombre se sienta aceptado, querido, pleno. Y cuando el hombre se acepta tal como es, entonces puede mirar a los demás con altruismo porque el sentir de Jesús es su sentir.

Por favor, no trates esta mañana de señalar a los envidiosos que conoces. Mira en el espejo de la vida, trata de correr a los brazos de Jesús, y recuerda que tú eres lo mejor que Dios tiene en este mundo. Anda con Jesús. Sé feliz en él y alégrate con la felicidad y el éxito de los demás.

¿Adónde iremos?

Dijo entonces Jesús a los doce: "¿Queréis acaso iros también vosotros?" S. Juan 6:67.

La fiesta había terminado. Las multitudes habían sido alimentadas y habían tratado de hacer a Jesús su rey. Al final de cuentas, ¿no estaba garantizada para siempre la seguridad material de pueblo con un gobernante capaz de multiplicar panes y peces de manera que sobraran diez cestas llenas?

Pero Jesús no había venido a la Tierra sólo para atender las necesidades físicas del hombre. Tampoco había venido sólo para resolver un problema social, cambiando la estructura socioeconómica. Vino para cambiar el corazón de la gente. Él trascendía las exterioridades e iba a la raíz del problema, aunque nunca olvidase que los panes y los peces formaban parte de la necesidad humana.

Cuando las personas que dieron cuenta de que el propósito de Jesús iba más allá de las expectativas del simple bienestar físico, comenzaron a abandonarlo, uno a uno.

Entonces Jesús reunió a sus discípulos y les hizo una pregunta: "¿Queréis acaso iros también vosotros?" La respuesta de Pedro quedó grabada como la esencia de la experiencia cristiana: "Señor, ¿a quién iremos? Tú tienes palabras de vida eterna".

En otras palabras, Pedro estaba diciendo: "Señor, la vida sin ti no es vida. Si nos separamos de ti, no queda nada, tú eres todo".

En otra ocasión Jesús enseñó a sus discípulos: "Sin mí nada podéis hacer" (ver S. Juan 15:5). Mas tarde Pablo expresó: "Todo lo puedo en Cristo que me fortalece" (Filipenses 4:13). ¿Logras ver cómo armoniza todo? La gran necesidad humana no es de panes y peces, aunque necesitemos de ellos y Jesús esté dispuesto a dárnoslos. Pero los panes y los peces no satisfacen plenamente. "Tú tienes palabras de vida eterna", dijo Pedro, y ese, sí, es el remedio para el alma humana.

Jesús dice: "Cualquiera que beba de esta agua volverá a tener sed; pero el que beba del agua que yo le daré no tendrá sed jamás" (S. Juan 4:13, 14).

Lo que Jesús quiere decir es que yo puedo tener hambre, pero con él a mi lado la vida tendrá sentido. Pero yo puedo tener comida, y sin él a mi lado habrá una insatisfacción asfixiante. Naturalmente, estar con Jesús y tener pan es lo ideal, y es el plan de Dios para sus hijos y lo que no deberíamos olvidar al trabajar por los pobres.

Que a lo largo de este día seas alimentado por un versículo bíblico, o un cántico en tu corazón, que te lleve a la fuente de la verdadera satisfacción: Cristo.

¿Qué haces aquí?

Allí se metió en una cueva, donde pasó la noche. Llegó a él palabra de Jehová, el cual le dijo: "¿Qué haces aquí, Elías?" 1 Reyes 19:9.

En 1986 realizamos una reunión campestre en Itabuna. A lo largo de varias semanas habíamos construido prácticamente una ciudad, incluyendo Banco, teléfono, correo, hipermercado y toda la infraestructura necesaria para recibir a 10.000 jóvenes.

Una noche, antes de la apertura, comenzó a llover torrencialmente. A las 6 de la mañana llegaban automóviles y ómnibus de todas partes del Brasil y nadie podía salir por causa de la lluvia. ¿Cómo acampar en tiendas, si estaba lloviendo de esa manera?

El miedo se apoderó de mí. Me encerré en el cuarto de un hotel y me arrodillé clamando a Dios por un milagro. ¿Cómo realizar el campamento con tanta agua? Pasé horas clamando a Dios. De tanto en tanto miraba por la ventana y la lluvia parecía aumentar cada vez más. Entonces me acosté en el suelo, vislumbrando en mi humanidad el fracaso del campamento. Fue entonces cuando sentí en mi corazón como una voz que me preguntaba: "¿Qué haces aquí?"

Instantáneamente me sentí reconfortado, abandoné mi temor, subí al auto y me dirigí al lugar del campamento. La lluvia todavía caía, pero algunos rayos de Sol trataban de aparecer con dificultad. Cuando llegué vi, en el fondo, los colores maravillosos de un arco iris que confirmaba la promesa del Salvador de que el campamento sería una realidad. Y lo fue. Los 10.000 participantes nunca olvidarán lo que significó esa semana en sus vidas.

El texto de esta mañana también presenta a Elías escondido en una caverna. Afuera había una persecución implacable; se le había puesto precio a su cabeza. Todo parecía perdido, pero la voz del Señor lo alcanzó. "¿Qué haces aquí, Elías?" El profeta se despertó. Se dio cuenta de que era verdad que estaba rodeado de dificultades, pero también de que tenía a un Dios todopoderoso a su lado.

Hoy puede ser un día difícil para ti. Es posible que ahí afuera te espere una montaña de situaciones adversas. Es posible que en el fondo del corazón estés con miedo, pero escucha la voz de Dios: "¿Qué haces aquí?"

Sal con Jesús. Él es poderoso para guardarte del mal. Es sabio para ayudarte a tomar las decisiones correctas. Necesitas tener la seguridad de que él está a tu lado.

La tragedia de los hijos de la noche

Pues los que duermen, de noche duermen, y los que se embriagan, de noche se embriagan. 1 Tesalonicenses 5:7.

Sube a tu auto, cierra bien las ventanas y pasea por el centro de las grandes ciudades, a eso de la una de la madrugada. La gran mayoría de las personas duerme, pero otras se mueven en determinados puntos y fácilmente puedes identificarlas: prostitutas, homosexuales, borrachos y hombres en busca de placeres. Son los llamados "hijos de la noche": hombres que duermen o caminan por ahí buscando un placer desenfrenado que no satisface.

En la Biblia encontramos muchas veces grupos bien definidos. "Los hijos de Dios" y "los hijos de los hombres"; la iglesia del "Cordero" y la iglesia del "dragón"; los que se juntan en las "montañas" y los que se reúnen en el "valle"; "los hijos de las tinieblas" y "los hijos de la luz". Aunque desde diferentes ángulos, todas estas figuras se refieren, básicamente, a dos determinados grupos: los que finalmente se salvarán y los que se perderán. En las escenas del juicio final, ellos son las "ovejas" y los "cabritos" o "el trigo" y "la cizaña".

Lo que el versículo de hoy destaca es que no siempre todos los "hijos de la noche" hacen cosas erradas. Muchos, sencillamente duermen. ¿Puede existir algo más inofensivo que dormir? Esa gente se perderá, no porque hizo algo errado moralmente, sino sencillamente porque "durmió".

Dormir cuando es hora de estar despierto puede ser fatal. El tiempo en que vivimos es tiempo de "vigilar y orar", es tiempo de "orar sin cesar", es tiempo de tocar la trompeta en Sión y anunciar el gran día.

El enemigo de Jesús trata por todos los medios de llevarnos a practicar actos pecaminosos. Pero, si no puede hacernos pecar, nos lleva a dormir, a conformarnos con la situación, a hacernos caer en la mediocridad espiritual, en la tibieza, en la monotonía de entrar y salir de la iglesia. Si logra que nos sintamos bien con eso, entonces queda contento, porque ya consiguió colocarnos entre los "hijos de la noche". Por eso, el consejo de Pablo es: "Despiértate, tú que duermes, y levántate de los muertos, y te alumbrará Cristo" (Efesios 5:14).

Hoy despertaste y ya estás listo para las actividades del día. Sería trágico si al ir a trabajar te durmieras en el volante, ¿no te parece? Entonces, pídele a Dios que también te mantenga despierto en la vida espiritual.

¿Vale la pena?

Después Judá tomó para su primogénito Er a una mujer llamada Tamar.
Génesis 38:6.

La historia de Tamar es la historia de una mujer a quien no se le ha hecho justicia. Ella salió a la lucha en busca de sus derechos sin medir las consecuencias, y cuando alcanzó lo que quería, descubrió que no había valido la pena. Estaba casada con Er, hijo de Judá, pero Er nunca tuvo temor de Dios; vivió una vida tortuosa y murió joven. Por aquella época había una ley en Israel, según la cual una viuda sin hijos debía ser desposada por el hermano del marido muerto, para tener descendencia.

La historia registra que Tamar se casó con su cuñado, llamado Onán. Éste, siguiendo sus propios caminos, también fue desobediente a Dios y murió; y Tamar quedó viuda por segunda vez.

Fue entonces cuando sucedió la injusticia. Judá, suegro de Tamar, dijo que Sela, el otro hijo que por ley debía desposarla, era muy joven y pidió que la nuera esperara. Pero el tiempo pasó y Judá no cumplió su promesa. No se hizo justicia con la joven viuda. Se fue postergando la concesión de un derecho a la espera de que el tiempo se encargara de cubrir la situación con un manto de polvo. ¿Te parece conocer la historia? Bueno, el registro bíblico dice que Tamar decidió luchar, se disfrazó de prostituta y quedó embarazada de su propio suegro, Judá.

Cuando Judá supo que la viuda estaba esperando un hijo, mandó llamarla, porque según la ley de Israel debería ser apedreada. En ese momento Tamar tiró en la cara de su suegro las pruebas de que el hijo que esperaba era de él mismo. El viejo suegro bajó la cabeza, avergonzado y derrotado. Tamar sintió el sabor de la venganza. La justicia estaba hecha. Pero, ¿a qué precio? Tal vez saborease su "victoria" durante uno o dos días, pero el tiempo trajo el amargo sabor de la culpa, y de repente sintió que no había valido la pena usar de la mentira y el engaño para hacer justicia con las propias manos.

Tamar simboliza a todas las personas que hoy sienten que no se les ha hecho justicia. Vivimos en un mundo en que los derechos sólo sirven para un grupo de privilegiados, y muchas veces nos dan ganas de "pagar con la misma moneda". La pregunta es: ¿Vale la pena hacerlo, pisando los principios de la propia conciencia? ¿Compensa disfrutar por un minuto el sabor fascinante de la venganza y después tener que convivir con el martilleo de la culpa sobre el corazón y gritando "¡Culpable!"?

Sólo la vida diaria de comunión con Jesús nos ayudará a perdonar y olvidar, y a dejar que la justicia sea hecha por Dios o por las autoridades competentes, quienes, según la Biblia, fueron colocadas en la Tierra por Dios.

Reflejando el carácter de Cristo

Josué dijo al pueblo: "Santificaos, porque Jehová hará mañana maravillas entre vosotros". Josué 3:5.

Israel estaba ante la tierra prometida. Durante años y años el pueblo había clamado: "¿Cuándo, Señor, nos entregarás la tierra?" Finalmente, los hijos de Israel habían llegado al momento ansiado. Fue entonces cuando Josué dijo al pueblo: "Santificaos, porque Jehová hará mañana maravillas entre vosotros".

¿Podrá existir una maravilla mayor que la experiencia de ver a Jesús cara a cara en la plenitud de su gloria? ¿Por qué requiere Dios de nosotros hoy vidas santificadas como preparación para las maravillas de mañana?

Cuando Adán y Eva salieron de las manos del Creador, podían hablar cara a cara con el Padre, porque no había en ellos pecado. Pero después del primer pecado, se escondieron de Dios porque "tuvieron miedo". Con el correr del tiempo, los hombres oían la voz directa de Dios, pero no podían verlo, porque no resistían la gloria de Dios. Al pasar los años y llegar al Sinaí, los hombres le pidieron a Moisés que Dios le hablara a él todo lo que tuviera para decirles, porque ellos tenían miedo de oír directamente la voz de Dios.

Hubo casos como el de Isaías, quien, al ver la gloria de Dios, dijo: "¡Ay de mí que soy muerto!, porque siendo hombre inmundo de labios y habitando en medio de pueblo que tiene labios inmundos, han visto mis ojos al Rey, Jehová de los ejércitos" (Isaías 6:5). Saulo de Tarso cayó y quedó ciego por la gloria de Dios cuando se dirigía hacia Damasco persiguiendo a los cristianos.

Lo que Dios está queriendo decirnos es que el hombre pecador, en su estado de pecado, no puede resistir la gloria que proviene de la santidad divina, pues la "gloria del Señor es su carácter", dice Elena de White.

Por eso, la obra de la redención no trata simplemente con el perdón de nuestros pecados y la justificación delante de Dios. Su objetivo es más abarcante: reproducir en el hombre el carácter de Dios; es decir, hacerlo santo como Dios es santo. Los hombres fueron creados para ocupar el lugar de los ángeles caídos, pero Dios no puede sustituir a los ángeles pecadores por hombres pecadores. Dios es santo y demanda perfecta santidad de su pueblo.

¿Cómo alcanzar ese ideal que Dios tiene para sus hijos? Sólo existe un medio: Jesús. Busquemos a Jesús hoy, y dejemos que su carácter se reproduzca en nuestra vida.

Cristianismo, comunión permanente

Se las repetirás a tus hijos, y les hablarás de ellas estando en tu casa y andando por el camino, al acostarte y cuando te levantes. **Deuteronomio 6:7.**

Oí a un pastor contar que cierta noche entró en el dormitorio de su hijo de diez años, para hacer una oración por él; el cuarto estaba oscuro. Aparentemente el hijo dormía, pero cuando el padre trató de sentarse en la cama, el muchacho gritó: "¡No!" El padre dio un salto y asustado le preguntó: "¿Por qué no puedo sentarme cerca de ti?" La respuesta del hijo fue: "Papi, siéntate de este otro lado, porque en ese lado está acostado mi amigo Jesús".

Evidentemente este niño había aprendido a vivir el cristianismo, porque cristianismo es la maravillosa experiencia de vivir permanentemente con Jesús.

Podríamos parafrasear el versículo de hoy diciendo: "Pensarás en Jesús sentado en tu casa y andando por el camino, y al acostarte y al levantarte".

Si encarásemos la vida cristiana como la maravillosa experiencia de convivir con Jesús, entonces la vida cristiana tendría un significado profundo, traería sentido a la existencia y llenaría el corazón de contentamiento.

El resultado de esa convivencia con Cristo sería la obediencia natural a todas las normas, el deseo de alcanzar un elevado modelo de vida moral y espiritual y el cumplimiento de todas las responsabilidades de un buen miembro de iglesia.

Nuestro gran error es que perdemos mucho tiempo con las cosas externas, en vez de ir a su esencia. Erramos el camino. Queremos comenzar de afuera para dentro, cuando lo que aparece primero en la vida de un árbol no son los frutos sino la raíz; sólo que la raíz no se ve.

El día en que cada cristiano aprenda a despertarse, levantarse, ir a las actividades diarias y en medio de todo lo que realice, mantener siempre en la mente la presencia de Jesús, entonces el cristianismo, sin ninguna duda, será la verdadera sal de la Tierra, la luz del mundo, y el planeta todo temblará porque el cristiano será cristiano; porque Jesús formará parte de su experiencia diaria.

¿Cómo mantener la presencia de Cristo a lo largo del día? Conservando un cántico en el corazón o repitiendo el versículo de hoy, o relacionando todo con el Amigo maravilloso que es Cristo. ¡Inténtalo! ¡Verás la diferencia!

Él se compadece de nosotros

Como el padre se compadece de los hijos, se compadece Jehová de los que le temen. **Salmos 103:13.**

Cuando era apenas un muchacho, me gustaban las aventuras: sacar frutas del árbol del vecino, romper vidrios de puertas y ventanas, y tocar el timbre de las casas y correr. Un día mi padre me advirtió severamente y me dijo que me daría diez latigazos si volvía a hacer esas cosas.

Mi padre era un hombre muy estricto, y aunque no era cristiano, era moralista y le gustaba enseñar disciplina a sus hijos.

¿Por qué a veces hacemos cosas sin sentido que nos traen dolor? Nunca entendí por qué me gustaba hacer esas cosas. Un día, al llegar a casa, vi al vecino quejándose a mi padre por algunas cosas que yo había hecho. Vi el rostro de mi padre sonrojarse de vergüenza y, mientras se despedía del vecino, corrí al cuarto y me puse tres pantalones. Por lo menos así amortiguaría un poco el impacto de los latigazos.

Media hora después mi padre me llamó. Fui a su encuentro temblando. Era consciente de que merecía el castigo y estaba dispuesto a aceptarlo sin llorar. Me había advertido y yo no había hecho caso.

Al llegar a su presencia, indudablemente se dio cuenta de que tenía varios pantalones, pero en lugar de mandarme que me los sacase, me abrazó y vi lágrimas en sus ojos, mientras me decía: "Hijo, yo no quiero castigarte, no me gusta. Me duele como si estuviera recibiendo yo mismo el castigo, pero ¿por qué no entiendes que no puedes continuar haciendo esas cosas? Eso solamente va a traerte problemas en el futuro".

Si mi padre me hubiera castigado, con certeza no estaría contando este incidente; lo habría olvidado como olvidé tantos otros castigos. Pero las lágrimas de mi padre fueron peores que cincuenta latigazos, su abrazo me dolió dentro del corazón y descubrí que no valía la pena continuar rompiendo vidrios.

"Como el padre se compadece de los hijos, se compadece Jehová de los que le temen". ¿No es maravilloso? ¿Por qué estar triste, desesperado y cargando el complejo de culpa? Corre a los brazos de Jesús y dile: "Señor, perdón porque no derramaste por mí tan sólo lágrimas, derramaste sangre. Sinceramente, soy consciente de que no vale la pena continuar 'rompiendo vidrios'".

Que Dios te bendiga en este día.

La fuente de poder

Levantándose muy de mañana, siendo aún muy oscuro, salió y se fue a un lugar desierto, y allí oraba. **S. Marcos 1:35.**

Jesús no vino a este mundo sólo para salvarnos y enseñarnos que es posible obedecer. También vino para enseñarnos el método para vivir una vida de obediencia y victoria. Cuando hablamos de obediencia, la mayor lección de su vida no es qué obedecer, sino **cómo** obedecer.

Jesús no obedeció ni vivió una vida pura en la Tierra gracias a su poder divino. Es verdad que Jesús no era apenas un hombre, era Dios encarnado. Pero cuando vino a este mundo hizo un trato con su Padre de que no usaría su propio poder divino sin su consentimiento.

Por eso, desde el comienzo de su ministerio, inmediatamente después de su bautismo, su primer acto fue retirarse al desierto y buscar el poder en la única fuente de poder que existe: Dios. A lo largo de su vida, Jesús fue un ejemplo de dependencia, de búsqueda del poder, de comunión permanente con el Padre. Se levantaba de mañana, muy temprano, estando todavía oscuro, y salía a un lugar desierto y allí oraba.

Si Jesús, siendo Jesús, necesitaba buscar el poder del Padre, diariamente, ¿cuánta mayor necesidad deberíamos sentir nosotros, los seres humanos?

Al levantarse Jesús de sus rodillas y volver a vivir en medio de las personas, retornaba con poder, el poder que venía del Padre, y con ese poder era capaz de curar enfermos, calmar tempestades y hasta resucitar muertos.

"Él resistió la tentación mediante el poder que el hombre también puede poseer. Se apoyó en el trono de Dios, y no existe hombre o mujer que no pueda tener acceso al mismo auxilio... Cristo vino para revelar la fuente de su poder, con el fin de que el hombre no confiase jamás en sus capacidades humanas debilitadas" (*Signs of the Times*, 16 de enero de 1896).

Si alguien sale de su casa corriendo hacia sus actividades diarias sin apartar tiempo para estar con Dios, está confiando en sus "capacidades humanas debilitadas", y el día, con seguridad, será un día de fracasos y derrotas espirituales. Puede, incluso, no practicar un acto pecaminoso, pero con certeza, desconectado de Jesús, permanecerá todo el día en pecado. Debemos, por lo tanto, orar más, recordando que la oración no tiene poder en sí misma; ella es apenas un medio para ir a la fuente de poder: Dios.

Ahora, después de haber pasado tiempo con Dios, sal a la lucha de la vida sin temor.

Transformando limones en limonada

Sabemos, además, que a los que aman a Dios, todas las cosas los ayudan a bien, esto es, a los que conforme a su propósito son llamados. **Romanos 8:28.**

Williams Costa Junior tenía 19 años cuando se fracturó el pie derecho jugando básquet, y tuvo que caminar un mes con muletas. Esta circunstancia, aparentemente adversa, dio origen a uno de los más bellos himnos que ha compuesto. Fue en la tranquilidad de esa "detención obligatoria" que tuvo tiempo para pensar, orar, escribir y reescribir la letra del himno "Manos". Él tenía la idea básica de la letra y la música, pero en la agitada vida de un joven de 19 años no había tiempo para trabajar la idea. El dolor y la tristeza del pie fracturado fueron el camino para escribir:

"Hay en el cielo, en el mar, en la flor, un detalle de amor,
hay también en el atardecer, la poesía del nacer,
en la belleza natural, yo contemplo lo digital,
de esta mano que me creó".

Cuántas veces nos sucede en la vida algo que, a primera vista, trastornará todos nuestros planes. Con frecuencia, la reacción instintiva es reclamar a Dios: "¿Por qué permites esto?" Y la respuesta parece no venir. Son momentos amargos como el limón, pero, para quienes aprenden a depender de Dios, los limones ácidos pueden transformarse en una deliciosa limonada.

Detrás de cada espina que aparece en nuestra vida, Dios siempre tiene una rosa para ofrecernos. Sólo que para sentir la maravillosa fragancia y ver la belleza de la flor, es preciso aprender a convivir con Dios.

"A los que aman a Dios, todas las cosas los ayudan a bien", dice Pablo. Bien sabía lo que estaba diciendo, pues en su vida llevaba una espina. En cierta ocasión pensó que no podría soportarla más y le pidió a Dios que le sacase ese aguijón de su carne: "Bástate mi gracia" fue la respuesta divina, y el tiempo se encargó de mostrarle a Pablo que Dios tenía razón; que "a los que aman a Dios, todas las cosas les ayudan a bien".

¿Alguna vez te sucedió algo que te amargó, no tanto por el hecho en sí, sino por el momento en que ocurrió? "¡No podía fallar, justo ahora!" Y en esos momentos pensamos que hasta Dios se olvidó de nosotros. ¡Ah, si pudiésemos ver los propósitos divinos! Quedaríamos avergonzados, con seguridad.

¿Las cosas no se presentan bien para ti? ¿Ayer nada salió bien y no sabes cómo actuar o encarar hoy esas circunstancias adversas? Ve en nombre de Jesús, pues nada acontece sin un propósito divino. Confía en él.

Este es el camino

Entonces tus oídos oirán detrás de ti la palabra que diga: "Este es el camino, anda por él y no echéis a la mano derecha, ni tampoco os desviéis a la mano izquierda". **Isaías 30:21.**

El maravilloso resultado de vivir en comunión diaria con Jesús es experimentar la dirección del Espíritu Santo. Al permanecer en la presencia del Señor, él habita en nosotros en la persona de su Santo Espíritu. A partir de ese momento "ya no vivo yo, mas vive Cristo en mí", dice el apóstol Pablo en Gálatas 2:20.

Naturalmente, el Espíritu no puede obligarnos a hacer algo que no queremos. Él nos habla, nos muestra el camino, nos dice cuándo estamos equivocados, qué corregir, qué cambiar, cuándo pedir perdón, etc.

Nuestra parte consiste en ser sensibles a esa voz, y en la medida en que estemos dispuestos a recibir las gotitas de la lluvia temprana, también estaremos preparados para recibir la lluvia tardía.

Ningún ser humano tiene el derecho a esperar la plenitud del poder del Espíritu si está rechazando cada día esa voz que le habla mostrándole el camino.

¿Puede existir el peligro de que mistifiquemos la vida cristiana esperando sentir la "voz de Dios" para tomar una decisión o para seguir un procedimiento?

Se cuenta la experiencia de un pastor que salía de mañana de su casa, esperando que el Espíritu le hablase a su corazón y le dijese qué debía hacer durante el día. Existen muchas personas que, ante las instrucciones claras de la Palabra de Dios, esperan sentir "la voz de Dios" para actuar.

Este es el peligro en que puede caer una persona que desea ser guiada por el Espíritu. El Espíritu no habla a través de los sentimientos. El Espíritu inspiró a los escritores bíblicos y es a través de la Biblia como transmite instrucciones para sus hijos hoy. En el momento de la tentación o de la indecisión, el Espíritu nos hace recordar la instrucción divina dejada en la Biblia y en el espíritu de profecía. Entonces, ¿cómo espera una persona que no lee la Palabra de Dios, ser guiada por el Espíritu?

Cuando abrimos la Biblia, nuestra actitud debe ser la actitud del hijo que desea oír el consejo del Padre. Nuestra oración debería ser: "Señor, enséñame el camino en que debo andar, oriéntame a lo largo del día. Necesito tu consejo y por eso abro tu Palabra escrita". Sal hoy con la convicción de que el Espíritu te hará recordar la instrucción divina en el momento exacto.

El mañana puede no llegar

Ahora es el tiempo aceptable; ahora es el día de salvación. **2 Corintios 6:2.**

¿Recuerdas cuando te hablaba de mi padre, quien oyó hablar de Jesús cuando todavía estaba en la plenitud de la vida? Bien, mientras mi madre aceptaba el mensaje y llevaba a los hijos a la iglesia, él no quería saber nada del evangelio de Jesús. Por el contrario, dificultaba terriblemente las cosas a mi madre. El tiempo fue pasando, y cuando los hijos llegaron a ser adolescentes, se dio cuenta de que el cristianismo había modelado la vida de los hijos de tal forma que no padecía los problemas de relacionamiento que enfrentaban otros padres.

Un día reunió a toda la familia y dijo: "A partir de hoy pueden contar con mi apoyo. Quiero que continúen en esta iglesia. Si quieren, podemos irnos de esta ciudad a la capital, para que puedan estudiar en el colegio cristiano. Lo único que les pido es que no me hablen de Jesús. Déjenme tranquilo. Quiero que se salven, pero no se preocupen por mí".

De esa manera mi padre entró en el terreno de la indiferencia. Apoyaba a la familia, hasta iba a la iglesia en ocasiones especiales, pero no quería comprometerse con Dios.

El tiempo continuó su ritmo inexorable. El tiempo no para; él va y nosotros quedamos. Mi padre fue envejeciendo lentamente. Yo me transformé en un pastor. Dios comenzó a bendecir mi ministerio, dándome muchas personas para él, pero con tristeza veía envejecer a mi padre sin que reaccionara positivamente a los innúmeros llamados del Espíritu Santo.

Un día acepté una invitación para venir al Brasil. Al despedirme, mi padre me abrazó y me dijo:

—Hijo, no vayas; tengo miedo de morir y de que tú no estés presente.

—No, papá —le dije—. Usted no va a morir. Dios todavía está esperando que le abra el corazón. Hoy es el día aceptable, hoy es el día de salvación.

Pasaron ocho años desde esa despedida, hasta que un cáncer asesino comenzó a devorar la vida del anciano. Entonces, en medio del dolor que no lo dejaba dormir de noche, cayó de rodillas y reconoció que en todos esos años no estaba luchando contra la esposa, ni contra la iglesia, ni contra el hijo pastor, sino contra Jesús.

Mi padre aceptó a Jesús. Tuve la alegría de estar cerca de él cuando faltaba poco para su muerte. Tuve la alegría de bautizarlo, pero cuántas veces, a la noche, miraba por la ventana y lo veía mordiendo la almohada de dolor para no gritar y despertar a los hijos. Cuántas veces pensé: "¿Por qué, papá? ¿Por qué esperaste a que llegara el dolor a tu vida para aceptar a Jesús?"

Hoy es el día aceptable. Tú puedes decirle sí a Jesús. Mañana puede ser tarde. Aprovecha la oportunidad y entrega tu corazón a Jesús.

No por causa de tu justicia

Por tanto, has de saber que Jehová, tu Dios, no te da en posesión esta buena tierra por tu justicia, porque pueblo terco eres tú. **Deuteronomio 9:6.**

¿Es posible vivir una vida moralmente justa sin tener comunión con Jesús? ¿Es posible ser un buen ciudadano, un buen padre de familia, un buen patrón o un buen empleado, sin tener comunión con Jesús? ¿Es posible vivir sin vicios y no tener comunión con Jesús? La Biblia enseña que sí, pero al mismo tiempo advierte que esas buenas obras de justicia humana son para Dios como "trapos de inmundicia".

¿Cómo sabe alguien si mis obras de justicia son humanas o son frutos de la justicia divina? Desdichadamente nadie puede saberlo. Sólo Dios y yo. Porque sólo Dios y yo sabemos si existe entre nosotros una experiencia de comunión diaria y permanente.

¿Cómo produce Dios sus obras de justicia en la vida de sus hijos? Viviendo en ellos por medio de la presencia del Espíritu Santo, santificando la voluntad humana y usando esa voluntad humana santificada para conseguir la victoria sobre el pecado.

Cualquier obra que el hombre fabrique sin vivir una vida en comunión con Cristo, usando solamente su moralismo y su voluntad humana pecaminosa, es considerada por Dios como una justicia humana. Y "has de saber que Jehová, tu Dios, no te da en posesión esta buena tierra por tu justicia", fue la advertencia dada a Israel.

La salvación no es la recompensa. La salvación es Cristo, y él también es la justicia. Cuando le abrimos el corazón a Jesús y vivimos con él una experiencia de comunión diaria y permanente, y permitimos que habite en nosotros santificando nuestra voluntad, entonces viene y nos trae salvación y justicia. El resultado de esa experiencia es una vida llena de frutos de justicia divina.

Al salir hoy para las actividades diarias, llevemos a Jesús con nosotros. Mantengamos comunión con él mentalmente mientras realizamos nuestros deberes cotidianos. Conservemos un cántico de alabanza a Dios en nuestro corazón, sintamos su presencia y dejemos que el Espíritu Santo use nuestra voluntad para producir en nosotros los deseados frutos de justicia.

La nube y el fuego

Así era continuamente: la nube lo cubría de día, y de noche la apariencia de fuego. **Números 9:16.**

El Sol ya se había ocultado detrás de los enormes árboles en el interior de la región amazónica. Traté de reunir un poco de leña y encender una hoguera. Los hermanos indios me habían aconsejado: "Pastor, si tiene que pasar una noche en la selva, encienda una fogata". El fuego es todo para los nativos de la tribu campa, entre los cuales viví durante tres años. Teniendo fuego tienen seguridad, pues ningún animal peligroso se aproxima al fuego. Teniendo fuego tienen luz. Teniendo fuego tienen calor y no necesitan de abrigo.

El pueblo de Dios, mientras atravesaba el desierto, entendió los beneficios del fuego por la noche. Ese fuego era Cristo. Él es nuestra seguridad. Con él a nuestro lado los peligros de la noche oscura de esta vida no podrán alcanzarnos. Con él a nuestro lado, la indiferencia y el desamor de la noche fría de esta vida no nos afectarán. Con él a nuestro lado no tropezaremos, y nuestros pasos y nuestras decisiones serán siempre seguros.

¿Sientes que tu vida está fría, o en la mejor de la hipótesis, tibia? Entonces mira hacia la columna de fuego. Ella es la solución.

Pero Jesús no es solamente fuego. También es la nube durante el día. La nube no sólo proporciona sombra para el cansado peregrino. Igualmente anuncia lluvia, y la lluvia es vida en medio del desierto. ¿No te parece que ésta es la respuesta divina para una vida reseca e improductiva? ¿No es ésta la solución para una vida cansada?

La lluvia es agua, y el agua limpia, calma la sed y produce poder. Piensa en la represa hidroeléctrica de Itaipú, capaz de mover medio Brasil. ¿Qué es lo que Dios está tratando de decirnos? Que él quiere satisfacer nuestras necesidades, limpiar nuestra vida. Pero que él también desea darnos un poder capaz de llevarnos a la victoria completa sobre el pecado y al cumplimiento de nuestra misión en la Tierra.

Nube y fuego. Frío y calor. No sólo nube. No sólo fuego. Ni fanatismo. Ni liberalismo. Equilibrio. Dios es el Dios de la nube y del fuego. Es el Dios del equilibrio.

Esta mañana Jesús está a tu lado, cerca de ti; listo para salir contigo a las luchas de la vida. ¿Por qué temer si el perdón, el poder, la seguridad y la luz van contigo?

El sueño de Dios

Allí murió Moisés, siervo de Jehová, en la tierra de Moab, conforme al dicho de Jehová. **Deuteronomio 34:5.**

El pueblo de Israel había llegado al límite de la tierra prometida. El sueño de poseer esta tierra estaba a punto de realizarse, cuando Dios ordenó a Moisés: "Sube... al monte Nebo", a la cumbre del Pisga. Allí, en la cima de la montaña, el Señor le mostró la tierra: "Te he permitido verla con tus ojos, pero no pasarás allá" (Deuteronomio 32:49; 34:1, 4).

Moisés había sido toda la vida un soñador. Soñaba con ver a su pueblo en la tierra de libertad. Pero ahora, cuando el sueño estaba haciéndose realidad, Dios le dice: "No pasarás".

Tú y yo sabemos por qué Moisés no entró en la tierra prometida, pero el viejo líder de Israel no entendió nada. Murió con una enorme señal de interrogación en la cabeza.

¿Ya te diste cuenta de que nuestra vida es un puñado de porqués? ¿Por qué murió mi padre? ¿Por qué murió mi hijo? ¿Por qué no salió bien este asunto? ¿Por qué? ¿Por qué? ¿Por qué?

Moisés murió. Pero poco tiempo después, resucitado, vio desde el cielo a su pueblo conquistar la tierra prometida y a los hijos de su pueblo jugar en la tierra de libertad. El sueño se cumplió. Sólo que en una escala mayor y mejor de lo que él había soñado. No tenía más los achaques de la vejez, gozaba de vida eterna; no estaba sentado en el sillón del abuelo, estaba sentado en un trono de oro.

Tenemos derecho a soñar, pero también tenemos que dar a Dios dicho derecho, pues sabemos que sus sueños son siempre mayores y mejores que los nuestros. Cuando nuestros planes no salen bien, a pesar de haber colocado todo en las manos de Dios y de haber hecho todo lo posible de nuestra parte, es con seguridad porque Dios tiene otros planes para nosotros. Debemos aprender a confiar en él.

Conversé con Laura, en la ciudad de Presidente Prudente, pocos días después que la tragedia devastara su vida. Laura y su marido eran cristianos sinceros: ella tocaba el arpa y el marido daba estudios bíblicos. Tenían la costumbre de visitar los hogares para hablar de Jesús. Formaban una familia feliz al lado de sus cuatro hijos.

Una mañana, mientras realizaban el culto matutino, alguien golpeó a la puerta. El marido fue a abrir y se encontró con un hombre que, sin decir una palabra, le disparó un tiro de escopeta que acabó con su vida.

Algunos días después conversé con Laura. Con los cabellos sueltos y vistiendo luto, me preguntó: "Pastor, ¿por qué? ¿Por qué?" "No lo sé, Laura", fue mi respuesta. "Un día el Señor lo explicará". Dos meses después Laura interpretó en el arpa un himno maravilloso de esperanza durante una reunión campestre en Brasilia. Su confianza estaba depositada en Dios, que nunca falla. El por qué ya no tenía importancia.

El tiempo pasa

Acuérdate de tu Creador en los días de tu juventud, antes que vengan los días malos, y lleguen los años de los cuales digas: "No tengo en ellos contentamiento". **Eclesiastés 12:1.**

La vida pasa más rápido de lo que nos imaginamos. Tiempo atrás me encontré con un cuadro que me hizo pensar seriamente en la brevedad de la vida. Haz de cuenta que una vida de 70 años se concentrase en un día, de las 7 de la mañana a las 11 de la noche, y mira cuán elocuente la fugacidad del tiempo. Si hoy tienes...

15 años, son las 10:25;
20 años, son las 11:34;
25 años, son las 12:42;
30 años, son las 13:51;
35 años, son las 15:00;
40 años, son las 14:08;
45 años, son las 17:16;
50 años, son las 18:25;
55 años, son las 19:34;
60 años, son las 20:42;
65 años, son las 21:51,
70 años, son las 23:00.

¿Qué te parece? ¿Te quedaste serio? Y ahora mira cómo todo es mucho más serio si recuerdas que el ser humano duerme en promedio 8 horas por día. Quiere decir que alguien que viva 75 años habrá pasado 25 años durmiendo.

Cuán oportuna es la invitación del sabio Salomón: "Acuérdate de tu Creador en los días de tu juventud". Porque cuando uno es joven cree que la vida va a durar toda la eternidad: deja pasar las oportunidades, desperdicia el tiempo, vive apenas el presente, sin preocuparse mucho por el futuro. Pero el tiempo pasa, inexorable, implacable; se va, independientemente del uso que hagamos de él. Un día nos miramos en el espejo y percibimos arrugas y cabellos blancos. Miramos hacia atrás y casi asustados nos preguntamos: "¿Qué hice con mi vida?"

Felices quienes colocaron su confianza en Jesús e hicieron de él el centro de sus sueños y sus realizaciones.

Con la ayuda divina, haz de este día un día de productividad. Escribe tu historia. Deja tus huellas impresas en el tiempo. Hazlo así, aunque el fin del día ya esté cercano.

Lo más importante

*Hombre, él te ha declarado lo que es bueno, lo que pide Jehová de ti: sola-
mente hacer justicia, amar misericordia y humillarte ante tu Dios.* **Miqueas
6:8.**

La mente hebrea funciona de manera diferente que la mente latina. En
hebreo la escritura va de derecha a izquierda. Los latinos tenemos la costumbre de enumerar las cosas en orden de importancia de arriba hacia abajo. Los
judíos colocan las cosas en orden de importancia de abajo hacia arriba. Por lo
tanto, analicemos el versículo de hoy con la mentalidad hebrea, colocando los
términos en el orden en que nosotros acostumbramos: "Él te declaró, oh
hombre, qué es lo que espera el Señor de ti. Primero, que andes humildemente con tu Dios y, como resultado de eso, que practiques la justicia y ames la
misericordia".

A lo largo de la Biblia encontramos repetida la idea de que el cristianismo
es la maravillosa experiencia de andar con Jesús. El resultado de esa experiencia son los actos de justicia y misericordia.

Si no entendemos la mentalidad hebrea, corremos el riesgo de pensar
que lo que Dios espera primero de nosotros son las buenas obras. Claro que
Dios se siente muy feliz cuando ve abundantes obras en la vida de sus hijos, pero sólo si esas obras son frutos de la experiencia de andar con él.

En los tiempos del profeta Miqueas el pueblo había perdido el verdadero
sentido de la religión. Se preguntaban: "¿Con qué me presentaré ante Jehová?"
(vers. 6) Ellos pensaban que lo que realmente importaba era cuánto podían
dar a Dios en materia de obras humanas. Y es verdad que Dios tiene interés en
lo que el hombre es capaz de presentarle, pero se siente mucho más feliz
cuando el ser humano obedece a Dios en lo que él realmente quiere.

Abel y Caín presentaron sus ofrendas a Dios, pero la Biblia dice que
Dios no aceptó la de Caín. Ofrenda por ofrenda, tal vez la de Caín fuese mejor, pero Dios no había pedido el fruto de la tierra. Lo que él esperaba era un
corderito que simbolizaba a Jesús, el Cordero de Dios que quita el pecado del
mundo.

El error de Caín estaba en el hecho de pensar que lo que realmente importaba era la ofrenda. Olvidó que Dios siempre aprueba la ofrenda cuando es
el resultado de la comunión con él.

"Hombre", dice el profeta, "Dios te mostró lo que espera de ti: que andes
con él, y que como resultado de eso practiques la justicia y la misericordia".

Hoy haz de Jesús tu amigo, anda con él, imaginándolo cada momento a
tu lado. Piensa en su sonrisa de aprobación cuando andas en sus caminos. Pero
imagina también la tristeza que aparece en sus ojos cada vez que comienzas a
andar en caminos peligrosos.

6 de mayo

Dios no se cansa de perdonar

¡Mirad por vosotros mismos! Si tu hermano peca contra ti, repréndelo; y si se arrepiente, perdónalo. Y si siete veces al día peca contra ti, y siete veces al día vuelve a ti, diciendo: "Me arrepiento", perdónalo. S. Lucas 17:3, 4.

Cuando era adolescente, me impresionó una noticia sobre esa actriz de Hollywood que subió una noche a su departamento y al día siguiente no apareció en el set de filmación. La llamaron por teléfono, golpearon a su puerta y, finalmente, cuando forzaron la puerta, encontraron su cuerpo en la bañera. Se había suicidado, cortándose las venas.

Lo impresionante fue la nota dirigida a la policía: "No me suicidé, fui asesinada. Atrapen al asesino antes de que acabe con toda la humanidad. Es el peso de la culpa".

¿Por qué vivir abrumados por el peso de la culpa, si Jesús está dispuesto a olvidar nuestra vida pasada y a darnos siempre una nueva oportunidad?

Para entender mejor lo que Jesús está diciéndonos en el versículo de esta mañana, imagina que estás en un restaurante y que el mozo deja caer la comida sobre ti. Él lo lamenta mucho, pide perdón y tú aceptas sus disculpas. Pero el hecho se repite luego en la hora de la cena, una y otra y otra vez. Ya estás con el pantalón, la camisa, la chaqueta y los cabellos manchados de comida, cuando el mozo aparece por séptima vez y, a pesar de todo el cuidado que tiene para evitar el accidente, derrama una vez más el postre encima de ti.

¿Qué harías? ¿Lo perdonarías? Eso es lo que Jesús está diciendo. ¿Piensas que pediría algo de mí que no estuviese dispuesto a hacer conmigo?

El aspecto trágico del pecado no está en que Dios no pueda perdonar, sino en la triste realidad de que somos nosotros quienes no queremos perdonarnos.

Miles de personas andan por la vida anulados por el complejo de culpa. No logran sacarse de la cabeza el monstruo del autocastigo. No consiguen olvidar su pasado. No son felices.

Pero Jesús está mirándote: "Hijo, debes venir a mis brazos de amor. Yo ya olvidé tu pasado, ya pagué el precio de tu culpa; ven a mí y acepta mi perdón".

Finalmente, el versículo de hoy nos muestra la otra dimensión del perdón. Nunca aceptaremos el perdón divino si no estamos dispuestos a perdonar a nuestro hermano.

¿Tienes algo contra alguien? ¿Alguien te lastimó y eso no te deja ser feliz? Busca a tu hermano y abrázalo. Perdónalo así como Jesús está pronto a perdonarte.

El pecado imperdonable

Por tanto os digo: Todo pecado y blasfemia será perdonado a los hombres, pero la blasfemia contra el Espíritu no les será perdonada. S. Mateo 12:31.

El texto de esta mañana tiene dos partes: la primera es una promesa maravillosa de Jesús: "Todo pecado y blasfemia será perdonado a los hombres". La Biblia dice: "El que oculta sus pecados no prosperará, pero el que los confiesa y se aparta de ellos alcanzará misericordia" (Proverbios 28:13).

Dentro de tales pautas bíblicas, ¿qué pecados perdona Dios? ¿El adulterio? Sí. ¿El homosexualismo? Sí. ¿El asesinato? Sí. ¿Las drogas? Sí, todo. No hay palabra que abarque más que la palabra todo. Dios dice que no hay nada que él no pueda perdonar. No importa cuán bajo hayas caído, no importa cuán lejos hayas ido, todo te será perdonado. Menos el pecado contra el Espíritu Santo. ¿Por qué Dios no perdona este pecado? ¿Será que Dios se cansa de perdonar? ¿Será porque el hombre hizo demasiado mal que Dios dice: "Se acabó la oportunidad para este hombre"?

El pecado contra el Espíritu Santo es imperdonable no porque Dios no quiera perdonar, sino porque el hombre que lo comete no quiere ser perdonado y Dios no puede perdonar a nadie por la fuerza. El ser humano tiene que querer ser perdonado, tiene que caer arrepentido a los pies de la cruz. Entonces, Dios envía inmediatamente a millares de ángeles en su auxilio.

Dios le habla todo el día al ser humano a través de la voz de su conciencia, de la Palabra escrita y de la naturaleza. Una conciencia santificada por la presencia de Jesús en la vida es, sin duda, la voz del Espíritu Santo. Quien preste oídos a esa voz tiene la garantía de que continuará oyéndola y permanecerá sensible a ella. Quien cierre los oídos a la voz de Dios, a pesar de oírla, corre el riesgo de endurecer lentamente el corazón y llegar al punto en el cual no sienta más la voz de Dios. No significa que Dios no le hable más, no. El Espíritu de Dios nunca se cansa; siempre continuará hablando, siempre suplicando, siempre esperando. El problema no está en Dios, está en nosotros. Somos nosotros quienes corremos el peligro de llegar al punto en el cual no logramos oír más su voz.

Que esta mañana nuestra oración sea: "Señor, ayúdame a prestar oídos a tu voz. Cuando sienta que otras voces me llaman a caminar por caminos peligrosos, dame fuerza y la sensibilidad necesarias para oír tu voz. Guía mis pasos en este día. Camina a mi lado; dame tu brazo poderoso para sustentar mis pasos. ¡Amén!"

8 de mayo

El peligro de apartarse de Jesús

Llegó a Capernaúm y, cuando estuvo en casa, les preguntó: "¿Qué discutíais entre vosotros por el camino?" Pero ellos callaron, porque por el camino habían discutido entre sí sobre quién había de ser el mayor. S. Marcos 9:33, 34.

Los discípulos eran víctimas del pecado del orgullo. No querían practicarlo. Deseaban ser victoriosos. Al andar con Jesús descubrieron el camino hacia la victoria: permanecer en constante comunión con él. Al lado de Jesús es imposible practicar el pecado. "Todo lo puedo en Cristo que me fortalece", dice Pablo en Filipenses 4:13. "No existe comunión entre la justicia y la injusticia", añade al escribir a los corintios (ver 2 Corintios 6:14).

Los discípulos habían aprendido por experiencia propia esta gran verdad. Pero a veces, el pecado era tan atractivo, tan brillante, tan interesante, que se sentían ofuscados por el brillo de la tentación. Ahí comenzaba la gran lucha. No era posible pecar al lado de Jesús. Antes de caer en la tentación era preciso apartarse de Cristo, y en esa ocasión ellos fracasaron.

Jesús vio que se iban quedando detrás de él y conversaban animadamente entre sí. Cuando llegaron a Capernaúm, ya en casa, Jesús les preguntó: "¿Qué discutían entre ustedes por el camino? ¿Por qué se quedaron atrás? ¿Sobre qué asunto de tanto interés hablaban y no querían que yo oyese?" Y la Biblia dice que ellos se quedaron callados, porque en el camino habían practicado el pecado del orgullo.

El texto de esta mañana confirma la gran verdad de que nuestra única seguridad es Cristo. Esos pobres discípulos no querían lastimar el corazón de su maestro. Se quedaron atrás, esperando que él no viese el pecado que estaban practicando.

Si permanecemos cerca de Jesús saldremos victoriosos cada vez que enfrentemos la tentación. Quedándonos con él, él en nosotros, por medio de su Santo Espíritu, santificará nuestra voluntad y nos llevará a la victoria.

No fue fácil para los discípulos aprender la gran lección de permanecer con Jesús en una vida de comunión constante. María Magdalena aprendió el secreto de estar siempre a los pies de Jesús. Pedro necesitó tiempo para aprender el camino de la humildad, pero un día murió crucificado cabeza abajo.

La comunión con Cristo nos llevará finalmente a la victoria. Tenemos que insistir, sin desanimarnos.

Hoy será un día victorioso para ti si, a lo largo del día, vives en comunión con Cristo. Haz de él tu amigo. Tómate de tu poderosa mano. "Sin mí, nada podéis hacer", dijo Jesús.

El secreto de María

Pero sólo una cosa es necesaria, y María ha escogido la buena parte, la cual no le será quitada. S. Lucas 10:42.

Cuando todavía era joven, María había sido inducida al pecado por un pariente cercano. El complejo de culpa se apoderó de su corazón y perdió el respeto propio y la dignidad. Entonces se entregó a una vida desenfrenada y sin límites para el placer. Fue en esas circunstancias en que conoció a Jesús. Su vida fue transformada por el poder y la gracia salvadora del Maestro. Jesús se quedó durante algunos días en su casa, y en esa experiencia de compañerismo y comunión con la fuente de poder, María conoció la victoria sobre el pecado.

Pero un día Jesús dejó Magdala, la tierra donde vivía la mujer de nuestra historia, y con el tiempo ella olvidó que "sin Jesús nada podéis hacer". Las promesas de fidelidad duraron algunos días, tal vez algunas semanas, porque el hombre sin Cristo, tarde o temprano, volverá a sus caminos antiguos, y eso fue lo que sucedió con María.

Estamos hablando de María, "que se llamaba Magdalena, de la que habían salido siete demonios" (S. Lucas 8:2). Un día —tú conoces la historia— volvió a caer. Fue un escándalo público. La arrastraron por la calle, semidesnuda. Había sido descubierta en el pecado. No había argumentos que la defendieran. Estaba perdida, acabada, sin esperanza y sin futuro. La multitud la contemplaba como las fieras contemplan a la víctima, antes de darle el mordisco fatal.

En esas circunstancias apareció nuevamente Jesús. María pensaba que a Jesús ya no le importaría nada su vida. Al fin de cuentas, "¿no lo había traicionado tantas veces? ¿No había prometido tantas veces sin cumplir nunca? ¿Por qué razón debería Jesús amarla? ¿Qué cosa buena podía ver alguien en esa vida llena de fracasos?"

Pero Jesús es el amigo de los desesperados. Siempre aparece cuando nosotros, los hombres, cansados de luchar con nuestras propias fuerzas, estamos en medio de la vergüenza pública y la desgracia. Todo el mundo se fue y quedaron a solas Jesús y María. "Vete y no peques más", le dijo el Maestro (S. Juan 8:11). María seguramente reaccionó con lágrimas. Se quedó junto a Jesús, y él, sin duda, le explicó el secreto de la victoria, el secreto de que no es posible obedecer solos, con nuestras únicas fuerzas. María necesitaba depender de Jesús. Y aprendió la lección.

A partir de ese instante encontramos a María a los pies de Jesús (enjugando sus pies, oyendo las palabras de amor del Maestro), al pie de la cruz, al pie de la tumba; siempre a los pies de Jesús y, lo que es más impresionante, nunca más derrotada. Había descubierto el secreto de la victoria: estar siempre al lado de Jesús. Haz de este día un día de comunión con Jesús, y experimenta en tu vida las victorias de María.

Salvación y dejarse conducir

Y le rogaba mucho, diciendo: "Mi hija está agonizando; ven y pon las manos sobre ella para que sea salva, y viva". S. Marcos 5:23.

Jairo era uno de los líderes de la Sinagoga, y estaba atravesando un momento de aflicción y desesperación. Su hijita estaba condenada a muerte y, humanamente, no había nada que hacer. Jairo no era de los que se rendían ante el primer obstáculo. Había buscado la ayuda de los mejores especialistas de su época. Estaba dispuesto a pagar el precio necesario para la recuperación de la salud de su hija amada. Pero los médicos habían dado el veredicto final: la ciencia médica no puede hacer nada más.

Fue entonces, en medio de la desesperación y la impotencia del hombre, que Jairo se acordó de Jesús. Había oído decir que el humilde galileo sanaba leprosos, devolvía la vista a los ciegos y hacía andar a los paralíticos. Él no creía en esas cosas. Era demasiado culto para aceptar las propuestas simples como las de un carpintero. La mayoría de los que seguían a Jesús era gente humilde, gente del pueblo, sin recursos, sin cultura y sin esperanza. ¿Cómo él, el poderoso Jairo, podía pedir ayuda a Jesús? Pero la hija estaba agonizando, y cuando llegamos al fin de nuestros recursos humanos, somos capaces de tirar a la basura todos nuestros prejuicios, nuestra posición social y nuestra cultura.

Jairo corrió, cayó de rodillas delante de Jesús y le suplicó: "Ven y pon las manos sobre ella para que sea salva, y viva".

¿Te das cuenta de que incluso arrodillado y en extrema necesidad, Jairo, el gran líder, no perdió la manía de mandar? Él no colocó el problema en las manos de Jesús como hicieron las hermanas de Lázaro: "Señor, el que amas está enfermo" (S. Juan 11:3). Jairo ya tenía todo listo, le llevó a Jesús el programa que el Salvador debía seguir. Se arrodilló y suplicó la dirección del Espíritu Santo, pero ya tenía todo preparado. En verdad, no quería dirección, sólo buscaba aprobación.

Pero, en el camino de la salvación, la iniciativa es divina, el método es divino y la conclusión es divina. Justificación, santificación y glorificación son obras divinas en la experiencia humana. El hombre sólo tiene que aceptar, sólo tiene que permitir que Jesús lo dirija.

Jesús se demoró en el camino, tratando a una mujer que tenía flujo de sangre, y en ese intervalo murió la hija de Jairo. Cuando los siervos le llevaron la noticia, el gran líder se entregó al desánimo. Dejó de luchar, dejó de correr, dejó de mandar y de decir cómo debían ser las cosas y, sólo entonces, Jesús pudo realizar su obra maravillosa de restauración y salvación.

Nunca trates de llevar a Jesús hacia donde tú quieres ir. Hoy coloca tu mano en su brazo poderoso y deja que te lleve por donde él sabe que es mejor para ti. Finalmente, él también es el camino.

11 de mayo

Lejos de Jesús no hay vida

Y siempre, de día y de noche, andaba gritando en los montes y en los sepulcros, e hiriéndose con piedras. S. Marcos 5:5.

El endemoniado gadareno es un símbolo del hombre que vive lejos de Jesús. Lejos de Jesús sólo puede existir la esclavitud, y el endemoniado era un pobre esclavo atado a cadenas y grillos. Lejos de Jesús no existe vida, y el endemoniado habitaba en los sepulcros, que son la morada de los cadáveres. Una persona que no vive una vida de comunión con Jesús, no vive. Su existencia es una caricatura de vida, es un túnel sin salida, un pozo sin fondo; es el caos, la confusión y el infierno.

Sólo Cristo es capaz de dar sentido a la vida, y el hombre que vive lejos de él anda por "los montes y en los sepulcros". Las montañas son el símbolo de la soledad. El pobre hombre sin Jesús es un hombre solitario. Vive en medio de las multitudes, rodeado de mucha gente, pero se siente solitario; no es capaz de relacionarse, está siempre hiriendo y sintiéndose herido por los que viven con él. El grito de la montaña es el grito de la desesperación que se pierde en el vacío. El evangelio presenta al hombre sin Cristo como gritando en la montaña en busca de socorro, un socorro que parece no surgir por ningún lado. Entonces, en su confusión, comienza a herirse con piedras. Le duele, sangra, pero continúa hiriéndose.

¿Viste alguna vez a alguien andando por caminos errados que conducen a la muerte? ¡Se lastima, siente dolor, sangra, pero continúa andando por los mismos caminos! ¿Qué pensar del hombre que usa drogas, que sabe que su fin será triste, pero continúa en esa vida? ¿Qué decir del padre que anda por caminos peligrosos? Sabe que traerá dolor a su familia, vergüenza a su iglesia, sufrimiento a sí mismo, pero parece anestesiado y continúa en la senda del pecado.

Un día el pobre gadareno encontró a Jesús en su camino, cayó de rodillas delante del Señor y, cuando estaba por clamar por ayuda, de sus labios salieron improperios e insultos: "¿Qué tienes conmigo, Jesús, Hijo del Dios Altísimo? ¡Te conjuro por Dios que no me atormentes! Vete" (ver S. Marcos 5:7). Pero Jesús supo entender que detrás de esas expresiones duras estaba el clamor de un corazón desesperado. Gracias a Dios que él siempre entiende lo que no sabemos expresar, gracias a Dios que él sabe interpretar nuestras lágrimas.

Jesús extendió la mano y liberó al endemoniado. Hizo de él un hombre nuevo; le devolvió la dignidad y el respeto propio. Y ese Jesús es el que está hoy cerca de ti con la mano extendida, pronto para socorrerte. ¿Por qué no salir esta mañana hacia las tareas diarias con la seguridad de que la poderosa mano de Jesús sostiene la nuestra tan frágil?

12 de mayo
Un día sabremos la diferencia

Pero todos sus conocidos, y las mujeres que lo habían seguido desde Galilea, estaban mirando estas cosas de lejos. **S. Lucas 23:49.**

Jesús acababa de pasar por el momento de mayor soledad. Acababa de decir: "Padre, Padre, ¿por qué me abandonaste?" Y moría molido por los pecados de la humanidad. Sus discípulos y todos los conocidos, aquellos por quienes había dado la vida, veían "de lejos estas cosas", dice la Escritura. No tuvieron el coraje de acercarse y lo abandonaron.

Generalmente, cuando una persona muere, los amigos se juntan para dar sepultura y honrar la memoria del amigo que se fue. Pero no ocurrió así con Jesús. Todos huyeron, cada uno trató de salvarse de la manera como podía, y apenas uno quedó a su lado durante todo el tiempo; apenas uno fue hasta el pie de la cruz: Juan, el discípulo amado.

¿Quién era Juan? Ese que un día llegó hasta Jesús llevando la herencia de un temperamento incontrolado. Lo llamaban "hijo del trueno". Era impaciente, egoísta e interesado. Pero llegó a Jesús y se acercó a él. Salió de la rutina y de la mediocridad de ser un discípulo más de Jesús. Fue más allá. Aprendió a quedar a solas con su Maestro, recostó su cabeza en el corazón de su Señor, entendió que "sin él nada podía hacer", y el resultado natural de esa comunión fue un cambio completo de su temperamento, al punto que un día llegó a ser llamado "el discípulo del amor".

Jesús tenía doce discípulos. Once participaban de todas las actividades como buenos discípulos. Actualizando la historia, podríamos decir que once eran buenos miembros de iglesia, pero Juan no se contentaba con la rutina. Juan salía de la monotonía y, cuando todos se iban a dormir, él se quedaba con Jesús.

Mientras las cosas andaban en paz, nadie podía ver la diferencia. Aparentemente, todos eran iguales, pero cuando la tormenta sopló, la persecución comenzó y los tiempos críticos llegaron, los once quedaron observando de lejos lo que sucedía, y, finalmente, desaparecieron. El único que quedó junto a Jesús fue el que, saliendo de la rutina, vivió una vida de comunión personal con Cristo.

Las cosas se repetirán en nuestros días. Hoy pueden estar juntos el trigo y la cizaña; hoy pueden congregarse en la misma iglesia las vírgenes prudentes y las vírgenes fatuas; hoy, nadie puede decir quién es quién. Pero cuando la tormenta llegue, sólo permanecerán firmes los que, habiendo salido de la mediocridad de una vida cristiana formal y rutinaria, vivieron las delicias de una experiencia personal de comunión con Cristo. Vive hoy un día de comunión con el Señor.

13 de mayo

Tu pasado tiene futuro

Mirándolo Jesús, dijo: "Tú eres Simón hijo de Jonás; tú serás llamado Cefas (es decir, Pedro)". S. Juan 1:42.

Las personas que eran vistas por Jesús, eran vistas por dentro. Así fue con Nicodemo, con el joven rico y con tantos otros. Sin importar lo que los hombres hicieran para esconderse, sin importar cuánto tratasen de disfrazar, Jesús conocía los sentimientos más íntimos y los desnudaba delante de él, para poder vestirlos con las vestiduras blancas de su justicia.

El versículo de hoy presenta a Jesús y a Simón frente a frente: Jesús fijó su mirada en él y le dijo: "Yo sé quién eres; conozco tu presente, sé donde vives, qué haces y con quién vives". Así son las cosas con Jesús. No hay nada que podamos esconder de él. Conoce nuestros secretos más íntimos, las heridas que nos duelen, las cicatrices que nos molestan, los traumas y complejos que cargamos en la vida.

Pero Jesús continúa: "Yo también conozco tu pasado. Tú eres hijo de Jonás. Conozco tus raíces, tus antepasados, la herencia genética que traes, el ambiente social y familiar en el que creciste. Sé por qué reaccionas así delante de los problemas de la vida, sé por qué tienes ese temperamento que ya te causó tantas dificultades. Puedo comprenderte, puedo entender el por qué de tanta amargura y resentimiento, pero quiero que sepas que, además de conocer tu presente y tu pasado, también conozco tu futuro, y esto es lo que realmente importa. Mira hacia delante y ve las posibilidades futuras. Tú serás Cefas".

Ante cada persona hay un horizonte sin fin de posibilidades. El pasado pudo haber sido cruel contigo. Y el presente triste y oscuro en que vives, puede ser de alguna forma el resultado de un pasado donde tuviste poca participación, pero que te afectó. Eso, sin embargo, no es lo importante. Lo que realmente cuenta, lo que realmente vale, es el futuro maravilloso que Jesús te presenta a ti y a todos los que van a él con fe.

Simón nació en el puerto; era un hombre rudo y grosero, hecho en el mar. Su presente era muchas veces doloroso por causa de la lucha interna contra el temperamento impulsivo que cargaba, pero el tiempo comprobó que Jesús tenía razón al mostrarle un día las posibilidades futuras. Pedro sufrió la muerte de los héroes de la fe. Según la tradición, fue crucificado cabeza abajo, un viernes por la tarde. Poco importa. La verdad es que ese simple pescador de pasado oscuro, que salió de los muelles, llegó a ser uno de los grandes discípulos y mártires del cristianismo. Su nombre conquistó un lugar en la galería de los vencedores.

¿Y qué en cuanto a ti? Jesús también sabe quién eres y por qué eres como eres. Pero esta mañana mira hacia el futuro glorioso que él tiene preparado. "Aún no se manifestó lo que podrás ser". Acuérdate de eso a lo largo del día.

139

14 de mayo

El Jesús de la cuarta vigilia

Pero a la cuarta vigilia de la noche, Jesús fue a ellos andando sobre el mar. S. Mateo 14:25.

Los discípulos entraron en pánico. La noche era oscura y los vientos contrarios, y las ondas gigantescas inundaban la pequeña embarcación. Esos hombres valerosos, acostumbrados a vivir en el mar, lucharon con todas sus fuerzas para salir de la difícil situación. Después de todo, no era la primera vez que enfrentaban la furia del mar; conocían las técnicas, y conocían el mar. Pero esa noche era completamente diferente de las otras. Hubo un momento en que creyeron que habían llegado al fin de la línea. Hasta era sarcástico. Hombres nacidos cerca del mar, crecidos en el mar, habituados al mar, morir justamente allí, en el terreno que mejor conocían y dominaban. A veces Dios nos permite que fracasemos precisamente en el terreno que dominamos bien, para enseñarnos a depender de él. El texto de hoy dice que Jesús apareció en la cuarta vigilia. Los judíos dividían la noche en cuatro vigilias. La cuarta era el período comprendido entre las 4 y las 6 de la mañana. Jesús no apareció en ese momento sin un motivo específico. Aquí hay algo que necesitamos aprender.

No sé si alguna vez pasaste la noche en el campo. Tampoco sé si alguna vez tuviste la curiosidad de observar la oscuridad. La noche es oscura, pero ¿observaste alguna vez cuál es el momento en que la noche se torna más oscura? Es precisamente minutos antes de salir el Sol. Cuando las tinieblas de la noche se hacen más densas, significa que en cualquier momento despuntará la luz de un nuevo día.

Según el versículo de hoy, Jesús debe de haber aparecido entre las 4 y las 6 de la mañana, justamente en la hora más difícil. Esa noche los discípulos habían luchado contra los vientos y las olas, y ahora estaban en el momento de mayor oscuridad. Todo indicaba que estaban perdidos. Humanamente, no había salvación, estaban cansados, agotados y desesperados. Fue entonces cuando apareció Jesús.

Lo que el Señor Jesús quiere decirnos es que él siempre aparece en el momento de la extrema necesidad humana. Cuando parece que todo está perdido, cuando los hombres dicen que ya no existe solución, cuando luchaste y luchaste, y llegaste al límite de tu resistencia. Ahora veamos la manera como Jesús aparece: andando sobre el mar. Los discípulos podían esperarlo de cualquier forma, menos caminando sobre el mar. Porque Jesús siempre aparece de la manera que menos esperamos, en forma inverosímil, a veces contradictoria; pero es Jesús, y las cosas con él escapan a toda predicción humana.

Si el día de hoy se presenta para ti aparentemente difícil; si piensas que no existe solución humana para tu problema; si tu empresa o tu hogar se están yendo a pique y llegaste al límite de tus fuerzas, no te desesperes. En la cuarta vigilia de la noche, siempre hay lugar para Jesús. Él aparecerá si confías, ¡pero cuidado! Puede aparecer de la manera que menos te imaginas. ¿Estás listo para aceptarlo?

A la gloria de Dios

Jesús les respondió diciendo: "Ha llegado la hora para que el Hijo del Hombre sea glorificado". S. Juan 12:23.

Cuando Jesús pronunció estas palabras, estaba mirando hacia los momentos finales del sufrimiento y el dolor antes de su muerte en el Calvario; y habla de glorificación. La gloria de los hombres es diferente de la gloria de Dios. La gloria de los hombres pasa por el camino de los aplausos, del reconocimiento y de la fama. La gloria de Dios pasa por el valle de la sombra, del sufrimiento, de las lágrimas y de la muerte. Es verdad que hoy Jesús está en el cielo con el Padre. Es también verdad que un día toda rodilla se doblará delante de él y que las criaturas del universo entero reconocerán su justicia y alabarán su nombre. Pero antes tuvo que beber el cáliz amargo del dolor y del sufrimiento.

El apóstol Juan, en Apocalipsis 5:6, vio "un Cordero como inmolado". ¿Por qué parecía muerto? Los hombres cuando quieren vencer, matan; Jesús, para vencer, muere. Para subir en la vida, el ser humano miente, lastima a los demás, pisa sus sentimientos, traiciona y no mide esfuerzos; Jesús, para recibir la gloria, se entrega, renuncia, se humilla, guarda silencio y finalmente perece. ¡Qué diferentes caminos para el mismo fin!

Hay un mundo maravilloso esperando al ser humano. Hay una eternidad para vivir sin muerte, ni llanto, ni cosa parecida. Pero antes, es preciso transitar por el desierto de esta vida y muchas veces los pies quedarán heridos en las arenas calientes. "En el mundo tendréis aflicción", dijo Jesús, "pero confiad, yo he vencido al mundo" (S. Juan 16:33). Él promete paz, pero no de la manera como el mundo la ofrece. La paz que los hombres buscan es apenas la ausencia de lucha en la especie humana, y cuanto más la buscan más lejos la ven. La paz que Cristo ofrece es la paz interior que genera esperanza en medio de la persecución, las dificultades y las provocaciones. Jesús nunca prometió que sus hijos no derramarían lágrimas en esta vida. Lo que prometió es enjugar las lágrimas de sus hijos.

Existe una gloria futura, un reino de paz que Jesús está preparando, pero existe también un cáliz amargo para ser vivido en el presente. La gloria humana es fugaz y su futuro de perdición es eterno. La gloria de Dios es eterna y su presente de sufrimiento es pasajero.

Jesús murió. ¿Dónde estaba la gloria? Todo parecía haber fracasado. Mas al tercer día resucitó y hoy vive por los siglos de los siglos. Tú puedes morir hoy y tus sueños pueden quedar enterrados por causa de Cristo. ¿Por cuánto tiempo? Hoy y mañana tal vez, mas al tercer día vendrá y tú también serás glorificado. Piensa en eso a lo largo de este día.

Más poderoso que un sermón

Estos, pues, se acercaron a Felipe, que era de Betsaida de Galilea, y le roga-
ron, diciendo: "Señor, queremos ver a Jesús". S. Juan 12:21.

Hace muchos años, mientras hacía el examen bautismal a cinco personas, toda la iglesia se conmovió por un espectáculo deprimente. El esposo in-
crédulo de una de las personas que se iba a bautizar esa mañana, ingresó en el
templo vociferando y amenazando a todo el mundo con una vara en la mano.
Sorprendidos todos, nadie tuvo la osadía de detener al indeseado visitante.
Para aumentar todavía más la sorpresa, el hombre tomó a su esposa por los
cabellos, la sacó de la iglesia y la llevó por la calle, gritando a todas las personas
que hacía eso como una lección para las mujeres que quisieran cambiar de
iglesia sin el consentimiento del marido.

En una sociedad tradicional, conservadora y "machista" como la de esa
pequeña ciudad, en el interior de mi país, el hombre "merecía" parabienes por
lo que estaba haciendo, y todo el mundo en la calle aplaudía.

Ese fue un sábado triste. Se podía notar la tristeza y las lágrimas en el rostro del pequeño grupo de hermanos. Sin embargo, por la noche, alguien me
entregó un papelito de la hermana: "Pastor, no se vaya sin antes bautizarme.
Mañana saldré a las nueve de la mañana para comprar las cosas en la feria de la
calle y pasaré antes por la iglesia para ser bautizada. Espéreme listo, por favor".

Fue uno de los bautismos más significativos que realicé. Esa señora sabía
muy bien que la vida no sería fácil para ella, pero su amor por Cristo era mucho mayor que las dificultades que pudieran aparecer.

Dos años después retorné a esa ciudad y, para mi sorpresa, el marido estaba en la iglesia, bautizado y participando activamente como diácono. Cuando
le pregunté cómo había sido que había aceptado a Jesús, el hombre respondió: "Fue mi esposa. Yo vi a Jesús en ella".

El versículo de hoy habla de los griegos que llegaron a Jerusalén y querían
ver a Jesús. Cuando las personas quieren ver a Jesús, generalmente no buscan la
Biblia, ni la doctrina, ni la naturaleza. En la mayoría de las veces buscan a los
que se dicen cristianos para ver si realmente el cristianismo funciona.

Ese marido duro y aparentemente insensible al evangelio, vio reflejado
el carácter de Jesús en la vida de su esposa. Ella no había cambiado sólo de
iglesia, había cambiado de vida, y ante una vida reformada por Jesús no hay argumentos, ni críticas que permanezcan en pie. El sermón silencioso de una
vida transformada es mucho más poderoso que un sermón predicado desde el
púlpito.

¿Por qué no hacer de este día un día de comunión con Jesús? ¿Por qué no
pedirle que el Espíritu Santo controle nuestros sentimientos y pensamientos
para que se pueda reproducir en nosotros el carácter de Cristo?

Multitudes están buscando a Jesús

Había ciertos griegos entre los que habían subido a adorar en la fiesta. **S. Juan 12:20.**

Había fiesta en Jerusalén. Multitudes llegaban de todos los rincones para participar en la Pascua, aunque la fiesta, de profundo sentido espiritual, hubiese perdido la esencia de su propósito y se hubiese transformado apenas en una gran fiesta formal, acompañada de mucho comercio y otras actividades paralelas.

Sin embargo, la fiesta de ese año sería diferente de las otras porque, aunque el pueblo judío no lo sabía, estaría presente el verdadero Cordero pascual. Aquel que derramaría su sangre para la remisión de los pecados y la liberación humana de la esclavitud espiritual.

Jesús entró triunfalmente en Jerusalén. Toda su realeza y majestad brilló, aunque pálidamente, mientras los hombres cantaban hosannas a su nombre y agitaban hojas de palmera.

El versículo de hoy dice que entre los que habían subido a Jerusalén a adorar durante la fiesta, había algunos griegos. Los habitantes de la antigua Grecia practicaban una religión pagana saturada de idolatría. Parece que todos los ritos ofrecidos a los diferentes dioses no satisfacían a estos griegos, que dejaron su país en busca de algo más concreto, algo que diese sentido a su vida. Por lo que deducimos del texto, es posible que abandonaran su religión pagana y aceptasen el judaísmo; de otra manera no habrían ido a Jerusalén. Existen muchos seres humanos que no viven contentos en la iglesia donde están porque falta algo concreto. Por más sacrificios que realicen, por más que cumplan todo lo que la iglesia les presenta como requisitos de salvación, siempre sienten como si la vida no tuviese sentido, y no tienen paz. Entonces, esa búsqueda sincera los lleva muchas veces a otra iglesia, como hicieron los griegos. Sólo que el judaísmo tampoco satisfacía sus expectativas. Continuaban vacíos. El judaísmo también había perdido el sentido de la fe. No conseguía ver al Mesías, y andaba confuso en medio de una montaña de ritos y formas. Dios tenga compasión de los que, por cuidar tanto de las comas y los tildes, pierden de vista al único capaz de dar sentido al cristianismo: Jesús.

Hoy existen hombres y mujeres que desean ver a Jesús como los griegos: dejan todo para oír hablar de él. El mundo está muriéndose de hambre, y es hambre de Jesús. Sólo él puede dar sentido a la vida. En Rusia, millares y millares están aceptando a Jesús y siendo bautizados. En diferentes países, adonde voy, las multitudes parecen decir: "Háblenos de Jesús". En las calles la súplica parece la misma: "Hábleme de Jesús". ¿Cómo estamos respondiendo, como iglesia y como cristianos, al clamor de los hombres?

El secreto de la prosperidad

Traed todos los diezmos al alfolí y haya alimento en mi Casa. Probadme ahora en esto, dice Jehová de los ejércitos, a ver si no os abro las ventanas de los cielos y derramo sobre vosotros bendición hasta que sobreabunde. Malaquías 3:10.

¿Es el diezmo una parte de nuestros bienes que devolvemos a Dios? Si pensamos de esa manera, Dios no pasa de ser un cobrador de impuestos o un recaudador celestial. Para quienes aman a Jesús, el diezmo es un pacto entre Dios y el hombre, una alianza de amor y fidelidad.

Cuando Dios creó al ser humano, lo colocó en el jardín del Edén y le dijo: "De todo árbol de huerto podrás comer; pero del árbol del conocimiento del bien y del mal no comerás, porque el día que de él comas, ciertamente morirás" (Génesis 2:16, 17).

En otras palabras: "Yo soy el dueño de todo, pero como sé que necesitas de estas cosas para poder vivir, te las presto. Y como también sé que a medida que el tiempo pase correrás el riesgo de olvidarte de que yo soy el dueño de todo, por eso, para que te acuerdes siempre, vamos a establecer una alianza. Tú puedes usar todo, menos este árbol, porque el día en que toques en él, yo sabré que te estás adueñando de lo que es mío".

Más tarde, cuando, por causa del pecado, Adán y Eva tuvieron que dejar el jardín, Dios sustituyó el árbol por el sagrado diezmo, y hoy dice al ser humano: "Todo lo que existe es mío. 'Mía es la plata y mío es el oro' (Hageo 2:8). Pero sé que en este mundo necesitas bienes materiales para poder vivir. Necesitas una casa, ropa, comida, dinero; por tanto, te doy fuerzas para conseguir todo eso. Pero también sé que cuando tengas todo, correrás el riesgo de olvidarte de que yo te presté todo. Entonces, para que nunca olvides que todo es mío, vas a devolverme el sagrado diezmo y vas a probarme en esto. Mientras me devuelvas el diezmo sabré que reconoces que yo soy el dueño, y si llegas a tener dificultades financieras o alguna cosa anda mal, todo lo que tienes que hacer es clamar a mí, porque yo soy el dueño, y como dueño tengo la obligación de resolver tu problema. 'Derramaré bendiciones hasta que sobreabunden', 'reprenderé al devorador', 'serás tierra deseable' (ver Malaquías 3:10-12).

"Pero si no me devuelves el diezmo, estarás rechazando el pacto de fidelidad que hicimos. Estarás haciéndote dueño de lo que es mío, y si llegan dificultades tendrás que resolverlas solo, porque te apoderaste de lo mío, sacándome de tu vida voluntariamente".

Por eso, el diezmo es mucho más que la décima parte de los bienes que devolvemos a Dios: es un pacto de fidelidad, una alianza que nos recuerda quién es el dueño. Y si aceptamos que Dios es el dueño de todo lo que tenemos, es también dueño de las dificultades financieras que puedan aparecer, y dueño de la falta de recursos para el sustento; en fin, es dueño de todo, y como tal es el responsable de hacer desaparecer los problemas o darnos fuerza e inteligencia para pasar por ellos sin lastimarnos.

Ser o no ser

Cuando salió él de la barca, enseguida vino a su encuentro, de los sepulcros, un hombre con un espíritu impuro. **S. Marcos 5:2.**

Muchas veces, en las grandes reuniones evangelizadoras, el enemigo se ha manifestado al poseer a alguna persona. El enemigo es real y, aunque derrotado y condenado, continúa atormentando a muchas personas. La posesión demoníaca es una realidad. Existen muchos seres humanos poseídos por el enemigo. Pero existe también un malentendido en cuanto a este asunto. Generalmente, pensamos que una persona poseída por el enemigo es la que grita, se cae, es levantada y es tirada de nuevo con fuerza al suelo. Pero ellas no son las únicas. Existen muchas que nunca exteriorizan manifestaciones demoníacas, pero son igualmente poseídas. Los que gritan, lloran y exteriorizan manifestaciones, lo hacen porque, además de estar poseídas por el enemigo, son débiles mental, emocional y físicamente. Si no fuese así, el enemigo nunca se exhibiría a través de esas personas.

¿Quiere decir que alguien puede no exteriorizar nunca manifestaciones demoníacas y aun así estar poseído por el enemigo? Sí, es posible, y la Biblia lo explica claramente. "El que no es conmigo, contra mí es; y el que conmigo no recoge, desparrama" (S. Lucas 11:23).

En el terreno espiritual no puede haber tres grupos, sólo existen dos: los que son de Jesús y los que pertenecen al enemigo de Jesús. No existe el grupo de los que están sobre el muro. Eso puede funcionar en muchas áreas de la vida, pero no en la vida espiritual. Aquí no hay lugar para la observación. Quedar en la indecisión ya es tomar una decisión en favor del enemigo de Jesús.

Hay mucha gente que nunca gritó, ni pataleó, ni fue tirada al suelo, pero es poseída por el enemigo. Esas personas no exteriorizan las manifestaciones porque son fuertes física, mental y emocionalmente.

"Todo aquel que rehúsa entregarse a Dios está bajo el dominio de otro poder. No es su propio dueño. Puede hablar de libertad, pero está en la más abyecta esclavitud" (*El Deseado de todas las gentes*, pág. 431).

Nuestra única salvaguardia es Jesús. En él estaremos siempre seguros. Cuando Cristo vuelva, sólo existirán dos grupos: las ovejas y los cabritos, las sabias y prudentes y las fatuas, los seguidores del cordero y los del dragón; y todo dependerá de nuestra elección de hoy.

¿Por qué no hacer de este día un día de comunión permanente con Jesús? Lleva un cántico de alabanza en tu corazón, coloca una cinta de música inspiradora en el pasacasete de tu auto, piensa en Jesús, medita cada momento en él, relaciona todo con él, siente su compañía permanente. ¡Sé un amigo de Jesús!

20 de mayo

Así resplandezca vuestra luz

Así alumbre vuestra luz delante de los hombres, para que vean vuestras buenas obras y glorifiquen a vuestro Padre que está en los cielos. S. Mateo 5:16.

En la sección II del diario *O Estado de Sâo Paulo*, del jueves 2 de enero de 1992, el periodista internacional Paulo Francis declaraba: "Gorbachov renunció el mismo día en que mi mucama, una estimada señora, decidió volver al Brasil, a pesar de ganar aquí cerca de mil dólares por semana, dinero que no verá en un año en el Brasil. Esa señora que nos deja es extraordinaria. Es adventista del séptimo día, devota, y se queja de que trabajando tanto para ganar el vil metal, no le queda tiempo libre para dedicarlo a su iglesia y a las obras de caridad de tanto le gustan. La religión de mi mucama es simple, sincera y por eso respetable".

En el comentario que Paulo Francis hace a continuación es posible notar, entre otros análisis, el contraste entre el radicalismo puro y metafísico de la obra religiosa de Jorge Luckacs, publicada por la editora Black-Well, y la religión sencilla de la cocinera adventista.

Puede ser que te estés preguntando qué tiene que ver Paulo Francis con el versículo de hoy. Respondo: Mucho. Tal vez esté aquí el secreto que necesitamos descubrir para cumplir la misión final de la iglesia. El comentario de Paulo Francis publicado en *O Estado de Sâo Paulo*, que tiene una tirada de 250.000 ejemplares diarios, se esparció por todos los rincones, y el testimonio sencillo de una miembro de iglesia, que no conoce mucha teología y que no tuvo oportunidad de ir al campo misionero, llegó a miles de lectores con la fuerza del cristianismo práctico.

Estoy tratando de imaginarme lo que sucederá en el mundo cuando cada cristiano se despierte a la realidad del poder que significa su testimonio diario. ¿Qué ocurrirá cuando los jóvenes en las universidades comiencen a ser notados por su manera de hablar, de vestirse y de comportarse?

"Así alumbre vuestra luz delante de los hombres", es la orden del Maestro.

La luz no necesita esforzarse para brillar. Simplemente brilla, porque es luz. El cristiano que descubrió que la esencia del cristianismo es vivir una vida de comunión con Cristo, no necesita esforzarse deliberadamente para testificar, pues el amor de Cristo lo constriñe. Brilla porque es luz, y es luz porque vive en comunión con la Luz de los hombres: Jesús.

Cierto día, un pequeño rayo de luz le preguntó a su mamá: ¿Dónde puedo ir para conocer las tinieblas? La madre lo mandó al fondo de la tierra, a las cavernas más oscuras, a los cuartos más cerrados, pero adonde el rayito de luz iba no encontraba las tinieblas. Volvió desilusionado, y quejándose le dijo a la madre: "Me mentiste. Fui a todos esos lugares y no encontré las tinieblas". "No, hijo", dijo la madre, "yo no te mentí. Tú eres la luz. Adonde quiera que vayas las tinieblas siempre desaparecerán".

Tú, amigo mío, eres la luz. Refleja hoy la luz de Cristo.

146

La luz de los hombres

En él estaba la vida, y la vida era la luz de los hombres. S. Juan 1:4.

El 80% de la ciudad de Porto Alegre, en el estado brasileño de Río Grande do Sul, quedó sin energía eléctrica en la tarde del 30 de octubre de 1992. Mientras me dirigía al Gimnasio de Deportes de San Leopoldo, donde predicaría esa noche, oí a través de la radio que un hombre se había subido a una columna de alta tensión con la intención de suicidarse, y que había sido necesario cortar toda la energía para preservar su vida.

Un viernes por la tarde, hace casi dos siglos, Jesús subió al monte Calvario y fue clavado en una cruz, renunciando voluntariamente a la vida para salvar a la raza humana. Ese viernes fue tal vez el viernes más oscuro de toda la historia. El Sol ocultó su rostro con vergüenza para no ver cuán miserables son los hombres. Nubes negras cubrieron el horizonte, y la lluvia cayó torrencialmente, como si el universo todo derramase lágrimas por el testimonio de amor que estaba siendo escrito con sangre en ese momento. Hasta los animales y las bestias del campo corrían de un lado para el otro, porque instintivamente presentían que algo extraño estaba sucediendo. Sólo el hombre, la más inteligente de las criaturas, parecía no entender nada.

Aparentemente, todo había acabado, todo se había perdido y todo había fracasado. Aparentemente, las tinieblas prevalecían. Pero fue entonces, en medio de la oscuridad, cuando emergió la luz. "En él estaba la vida, y la vida era la luz de los hombres".

Esa tarde de tinieblas no era más que el símbolo de lo que sería siempre la vida sin Cristo. Donde las tinieblas reinan, reina la confusión. Las personas no saben de dónde vienen, ni hacia dónde van. Viven tropezando aquí y allá, viven cayendo y lastimándose, y también lastimando a las personas que están más cerca. Al fin de cuentas, ¿adónde ir si no se ve nada? Se puede intentar todo, pero el resultado será siempre la frustración y el desencanto.

Una vida sin Cristo es como una vida sin luz. Fue necesario que Cristo fuera levantado en la cruz del Calvario para que, con su muerte, la vida se iluminara.

¿Estás confuso ante algunas de las decisiones que necesitas tomar hoy? Coloca todo en las manos de la Persona-Luz: Jesús. Dijo Juan: "La luz resplandece en las tinieblas, y las tinieblas no la dominaron" (cap. 1:5).

Sal con esa promesa divina en tu corazón. Repítela muchas veces a lo largo del día, y cuando vuelvas para casa verás, tal vez, que las tinieblas de la noche ya llegaron, pero que tu vida continúa iluminada por la luz de Cristo.

El enemigo se acabó

Ahora es el juicio de este mundo; ahora el príncipe de este mundo será echado fuera. S. Juan 12:31.

Al pronunciar las palabras del versículo de hoy, Jesús estaba mirando hacia los últimos momentos de su sacrificio en la Tierra. Estaba mirando específicamente hacia su muerte. Su muerte en el Calvario sería la estocada final que recibiría el enemigo. Sería el cumplimiento de Génesis 3:15: "Ésta te herirá en la cabeza, y tú la herirás en el calcañar".

A partir del Calvario el enemigo quedó con las horas contadas, viviendo los momentos desesperantes de la agonía.

En cierta ocasión, mientras predicaba sobre este tema, una mujer, poseída por el demonio y gritando espantosamente, lanzó un enorme banco contra mí y se acercó amenazadoramente, mientras arrojaba espuma por la boca y sus ojos enrojecidos parecían soltar dardos envenenados. Esa escena fue para la iglesia la mayor evidencia de que el enemigo está completamente derrotado y ya no tiene poder.

Cristo lo derrotó en el desierto, en el Calvario, en la tumba, y hoy quiere derrotarlo en nuestro corazón; pero sólo podrá hacerlo con nuestro consentimiento. A veces encuentro a personas atadas a cadenas de vicios, hábitos que destruyen la vida, sentimientos negativos y pensamientos impuros. Son personas sinceras que luchan para salir del pozo de la impotencia en que se encuentran. Muchos ya fueron de un lado para el otro tratando de encontrar una salida, y finalmente, cansados de luchar, se entregaron al conformismo y al abandono total.

El versículo de hoy afirma: "Ahora el príncipe de este mundo será echado fuera". Esta no es una promesa. Es la descripción de un hecho. El enemigo está condenado. Su estrategia para engañar al mundo fue desenmascarada ante el universo. Las acusaciones que hacía contra Dios se perdieron en el vacío de la incoherencia de una vida egoísta. En la cruz reveló toda su perversidad: arrojó sobre Jesús todo el veneno del orgullo, el resentimiento y la rabia. Pero fue derrotado, y "ahora el príncipe de este mundo será echado fuera".

¿Tiene alguien derecho a decir: "No puedo, estoy derrotado, ya me cansé de luchar"? Sal esta mañana a tus actividades para un día de victoria. Ábrele el corazón a Jesús y dile: "Señor, opera tus grandes obras de victoria en mi vida". Déjalo entrar en tu corazón por medio de su Santo Espíritu, y prepárate para las sorpresas que Dios tiene reservadas para ti.

Cantad al Señor

Servid a Jehová con alegría; venid ante su presencia con regocijo. **Salmos 100:2.**

Brasilia, viernes de noche. Estábamos llegando al final de un campamento que había reunido a 20.000 jóvenes en el Distrito Federal. Había mucha tristeza en los corazones, no sólo porque estábamos terminando una semana maravillosa, sino también porque el día anterior una niña había sido atropellada mientras regresábamos de la marcha pro temperancia.

Ese viernes de noche decidí hacer un llamado para el bautismo. Karen, una joven evangélica que había venido esa semana para filmar con el equipo de Three Angels Broadcasting Network, decidió unirse a la Iglesia Adventista porque entendió la verdad del sábado.

Después, vino el llamado; una a una las personas pasaron al frente, aceptando a Jesús y expresando su deseo de ser bautizadas y unirse a la iglesia de Dios en la Tierra. Yo oraba en silencio mientras Sonete cantaba y Dios usaba el mensaje cantado para llegar a algunos rincones del corazón a los cuales la palabra hablada no había llegado. Aparentemente, nadie más respondería al llamado esa noche, pero yo sentía dentro de mí que todavía había mucha gente que estaba sufriendo sin poder levantarse. Entonces, hice algo que raras veces hago. Invité a Costa Junior para que dirigiera un canto congregacional. Veinte mil voces se unieron para cantar "Jesús, tú eres mi vida". Fue entonces cuando sucedió el milagro: ¡Casi quinientas personas más vinieron al frente!

Esa noche había una mezcla de alegría y tristeza. La gente cantaba como pocas veces la vi cantar. Los corazones eran tocados y las personas se dejaban llevar por el Espíritu de Dios respondiendo al llamado.

"Venid ante su presencia con regocijo", dice el versículo de esta mañana. En el canto espiritual hay un poder extraordinario que necesitamos descubrir y utilizar. A lo largo de mi ministerio, el canto de alabanza a Dios ha desempeñado un papel relevante, y he descubierto en mi propia vida que conservar siempre un cántico en el corazón es una de las mejores maneras que existe de mantener la comunión con Jesús.

A veces, en la vida, pasarás por momentos de dificultad y prueba y sólo sentirás ganas de llorar. En esos momentos canta, dirige tus "lamentaciones" hacia el canto. Verás que las dificultades no se irán, continuarán en el mismo lugar, pero tu actitud mental cambiará, el miedo desaparecerá, brillará la esperanza y la confianza en Jesús, y tendrás la seguridad de que no estás solo. Naturalmente, enfrentar las tentaciones en compañía de Jesús es diferente.

Haz de este día un día de cántico espiritual. "Canta en la iglesia, en casa, con tu familia, mientras conduces hacia el trabajo; canta, canta, canta", es lo que Costa Junior acostumbra decir a las multitudes a las que hace cantar en los estadios y gimnasios deportivos. Este es, sin duda alguna, un consejo nacido del versículo de hoy.

Cisternas rotas

Porque dos males ha hecho mi pueblo: me dejaron a mí, fuente de agua viva, y cavaron para sí cisternas, cisternas rotas que no retienen el agua. **Jeremías 2:13.**

La tragedia del hombre desde el jardín del Edén siempre fue la misma: apartar los ojos de Jesús y confiar en sus propios recursos. "Separados de mí, nada podéis hacer", dice Jesús (S. Juan 15:5). Pero, a lo largo de la historia el hombre ha insistido en vivir apartado de la fuente de la vida, sustituyendo al verdadero Dios por dioses huecos.

En los tiempos del profeta Jeremías, el pueblo de Israel había abandonado a Dios, el manantial de aguas vivas, y trataba de cavar cisternas rotas que no retenían el agua.

¿Qué es una cisterna rota? En esas regiones la gente construía cisternas para almacenar el agua para la época de sequía. A veces, cuando la gente necesitaba agua, descubría que por descuido en la construcción del revestimiento, el pozo estaba vacío. Eran pozos enormes, que recibían un revestimiento para impedir que el agua se fuera. ¿Dónde estaba toda el agua depositada en ese pozo? Se había escurrido por las grietas del revestimiento.

En el versículo de hoy, Dios expresa su tristeza por la insensatez de su pueblo. "Dos males ha hecho mi pueblo: me dejaron a mí, Fuente de Agua Viva, y cavaron para sí cisternas, cisternas rotas que no retienen el agua".

Un cristianismo sin Cristo, un cristianismo que usa el nombre de Cristo, pero que vive preocupado sólo con las cosas exteriores, no pasa de ser una cisterna rota. Tú vas a él pensando encontrar agua, pero sólo encuentras sequedad, desesperación y muerte.

Jesús es el único manantial de aguas vivas, y quienes desean ser cada día más semejantes a él, no cometen la imprudencia de confiar en las cisternas construidas por sus propias manos, ni en su reputación como buenos miembros de iglesia. No, ellos van al manantial de aguas vivas, se bañan diariamente en esas aguas, calman la sed del alma en la pureza de esas aguas. No permiten que nada los aparte de ese manantial, y el resultado de esa experiencia es una vida de obediencia auténtica, un carácter que cada día refleja más y más el carácter de Jesús.

El versículo de hoy expresa también la profunda tristeza que Dios sintió en el jardín cuando Adán y Eva se escondieron de su presencia. En esa tarde trágica el corazón de Dios se afligió, no por causa de un fruto comido, sino porque los hijos amados no confiaban en él. No estaban cerca de él. Habían quebrado su relación con él al construir cisternas rotas separadas del manantial de aguas vivas.

¿Por qué no hacer de hoy un día de comunión con el manantial de aguas vivas? Delante de ti está una jornada llena de desafíos y expectativas, pero cuídate y no trates de construir cisternas rotas; deposita tu confianza en Jesús y, al atardecer, retorna victorioso a tu casa.

Libres para vencer

Vosotros, hermanos, a libertad fuisteis llamados; solamente que no uséis la libertad como ocasión para la carne, sino servíos por amor los unos a los otros. **Gálatas 5:13.**

El propósito de la vida, el sufrimiento, la muerte y la resurrección de Cristo fue traer libertad al ser humano. Nos libertó de la culpa del pecado al pagar el precio con su vida derramada en el Calvario. Pero la libertad que Cristo quiere darnos no tiene que ver simplemente con nuestro pasado. También quiere libertarnos, en el presente, del dominio que el pecado ejerce en nosotros, y quiere hacerlo por la permanente presencia de su Espíritu, santificando nuestra voluntad y llevándonos a una vida de victoria sobre las tentaciones.

Hay muchos cristianos sinceros que predican y aceptan alegremente la libertad de la culpa, pero no están dispuestos a aceptar la libertad del poder que ejerce sobre ellos. Predicar el perdón sin predicar la victoria sobre el pecado, es predicar un evangelio incompleto.

El versículo de hoy muestra que entre los gálatas había muchas personas que creían en la gracia redentora de Cristo y aceptaban la liberación de la condenación que Cristo ofrecía, pero usaban ese hermoso mensaje para decir que, ya que Cristo los había liberado, no tenían más necesidad de mandamientos. El resultado fue que vivían en la esclavitud de la carne, víctimas sumisas de las pasiones y tendencias pecaminosas.

Cuando Cristo entra genuinamente en la experiencia de una persona, esa persona recibe la liberación de la culpa, o sea el perdón (también llamado justificación). Al continuar viviendo una vida de permanente comunión con Cristo, va siendo liberada del poder que el pecado ejercía en ella (a lo cual llamamos santificación). Pero el Señor Jesús va más lejos. Él promete que, cuando vuelva, seremos liberados completamente de la presencia del pecado en nuestra naturaleza (lo que llamamos glorificación).

La libertad que Cristo ofrece no tiene que ver sólo con nuestro pasado, sino también con nuestro presente y nuestro futuro. Es una libertad completa, y quienes descubren la belleza de la experiencia diaria con Cristo, experimentan las maravillas de las victorias diarias y permanentes en su vida. Ésa es la manera como Dios quiere reproducir en nosotros el carácter de Jesús.

De nuevo tienes hoy ante ti un día más de actividades. Eres libre, libre de los temores, del pasado, de los complejos, ¡libre para vencer!

¡Encontrado!

Un ángel del Señor habló a Felipe, diciendo: "Levántate y ve hacia el sur por el camino que desciende de Jerusalén a Gaza, el cual es desierto". **Hechos 8:26.**

Por ese camino desierto viajaba un hombre próspero, financiera y profesionalmente, pero vacío por dentro. La Biblia lo identifica como el eunuco etíope, administrador principal de la reina de los etíopes.

Los eunucos eran hombres privados de su masculinidad y encargados de cuidar el harén del rey. Este, sin duda, fue el comienzo de la carrera de nuestro protagonista. Pero, evidentemente, creció profesionalmente y llegó a ser el principal administrador del reino. Era un hombre culto, próspero, con saldo en su cuenta bancaria, pero desdichado.

Había subido a Jerusalén buscando respuesta a las inquietudes de su corazón. En Jerusalén había descubierto las Santas Escrituras de los hebreos y había oído hablar del Mesías. Sin embargo, retornaba a su casa sin tener un cuadro completo de la santidad y majestad de Dios, y sin saber mucho del Mesías. Era un hombre sincero que estudiaba las Escrituras en busca de respuesta para su angustiado corazón.

El versículo de hoy dice que un ángel del Señor se le apareció a Felipe, diciendo: "Levántate y ve hacia el sur por el camino que desciende de Jerusalén a Gaza, el cual es desierto". Podemos ver en este versículo que la iniciativa de la salvación es divina. Es Jesús quien busca al ser humano; desde el jardín del Edén siempre fue lo mismo. El hombre huye y se esconde de Dios, y el Padre lo llama: "Hijo, ¿dónde estás?"

En el texto de hoy Dios ve al eunuco buscando respuestas y no lo deja en medio de su confusión. Le envía a alguien para ayudarlo. Dios sabe el camino por donde el etíope transita; él siempre sabe todo. Conoce su vida, las inquietudes de su corazón y las preguntas que no le dejan ser feliz.

Muchas veces pensamos que si alcanzamos nuestros objetivos en la vida profesional, económica o cultural, seremos realmente felices. En nuestro desesperado intento por alcanzar lo que nos habíamos propuesto, muchas veces nos lastimamos a nosotros mismos y a las personas que más amamos, y cuando finalmente llegamos a donde pretendíamos, descubrimos que el corazón continúa vacío. Golpeamos a las puertas, buscamos filosofías, analizamos religiones y nada parece satisfacernos.

¿Crees tú que Jesús es indiferente a la búsqueda sincera del corazón humano? No, él enviará, ciertamente, en el momento oportuno, a un Felipe para ayudarlo a descubrir el camino y encontrar la respuesta.

Firmes y constantes, en él

Así que, hermanos míos amados, estad firmes y constantes, creciendo en la obra del Señor siempre, sabiendo que vuestro trabajo en el Señor no es en vano. 1 Corintios 15:58.

En 1972 era misionero entre los indios de la tribu campa, en la selva peruana. La obra adventista fue establecida entre los campas por medio del ministerio de uno de los héroes modernos de la fe: el Pr. Fernando Stahl. Tuve la oportunidad de seguir las huellas que el misionero americano recorriera en el valle del río Perené. Conversando con algunos indios que todavía vivían en ese tiempo y habían sido bautizados por el pastor Stahl, descubrí facetas heroicas que me llevaron a escribir el libro *Él nos amaba*, donde relato incidentes que el tiempo ya estaba dejando en el olvido.

En cierta ocasión visité a Catosho Machari, uno de esos indios, y le pedí: "Quiero que me hables del pastor Stahl, ya que fuiste su guía en esta selva". El viejo indio estaba sentado cerca del fuego, en el interior de su choza. Ya no veía más, y se le notaba el cansancio por los años vividos. "¿El pastor Stahl?", preguntó, y levantó la cabeza como si tratase de rescatar los recuerdos. Afuera las cigarras indicaban, con su monótono canto, que debía ser media tarde. De repente los ojos del indio se humedecieron y dos lágrimas corrieron por los surcos que el tiempo había hecho en su rostro. "Él nos amaba", dijo. Tres palabras. Simplemente tres, pero que expresaban todo lo que el pastor Stahl había significado para los habitantes de esa región.

Las historias que me contaban los indios, me hicieron admirar a ese hombre. Acosado por las fieras, por los bichos de la selva, por los indios que no tenían contacto con nuestra civilización a principios de siglo, enfrentó todo, "firme y constante" en la obra del Señor. Les estableció escuelas, y luchó para llevarles salud y salvación.

¿En dónde estaba la fuerza de ese hombre? El versículo de hoy dice que debemos saber que "en el Señor, nuestro trabajo no es en vano".

Los que desean ser cada día más semejantes a Jesús no mirarán a este texto como un imperativo que los obliga a concentrar todas sus energías para ser "firmes y constantes, creciendo en la obra del Señor". Verán en este texto la descripción de lo que sucede en la vida de los que viven "en el Señor". Son firmes y constantes, no porque lo sean por sí mismos, sino porque están en el Señor y viven en el Señor. Descubrieron cuál es la fuente de las grandes virtudes. El versículo de hoy es el 58, pero el 57 dice que "gracias sean dadas a Dios, que nos da la victoria por medio de nuestro Señor Jesucristo", y esto lo explica todo.

Más que simplemente obedecer

Así también vosotros, cuando hayáis hecho todo lo que os ha sido ordenado, decid: "Siervos inútiles somos, pues lo que debíamos hacer, hicimos". S. Lucas 17:10.

Mi padre trabajaba en las minas de los Andes peruanos y venía a casa cada quince días. Mis hermanos y yo hacíamos una fiesta cuando llegaba. Un domingo de mañana, sentimos su voz grave en el cuarto y corrimos a saludarlo. Nos abrazó a todos y le pidió a mi hermano mayor un vaso de agua. Mi hermano salió del cuarto y tardó quince minutos en regresar. Papá ya se estaba poniendo nervioso, cuando el hijo apareció con un vaso de jugo de naranjas. "Papá", dijo el muchacho todo feliz, "estoy tan contento porque estás de nuevo con nosotros que te preparé un vaso de naranjada".

Nunca podré olvidar la emoción de mi padre ni tampoco la actitud de mi hermano. Ese muchachito de 12 años había cumplido la orden pero, motivado por el amor, fue más allá: no se contentó con traer un vaso de agua, preparó jugo de naranjas.

Los que desean ser cada día más semejantes a Jesús no pueden basar su obediencia sólo en la letra escrita de la ley; tienen que fundamentar sus actitudes en el amor al Padre. La obediencia que no está basada en el amor, es una obediencia sin sentido. Hay personas que se preocupan simplemente por la forma y ni siquiera se dan cuenta de ello. Olvidan, o no saben, que el amor y el respeto por los demás es uno de los mayores principios.

La obediencia nacida del miedo al castigo, o a las consecuencias, se limita a hacer lo que fue ordenado, y a veces lo hace solamente para ser visto por los hombres.

La obediencia fundada en el amor es diferente, porque no nace únicamente de la letra escrita, sino de los principios grabados en el corazón.

El versículo de hoy explica claramente que no hay mérito alguno en la simple obediencia. "Siervos inútiles somos, pues lo que debíamos hacer, hicimos".

Hay personas que están constantemente preguntando: ¿Puedo hacer esto? ¿No puedo hacer aquello? ¿Es permitido por aquí? ¿Hasta dónde puedo ir? Y se quedan esperando que la iglesia determine los detalles de lo que deben o no deben hacer. Son seres que no experimentan la belleza de la vida con Cristo. Quieren que la iglesia les diga todo, para "hacer sólo lo que deben".

Quienes viven una experiencia de amor con Cristo reciben un nuevo corazón, con los principios de la eterna ley de Dios escritos en ese corazón, y no están preguntando cuál es lo mínimo o lo máximo que deben obedecer para ser salvos. Su obediencia brota naturalmente de un corazón convertido, y no tienen límites. Están siempre dispuestos a andar la segunda milla. No se contentan con llevar un poco de agua para no recibir el castigo del Padre; preparan un jugo de naranjas para ver la sonrisa de Jesús.

¿Qué tipo de obediencia es la tuya?

¿Por qué no decidir?

Muchos pueblos en el valle de la Decisión; porque cercano está el día de Jehová en el valle de la Decisión. Joel 3:14.

Habían transcurrido 34 años desde el día en que mi madre había aceptado a Jesús y mi padre había oído hablar del Salvador por primera vez. Al comienzo él hizo muy difícil las cosas para la joven esposa que había decidido unirse a la iglesia. Después, con el tiempo, se dio cuenta de que el cristianismo era un muro de protección para los hijos y decidió apoyar a la familia en la iglesia, pero nunca se comprometió con Dios. Era un buen padre de familia, un marido ejemplar —no fumaba, no bebía y no tenía algún otro vicio—, pero no quería un compromiso mayor con Jesús.

Los años pasaron. Yo me transformé en pastor y fui al Brasil. Dios bendijo mi ministerio, pero en el fondo del corazón siempre llevaba la tristeza de saber que mi padre no se decidía en favor de Cristo.

"Yo no hago mal a nadie", decía cada vez que hablaba con él sobre el tema. "No quiero ser bautizado sólo porque de tanto en tanto asisto a la iglesia, devuelvo el diezmo y guardo el sábado".

Durante muchos años coloqué, en mis oraciones personales, el nombre de mi padre ante Dios, hasta que un día, de regreso a mi país en la época de Navidad, mi padre me dio la agradable sorpresa de que quería ser bautizado.

Un sábado de tarde entré con él en el pila bautismal y sellé el pacto de amor con Dios que mi padre había hecho. Esa noche la familia había preparado una fiesta en casa para celebrar la alegría de ver al padre bautizado. Eramos nueve hermanos y todos estábamos en la iglesia, con sus respectivos cónyuges e hijos. ¿Podía haber mayor alegría que la de ver al único miembro de la familia que estaba faltando, ahora unido a nosotros en la bendita esperanza del regreso de Cristo?

Pero esa noche descubrí que mi padre no tenía más que dos meses de vida, porque un terrible cáncer lo estaba consumiendo.

Cuando llegó el momento de regresar al Brasil entré en su cuarto. Tenía el rostro arrugado por el tiempo y el cuerpo consumido por la enfermedad. Sabía que lo estaba viendo por última vez en la tierra, y sentí ganas de llorar, pero su sonrisa me animó: "Ve en paz, hijo, cumple tu ministerio en el Brasil, yo ya no tengo miedo de nada. Ahora conozco a Jesús".

Un mes después de mi partida recibí la triste noticia de que mi padre había descansado en la bendita esperanza de ver a sus hijos cuando Jesús retornara.

¿Y tú? ¿Ya te decidiste? ¿O estás entre las multitudes en el valle de la decisión? Dios está dispuesto a hacer todo por ti. Lo único que no puede hacer es tomar la decisión por ti. Esa es tu parte. ¿Por qué no decidir hoy y dar la mayor sorpresa de la vida a tu familia? En esta mañana estaré orando por ti, aunque no te conozco. ¡Decídete ahora por Jesús!

El Cristo de la zarza

Allí se le apareció el ángel de Jehová en una llama de fuego, en medio de una zarza. Al fijarse, vio que la zarza ardía en fuego, pero la zarza no se consumía. Éxodo 3:2.

Para ser más semejante a Jesús, el ser humano necesita contemplarlo diariamente desde diferentes ángulos. La Biblia es el libro del Cordero, y en ella encontramos al Mesías simbolizado de diferentes maneras.

La zarza que ardía y no se consumía es una de las figuras de Cristo. En ella podemos encontrar simbolizada su persona. Él es Dios y hombre al mismo tiempo. Es hombre, pero continuó siendo Dios. Si sacamos su divinidad, su sangre no tendría poder para expiar el pecado del hombre, y si sacamos su humanidad no existiría sangre, y sin sangre no habría remisión de pecados. Mira la zarza. La madera es el producto débil e inconsistente de la tierra —es el "renuevo", la "raíz de tierra seca"—, pero Dios está en ella, y por eso no se consume.

En la zarza podemos encontrar también simbolizados los sufrimientos de Cristo. El fuego trata de herirla, consumirla, destruirla, pero no lo consigue. El enemigo persiguió a Jesús desde su nacimiento hasta su muerte, pero nada consiguió. El fuego no puede consumir a la zarza.

El tercer aspecto simbolizado en la zarza es su poder. Él venció la muerte. ¿De qué sirve que el fuego quiera consumirla? Se levantó de la tumba. El imperio del enemigo quedó derrotado para siempre.

En este día, amigo mío, mira al Cristo de la zarza (Deuteronomio 33:16) y no tengas miedo de enfrentar las dificultades, por mayores que puedan parecer. No estás solo. Mira hacia atrás. Ya venciste muchas barreras en la vida y todavía continúas vivo. ¿Por qué? Porque la "zarza ardía y no se consumía". Mira hacia delante. Puede haber nubes oscuras y tormentas. Puede haber truenos, pero la voz de Jesús se escucha clara: "Cuando pases por el fuego, no te quemarás" (Isaías 43:2). Los jóvenes hebreos en el horno ardiente, los mártires que fueron quemados al comienzo de la era cristiana, si pudiesen ver su lucha, te dirían: "Sigue adelante, nosotros lo conseguimos; tú también lo conseguirás".

Ahora una pregunta: ¿Tenemos la seguridad de que Cristo está en nosotros por medio de su Santo Espíritu? ¿Está morando en nuestro corazón porque vivimos una vida diaria de comunión con él? Si no es así, el mensaje de la zarza no tendrá consuelo para nosotros. En el día final, cuando el Cristo de la zarza retorne en gloria y majestad, como fuego consumidor, sólo habrá dos grupos: los que no lo dejaron habitar en su corazón y que serán como grama seca (Malaquías 4:1), y los que en medio del fuego habitarán seguros. Dios quiera que estemos en el segundo grupo.

Por la renovación de vuestra mente

No os conforméis a este mundo, sino transformaos por medio de la renovación de vuestro entendimiento, para que comprobéis cuál es la buena voluntad de Dios, agradable y perfecta. **Romanos 12:2.**

Sería muy interesante que un joven buscara a una señorita y le dijese: "Te amo con toda mi mente" ¿No te parece? ¿Te diste cuenta de que el corazón siempre carga con la culpa por lo que sentimos y el cuerpo por lo que hacemos?

Lo que Pablo está queriendo decirnos en el versículo de hoy es que, para ser más semejantes a Jesús, tenemos que comenzar con la mente. "Transformaos por medio de la renovación de vuestro entendimiento", es el consejo del apóstol.

En realidad, los actos pecaminosos nacen en la mente, se transforman en sentimientos y acaban plasmándose en acciones. Por eso, en la hora de la conversión, Dios promete darnos "la mente de Cristo".

Si queremos ser felices en la vida cristiana necesitamos un cambio de mente; es decir, de naturaleza, de corazón. El ser humano con mente enemiga o naturaleza pecaminosa, o corazón de carne, sólo amará las cosas de este mundo, la basura de la vida, y vivirá buscando los placeres de la Tierra. Pero el cristiano que un día encontró a Jesús en su vida y lo aceptó como su Salvador, ya no puede conformarse a este siglo. En el momento que acepta a Jesús, el Salvador crea en él la naturaleza divina. Entonces el hombre pasa a tener la mente de Cristo, y a medida que vive en comunión con la fuente de justicia, su mente se va transformando y aparecen nuevos pensamientos que inspiran sentimientos nobles y terminan traduciéndose en buenas obras.

¿Cómo puede alguien, que no experimentó la conversión y no vive una vida diaria de comunión con Cristo, saber cuál es "la buena, agradable y perfecta voluntad de Dios"? Es imposible. Tan imposible como enseñar a un lobo a comer hierba.

Los padres queremos que nuestros hijos tengan la mente de Cristo, no simplemente que se porten bien. Y lo mismo pasa con los líderes de la iglesia. Quieren que la iglesia viva una vida de permanente comunión con Cristo.

Tenemos que comenzar por la transformación o renovación de nuestro entendimiento. Comenzar en el lugar equivocado puede ser fatal, porque "tratando de diseñar un picaflor podemos producir un murciélago", dijo en cierta ocasión un colega pastor.

Antes de salir hoy para las actividades del día, propón en tu corazón que a la tarde estarás más cerca de Jesús. Haz de este día un día de comunión con él. Deléitate en pensar en él, concentra tus pensamientos en él, relaciona todo con él, todo lo que tengas que hacer. Conserva un cántico en el corazón, sé feliz y victorioso en Jesús, y deléitate en conocer cuál sea su buena voluntad, agradable y perfecta.

Existe un país mejor

Porque nosotros, extranjeros y advenedizos somos delante de ti, como todos nuestros padres; y nuestros días sobre la tierra, cual sombra que no dura. **1 Crónicas 29:15.**

David, el pastorcito de los campos de Belén, que se enfrentó con intrepidez al gigante Goliat y después reinó sobre su pueblo, estaba viejo y cansado, y entre sus últimas palabras encontramos las del versículo de hoy. Son palabras de un anciano, y su testimonio es la voz de la experiencia. David fue un hombre sabio e inteligente; sus palabras merecen ser guardadas como un tesoro. Había reinado en Israel por más de 40 años, de modo que éste es un consejo de viene de la realeza. Pero por sobre todo, aunque en algún momento de su vida al separarse de Dios hubiese caído muy profundo, era un hombre que se había arrepentido y había sido perdonado; por lo tanto, el consejo de esta mañana es la palabra viva de Dios.

Ya casi listo para cerrar los ojos y descansar, después de haber visto tantas cosas tristes y tantas cosas buenas, después de haber conocido los dos lados de la vida, después de haber experimentado la angustia de la culpa, la paz del perdón y la transformación, David recuerda a los que vendrán después, que nuestra vida sobre la Tierra es pasajera.

"Somos extranjeros", dice él. Nuestro hogar no está aquí, existe un mundo mejor, un hogar eterno, una tierra maravillosa.

Amados, el gran peligro que corremos en esta vida es el de acostumbrarnos a las cosas simples que la Tierra puede ofrecernos y, casi inconscientemente, comenzar a echar raíces profundas que oscurezcan la visión de nuestro hogar eterno. Estamos en el mundo, debemos vivir en este mundo y tratar de ser útiles a la familia, a la iglesia, a la sociedad y a los padres; pero no somos del mundo, y esto es lo que no debe borrarse de nuestra conciencia.

David compara nuestra vida con la "sombra". Aunque el escritor bíblico está hablando de la fugacidad de la vida, podemos inferir una lección interesante. La sombra es dependiente. Va a donde va el dueño. Hace lo que el dueño hace, anda al mismo ritmo. ¿Por qué no hacer de nuestra vida en la Tierra un reflejo de la vida de Cristo? ¿Por qué no permitir que él habite en nosotros? ¿Por qué no pensar en él a cada minuto, mientras vivimos cada día? Sin duda, esta será nuestra mejor manera de no olvidar que hay un país mejor, más allá de la Tierra.

2 de junio

Puedes vencer la tentación

No os ha sobrevenido ninguna tentación que no sea humana; pero fiel es Dios, que no os dejará ser tentados más de lo que podéis resistir, sino que dará también juntamente con la tentación la salida, para que podáis soportar. **1 Corintios 10:13 (RVR 1960).**

En el capítulo 10 de la primera Epístola a los Corintios, el apóstol Pablo repasa la historia del pueblo de Israel y de sus repetidas caídas. En el versículo 11 dice que "todas estas cosas les acontecieron como ejemplo, y están escritas para amonestarnos a nosotros", y antes de entrar en el texto de hoy, les dice que sería bueno (vers. 12) que pensáramos un poco en nuestra situación para no sufrir los mismos reveces del pueblo de Israel; pero que en todo momento tengamos presente que no existe tentación mayor de la que podamos soportar.

La tentación es una ley de esta vida. El enemigo vendrá con el objetivo de herirnos, o hacernos desconfiar de Dios, o hacernos caer. El objetivo final del enemigo es separarnos de Jesús, porque lejos de la salvación estamos perdidos, separados de la vida estamos muertos. Desconectados de la Justicia es inútil todo el bien que tratemos de hacer por cuenta propia.

¿Estás pasando por una situación financiera crítica? Recuerda que el enemigo quiere separarte de Jesús. ¿Perdiste a un ser querido de manera cruel e incomprensible? ¿Sientes ganas de maldecir el nombre de Dios porque no te protegió? Recuerda, el enemigo quiere que hagas eso. Él quiere que desconfíes de Jesús, que pienses que no vale la pena ser cristiano en la hora de las dificultades, que parece como que el Señor no está ni un poquito interesado en tu problema.

¿Estás atado a algún hábito que quieres dejar? ¿Existe en tu vida alguna situación pecaminosa que te atormenta y de la cual no puedes salir? Mira el texto de hoy: "Fiel es Dios, que os no dejará ser probados más de lo que podéis resistir, sino que dará también juntamente con la prueba la salida, para que podáis soportarla". ¿No es una promesa maravillosa?

Yo sé que en la hora del sufrimiento, de las lágrimas, de las dificultades y de las tentaciones el ser humano se siente como si estuviera solo. Pero la promesa está ahí. Mira a Job, que se levantó del polvo. Piensa en Daniel, que salió ileso de la cueva de los leones. Medita en Juan, solo en la isla de Patmos y viendo el rostro de Jesús. Recuerda a María Magdalena, que conoció lo que realmente era la tentación. Piensa en las tendencias que la arrastraban hacia abajo y en cómo encontró poder a los pies de Jesús. ¡Tú también puedes ser victorioso ahora!

Racionalizar o creer

Jesús les respondió diciendo: "Ha llegado la hora para que el Hijo del hombre sea glorificado". S. Juan 12:23.

Había fiesta en Jerusalén y Jesús estaría presente. Nadie quería perder la oportunidad de verlo y oírlo. Algunos por curiosidad; otros, porque no sabían adónde ir en busca de ayuda; y otros, porque esperaban ansiosos que el maestro de Galilea cometiese un desliz para poder condenarlo.

"Había ciertos griegos entre los que habían subido a adorar en la fiesta", dice el relato bíblico (vers. 20). Los griegos practicaban una religión lógica y racional. No existía en esa religión lugar para la fe. No eran capaces de creer en lo que sus ojos no comprobaran y sus dedos no tocasen. Ése era uno de los motivos por los que atribuían a sus dioses formas y características humanas. No podían confiar; querían llevar todo al laboratorio para analizar.

Los griegos eran personas vacías, huecas y desesperadas. La lógica racional de su estilo de vida satisfacía el intelecto, pero no llenaba el corazón. Conozco a gente con varios títulos universitarios que continúa buscando un sentido para la vida, y hablo con personas de muchos recursos económicos que darían todo por tener esa calma interior que sólo Cristo puede dar. La cultura no tiene nada de malo. El dinero, la fama y el poder no tienen nada de malo. El problema comienza cuando todas estas cosas llegan a ser el objetivo de la vida y no simplemente el medio para servir mejor. El cristianismo no vino al mundo para terminar con las conquistas humanas, sino para dar sentido a todo lo que el hombre realiza.

Esos griegos estaban cansados de buscar un sentido para la vida. La religión lógica de su país no llenaba el vacío del corazón, y por eso dejaron todo y fueron a Jerusalén. La gente desanimada siempre corría en busca de Jesús, y después de encontrarse con él, regresaban felices y dispuestos a enfrentar las luchas de la vida y llegar a ser victoriosos. Sin embargo, el mensaje de Jesús los sorprende: "Ha llegado la hora para que el Hijo del hombre sea glorificado". ¿De qué estaba hablando Jesús? De su muerte, con seguridad. Pero, ¿qué modo extraño ese de ser glorificado, muriendo? Generalmente, para recibir la gloria, los hombres son llevados a un palco y todas las luces del mundo se concentran sobre ellos.

Pero Jesús habla aquí de ser glorificado con su muerte. Está presentando a los griegos el aspecto ilógico del cristianismo. Mientras los hombres matan para vencer, Cristo muere y de ese modo alcanza la victoria. Mientras los hombres viven para ser glorificados, Cristo es colgado en la cruz, como un marginal, con el fin de alcanzar la gloria.

Eso no combinaba con la razón. Tenía que haber lugar para la fe. Y los griegos tenían sólo dos caminos: o continuaban queriendo entender todo y permanecían con el corazón vacío y desesperado, o creían que tras el sufrimiento y la muerte estaba la gloria. Era racionalizar o ejercer la fe. Y esa es la gran decisión que tenemos que tomar cada día.

La profesión de nuestra esperanza

Mantengamos firme, sin fluctuar, la profesión de nuestra esperanza, porque fiel es el que prometió. **Hebreos 10:23.**

En los primeros versículos del capítulo 10 de Hebreos, el apóstol presenta el carácter sacerdotal de Cristo. Presenta a la iglesia como la casa de Dios, sobre la cual Jesús es el gran Sumo Sacerdote. Después exhorta a los presentes a experimentar por ellos mismos las delicias de la salvación: "Acerquémonos, pues, con corazón sincero..." (vers. 22). Y para concluir, el apóstol presenta el desafío de nuestro texto: "Mantengamos firme, sin fluctuar, la profesión de nuestra esperanza".

Vamos a analizar en qué consiste "la profesión de nuestra esperanza". Primero, poseer el conocimiento salvador de Cristo. No es sólo un conocimiento teórico, sino un conocimiento personal, el resultado de una vida de comunión diaria y permanente con él. "Él es en nosotros la esperanza de gloria" (ver Colosenses 1:27).

Segundo, la confesión de la esperanza encierra confianza en Cristo. Nuevamente, volvemos al punto de partida. ¿Cómo confiar en quien no conocemos y cómo conocer si no convivimos con la persona?

Tercero, la confesión de la esperanza incluye el testificar. Las personas tienen que saber, a través de nuestras palabras y por nuestra vida, que Cristo habita en nosotros. Parte de la confesión es la misión. Esta es la que da sentido a la vida devocional. El cristiano que no testifica, en poco tiempo no siente más necesidad de volver a Jesús.

Finalmente, la confesión de la esperanza incluye obediencia a sus mandamientos. "Mis ovejas oyen mi voz... y me siguen". "Si me amáis, guardad mis mandamientos" (S. Juan 10:27; 14:15). No es una condición para ser amado. Es el resultado de amarlo. Jesús promete grabar sus mandamientos en nuestros corazones. No es una obediencia por miedo, es por amor.

El apóstol nos aconseja en el texto de hoy a "mantener firme, sin fluctuar, la profesión de nuestra esperanza". ¿Por qué? Porque existe un enemigo disfrazado de muchas formas tratando de tirar todo a la basura. Él, en persona, se opone a nosotros, y también lo hace la naturaleza pecaminosa que llevamos. ¿Cómo, pues, venceremos? Confiando en la fidelidad de quien prometió; no dejando de congregarnos en la iglesia (vers. 25); y permitiendo que el Espíritu Santo habite en nosotros y nos lleve diariamente a las grandes obras de victoria.

¿Estás listo para salir a la lucha por la vida? Lleva contigo un cántico en el corazón, coloca un casete con música inspiradora en el equipo de tu auto, mantente unido de manera permanente a Jesús y regresa victorioso por la tarde.

Refugios falsos

Ajustaré el juicio a cordel, y a nivel la justicia. El granizo barrerá el refugio de la mentira y las aguas inundarán el escondrijo. Isaías 28:17.

El enemigo crea muchas maneras de arruinar la vida de las personas. A algunas las amarra a los vicios y hábitos que van destruyendo lentamente su vida; a otras las lleva a vivir una vida moralmente correcta, pero desconectadas de la auténtica fuente de poder: Cristo. A otras las lleva a la incredulidad y al endurecimiento paulatino. "Dice el necio en su corazón: 'No hay Dios' " (Salmos 14:1). A otras las lleva a vivir la vida cristiana con indiferencia y frivolidad. El texto de hoy nos habla de cómo el enemigo lleva a algunos a construir refugios falsos, tratando de huir de los temores y la desesperación, propios de las personas que no tienen a Jesús en el control de su vida.

El ser humano siente generalmente la angustia y el peso de la culpa. Puede ir al psiquiatra o al psicoanalista. Puede tomar comprimidos o tratar de cualquier manera de olvidar el pasado, pero el peso de la culpa está siempre martillando el corazón. Es porque el hombre necesita un refugio donde esconderse del tormento de la conciencia culpable.

El ser humano también necesita un escondite hacia el cual huir de las tormentas de esta vida. Mientras estemos en este mundo, entregados a las manos del enemigo, él estará siempre hiriendo, golpeando y haciendo soplar los vientos de la adversidad.

¿Qué decir de la muerte? Todo hombre en su estado natural siente miedo de la proximidad de la muerte. ¿Hacia dónde huir cuando llega el momento final? ¿Dónde esconderse? ¿Qué refugio buscar?

El enemigo incita a los seres humanos a construir refugios falsos, como la corrección parcial de ciertos hábitos de vida. Eso no es cristianismo. Ese no es el modo como Dios quiere reproducir el carácter de Jesús en la vida de sus hijos. Amputar el brazo cuando el resto del cuerpo está gangrenado no reporta provecho alguno.

Otro falso refugio es la vida moral aparentemente correcta. Si el enemigo no puede llevarnos a cometer actos moralmente pecaminosos, con seguridad nos inducirá a vivir una vida moralmente correcta, pero sin Cristo. De cualquier manera, estamos perdidos.

¿Qué otros refugios existen? Actos generosos, un falso concepto del amor de Dios (creyendo que su misericordia y permisividad no tienen fin), etc. Cualquier refugio falso que el hombre construya será inútil: "Las aguas inundarán el escondrijo". La única Roca firme es Jesús. Piensa en eso a lo largo del día.

Cuando la vida pierde sentido

El ladrón no viene sino para hurtar, matar y destruir; yo he venido para que tengan vida, y para que la tengan en abundancia. S. Juan 10:10.

"Perdí la voluntad de vivir", decía una joven sentada ante mí. "La vida es una monotonía que no acaba nunca. Tengo miedo de que llegue el día siguiente, porque será la misma rutina de siempre".

¿Por qué pierde sentido una vida?

En primer lugar, conviene saber que un síntoma es la monotonía. Nos habla de que algo no está funcionando correctamente allí dentro. La monotonía es contraria al plan de vida abundante que Dios tiene para nosotros, y cuando llegamos a ese punto es porque perdimos, entre otras cosas buenas, el amor por la vida.

Otro asunto a considerar es la monotonía como resultante de minimizar lo que somos. Viene del hecho de aceptar que la vida que tenemos es la única que merecemos. La monotonía es la agresión contra alguien que se tornó desagradable en nuestra vida: nosotros mismos. La monotonía es la aceptación cobarde de la impotencia para cambiar el rumbo día tras día.

En tercer lugar, la monotonía viene del hecho de echarle la culpa de todo a otras personas, a las circunstancias o al pasado. Consiste en tratar de encontrar un significado en todo, en lugar de dar significado a todo. Mientras estemos esperando que los demás hagan algo para hacer emocionante nuestra vida, con seguridad nos quedaremos sentados en la monotonía de una vida sin sentido.

Finalmente, la monotonía viene del sentimiento de que no tenemos ningún lugar adonde ir, ningún nuevo mundo que conquistar.

Y cuando la vida se concentra en la búsqueda desesperada de cosas pasajeras como la cultura, el dinero, el poder, la fama y el placer, llegará el momento en que sentiremos la sensación de que todo lo que conquistamos fue nada, y de que ya no existe nada más que conquistar.

Si alguna vez sentiste que tu vida está cayendo en la monotonía, si tu vida no es emocionante, si no vibra más con las posibilidades del mañana, hoy puede ser el día de una nueva experiencia para ti. Desarrolla el gozo de una relación íntima con Cristo, elogia a otras personas, trata de descubrir cosas positivas en ellas, piérdete tú mismo en otras personas y en sus necesidades, atrévete a hacer y a construir sueños. Experimenta la "vida abundante" que Cristo te ofrece.

El arca, otro símbolo de Jesús

Harán también un arca de madera de acacia, cuya longitud será de dos codos y medio, su anchura de codo y medio, y su altura de codo y medio. Éxodo 25:10.

El arca del tabernáculo es otra de las figuras de Cristo en la Biblia. Él es el arca de la redención, y hoy continúa brillando en el santuario celestial. ¿Qué podemos aprender del arca? Mucho, sin duda, pues cada faceta del carácter de Jesús nos enseña algo.

El arca era un cofre sencillo: su anchura era de un codo y medio y su longitud de dos codos y medio. Jesús es siempre majestad sencilla, no necesita adornos externos para llamar la atención.

El material de la estructura del arca era madera. Esto mostraba su humanidad: los árboles brotan del humilde suelo. Aquí Cristo aparece retratado como "la descendencia de Eva": se viste de harapos. En su cuerpo sufrirá el castigo que nosotros merecemos. Su estructura puede ser de madera, pero no es la madera común, es acacia, madera que no se corrompe, que no sucumbe ante los insectos del pecado, que resiste las inclemencias del tiempo y de la mediocridad humana. Era maravilloso verlo andar por la tierra sin contaminarse con el lodo. Aunque su naturaleza era perfecta, fue tentado en todo, pero no pecó, porque vivió una vida de dependencia permanente de su Padre y nos enseñó cuál es el camino hacia la victoria.

El arca era más que madera, estaba recubierta de oro. Él no era sólo hombre, también era plenamente Dios. De otra manera su sacrificio sería apenas la muerte de un mártir, pero no tendría poder salvador. El oro también nos habla de la excelencia de su carácter, el que Jesús quiere reproducir en la vida de sus hijos. Por eso el arca guarda la ley. La ley es el reflejo de su carácter. El hombre puede negar la vigencia de la ley, puede pensar que fue clavada en la cruz, puede rechazarla, si quiere, pero Cristo en persona se ofreció para guardar sus principios en el corazón. Las guardó en la recámara de su pecho: "Tu Ley está en medio de mi corazón", dice (Salmos 40:8).

Son los principios de esa ley que Jesús quiere grabar con fuego de amor en nuestra vida, para que sean indelebles, para que no necesitemos de algo escrito, para que la obediencia sea natural, que brote del corazón.

La gangrena que arruina vidas

Y su palabra carcomerá como gangrena. Así aconteció con Himeneo y Fileto.
2 Timoteo 2:17.

Cierto día un ganso se paseaba majestuosamente por el patio de una casa, cuando alguien hizo el siguiente comentario: "Ese es un ganso muy decente".

Una vieja gallina escuchó la conversación y esa noche se la contó a su esposo.

—Dicen que el ganso es un indecente.

—Siempre pensé eso —respondió el viejo gallo.

Al día siguiente corrió la noticia en todo el gallinero de que el ganso, aparentemente correcto, no era más que un individuo peligroso, un verdadero halcón disfrazado de ganso.

Una pequeña gallina recordó que una vez lo había visto, a cierta distancia, hablar con una especie de halcones, en el bosque.

—Sin duda, estaban planeando alguna canallada —sugirió.

Un pato también recordó que cierto día el ganso había dicho que no le gustaba la vida de ganso.

Al día siguiente todos, munidos de piedras y palos buscaron al ganso y casi lo mataron. Aunque todo esto no es más que una fábula, la verdad dolorosa es que con la palabra podemos arruinar muchas vidas.

¿Cómo actúa, ante una calumnia, la persona que quiere ser cada día más semejante a Jesús? ¿Le pregunta a otra persona si es verdad lo que oyó?

Esta es, sin duda, la mejor manera de continuar con la bola de nieve. ¿O mira fijamente a quien trae el chisme y le dice que no tiene interés en oír hablar de la vida ajena? Eso, sin duda, le dará un aire de "santo" que no armoniza con un cristiano auténtico.

Entonces, ¿qué hace? Siempre da resultado oír en silencio sin hacer comentario alguno, ni querer saber la "verdad" preguntando a otras personas, sino ir a la persona afectada y contarle a ella la situación.

Pero lo que realmente importa es que esa actitud no sea fabricada para que todos crean que somos semejantes a Jesús. Tal acción tiene que brotar de manera natural del corazón, y la persona actuará de este modo sólo en la medida en que viva una experiencia diaria con Cristo y el Espíritu de Dios santifique sus sentimientos y sus palabras.

Himeneo y Fileto, los personajes del texto de hoy, aparecen registrados en la historia como dos grandes murmuradores. Dios no permita que nuestro nombre aumente esa lista.

La promesa se cumplirá

Instruye al niño en su camino, y ni aun de viejo se apartará de él. **Proverbios 22:6.**

El escritor americano Ernest Hemingway relata, en su obra *El viejo y el mar*, la historia de un anciano pescador de La Habana que, después de pasar 84 días persiguiendo a un pez, decidió internarse en alta mar para hacer un último intento. Después de tres días de alimentarse sólo de pescado seco y beber de una única botella de agua que había llevado, finalmente consiguió atrapar el mayor pez de toda su vida de pescador.

Como no pudo colocar el pez dentro del barquito por causa de su tamaño (no sé si Hemingway era pescador), cuenta el escritor que el viejo amarró el pez a la lancha y comenzó a remolcarlo; pero la sangre atrajo a los tiburones. Entonces el viejo comenzó una lucha feroz contra las fieras del mar, y consiguió matar a algunos de ellos a cuchillazos y golpes de remo, pero cuando llegó a la playa, tristemente se dio cuenta de que los tiburones habían devorado completamente su trofeo de pesca.

Esta historia es muy semejante a la experiencia de muchos padres que, con gran esfuerzo y dedicación, educan a sus hijos en los caminos del Señor, los envían a los colegios cristianos y, cuando llegan los años de la vejez, contemplan con tristeza que los tiburones de esta vida consumieron la vida espiritual de los hijos a quienes ellos habían dedicado todo su cuidado y cariño.

El otro día recibí la carta angustiada de un padre que exponía una situación parecida y preguntaba: "Pastor, tengo la impresión de que hice todo lo posible para salvar a mis hijos, pero, ¿por qué hoy no están en la iglesia? ¿En qué fallé?"

El versículo de hoy nos presenta una gran promesa: "Instruye al niño en su camino, y ni aun de viejo se apartará de él". Si tú, mi querido padre, instruiste a tu hijo cuando era pequeño y hoy, crecido y haciendo uso de la libertad que Dios le dio, él aparentemente olvidó todo, no te desanimes. La promesa de Dios está ahí. Tu hijo no la olvidará. Tarde o temprano la simiente renacerá, incluso cuando tal vez ya descanses en el Señor. En el día de la resurrección tendrás la más linda sorpresa de tu vida. Tu hijo estará allí, con los brazos abiertos, para recibirte al salir del sepulcro.

El verdadero significado de la cruz

Pero lejos esté de mí gloriarme, sino en la cruz de nuestro Señor Jesucristo, por quien el mundo ha sido crucificado para mí y yo para el mundo. Gálatas 6:14.

No sé si tuviste ya noticias de la cruz moderna, muy comentada en los círculos evangélicos populares. Su forma física es parecida a la cruz de Cristo, pero sus implicaciones espirituales son fundamentalmente diferentes. Estoy hablando de una teología muy atractiva que trata de mostrar que el cristianismo, en lugar de hacer exigencias desagradables, le ofrece al hombre todo lo que esta vida tiene, sólo que en un plano espiritual mas elevado. Según esta teología, la cruz no mata al pecador, simplemente lo encamina al cielo.

Esta teología puede parecer muy atractiva y moderna, ya que habla de un amor redentor y perdonador, pero no sirve porque no habla de un poder transformador.

La cruz de Cristo no significa solamente gloria, significa también vergüenza. Es, antes que nada, un símbolo de muerte. Se levantó en el Calvario para poner fin a la vida de un Dios hombre. Cuando Jesús murió, el hombre que tomaba su cruz y andaba con ella, salía para nunca más volver. No salía para corregir su vida, salía para acabar con ella. La cruz no significaba amor y complacencia, significaba dolor, sufrimiento, vergüenza y muerte.

El cristianismo no es simplemente un cambio de comportamiento. El cristianismo es muerte y nuevo nacimiento. Por favor, no intentes cambiar sin tener la certeza de estar muerto. Vete a la cruz de Cristo y muere en ella; depón tu vida a los pies de Jesús. Muere en él y después resucita a una vida victoriosa.

El bautismo es la explicación de lo que sucede en la cruz. Tú mueres y resucitas. Pero, ten cuidado de no querer crucificarte a ti mismo. Nadie puede hacerlo. Tú puedes clavar los pies y una mano, pero ¿quién clava la otra mano? Es Cristo el que tiene que crucificarte. Tú necesitas ser sepultado, pero cuidado: Nadie puede sepultarse a sí mismo. Necesita de otro. Es Jesús el que sepulta.

En la cruz del Calvario, Jesús fue levantado y murió. Tomó nuestro lugar, pero abrió sus brazos y es allí adonde precisamos ir para morir en él. Gracias a Dios porque fue su sangre la derramada. ¡Bañémonos en él!

Dios siempre es el primero y será el último

"Yo soy el Alfa y la Omega, principio y fin", dice el Señor, el que es y que era y que ha de venir, el Todopoderoso. **Apocalipsis 1:8.**

La joven sólo tenía 14 años y deseaba ser bautizada en el bautismo de primavera. Su madre era una luchadora de Cristo, pues sufría casi diariamente las "persecuciones" de un marido que no quería saber nada de Jesús; pero a pesar de eso había criado a los hijos en el temor del Señor. El lunes, entre lágrimas, la jovencita le dijo al pastor que no podría ser bautizada porque el padre se oponía. El padre había extendido el dedo amenazador y le había dicho: "La última palabra es la mía". Estaba equivocado. La última palabra nunca es la del hombre. El martes sufrió un accidente de tránsito y el jueves estaba enterrado. La última palabra no fue la suya, fue la de Dios.

El hombre no tiene nada que decir con relación al lugar o al tiempo de su nacimiento. Dios lo determina sin pedir la opinión humana. Un día el bebé nace y ahí comienza todo. A partir de ese momento empieza la libertad humana para aceptar o rechazar los caminos de Dios. El hombre crece y se hace dueño de sí mismo: puede olvidar que la vida le fue prestada por Dios, puede vivir como le parezca mejor; pero un día siempre acaba todo. Y ahí, también, Dios se reserva el derecho de poner fin a lo que inició. Lo quiera o no lo quiera el hombre, lo acepte o no lo acepte. La ciencia puede hacer de todo, menos comenzar la vida o prolongarla. Sólo Dios puede hacer eso.

"Yo soy el Alfa y la Omega", dice Jesús. Esto vale para la vida física tanto como para la vida espiritual. El nuevo nacimiento también es un milagro realizado por el poder divino. La iniciativa de salvación es de él. El hombre sólo tiene que responder. Nadie se salva porque quiere ser salvo. Por nosotros mismos sólo desearemos andar en nuestros caminos. Es él quien genera en nosotros tanto el querer como el efectuarlo por su buena voluntad. En él nacemos, en él crecemos y en él morimos. Separados de él nada somos y nada podemos hacer.

Si en algún momento de la vida nos sentimos tentados a apoderarnos de la vida de Dios y a administrarla conforme a nuestra voluntad, conviene recordar que los brazos de Jesús están siempre suplicando y esperando el retorno del hombre.

Cuán triste es ver a miles de personas viviendo como si la vida no fuera a terminar jamás. Son como la dracma perdida. Están extraviados, pero no saben que están en esa condición. Viven indiferentes a su realidad espiritual e insensibles también al amor redentor que los está buscando.

Tú tienes una misión para hoy: decirle a esas personas que Dios las ama y las está esperando.

La pureza del sexo

¡Sea bendito tu manantial y alégrate con la mujer de tu juventud, cierva amada, graciosa gacela! Que sus caricias te satisfagan en todo tiempo y recréate siempre en su amor. ¿Por qué, hijo mío, has de andar ciego con la mujer ajena y abrazar el seno de la extraña? **Proverbios 5:18-20.**

"¿Qué hora es?", preguntó un turista a un vendedor callejero, en la calle Uruguayana en Río de Janeiro. El vendedor miró de un lado para el otro y, con esa alegría típicamente carioca, respondió: "Es hora del sexo; aquí siempre es la hora del sexo".

La expresión casi inconsciente de ese joven vendedor podría ser el símbolo de la cultura que nos rodea. Vivimos en medio de una sociedad sexualizada o erotizada al punto de apelar al sexo hasta para vender bizcochos en los comerciales de la TV.

El versículo de hoy nos muestra que el sexo es una de las cosas más bellas, puras y sagradas que Dios entregó al ser humano en la creación. El sexo es tan sagrado para Dios que en el Antiguo Testamento, al identificar a su pueblo no lo marca en el corazón ni en la frente ni en las manos, sino en el órgano sexual masculino.

En el Nuevo Testamento, cuando el Señor busca una ilustración para expresar el tipo de relación pura que quiere tener con su iglesia, usa la ilustración de la relación sexual entre marido y mujer.

En la creación, Dios entregó muchos dones al hombre. Le dio la posesión de la tierra, la alimentación, el cuerpo y sus diversas funciones, pero en las dos únicas veces en que él usa la palabra bendito es cuando le entrega el sábado (Génesis 2:3) y cuando le entrega el sexo (Génesis 1:28).

¿De dónde viene, entonces, la perturbación que siente la persona, al punto de que tal vez piensa que el tema del sexo no es asunto para un devocional? El enemigo entró y distorsionó los planes originales de Dios y dejó en el inconsciente humano la idea de que el sexo es "soportable", pero que allá en el fondo no es muy limpio, que siempre tiene algo de pecaminoso.

Dios creó el sexo para que fuese una expresión de amor entre marido y mujer, y para que fuese un vehículo de unión mental, espiritual y física.

Cuando el sexo se transforma en un acto solamente físico, pasa a ser un acto instintivo y animal, y deja de ser el sexo puro, limpio y sagrado que Dios creó.

El sexo, antes de la hora del casamiento, no puede ser un acto espiritual, sino algo solamente instintivo y, por lo tanto, transformable en una fuente permanente de vacío, desesperación y culpa.

¿Podrías encarar el sexo como un asunto de bendición, amor, santidad y pureza? Ése era el plan original de Dios. Es por esa razón que Pablo dice: "Maridos, amad a vuestras mujeres, así como Cristo amó a la iglesia, y se entregó a sí mismo por ella" (Efesios 5: 25).

¿Es posible pagar mal por bien?

Pero a vosotros los que oís, os digo: "Amad a vuestros enemigos, haced bien a los que os odian". **S. Lucas 6:27.**

Este consejo bíblico es muy claro. A decir verdad, es una orden directa del Maestro. No hay manera de tratar de interpretar su significado. Debemos hacer el bien incluso a nuestros enemigos.

En los días de la Grecia antigua, un joven que vivía en la ciudad el interior deseaba ardientemente participar de las olimpíadas. Los amigos y parientes lo animaron y finalmente, fue a la capital. Después de meses de duro entrenamiento y renuncias, estaba listo para participar de la carrera de carros tirados por caballos.

La competencia empezó y él tomó la delantera, pero notó que el segundo, un viejo corredor, comenzó a importunarlo, a usar palabras sucias y a amenazarlo. El joven, sin responder, continuó la carrera hasta percibir que su oponente cercano estaba pasando mal, a la vez que ponía su vida en peligro. La historia dice que, a partir de ese momento, el joven se dedicó a ayudar al viejo corredor, pero otros se adelantaron y llegaron primero. Las olimpíadas estaban perdidas, pero fue recibido con muchos homenajes en su ciudad natal.

¿Parece historia de papel, verdad? ¿Sabes por qué? Porque vivimos en un mundo donde impera el espíritu de competición. Respiramos competición desde la escuela hasta el seno de la familia. Vivimos la cultura del éxito, en la que sólo interesa ser siempre el primero, sin importar los que quedan atrás, ni la manera como quedan.

El que desea ser cada día más semejante a Jesús permitirá que Cristo viva en él su carácter manso y humilde, ése que lo llevó a morir en silencio, aun siendo inocente.

Se cuenta que la gran contralto María Anderson fue tratada en forma descortés por cierta mucama de hotel, que no sabía que era la famosa cantante. Pero el administrador del hotel vio lo que había pasado y canceló la noche libre que la mucama tenía y en la que iba, precisamente, a asistir al concierto.

Al volver al hotel, María Anderson notó que la mucama estaba triste y le preguntó qué le pasaba. La joven respondió que había perdido la oportunidad de asistir al concierto que tanto había esperado. María Anderson, allí mismo, en el corredor del hotel, cantó el Ave María para esa mucama. ¿No es algo extraordinario?

Amados, la orden del Maestro que aparece en el versículo de hoy es tal vez una de las más difíciles de cumplir. Cuando la dio, Jesús no tenía en mente dificultarnos la entrada al reino de los cielos. Lo que tenía en el corazón era el deseo de reproducir su carácter en nuestra vida, y por eso dice: "Venid a mí todos los que estáis trabajados y cargados... aprended de mí, que soy manso y humilde de corazón" (S. Mateo 11:28, 29). Es sencillo. Pero tú nunca lo sabrás si no lo experimentas. Ve a él.

El Sol brilla más allá

Los muchachos se fatigan y se cansan, los jóvenes flaquean y caen; mas los que esperan en Jehová tendrán nuevas fuerzas, levantarán alas como las águilas, correrán y no se cansarán, caminarán y no se fatigarán. Isaías 40:30, 31.

El águila es usada como un símbolo de los que esperan y confían en el Señor. Esa ave es interesante desde su origen. Un pollo está listo para ser vendido en el mercado en nueve semanas; las águilas no. Éstas necesitan, como en el caso del águila real, hasta un año para volar solas. Los verdaderos cristianos son como las águilas: necesitan tiempo para madurar. Primero trigo, después hierba verde, finalmente fruto.

Podemos ver palomas, gaviotas y cotorras que vuelan en bandadas; las águilas no. Siempre están solas; como máximo, dos. Quedan allá en lo alto, mirando el azul infinito.

Desde lo alto se ve mejor el poder del cristiano, que muchas veces tiene que quedar solo por causa de sus principios. No tengas miedo de quedar solo. Generalmente el cristiano anda a contramano de la vida. Este mundo, con los moldes presentes, no fue hecho para el pueblo de Dios. Vuela alto, aunque los que vuelan alto no sean comprendidos. Cuando alguien no es comprendido, es temido; y cuando alguien es temido, es criticado y condenado.

¿Pensaste alguna vez adónde van las águilas cuando llega la tormenta? ¿Dónde se esconden? No se esconden. Abren sus alas, que pueden volar a una velocidad de hasta 90 km por hora, y enfrentan la tormenta. Saben que las nubes oscuras, la tempestad y las descargas eléctricas pueden tener una extensión de 30 a 50 metros, pero allá arriba brilla el Sol. En esa lucha terrible pueden perder plumas, herirse, pero no temen y siguen adelante. Después, mientras todo el mundo queda a oscuras allá abajo, ellas vuelan victoriosas, en paz, allí arriba.

Finalmente, las águilas también mueren, pero ¿encontraste alguna vez un cadáver de águila? Es posible que, en esas carreteras de las reservas ecológicas, hayas encontrado algún cadáver de gallina, de perro o de paloma, o incluso de algún animal del monte, pero al cadáver de un águila no lo encontrarás. ¿Sabes por qué? Porque cuando sienten que llegó la hora de partir, no se lamentan ni quedan con miedo. Buscan con sus ojos el pico más alto, sacan las últimas fuerzas de su cansado cuerpo, vuelan hacia las cumbres inalcanzables y ahí esperan resignadamente el momento final. Hasta para morir son extraordinarias.

Tal vez por eso el profeta Isaías compara a los que confían en el Señor con las águilas. Tal vez hoy tengas delante de ti un día lleno de desafíos. Algunos de ellos pueden parecer imposibles de vencer, pero recuerda: descansa en el Señor, pasa tiempo con él y después sal a la lucha, sabiendo que más allá de la tormenta brilla el Sol.

Él es nuestra bandera

Diciendo: "Por cuanto la mano de Amalec se levantó contra el trono de Jehová, Jehová estará en guerra con Amalec de generación en generación. Éxodo 17:16.

Amalec, el cruel enemigo de Israel, fue derrotado en esa famosa batalla en que Aarón y Hur tomaron los brazos de Moisés y lo sostuvieron mientras Josué derrotaba a las huestes enemigas.

Ahora la batalla había terminado, y Moisés "edificó un altar, al que puso por nombre Jehová-nisi" (vers. 15), que quiere decir "Jehová es mi bandera". Felices los hombres que, terminada la batalla, se acuerdan de dar gloria a Dios y no al simple barro humano. Mira la bandera. La bandera es Cristo. ¿Podemos tener la seguridad de que él flamea en nuestra vida y en la vida de la iglesia?

Una bandera agitada en lo alto es símbolo de victoria. Cuando un ejército conquista el territorio enemigo, lo primero que hace es izar su bandera. ¿Estamos permitiendo que el Cristo victorioso brille en el territorio de nuestro corazón?

Amalec no murió, pues es un símbolo de las luchas del cristiano. ¿No son los hijos de Dios atacados por él de día y de noche?

Es un enemigo astuto, y cuando quiere derrotar una vida, estudia, analiza y prepara una tentación personalizada que la inocente víctima no consigue vencer. Pero, por favor, mira hacia la bandera. Ella flamea victoriosa. Los valientes pueden caer, los inteligentes pueden fracasar, los fuertes pueden resbalar, pero los que se toman de Jesús, con toda seguridad, serán victoriosos. Él ya dirigió muchas batallas y nunca perdió ninguna. En la montaña puede haber sangre, pero el sepulcro continúa vacío. Él es victorioso.

Mira los colores de nuestra bandera nacional. Cuán hermosos son. Pero ellos, en todo su esplendor, no son capaces de alcanzar la belleza del rojo de la bandera de Cristo. Son multitudes las que la siguen. Jacob, antes de morir, contempló una enorme multitud y exclamó: "A él se congregarán los pueblos" (Génesis 49:10). Isaías exclama: "¿Quiénes son éstos que vuelan como nubes y como palomas a sus ventanas?" (Isaías 60:8). Y Jesús mismo dice: "Y yo, cuando sea levantado de la tierra, a todos atraeré a mí mismo" (S. Juan 12:32). Siempre fue así y siempre lo será. Hay un imán irresistible en la cruz levantada. Nadie discute, nadie se resiste, todos caen delante del Cordero de rodillas. Las multitudes llenan los estadios buscándolo. Jesús es nuestra bandera, Jehová-nisi va delante de su pueblo.

Al salir esta mañana a la calle, ¿puedes tener la seguridad de que él brillará en tu vida a lo largo del día?

16 de junio

Ven y ve

Natanael le dijo: "¿De Nazaret puede salir algo bueno?" Respondió Felipe: "Ven y ve". S. Juan 1:46.

Nuestro texto presenta una pregunta y una respuesta. Ambas provienen de hombres sinceros y buenos. Natanael, un hombre devoto; Felipe, un honesto discípulo de Jesús. Pero Natanael era una pobre víctima del prejuicio. Si Felipe le hubiese dicho que Jesús venía de Roma o de Jerusalén, entonces Natanael lo habría aceptado sin problemas. Pero, ¿de Nazaret? ¿Podría salir algo bueno de esa ciudad pequeña y suburbana?

Hoy día existen multitudes que mueren por falta de Jesús en su vida. Necesitan de él, pero viven atadas a prejuicios de los cuales no se pueden librar.

El prejuicio tiene muchas raíces. A veces tenemos prejuicios por ignorancia. No conocemos el asunto, ni tampoco queremos saber. Simplemente lo condenamos. Otras veces tenemos prejuicios porque fuimos educados así; las tradiciones ocupan el primer lugar. Incluso podemos ver una nueva luz, pero tenemos miedo porque fuimos educados de otra manera.

A veces, el prejuicio nace del orgullo. Consideramos que nuestras opiniones son superiores a las de los demás, y no estamos dispuestos a ceder ni un milímetro. Finalmente, podemos ser víctimas del prejuicio porque no salimos del círculo de amigos, autores y personas que piensan igual a nosotros.

¿Cuál es el gran remedio contra el prejuicio? Felipe le dijo a Natanael: "Ven y ve". Investiga por ti mismo. Analiza y emite tu juicio a partir de esa investigación y no a partir de lo que pensabas con anterioridad.

Muchas veces he encontrado en mi camino a personas con prejuicios. He dialogado con ellas. A veces son personas frías, calculadoras, que tratan de ridiculizar, como ese locutor de radio que me entrevistó en su programa y trató durante treinta minutos de llevarme al ridículo. La entrevista terminó y él había hecho preguntas que no estaban en el *script*; había sido, en cierto modo, deshonesto conmigo, pero con una sonrisa "inocente" me dijo: "Disculpe, nosotros los periodistas somos así, es nuestro trabajo".

Los miré bien fijamente a los ojos y le dije: "Usted no cree en nada de lo que dijo durante su programa. Usted no es feliz, no puede ser feliz sin Cristo. En el fondo de su corazón usted siente un vacío que le duele, y siente eso en su vida familiar, cuando llega la noche y tiene la impresión de que la vida no tiene sentido. ¿Por qué huir de él? Él lo ama, usted es lo más lindo que Dios tiene en este mundo; ¿por qué negarlo? ¿Quiere que haga una oración por usted?" Él aceptó, pero en la mitad de la oración salió. Después volvió con los ojos llenos de lágrimas y me dijo: "Disculpe, es muy fuerte para mí. Por favor disculpe, lo siento mucho, de verdad".

"Ven y ve". ¿Estás amarrado a los prejuicios? ¿Condenas lo que no sabes y criticas lo que desconoces? Entonces ven y ve.

Parecía mentira, pero era verdad

Entonces salió Lot y habló a sus yernos, los que habían de tomar sus hijas, y les dijo: "¡Levantaos, salid de este lugar, porque Jehová va a destruir esta ciudad!" Pero sus yernos pensaron que bromeaba. Génesis 19:14.

Sodoma y Gomorra, las dos ciudades impenitentes del Antiguo Testamento, serían destruidas con fuego. ¿Por qué el Dios del Antiguo Testamento parece cruel al punto de enviar fuego, diluvio y plagas? ¿Cómo entender este aspecto del carácter de Dios?

En primer lugar recordemos que la vida no es sólo respirar y moverse en este mundo; la vida es más que un período de tiempo. La vida es Dios, es Jesús. Los hombres que deliberadamente se apartan de Dios y no toman en cuenta para nada su existencia, pueden continuar respirando pero no viven, apenas existen.

Los habitantes de Sodoma y Gomorra se habían apartado voluntariamente de Dios. Dejar de respirar era una cuestión de tiempo, y ellos dejaron de existir consumidos por el fuego. Puedes pensar que esto es cruel para las normas de ética moral de nuestros días, pero, si alguna vez viviste el infierno de una vida sin Cristo —la locura, la desesperación y la voluntad de muerte de una persona que no tiene a Dios—, tal vez logres ver el asunto con otro prisma.

Pero el versículo de hoy no analiza ese tema. La esencia del versículo es la incredulidad humana ante el peligro inminente. "¡Salid de este lugar", fue el consejo del viejo Lot, "porque Jehová va a destruir esta ciudad! Pero sus yernos pensaron que bromeaba".

Al analizar hoy las Sagradas Escrituras, llegamos a la conclusión de que Cristo no va a tardar mucho en volver a la Tierra. Ya no hay más profecías bíblicas para cumplirse. Todo encaja matemáticamente en el reloj del tiempo. Estamos viviendo en el fin. Pero si les cuentas eso a tus amigos en el trabajo, sin duda te mirarán con ojos llenos de incredulidad y pensarán que te estás burlando de ellos. Siempre fue así. En los tiempos de Noé, el pueblo de burlaba de él y sus hijos, diciendo: "Estás loco, Noé. Nunca cayó agua del cielo. La ciencia dice que eso es imposible". Cuando el arca se terminó y las puertas se cerraron, apareció una nube que fue creciendo y creciendo hasta cubrir y ennegrecer todo el cielo. Entonces, cuando las primeras gotas comenzaron a caer, todo el mundo corrió y pidió ayuda, pero ya era tarde.

¿Quiere decir, entonces, que el miedo de perdernos debería apoderarse de nuestro corazón y hacernos buscar a Jesús? No, esa no es la motivación correcta. Si lo buscas por temor, tu decisión durará poco, porque estará construida sobre la arena de los sentimientos.

Necesitas entender que Jesús te ama, que él quiere verte siempre feliz, que no quiere que vivas el vacío de una vida sin él. También necesitas sentir la necesidad de amarlo, buscarlo y permitir que, diariamente, reproduzca en ti su carácter. ¡Toma esa decisión ahora!

La recompensa de la decisión

Rut respondió: "No me ruegues que te deje y me aparte de ti, porque a donde-quiera que tú vayas, iré yo, y dondequiera que vivas, viviré. Tu pueblo será mi pueblo y tu Dios, mi Dios". **Rut 1:16.**

El versículo de hoy presenta la respuesta de Rut ante un momento de gran decisión, lo cual, por las implicaciones de la misma, se constituye en la nota relevante del libro.

Rut estaba en la encrucijada de la vida: volver o seguir adelante. Volver significaba adorar a dioses hechos por manos humanas, dioses de fabricación casera que podían adaptarse a los caprichos humanos, que entretenían, pero que no daban sentido a la vida. Seguir adelante significaba ir a lo desconocido, pero consciente de que el Dios Todopoderoso de Noemí no la abandonaría.

La respuesta de Rut, más que una simple expresión de amor, es la definitiva aceptación de la fe que hacía de Noemí una mujer admirable. "Tu Dios... mi Dios". El único conocimiento que la moabita tenía del Dios verdadero era el que la suegra le había mostrado con su vida silenciosa y delicada. No son los argumentos teológicos los que convencerán a las personas de que el cristianismo funciona; es la vida simple e inspiradora del cristiano, en la calle, en el barrio donde vive, en la fábrica donde trabaja, en la escuela donde estudia.

La decisión de Rut involucraba un cambio completo de hábitos. Otra gente, otro país, otras costumbres: todo nuevo, todo desconocido para ella. Pero siempre que las personas sean conquistadas por Jesús, no hay dificultades que les impidan tomar su decisión. En la tierra de Israel hubo tiempos de escasez; para sobrevivir tuvo que trabajar duramente en las plantaciones de cebada, y pasó por momentos de soledad. Los que se deciden por Cristo estarán siempre listos a sufrir por causa de Cristo. A los que escogen servirlo, Dios nunca les prometió que no tendrían dificultades, sino que en medio de las dificultades nunca estarían solos.

El libro de Rut termina contando el fin maravilloso de los que se deciden por Cristo. Las dificultades nunca serán eternas —la falta de empleo por causa del sábado, la pérdida de buenos negocios por causa de los principios, las renuncias a la gloria de este mundo por amor a Jesús—, todo será finalmente recompensado.

En las eras de Belén estaba Booz, un símbolo de Jesús; un hombre rico, poderoso, dueño de todos los campos que rodeaban esa ciudad. Él la redimió, le dio su nombre, la llevó a su palacio, se casó y la hizo una señora respetable.

En ese matrimonio encontramos las raíces genealógicas de Jesús, que un día vino a buscarnos, a redimirnos y a llevarnos a su palacio para devolvernos, finalmente, la dignidad, el respeto propio y la imagen divina que el pecado nos robó. ¿Cómo agradecer tanto amor?

Tiempos de refrigerio

Así que, arrepentíos y convertíos para que sean borrados vuestros pecados; para que vengan de la presencia del Señor tiempos de consuelo. **Hechos 3:19.**

Al terminar una gran reunión, un hombre me buscó y me dijo: "Pastor, estoy viviendo una situación pecaminosa hace más o menos dos años. Sé que estoy equivocado, pero no tengo la mínima voluntad de abandonar esa situación". Mi pregunta es: "¿Puede Dios hacer algo por una persona que, consciente de su situación, peca, pero no tiene el mínimo deseo de abandonar su vida pecaminosa?"

Con frecuencia pensamos que para ir a Jesús y ser aceptados por él primero necesitamos arrepentirnos de nuestra vida pasada, pero, al describir el verdadero arrepentimiento, una escritora dice: "Efectuar un arrepentimiento como éste está más allá del alcance de nuestro propio poder; se obtiene solamente de Cristo, quien ascendió a lo alto y ha dado dones a los hombres.

"Precisamente éste es un punto en cual muchos yerran, y por esto dejan de recibir la ayuda que Cristo quiere darles. Piensan que no pueden ir a Cristo a menos que se arrepientan primero, y que el arrepentimiento los prepara para el perdón de sus pecados. Es verdad que el arrepentimiento precede al perdón de los pecados, porque solamente el corazón quebrantado y contrito es el que siente la necesidad de un Salvador. Pero ¿debe el pecador esperar hasta que se haya arrepentido antes de poder ir a Jesús? ¿Ha de ser el arrepentimiento un obstáculo entre el pecador y el Salvador?" (*El camino a Cristo*, págs. 23, 24).

Hay mucha diferencia entre estar arrepentido y tener remordimiento. El remordimiento es sentir miedo por haber roto una ley. El arrepentimiento es sentir dolor por haber lastimado el corazón de Jesús. El arrepentimiento no pasa por la desesperación como consecuencia del pecado. Cuando alguien es descubierto en pecado, teme y generalmente promete a Dios que a partir de ese momento las cosas cambiarán, pero cuando el peligro pasa, todo vuelve a ser como antes. El arrepentimiento es diferente; nace de la comprensión del amor de Dios. La persona es tocada por la misericordia divina, sabe que Dios la ama como es y reacciona ante de ese amor corriendo a los brazos de Jesús, diciéndole: "Señor, soy malo y perverso, he lastimado tu corazón, ten piedad de mí". En ese momento Dios inspira en él el deseo de abandonar la vida equivocada; la persona llega a ser consciente de que cada error es un martillazo más en los clavos que crucificaron a Jesús, y cambia de vida. Miles y miles de personas a lo largo de la historia llegaron a Jesús como estaban, y él operó el milagro de transformarlos.

Tú tienes hoy ante ti un nuevo día. Corramos a Jesús sin miedo. Contemplemos su amor y permitamos que nuestro corazón responda arrepentido al sacrificio de su amor inmensurable.

Tú serás otro hombre

Entonces es Espíritu de Jehová vendrá sobre ti con poder, y profetizarás con ellos, y serás mudado en otro hombre. 1 Samuel 10:6 (RVR 1960).

Muchas veces oigo lamentos como éstos: "Si pudiese comenzar todo de nuevo, sería diferente". "¡Ah!, si pudiese ser otro hombre". "¡Quién me diera poder borrar todo mi pasado e intentar otra vez!"

El versículo de hoy presenta una de las promesas de la Biblia: "El Espíritu de Jehová vendrá sobre ti con poder, y profetizarás con ellos, y serás mudado en otro hombre".

Aunque la aplicación espiritual de este versículo tiene que ver con el cambio de la naturaleza pecaminosa, el análisis del texto nos muestra que el cambio mencionado aquí se refiere a una mudanza de actitud del mismo hombre con relación a ciertas circunstancias de la vida, como Bezaleel y Aholiab, que recibieron sabiduría y habilidades especiales para la obra del tabernáculo (Éxodo 31:2-6). O como Moisés, que de la noche a la mañana se transformó de un hombre tímido en el gran líder capaz de enfrentar a Faraón. O como en el caso de Saulo de Tarso, que estaba persiguiendo a los cristianos y de un momento para otro tuvo una nueva visión de la vida, recibió el Espíritu de Dios y asumió su nueva responsabilidad, con la confianza en el poder de quien lo estaba llamando para un trabajo especial.

Conozco a muchos jóvenes tímidos que piensan que nunca vencerán en la vida. Tienen miedo de colportar, porque no son capaces de llamar a las puertas desconocidas y presentar los libros; tienen miedo de hablar en público, pues no consiguen expresarse con desenvoltura ante personas importantes (y para completar el cuadro, sueñan con ser pastores). ¿Qué hacer?

Saúl fue escogido del seno de una familia humilde para ser el rey de Israel. Evidentemente, no tenía "calificaciones" para ser el primer rey de un pueblo con una extraordinaria trayectoria de victorias, pero la promesa de Dios era: "Serás mudado en otro hombre". Y lo fue. Tenía ante sí un destino glorioso hasta el momento en que se olvidó de quién era el poder; entonces fue cuando comenzó la gran tragedia en la vida de Saúl. Se rehusó a continuar creciendo diariamente en el conocimiento y en la gracia del Señor y, como resultado de su "independencia", terminó siendo un pobre esclavo de Satanás.

No importa cuán insignificante puedas parecer ante tu sueño. No importa si los hombres te ven con indiferencia y piensan que nunca llegarás. "El Espíritu de Jehová se apoderará de ti y serás mudado en otro hombre".

Servicio por amor

Si mal os parece servir a Jehová, escogeos hoy a quien sirváis; si a los dioses a quienes sirvieron vuestros padres cuando estuvieron al otro lado del río, o a los dioses de los amorreos en cuya tierra habitáis; pero yo y mi casa seguiremos a Jehová. **Josué 24:15.**

Este consejo tuvo, quizá, más significado porque fue dirigido a un pueblo que se estaba tornando cada vez más idólatra. Habían introducido dioses extraños; dioses cananeos estaban cautivando al pueblo de Dios.

Josué apela a la libertad con que cada uno fue creado, para elegir el bien o elegir el mal, y sufrir las consecuencias de lo uno o lo otro. "Escogeos", dice, él. La libertad, uno de los dones más sagrados que Dios entregó al hombre, estaba llegando a ser una tragedia en el pueblo de Israel. No estaban eligiendo bien.

A lo largo de la Biblia encontramos repetidas veces, que Dios trata de enseñar a su pueblo a usar la libertad. ¿Puede un padre tener mayor alegría que la de ver que su hijo usa sabiamente el poder de decisión? ¿Por qué será que los seres humanos tenemos miedo de decidir, y cuando decidimos lo hacemos mal?

Cuando una elección para cargos legislativos o ejecutivos cae en sábado, corremos inmediatamente a preguntar si debemos ir a votar o no. No queremos decidir. La instrucción de la Palabra de Dios es clara, pero tenemos miedo y esperamos que otros decidan por nosotros.

Dios se deleita con el servicio de sus hijos, pero quiere que sea voluntario. Él nos pide que escojamos entre la vida y la muerte, y nos aconseja elegir la vida, pero no interfiere si escogemos lo contrario. Claro, que las consecuencias de una u otra elección son muy diferentes.

Muchas veces esa libertad que Dios da puede ser interpretada como "debilidad divina". Pero él lo prefiere así. Podría habernos creado como robots programados para obedecer, pero no lo hizo. Podría habernos creado sin la posibilidad de pecar, pero entonces no seríamos libres sino esclavos del bien, y Dios no quiere que seamos esclavos ni siquiera de las cosas buenas como el bien. Es contrario a su carácter.

¿Qué clase de servicio es el tuyo? ¿Sirves porque tienes miedo a sufrir las consecuencias de tu desobediencia? ¿Porque tienes miedo de perderte? ¿Porque el regreso de Jesús está próximo y quieres ser salvo? ¿O porque lo amas y voluntariamente quieres andar en sus caminos para poder ver una sonrisa de alegría en su rostro?

¿Está la puerta del corazón manchada de sangre?

La sangre os será por señal en las casas donde vosotros estéis; veré la sangre y pasaré de largo ante vosotros, y no habrá entre vosotros plaga de mortandad cuando hiera la tierra de Egipto. **Éxodo 12:13.**

Esa noche sería una noche terrible: el ángel destructor saldría a medianoche llevando la muerte a los primogénitos que habitaban en Egipto. Por el sólo hecho de ser el pueblo de Dios, Israel no estaría libre de la plaga. Por tanto, la orden fue: "La sangre os será por señal en las casas donde vosotros estéis; veré la sangre y pasaré de largo ante vosotros, y no habrá entre vosotros plaga de mortandad cuando hiera la tierra de Egipto".

Aquí encontramos una vez más la figura del Cordero. Desde la caída del hombre, pasando por el Calvario, su sangre siempre fue derramada para limpiar los pecados del mundo. La figura del Cordero se destaca nítidamente como el personaje central de las Escrituras. No existe salvación sin sangre, no existe gracia sin Cordero.

La seguridad de los primogénitos de Israel en aquella noche no estaba sencillamente en el hecho de pertenecer al pueblo de Dios. El israelita que no pintase su puerta con la sangre del cordero, corría el riesgo de morir. Nuestra seguridad de salvación no puede nunca estar depositada en la iglesia. Ni el hecho de ser bautizados garantiza nuestra salvación. Porque no es el bautismo el que salva, ni los cargos que tenemos en la iglesia, ni el hecho de que cantemos en el coro. Nuestra única esperanza está en el Cordero.

Y si un israelita sacrificaba el cordero, pero se olvidaba de pintar la puerta con sangre, el ángel destructor aparecería a medianoche y el primogénito de la casa sería destruido, porque la simple muerte del cordero no tiene valor si la sangre no es aplicada a la experiencia personal del cristiano. Necesitamos creer en el Cordero, pero también necesitamos pintar la puerta del corazón con sangre.

En el día del juicio habrá gente que se perderá aunque haya creído en la Biblia, incluso en el mensaje de la justificación por la fe, sencillamente porque no vivió una vida de comunión con Cristo. Sólo creer no es suficiente. Sólo conocer no es suficiente. La sangre tiene que estar aplicada personalmente a la experiencia de cada cristiano.

El gran día está llegando. Los cielos y la tierra se estremecerán. Las aguas del mar no podrán ser contenidas en los océanos. Cristo vendrá, y en ese día sólo habrá dos grupos de personas: los que con fe se aproximaron a la sangre del Cordero, y los que no lo hicieron. ¿Estás seguro de que la puerta de tu corazón se encuentra manchada con la sangre del Cordero? ¿Está su nombre escrito en tu frente? Entonces, espera sin temor el gran día en que finalmente podrás abrazarlo y vivir con él durante la eternidad.

Dejó todo para buscar a los perdidos

Porque el Hijo del hombre vino a buscar y a salvar lo que se había perdido. S. Lucas 19:10.

La misión de Cristo al venir a este mundo estuvo impregnada de un amor misterioso e incomprensible. A lo largo de la historia muchos guerreros invadieron países extranjeros llevando el horror y la muerte; otros tantos exploradores viajaron largas distancias para descubrir nuevos territorios en busca de la fama y la fortuna; pero Jesús, el Príncipe de los cielos, se hizo siervo y vino a este mundo para buscar lo que se había perdido.

¿Qué se había perdido? ¿Cuánto costaba recuperar lo que se había perdido? ¿No podía crear otra raza, en este o en otro planeta, y sustituir a la raza caída?

Podía, sin duda. Pero el ser humano, con sus dudas e incertidumbres, con sus traumas y complejos, con su egoísmo y orgullo, con su hipocresía y mentira, es el objeto del supremo amor de Cristo.

Jesús no abandonó todo y vino a este mundo para buscar una raza que tuviera algún valor intrínseco. Nuestro valor es inestimable, pero viene de afuera, de lo que significamos para Dios, del amor con que nos ve, de la confianza que deposita en nuestras posibilidades futuras. Es su amor lo que hace de nosotros, piedras rústicas, joyas raras y de valor inestimable.

Mientras dirijo campañas evangelizadoras, soy buscado constantemente por personas que dicen: "Soy muy pecador, Jesús no podrá aceptarme. Tengo una historia escabrosa; no hay manera de que Jesús pueda hacer algo por mí".

El versículo de hoy está lleno de esperanza para estas personas: "El Hijo del hombre vino a buscar y a salvar lo que se había perdido". Es por los pecadores que Jesús vino a este mundo.

Se cuenta la historia de Francisco, un pobre alcohólico, desempleado y arruinado por la bebida. Cierta noche su esposa entró en el bar donde estaba bebiendo con sus amigos y colocó un plato envuelto en el centro de la mesa, mientras decía: "Querido, me parece que no tienes tiempo para ir a cenar a casa, entonces decidí traerte la cena". Todo el mundo rió. Cuando su esposa salió, él pidió a los amigos que se aproximaran y compartieran lo que su esposa había preparado, pero al abrir el paquete encontraron un plato vacío con un cartón escrito: "Mi amor, espero que te guste tu cena; es todo lo que yo y los hijos tenemos esta noche en casa". Esa actitud de la esposa fue usada por Dios para alcanzar el corazón de Francisco. Ese fue el comienzo de todo. Finalmente, fue encontrado por Jesús; hoy es un cristiano.

Los gigantes de la vida

Estos cuatro eran descendientes de los gigantes de Gat, los cuales cayeron por mano de David y por mano de sus siervos. 2 Samuel 21:22.

Había pasado un buen número de años desde que David derrotara espectacularmente al gigante Goliat en el nombre de Dios. Pero ahora que Israel entraba otra vez en guerra contra los filisteos, el joven pastorcito, que se había transformado en rey, era un guerrero cansado y anciano. El relato bíblico nos dice que en una batalla contra el enemigo, David se cansó y un gigante llamado Isbi-benob, cuya lanza pesaba trescientos ciclos de bronce, intentó matarlo, pero fue defendido por Abisai. Cuando el peligro pasó, los hombres de Israel dijeron al rey: "Nunca más de aquí en adelante saldrás con nosotros a la batalla, no sea que apagues la lámpara de Israel" (2 Samuel 21:15-17).

Pero los filisteos continuaron atacando, y entonces Sibecai logró matar al gigante Saf (21:18). Aparentemente todo había terminado, pero en otra batalla contra el mismo enemigo apareció otro gigante, cuya lanza era como el rodillo de un telar. Esta vez fue Elhanán quien defendió al rey. Finalmente, apareció un gigante que tenía doce dedos en las manos y doce en los pies. Este también desafió a Israel y fue muerto por Jonatán, hijo de Simea, hermano de David (vers. 19-21).

Cualquier persona que lee la historia de David, sólo piensa en el primer gigante que apareció en la vida del rey. Pocos saben que la vida de David fue un permanente enfrentamiento con gigantes. Los gigantes no lo dejaron en paz: lo atacaron cuando era muy joven, cuando aparentemente no tenía fuerzas para derrotar a alguien mayor que él, y también lo atacaron cuando era viejo y se cansaba fácilmente.

Los gigantes están ahí delante de nosotros, todos los días. Nunca hay un momento en el que podamos decir: "Vencí definitivamente". No, ellos están ahí esperando el momento de mayor debilidad, listos para atacarnos. ¿Cuáles son tus gigantes? Por favor, no mires hacia afuera. Los mayores enemigos no son la adversidad, las dificultades, las duras circunstancias de la vida. Los mayores gigantes generalmente vienen de adentro. Son el orgullo, la suficiencia propia, y las heridas y los resentimientos que no nos dejan ser felices.

Cuán bueno es saber que en la batalla contra los gigantes de esta vida, nunca estamos solos. Del otro lado de la montaña está Jesús, el Gigante de la historia. Murió en el Calvario, pero al tercer día resucitó victorioso; emergió de la muerte y proclamó la victoria definitiva sobre el pecado.

Dormir puede ser fatal

Pero las prudentes tomaron aceite en sus vasijas, juntamente con sus lámparas. Como el novio tardaba, cabecearon todas y se durmieron. S. Mateo 25:4, 5.

El joven salió de Río de Janeiro hacia Belo Horizonte a medianoche. Manejó su auto casi sin parar, y cuando el Sol ya comenzaba a salir, se encontraba a sólo 500 m de la casa. Fue ahí donde, casi sin darse cuenta, "cabeceó", y cuando se despertó estaba en el hospital. Cuando lo visité me pareció curioso su lamento. "Si al menos hubiera sufrido el accidente en la carretera... Pero no, tenía que ser prácticamente en la puerta de casa. ¿Cómo pudo ser?"

Las vírgenes de la parábola quedaron despiertas toda la noche y el novio no llegó. De repente, "cabecearon todas y se durmieron". ¡Qué fatalidad!

¿De qué sirvió que quedaran despiertas tanto tiempo, si al final cabecearon?

El otro día conversé con una persona que fue miembro de iglesia durante cuarenta años. Fue un gran líder, un hombre que llevó muchas personas al conocimiento de Jesús, un consejero, una inspiración para los demás. Pero cabeceó, por esas cosas que tiene la vida, y hoy parece insensible a la voz de Dios.

¿Cuarenta años de vida desperdiciados? Tal vez no, porque de alguna manera la vida cristiana le dio significado a su existencia durante todo ese tiempo. Pero, ¿por qué cabecear y dormir cerca del fin? ¿Cómo se adormecen las personas? ¿Cómo es que las lámparas quedan sin aceite? "No os conozco" fue la respuesta del novio. "Señor, ¿cómo puedes decir eso si éramos miembros de iglesia, cantábamos en el coro y participábamos en sus actividades?" Pero la respuesta del novio es firme: "No os conozco".

Hay personas que se adormecen en la vida espiritual y quedan sin aceite; son personas que no viven una vida de comunión diaria con Jesús. El aceite es símbolo del Espíritu Santo. ¿Cómo da Dios su Espíritu a sus hijos? A través de la búsqueda diaria, a través del estudio de la Biblia y de la oración, abriendo el corazón y diciendo: "Señor, habita en mí". Hay personas que hacen eso cada día; son personas llenas del Espíritu Santo, y en ese maravilloso convivir conocen cada vez más a Jesús y son conocidas por él.

Estas personas no temen al pasado, porque están escondidas en Cristo; no temen al presente, porque al poder de Dios las capacita para las grandes obras de victoria; y no temen al futuro, porque el regreso de Cristo es para ellas el encuentro personal con el Amigo y Salvador de todos los días.

¿Estamos listos para encontrarlo?

Vendrá el señor de aquel siervo en día que éste no espera, y a la hora que no sabe. **S. Mateo 24:50.**

¿La proximidad del regreso de Cristo debería ser un motivo para prepararnos? ¿Y si Cristo no volviera en breve, tendríamos motivos para estar listos?

El Padre no nos reveló ni el día ni la hora del regreso de Jesús porque quería que nuestra comunión con él fuese viva y llena de significado, independientemente de la hora de su retorno.

Cristo vendrá. Esta es una de las más hermosas promesas que encontramos en la Biblia. Las profecías relativas a la proximidad de este acontecimiento están todas cumplidas. La vuelta de Cristo es prácticamente un hecho. Lo queramos o no, lo aceptemos o no, estemos preparados o no, él vendrá; aparecerá en las nubes del cielo y todo ojo lo verá. "Porque igual que el relámpago sale del oriente y se muestra hasta el occidente, así será también la venida del Hijo del hombre" (S. Mateo 24:27).

El versículo de hoy describe la situación de muchas personas cuando Cristo regrese. Será un día inesperado. Como todos los días, las personas saldrán hacia su trabajo; las grandes fábricas continuarán su línea de producción; en los supermercados los hombres comprarán y venderán; los estudiantes en las escuelas abrirán sus cuadernos y libros como todos los días; los centros de recreación estarán llenos como siempre; miles de automóviles irán y vendrán por las grandes carreteras y avenidas de las ciudades. De repente, "como ladrón en medio de la noche", cuando nadie espera nada extraordinario, aparecerá en medio del cielo una nube blanca como la palma de una mano, que irá creciendo e iluminando al mundo: será Cristo en gloria y majestad, rodeado de millones y millones de ángeles, anunciando con trompetas que el día llegó. "Vendrá el señor de aquel siervo en día que éste no espera, y a la hora que no sabe", dice el texto de hoy.

Me pregunto: "¿Estoy listo para encontrarme con Jesús? ¿Vivo cada día una vida de permanente comunión con él? ¿O estoy esperando alguna 'evidencia' de que Cristo ya está regresando para comenzar a prepararme?"

¿Cómo te sentirías si salieras de viaje y en tu ausencia tu familia viviera una vida sin principios, sin reglas, sin amor, pisoteando la honra de la familia y el significado de tu nombre, pero que al saber que tomaste el avión de regreso comenzara a prepararse?

Eso no es amor, es apenas el interés egoísta de no sufrir las consecuencias. ¿Podrían personas así vivir eternamente con Jesús?

La palabra suave

La respuesta suave aplaca la ira, pero la palabra áspera hace subir el furor.
Proverbios 15:1.

Dar una respuesta hiriente o hablar una palabra dura no es más que la demostración de que algo está mal allí adentro. Nadie se perderá por no haber controlado sus palabras. Porque no controlar las palabras es la evidencia de que la persona ya está en estado de perdición.

El consejo bíblico de hoy va más allá de las consecuencias sociales de nuestras palabras. Es preciso corregir lo que realmente está mal. ¿De qué sirve quedar en silencio ante una palabra airada si uno no deja de cerrar los labios con fuerza y mirar con dureza? Hasta el silencio necesita ser cariñoso.

Si la persona quisiera seguir el consejo de Salomón al pie de la letra, concluiría que el mudo nunca tendría dificultades con otras personas; pero no es así. La respuesta blanda no necesita ser blanda simplemente en la forma, necesita nacer blanda en el corazón. La palabra suave no es suave porque lo es el tono de la voz, sino porque nace como un manantial de aguas frescas en el interior de la persona.

En el Antiguo Testamento encontramos un incidente que nos muestra cómo la respuesta suave puede evitar consecuencias funestas. David y cuatrocientos guerreros subían, con espadas en las manos, para destruir al rico e insensible Nabal por haber ofendido con palabras a los diez mensajeros que David le había enviado para saludarlo. Esa noche sería una noche de destrucción, pero Abigaíl, la sabia y famosa esposa de Nabal, supo de lo acontecido y salió al encuentro de David con una palabra suave, pidiendo disculpas en favor de su marido. Esa "palabra suave" hizo que David reflexionara y se diera cuenta de que también estaba equivocado al dejarse guiar por sus sentimientos de venganza. Como resultado, ese día fue un día de paz para todos (1 Samuel 25:12-35).

Si esperas ser cada día más semejante a Jesús, buscarás cada día su compañerismo, su gracia y su poder. Te deleitarás en la contemplación de su carácter "manso y humilde de corazón", y con alegría descubrirás que es natural dar una respuesta blanda y una palabra suave, incluso en medio de la tempestad.

28 de junio

Dios no olvidó

Porque Dios no es injusto para olvidar vuestra obra y el trabajo de amor que habéis mostrado hacia su nombre, habiendo servido a los santos y sirviéndolos aún. **Hebreos 6:10.**

Cuando éramos pequeños y terminaba el culto sabático, mis hermanos y yo nos ubicábamos a la salida de la iglesia para preguntar a las visitas si ya tenían donde almorzar. Una de las experiencias más hermosas del sábado era llevar visitas para almorzar en casa. Hasta hoy, en casa de mi madre y en la nuestra siempre hay invitados los sábados. Es una alegría compartir no sólo las bendiciones espirituales del culto, sino también el almuerzo.

La visita del pastor en casa era otra fiesta. El pastor visitaba nuestra pequeña congregación una o dos veces por año, y en esa ocasión mamá colocaba el mantel azul con fresas rojas, bordado por ella misma. Antes de llegar el pastor, nos advertía: "Hoy viene el siervo de Dios. Tengan mucho respeto".

Por aquel tiempo yo era apenas un muchachito de siete u ocho años, y no podía imaginarme que un día sería pastor, y que los hermanos también abrirían las puertas de sus casas y me harían sentar a su mesa.

En el versículo de hoy el apóstol registra una promesa hermosa para quienes desean ser cada día más semejantes a Jesús. "Dios no es injusto para olvidar vuestra obra y el trabajo de amor que habéis mostrado hacia su nombre, habiendo servido a los santos y sirviéndolos aún".

Cada acto en favor de los miembros de la iglesia, por menor que sea, está registrado en los libros celestiales.

Andando por el nordeste del Brasil, cierta vez llegué junto con el Pr. Abraham Dantas a la casa de un humilde hermano. Todo lo que tenía para ofrecernos era un poco de melaza, harina y agua. A las 5 de la tarde, después de una larga jornada sin alimentarnos, ese era un almuerzo de primera. Sin embargo, con certeza lo más interesante de todo es que en los registros celestiales está anotado: "Un poco de melaza, harina y agua dados con amor a dos cansados pastores" (ver S. Mateo 10:42).

Le ruego a Dios que el espíritu de hospitalidad no desaparezca de en medio de su pueblo, porque algunos, sin saberlo, "hospedaron ángeles" (Hebreos 13:2).

Tú eres muy importante

Al contrario, los miembros del cuerpo que parecen más débiles, son los más necesarios. 1 Corintios 12:22.

Marlene vino a conversar conmigo en una calurosa tarde de verano, mientras participábamos juntos de un campamento para jóvenes. Físicamente no era una persona que llamara la atención a primera vista, aunque al sonreír se le formasen dos hoyitos en la cara, un detalle percibido por casi todos los que conversaban con ella.

Cuando habló conmigo, se sentía maltratada por la vida y marginada por los demás jóvenes de la iglesia. Su mayor deseo era cantar en un conjunto musical de la iglesia, pero desentonaba constantemente, y entendió el mensaje subliminal de los amigos para salir del grupo.

En el fondo de su alma pensaba que el problema era el de no ser bonita físicamente. Dibujaba muy bien, por lo que era casi siempre la encargada de preparar la ornamentación y decoración de la iglesia para las ocasiones especiales.

Nuestra conversación la ayudó a entender que al cultivar el espíritu de "maltratada", lentamente estaba perdiendo una de las cosas más hermosas que Dios le había dado: la sonrisa.

En el versículo de hoy, Pablo está diciendo que una persona puede vivir sin una mano o una pierna, y muchas veces hasta sin una oreja o un ojo, pero no puede vivir sin el corazón o el cerebro. Esos miembros del cuerpo, que aparentemente tienen que ser protegidos por ser más débiles, son en realidad indispensables.

Lo que Dios está tratando de hacer es sacar de nosotros el complejo de inutilidad, estado que surge de no tener aparentemente nada que impresione a primera vista.

Hay muchos que viven lamentándose por no tener este o aquel don. Pero Dios no permitió que nadie viniera a este mundo sin cierta habilidad para hacer algo.

Tú eres muy precioso a los ojos de Dios. Eres insustituible en el sentido de que nadie ocupará tu lugar de la manera como tú lo haces. En el universo eres una estrellita que completa el cuadro.

Puede que no seas la estrella más brillante, pero si desaparecieras se extinguiría la simetría que sólo tú eres capaz de dar al cuadro. Sonríe, eres importante.

La victoria de Cristo

Pero gracias sean dadas a Dios, que nos da la victoria por medio de nuestro Señor Jesucristo. **1 Corintios 15:57.**

"Pastor", decía la carta, "no sé durante cuánto tiempo más conseguiré vencer en la lucha que enfrento desde hace varios años. No logro encontrar una señorita que me guste, porque me siento atraído por los jóvenes. ¿Qué hago?"

Evidentemente, por el tenor de la carta, este joven nunca había cedido a la tentación. Pero lo que lo inquietaba, al punto de causarle temor, era la pregunta: "¿Por cuánto tiempo más conseguiré vencer en la lucha?"

Vivimos en tiempos peligrosos, en los cuales se intenta justificar el pecado a viva voz, en todas sus formas.

Sin embargo, el versículo de hoy muestra la salida para cualquier problema de tendencias que el ser humano carga desde que nace. Unos de una manera, otros de otra. Y el grito del corazón humano es: "¿Hasta cuándo tendré que luchar contra mis tendencias?"

El apóstol Pablo, en los versículos anteriores al texto que escogimos para hoy, habla del fin de la lucha cuando finalmente "esto corruptible se haya vestido de incorrupción, y esto mortal se haya vestido de inmortalidad" (ver el vers. 53). El apóstol está describiendo la glorificación de nuestra naturaleza: la erradicación completa y definitiva de la presencia del pecado en la experiencia humana.

Pero, mientras ese día no llega, Pablo, por experiencia propia, presenta una promesa: "Gracias sean dadas a Dios, que nos da la victoria por medio de nuestro Señor Jesucristo".

Nadie tiene derecho a ser derrotado por las tendencias, porque Cristo preparó un medio para alcanzar la victoria. Él venció el pecado. Enfrentó las tentaciones aferrándose al poder del Padre, y nos mostró el camino de la victoria; su victoria es nuestra victoria hoy. Su victoria cubre la multitud de nuestros pecados pasados, y en el presente desea vivir sus grandes obras de victoria por la presencia del Espíritu Santo en nuestra vida.

Gracias a Dios porque, aunque no haya llegado todavía el día de la glorificación, la victoria de Cristo no es apenas una promesa, sino una realidad en la vida de quienes procuran mantener diariamente una experiencia de amor con Cristo.

Estás delante de un nuevo día. En este día habrá tentaciones como en todos los demás, pero ya eres victorioso si con fe echas mano del poder de Jesús.

1º de julio

De la locura a la paz en Cristo

Lo halló en tierra de desierto, en yermo de horrible soledad; lo rodeó, lo instruyó, lo guardó como a la niña de su ojo. Deuteronomio 32:10.

Alejandro Bolívar era el anciano de la primera iglesia que me dieron para pastorear, y también fue mi brazo derecho al comienzo de mi ministerio. Un día, Alejandro me contó la historia de su conversión. Dios lo encontró "en tierra de desierto, en yermo de horrible soledad". Muchos creían que estaba loco. Pasaba noches enteras sin conseguir dormir. Se levantaba y vagaba por las calles en busca de un sentido para la vida. Era un profesional competente: Ingeniero de Producción de la fábrica de harina Santa Rosa, en la capital peruana. Tenía un buen salario, una familia estable; en fin, tenía todo para ser feliz, pero no lo era. Había dentro de sí una angustia terrible que lo oprimía y lo llevaba a la desesperación. En esas circunstancias, un día, andando por la calle, recibió la invitación para una serie de conferencias. El título del tema: "El secreto de la paz mental". Era todo lo que él estaba buscando: un poco de paz.

Su encuentro con Jesús sucedió rápidamente. Se apasionó por Cristo y comenzó a aceptar todas las verdades bíblicas. La familia y los amigos pensaban: "Está loco, y ahora la locura se manifiesta a través de la religión. Pero bueno, no importa, ya que a nadie le hace mal y parece que está más tranquilo. Vamos a ver hacia dónde va". Pero cuando Alejandro pidió la dimisión en la fábrica donde trabajaba, para guardar el sábado, y cuando decidió devolver el diezmo de una enorme cantidad de dinero que había recibido de la fábrica, los familiares quedaron sorprendidísimos. "Estás loco de verdad. ¿Qué va a ser de tu familia? ¿Cómo vas a vivir? Te están haciendo un lavado cerebral para quedarse con tu dinero".

Pero el Señor "lo rodeó, lo instruyó, lo guardó como a la niña de su ojo", y hoy continúa siendo feliz y próspero. Ya fundó varias congregaciones y se emociona cada vez que recuerda la manera maravillosa como un día el Señor "lo halló en tierra de desierto, en yermo de horrible soledad".

¿Te acuerdas de la primera vez cuando te encontraste con él? ¿No estabas perdido en los laberintos de la desesperación y en la loca carrera por entender el porqué de tu existencia? ¿Gozas hoy de la paz que sólo Cristo es capaz de dar? ¿Puedes, entonces, decirle en este momento: "Muchas gracias, Señor, porque en tu misericordia me encontraste y me cuidaste como a la niña de tus ojos"? Jesús es el único capaz de dar sentido a la existencia.

¿Por qué o para qué?

¡Clamo a ti, pero no me escuchas! ¡Me presento, pero no me atiendes! Job 30:20.

Hay muchas cosas en la vida que parecen no tener explicación. Entonces miramos al cielo y clamamos: "Señor, ¿por qué?" Y la respuesta parece no llegar de ningún lado, quizá porque la pregunta correcta no debería ser por qué, sino para qué.

La experiencia de Jair, que en cierta ocasión se enfermó y tuvo que pasar varios días en el hospital, es una buena ilustración que muestra el propósito que tiene Dios detrás de todo lo que acontece.

Acostado en el lecho del hospital, muchas veces se preguntó: "Señor, ¿por qué?" La respuesta no llegaba, pero en compensación pusieron un compañero en su habitación, y Jair tuvo la oportunidad de hablarle de Jesús y darle estudios bíblicos, mientras permanecía hospitalizado.

El tiempo pasó. La pregunta hecha un día en el hospital parecía no haber tenido nunca respuesta, pero doce años después al visitar la iglesia de Paulo Afonso, en el estado brasileño de Espíritu Santo, encontró a toda una familia convertida al evangelio por el trabajo de un joven llamado Edinaldo. Edinaldo era el compañero de habitación a quien Jair había dado estudios bíblicos, mientras se preguntaba, inútilmente: "Señor, ¿por qué?"

El tiempo trajo la respuesta y la respuesta fue: "No voy a explicarte el porqué, pero voy a decirte para qué. Tú enfermaste para que yo pudiera alcanzar por tu intermedio el corazón de Edinaldo, y a través de la vida de él, alcanzar a toda esa gran familia".

"¡Clamo a ti, pero no me escuchas!", dice Job en el versículo de hoy. ¡Cuántas veces en la vida decimos las mismas palabras! Los seres humanos queremos respuestas inmediatas. En la hora de la desesperación acusamos a Dios de ser injusto con nosotros. "Él tiene tiempo para todo el mundo, menos para mí", pensamos, permitiendo muchas veces que crezca una rebelión en nuestro corazón.

Si pudiéramos ver el fin desde el comienzo, sin duda dirigiríamos nuestra vida como Dios está permitiendo que se desarrolle, porque entenderíamos que detrás de todo momento difícil no existe sólo un por qué, sino un para qué.

El sufrimiento humano tiene siempre un sentido de ser. Cuando Jesús sufría la agonía de la cruz, no fue animado con una explicación teológica sobre su sufrimiento, sino con el propósito de su sacrificio. Estaba muriendo para salvar al hombre, y eso ennoblecía cada gota de sangre que derramaba.

¿Estás pasando por el valle de sombras? No intentes entender el por qué. Pídele a Dios que te dé fuerzas para no desanimarte, sabiendo que por detrás de todo existe un propósito que el tiempo explicará.

¿A quién pertenecía la otra voz?

Mi Dios envió su ángel, el cual cerró la boca de los leones para que no me hicieran daño, porque ante él fui hallado inocente; y aun delante de ti, oh rey, yo no he hecho nada malo. Daniel 6:22.

Mike Wilson, un piloto norteamericano que trabajó con las avionetas misioneras adventistas, en la amazonia brasileña, cuenta que en cierta ocasión fue a los Estados Unidos llevando la avioneta para hacerla examinar como parte de la rutina anual de mantenimiento. Era un viernes por la tarde, poco antes de ponerse el Sol, cuando Mike comenzó a cantar algunos himnos preparando su corazón para el sábado. De repente tuvo la sensación de que había otra voz cantando con él en la avioneta. Dejó de cantar por un momento y sintió que la otra voz continuaba cantando. Sacudió la cabeza y pensó para sí: "Debo estar cansado del viaje; gracias a Dios que ya estoy llegando".

La avioneta aterrizó sin mayores complicaciones y Mike, feliz, pudo pasar ese sábado con sus amados y en su país.

A la semana siguiente, cuando fue a recoger la avioneta para regresar al Brasil, el mecánico le preguntó: "¿Usted vino del Brasil con esta avioneta? Debe agradecer a Dios, porque llegó aquí por milagro. La máquina estaba con una pieza completamente rota. Es humanamente imposible que una avioneta en esas condiciones pueda volar tantas horas".

Los milagros no se explican, se aceptan. Mike entendió que esa otra voz que cantaba con él en la avioneta era, sin duda, la voz de un ángel que lo acompañaba y que lo hizo llegar sano y salvo hasta su destino.

En esta vida, amados míos, viajamos muchas horas, y muchas veces el viaje puede ser cansador y peligroso. El enemigo está tratando de llevar tristeza, lágrimas y muerte a los hijos de Dios. Quién sabe si, en estos momentos, no estás sintiendo en tu propia carne lo que estoy diciendo. Tal vez hoy tu corazón esté herido y tus ojos derramen lágrimas. Pero recuerda: en ningún momento estás solo; los ángeles del Señor están ahí, invisibles, cumpliendo su misión de protegerte y de consolarte.

¡Cuántas veces fuiste un Mike en peligro y ni siquiera te diste cuenta de tu situación! Cada minuto de nuestra vida es un permanente milagro: el aire que respiramos; la lluvia que cae para regar la tierra y permitir que crezca el grano; el sueño que recupera nuestras fuerzas; el Sol, que después de una noche de tinieblas llega trayendo nueva vida y muchas esperanzas. Todo es un milagro permanente. Las manos de los ángeles nos abren los caminos, van sacando las piedras de nuestros pies y las espinas de nuestra frente, van cerrando la boca de los leones y mostrándonos diariamente el amor infinito de Dios.

¿Por qué dudar entonces, cuando un día el Sol no brilla con la misma intensidad? ¿Por qué lamentar cuando la noche es más fría de lo normal? En medio del dolor canta, alaba el nombre de Dios, y sentirás que existe. ¡Alguien más está cantando contigo!

Orar es abrir la puerta a Jesús

Yo estoy a la puerta y llamo; si alguno oye mi voz y abre la puerta, entraré a él y cenaré con él y él conmigo. **Apocalipsis 3:20.**

¿Pensaste alguna vez que este versículo tuviera algo que ver con la oración? A primera vista, Jesús está pidiendo y el hombre rechazando, pero existe algo que necesita ser entendido con relación a la oración. Orar no es nada más que dejar a Jesús entrar en nuestro corazón. No es nuestra oración la que hace que Jesús se anime a venir en solución de nuestros problemas. Es él quien nos inspira a orar, quien está a la puerta suplicando, deseando entrar. Nosotros oramos porque él tocó a la puerta. La oración no es una iniciativa nuestra de dirigirnos a Dios, sino simplemente nuestra respuesta al pedido de Jesús para entrar en nuestra vida.

Tal vez con este pensamiento sea más fácil entender lo que registra el profeta Isaías: "Antes que clamen, yo responderé; mientras aún estén hablando, yo habré oído" (Isaías 65:24).

La oración es el aliento del alma. Si ella es la respiración del alma, entonces pensemos un poco en ese acto. ¿Tenemos que esforzarnos para respirar o para dejar de respirar? El oxígeno está a nuestro alrededor, sólo tenemos que dejarlo entrar en nuestros pulmones, y al hacerlo traerá nueva vida y energía a cada célula.

Así es con el aire que necesita nuestra alma. Jesús está ahí, en la persona de su Santo Espíritu, deseando ardientemente entrar en nuestro corazón, y cuando oramos, sólo estamos dejándolo entrar.

No oramos para pedir cosas y cambiar la opinión de Dios a través de nuestra insistencia. Es él quien quiere ver nuestra vida cambiada y solucionar nuestras dificultades. Es él quien toca a la puerta y desea cenar con nosotros. El acto de cenar enfatiza la intimidad que Jesús quiere tener con su pueblo. Quiere entrar en la recámara de nuestra vida, en la cocina, quiere tocar las ollas y sentarse con nosotros al calor de la hoguera. Sólo que él nunca viene con las manos vacías, porque siempre viene trayendo consuelo, consejo, sabiduría para tomar decisiones, poder para vencer obstáculos y coraje para convivir con lo que no puede ser cambiado.

El resultado de la oración no depende de la fidelidad o de la vida consagrada de quien ora. La fidelidad y la vida consagrada son en sí mismas el resultado de la oración. No pienses nunca que si tu oración está acompañada de lágrimas y de emociones fuertes, eso hará que Dios te bendiga más. Tú simplemente tienes que abrir tu corazón. Orar es permitir que él entre y participe de nuestros sueños, de nuestras luchas, victorias y derrotas.

Cuando la persona no ora, vive sola, aislada. Se siente sola, lucha sola y es derrotada sola. Los que desean ser más semejantes a Jesús deben permanecer siempre sensibles para oír su llamado, abrirle la puerta y dejarlo entrar ¿Estás dispuesto a dejarlo entrar hoy?

5 de julio

Orar es aceptar la insuficiencia humana

Respondió Jesús y le dijo: "Lo que yo hago, tú no lo comprendes ahora, pero lo entenderás después". S. Juan 13:7.

¿Responde Dios todas las oraciones? ¿Por qué a veces sentimos como que tiene tiempo para todos, menos para nosotros? ¿Alguna vez te sentiste tan pequeño, tan indigno y tan pecador que pensaste que no tenías derecho a que Dios prestara oídos a tu oración? Entonces existe algo que necesitas entender: tu sentido de insuficiencia es tu mejor oración. El primer paso para comenzar a percibir en nosotros la respuesta divina, es sentir que somos débiles y necesitados.

Cuando oramos y le contamos a Dios todo lo que sucede en nuestra vida, cuando llega la noche y le abrimos el corazón para hablar sin la preocupación del reloj, no es porque debamos hacer un informe de lo que hicimos a lo largo del día, sino para crear en nosotros el sentido de dependencia y necesidad de él.

Aunque no hablásemos nada, y simplemente cayéramos de rodillas reconociendo que necesitamos de él, el Señor Jesús oiría y atendería nuestras necesidades.

Tú que eres madre tal vez consigas entender lo que estoy diciendo. Mira a ese hijito maravilloso que tienes en la falda. No sabe hablar, pero tiene necesidades: alimento, atención y el calor de la madre. Todo lo que sabe hacer es llorar, pero tú no estás esperando a que él hable para entender sus necesidades. Porque lo amas, te esfuerzas por adivinar lo que necesita. Tú eres madre en función de él. Ese pequeño bebé es objeto de todo tu cariño y atención, sin importar si son las 8 de la noche o las 2 de la madrugada.

Es más o menos así como Dios nos trata. Al orar, dejas de huir de Dios. Le abres el corazón y le permites entrar. Permites que él participe de tus sueños y planes. Dejas que él tome parte de los detalles más íntimos de la vida. Tú nunca estás solo. Él y tú llegan a ser una sola persona. Él en ti, santificando tu voluntad y viviendo en ti las grandes obras de victoria.

Ahora que ambos son uno y viven juntos, aprende a confiar en él. Aprende a no desesperarte cuando las respuestas divinas no son conforme a tus expectativas humanas. Orar es sentir la insuficiencia humana y abrir el corazón a Dios como a un amigo. Muchas veces él tendrá que decirte: "Lo que yo hago, tú no lo comprendes ahora, pero lo entenderás después".

Dios siempre dirige nuestra vida como nosotros también la dirigiríamos si pudiésemos ver el fin desde el principio, dice Elena de White (ver *El Deseado de todas las gentes*, pág. 197). Y el futuro se encargará de mostrar cómo las horas que pensábamos que Dios no oía nuestras oraciones, fueron las horas en que él estaba más cerca de nosotros.

La mano del Señor nos protegió

El doce del primer mes partimos del río Ahava para ir a Jerusalén; la mano de nuestro Dios estaba sobre nosotros y nos libró de manos de enemigos y asaltantes en el camino. **Esdras 8:31.**

Esdras debía regresar de Babilonia a Jerusalén, con la finalidad de proclamar el edicto que favorecía a los judíos y los autorizaba a construir un templo de adoración a Dios. Toda gran empresa requiere oración y espíritu de recogimiento, y Esdras no quiso iniciar la jornada sin la seguridad de que Dios estaría en el control de la situación. El camino era peligroso y lleno de salteadores que esperaban escondidos a sus inocentes víctimas.

El escriba de Israel cuenta que tuvo vergüenza de pedirle al rey una escolta de soldados para protegerlos durante el camino, porque le habían dicho al rey que "la mano de Dios está, para bien, sobre todos los que lo buscan" (vers. 22). La fe tiene que ser probada y demostrada. ¿Qué mérito existe en creer en un Dios Todopoderoso, si a la hora de salir lo hacemos armado hasta los dientes para protegernos? ¿Quiere eso decir que debemos dejar las puertas de la casa abiertas, confiando en que el Dios que guarda a Israel vigilará y suplirá nuestra falta de cuidado?

Los que por la comunión diaria con Cristo se hacen cada día más semejantes a Jesús, nunca confundirán fe con presunción, y tampoco empuñarán armas, creyendo que Dios dice, en lenguaje del pueblo: "Cuídate que te cuidaré".

La prudencia es una cosa, la violencia es otra completamente diferente. Jesús le ordenó a Pedro que guardara la espada porque el que "a espada mata, a espada morirá" (ver S. Mateo 26:52).

Esdras y los príncipes de Israel, quienes dejaron Babilonia para ir a Jerusalén a edificar el templo de Dios, conocían el peligro de la carretera y sintieron la necesidad de la protección divina, especialmente al pensar en que llevaban con ellos el equivalente a cinco millones de dólares de nuestros días, los que habían sido recogidos como ofrendas para la construcción de la casa de Dios. La jornada fue dura. "Allí, junto al río Ahava, proclamé un ayuno", dice Esdras (vers. 21). Y después añade: "Partimos del río Ahava... la mano de nuestro Dios estaba sobre nosotros y nos libró de manos de enemigos y asaltantes en el camino".

Este es el gran pensamiento para todo el que tiene que comenzar una empresa o un viaje. Cuán animador es saber que aunque el camino pueda estar lleno de enemigos, "armando asechanzas", el poder sustentador del Padre es grande para ayudarnos a llegar sanos y salvos al fin de la jornada.

No temas si hoy tienes delante de ti una jornada llena de desafíos. No temas si la embarcación parece temblar y hay mucha gente queriendo que se hunda. Pregúntate a ti mismo: "¿Quién está en el control de la situación? ¿Ya tuve mi momento junto al río Ahava? ¿Ya pasé un tiempo a solas con Jesús?" ¡Entonces, sigue adelante sin temor!

7 de julio
El amor al poder versus el poder del amor

Ve y reúne a todos los judíos que se hallan en Susa, ayunad por mí y no co-máis ni bebáis durante tres días y tres noches. También yo y mis doncellas ayunaremos, y entonces entraré a ver al rey, aunque no sea conforme a la ley; y si perezco, que perezca. **Ester 4:16.**

Era una jovencita preciosa que había conquistado el corazón de un rey. Ya no era una simple ciudadana. Era la reina del imperio. Tenía todo el mundo a sus pies. Si, olvidando su pasado humilde, tratara de vivir con toda la intensidad del nuevo estilo de vida que las circunstancias le presentaban, con certeza no sería juzgada ni condenada. Al fin de cuentas, eso es lo que generalmente sucede con quien alcanza el éxito.

Pero he aquí un pueblo condenado al exterminio por causa de sus principios, y la única persona que puede hacer algo para solucionar el problema es ella. Sin embargo, presentarse ante el rey, sin ser llamada, significa un altísimo riesgo. ¿Por qué arriesgar todo lo que había conseguido, simplemente para ayudar a gente que, aunque querida, no representaba otra cosa que su pasado de pobreza y anonimato?

En el mundo existen personas para quienes el poder es un fin en sí mismo. Para otros, el poder es apenas un medio para servir mejor, y si para servir es preciso perder el poder, no tienen miedo de perderlo, porque prefieren dormir en paz con su conciencia antes que soportar la agonía de un poder que no tiene sentido.

Ester era un ser humano que tenía miedo, como todo ser humano. Temblar ante el peligro es propio de nuestra naturaleza, pero la joven y maravillosa reina sabía adónde recurrir en busca de seguridad y fuerza. "Ve y reúne a todos los judíos que se hallan en Susa", le dijo a su tío Mardoqueo, "ayunad por mí... También yo y mis doncellas ayunaremos, y entonces entraré a ver al rey, aunque no sea conforme a la ley; y si perezco, que perezca".

En la historia de las grandes decisiones, ésta de Ester quedará registrada como una de las mayores: estar dispuesta a tirar por la ventana todo lo que había conseguido en la vida por causa de su pueblo. Para ella, el poder tenía sentido sólo si servía para ayudar a los demás. Entre el amor al poder y el poder del amor, este último venció en el corazón de esa jovencita bonita que un día conquistó al rey.

Ahora es posible entender por qué, entre todas las jóvenes hermosas de ese imperio, fue ella la victoriosa. No eran solamente sus lindos ojos o su cabellera suelta o su piel morena. Era la fuerza del amor, la fuerza de sus principios, esas cosas maravillosas que sólo son capaces de conocer los que viven una vida de compañerismo permanente con Jesús.

¿Cuáles son las motivaciones de tu vida? ¿Quieres conquistar la montaña? ¿Para qué? ¿No sería interesante que te arrodilles y respondas esta pregunta ante Dios?

Actos buenos que no tienen valor

Hizo él lo recto ante los ojos de Jehová, aunque no de perfecto corazón. 2 Crónicas 25:2.

Amasías quedó en la historia como el hombre que "hizo lo recto ante los ojos de Jehová, aunque no de perfecto corazón". Es posible hacer cosas buenas, pero finalmente ser reprobado por Dios. El joven rey de Judá, que asumió el poder a los 25 años de edad, es un triste ejemplo de las personas que se esfuerzan para agradar a los otros, pero todo lo que hacen es hueco, porque no nace de un corazón convertido. Hay cristianos que creen que deben vivir de acuerdo con las normas divinas para poder ser salvos. Otros admiten que no hay nada que podamos hacer para ganar la salvación.

¿Por qué tanta confusión en cuanto a la salvación? ¿Qué es lo que Dios realmente está deseando? ¿Que los hombres hagan lo que es recto como mera fórmula, o que hagan lo que es recto con corazón perfecto?

Llevar a una persona a vivir una vida de obediencia exterior es relativamente simple. Pero inducir a una persona a una vida de obediencia auténtica requiere amor, paciencia y tiempo para enseñarle cómo es que Dios desea llevar a su pueblo a "hacer lo que es recto con corazón perfecto".

Si inducimos a la gente a creer que se va a salvar simplemente porque llevan una vida correcta, estaremos contribuyendo de alguna forma a su perdición y cayendo en la misma tragedia de algunos líderes de Israel, quienes recorrían mar y tierra para hacer un prosélito, pero cerraban el reino de Dios delante de los hombres.

Por otro lado, si predicamos sólo acerca de la gracia redentora de Cristo, sin mostrarles que no hay salvación sin frutos, y que los frutos deben proceder de una vida de comunión con Cristo, corremos el peligro de crear una generación acomodada, tibia y secularizada.

Nuestra salvación es gratuita. No hay nada que podamos hacer para ganarla. Incluso "el aceptar" ya es un fruto del Espíritu Santo, que opera en nosotros tanto el querer como el hacer.

¿Cómo viven los salvos? Ese es nuestro gran desafío: mostrar cómo se visten, cómo se comportan, qué tipo de música y recreaciones tienen los que fueron salvados por Jesús. Pero nunca debemos presentar eso como la razón de nuestra salvación.

Amasías hizo lo que era recto a los ojos de Dios. Pero eso, sencillamente, no bastaba. Fue reprobado, porque no lo hizo con corazón perfecto. La obediencia en sí no tiene mérito salvador. La obediencia sólo tiene un olor suave cuando procede de un corazón salvado y agradecido a Dios.

Hagamos de este día, un día de comunión y compañerismo con el único que es capaz de llevarnos por el camino de la obediencia auténtica.

¿Cuáles son nuestras motivaciones?

Había en el país de Uz un hombre llamado Job. Era un hombre perfecto y recto, temeroso de Dios y apartado del mal. Job 1:1.

La vida del patriarca Job nos muestra la forma como actúa el diablo cuando quiere destruir lo más hermoso que el hombre posee: su relación de amor con la fuente de la salvación, que es Cristo.

La Biblia presenta a Job como un hombre perfecto. La integridad y rectitud de su vida eran fruto de su amor por Dios. Él se "apartaba del mal" porque temía causar sufrimiento al corazón de la persona que más amaba. Y el resultado era que Dios se enorgullecía de Job. Con alegría señalaba la vida de ese siervo amado y decía al enemigo: "Mira esa vida, ¿ves cómo ese hijo me ama y anda en mis caminos?"

Pero el enemigo siempre conserva un arma escondida debajo de la manga. Para él no hay peor derrota que la vida de un hombre que decide seguir a Jesús, le entrega el corazón y sale de la esclavitud en que vivía. Satanás no podía soportar que Job escapara de sus manos, y que además Dios lo señalara como un hombre victorioso y un ejemplo de integridad.

Por eso atacó: "¿Acaso teme Job a Dios de balde... Extiende ahora tu mano y toca todo lo que posee, y verás si no blasfema contra ti en tu propia presencia" (vers. 9, 11).

El diablo estaba hablando de las motivaciones. "Servir a Dios", decía él, "cualquiera lo puede hacer si es recompensado con tantas bendiciones. Él no te ama. Sácale todo lo que tiene y conocerás sus verdaderas motivaciones".

La pregunta de hoy es: ¿Conoce Dios los motivos íntimos que escondemos en el corazón? ¿Podemos engañarlo? Si él sabía las motivaciones de Job, ¿por qué le "dio cuerda" al diablo y permitió todo el sufrimiento de su siervo?

Muchas veces atravesamos el valle de sombra de muerte, no por nuestra causa, sino por amor a otras personas. Somos espectáculo al mundo y a los ángeles. Todo el universo está mirando hacia la Tierra, observando el conflicto de los siglos, y he aquí una acusación más del enemigo: "Él no te sirve de balde".

El sufrimiento de Job fue para la gloria de Dios y para la bendición de todo el universo. Cuando el patriarca llegó al fondo del pozo —pobre, enfermo, solo, abandonado por todos—, dijo: "Yo sé en quién he creído" (ver Job 19:25; 2 Timoteo 1:12). El diablo recibió en la cara una de las mayores bofetadas. Quedó desenmascarado ante las criaturas de los otros planetas. Toda la vileza y perversidad de su carácter quedaron expuestas una vez más.

¿Cuáles son las motivaciones de nuestro servicio? ¿Estamos del lado del Padre sólo cuando las cosas van bien? ¿O continuamos amándole y confiando en él en las horas de sufrimiento?

10 de julio

Nos libertó y nos habló con amor

Sucedió que en el año treinta y siete del cautiverio de Joaquín, rey de Judá, en el mes duodécimo, a los veinticinco días del mes, Evil-merodac, rey de Babilonia, en el año primero de su reinado, levantó la cabeza de Joaquín, rey de Judá, y lo sacó de la cárcel. **Jeremías 52:31.**

La historia de la liberación del rey Joaquín se encuentra registrada dos veces en las escrituras (ver 2 Reyes 25:27-30). Y si Dios permite que esta historia se repita, casi con las mismas palabras, debe ser porque existe en ella un mensaje muy importante para nosotros.

Joaquín comenzó a reinar en Judá cuando tenía 18 años, y era un joven inexperto (aunque la juventud no debe ser culpada por vivir apartado de Dios). "E hizo lo malo ante los ojos de Jehová, conforme a todas las cosas que había hecho su padre", dice el registro sagrado (2 Reyes 24:9). Aquí hay un mensaje importante para los padres: se refiere a la influencia ejercida sobre sus hijos con su vida y ejemplo.

El mal siempre trae consecuencias, y apartado del Dios todopoderoso, el reino de Judá no podía durar mucho tiempo. El enemigo vino, destruyó todo y arrasó la historia del pueblo al romper en pedazos "todos los utensilios de oro que había hecho Salomón, rey de Israel, en la casa de Jehová" (vers. 13). Generalmente, el pecado arruina todo: el nombre, la imagen, los valores... en fin, no deja nada.

Joaquín fue llevado prisionero a Babilonia y allí, en una estrecha y humilde prisión, desperdició el resto de su juventud. Había reinado apenas tres meses cuando fue preso. Una vida que podía haber sido una bendición para su pueblo, quedó destruida por la insensatez de vivir apartado de la única fuente de seguridad que el ser humano puede tener. Treinta y siete años después subió al poder Evil-merodac, y mandó llamar al cansado prisionero. Joaquín tenía 55 años de edad. El texto bíblico dice que el rey hizo cuatro cosas con Joaquín: lo sacó de la prisión, le habló suavemente, le cambió el vestido de presidiario y lo alimentó diariamente hasta el fin de sus días.

La figura del rey de Babilonia aparece aquí como un tipo de Cristo, que un día nos encontró en la prisión de nuestros sentimientos, de nuestro pasado, encadenados a traumas y complejos que no nos permitían ser felices, y nos liberó. Nos habló suavemente y con amor, diciendo: "Hijo, te amo tal como eres, aunque hayas desperdiciado toda tu vida en una prisión inmunda; nunca dejé de creer en ti. Ven hoy a mis brazos de amor". Después nos quitó las ropas inmundas de prisioneros, sacó la vergüenza de nuestro triste pasado y al vestirnos con sus blancas vestiduras de justicia, nos devolvió la dignidad y las posibilidades futuras.

Pero la salvación no termina sólo en el perdón. Él nos redimió para que vivamos de ahora en adelante una vida de victoria, para que seamos santos y reflejemos cada día su carácter. Por eso preparó nuestra subsistencia, la porción de cada día, en su día, todos los días de la vida. ¡Alabado sea Dios por esto!

La renuncia del amor

El que halle su vida, la perderá; y el que pierda su vida por causa de mí, la hallará. **S. Mateo 10:39.**

Una vez oí contar la historia de Jim, ese maquinista norteamericano cuya vida era una inspiración para todos los que trabajaban con él. Dicen que al presidente de la compañía ferroviaria sólo le gustaba viajar con él, porque era un buen cristiano.

Cierto día sucedió un terrible accidente y Jim quedó aprisionado entre los retorcidos hierros del tren; su muerte era inminente. Ya había perdido mucha sangre y se debatía en la agonía, cuando el presidente de la compañía, que también viajaba en esa oportunidad, trató de ayudarlo.

—Yo sé en quién he creído —repetía en voz bajita el moribundo Jim.

Los ojos del presidente se llenaron de lágrimas. Quedó admirado de la confianza que ese hombre tenía en Jesús, y afirmó:

—Qué gran fe es la tuya, Jim; yo daría todo para tener una fe como esa.

—Fue exactamente lo que tuve que hacer por Jesús —fue la respuesta de Jim.

¿A cuánto renunciamos nosotros por causa de Cristo? Cuando el ser humano logra entender todo el amor que llevó al Señor Jesús a sacrificar su vida en la cruz del Calvario, no tiene otro camino que caer a los pies de la cruz y decir: "Señor, muchas gracias porque me amaste sin merecerlo". A partir de ese momento se inicia la maravillosa experiencia de andar lado a lado con Jesús. El amor de Cristo nos constriñe, nos inspira, nos lleva a gustar de las cosas que antes no gustábamos, nos lleva a no querer vivir más sin él.

Con el correr del tiempo esta experiencia va creciendo cada vez más. El corazón humano comienza a entender que no vale la pena vivir sin Jesús, porque la vida destituida de Cristo no tiene sentido. Pero continúa viviendo en este mundo con sus atracciones, presiones y tentaciones. Muchas veces se siente acorralado. El brillo de las cosas terrenas puede cautivarlo, pero ahora ya no es un ser carnal, pues pasó de muerte a vida: experimentó el contraste del bienestar pasajero que el mundo ofrece, y la paz y la felicidad auténticas que sólo Cristo puede proporcionar.

Al amor de Cristo es a quien el cristiano entrega todo. Renuncia a todo lo que puede incomodar su maravillosa comunión con Cristo. Sabe que nada puede igualarse al amor de Jesús. Quiere ver una sonrisa de felicidad en el rostro del ser amado, y le entrega el primer lugar en su vida.

Cuando el Señor Jesús dice que no debemos amar con mayor intensidad a nuestro padre o a nuestra madre que a él, no está queriendo decir que amar y respetar a los padres sea algo malo en sí mismo; lo que quiere decir es que ni personas tan buenas como los padres tienen el derecho que sólo Cristo tiene: ocupar el primer lugar en nuestra experiencia.

Jim, el maquinista norteamericano, murió con la seguridad de esa realidad. ¿Y qué en cuanto a ti y a mí?

Nuestra única seguridad

Él es sabio de corazón y poderoso en fuerzas, ¿a quién, si quisiera resistirle, le iría bien? Job 9:4.

Judas tuvo las mismas oportunidades que los demás discípulos. Fue alcanzado por el amor de Jesús lo mismo que Pedro a orillas del mar, o Mateo en el banco de los cobradores de impuestos. Tal vez el temperamento del egoísta Pedro, o del explosivo Juan, el hijo del trueno, fuese peor que el de Judas. Sólo que todos ellos fueron un día sensibles a la voz de Jesús y acudieron a él llevando su carácter deformado por el pecado, su personalidad desfigurada por los traumas y complejos y un pasado lleno de episodios vergonzosos.

La tragedia de Judas no se debió a la falta de oportunidades. Así como los otros once, él también tuvo la oportunidad de convivir diariamente con Jesús, pero no obedeció a su voz, sino que fue endureciendo lentamente su corazón, jugando con las cosas santas, y sin darse cuenta entró en la tierra de nadie, en el valle de la insensibilidad, en el país del cual no hay retorno.

"¿A quién, si quisiera resistirle, le iría bien?", es la pregunta que presenta el texto de hoy. Mucha gente queda confusa cuando alguien que estudiaba y predicaba la Palabra de Dios, cae de repente y se aparta completamente de los caminos de Jesús. Caer, aunque es una experiencia dolorosa y hasta trágica, no sería el mayor problema, porque en el momento en que el ser humano saca los ojos de Jesús puede hundirse en el mar de la vida, como Pedro. Pero, ¿cómo entender que alguien no quiera saber nada más de Jesús, e incluso se vuelva contra Dios, su doctrina y su pueblo?

Casi siempre, por detrás de toda actitud semejante existe una historia de endurecimiento gradual. Nadie abandona a Jesús y a su iglesia de un momento para otro. La voz de Dios, que no es otra cosa que el trabajo del Espíritu Santo en el corazón, siempre está hablándonos. Pero si el hombre comienza a jugar con ella, la oye, pero no le hace caso. Se familiariza con ella, pero no la respeta. Estudia la Palabra, pero no la obedece. Conoce la luz, pero no la sigue. ¿Y cuál es el fin? Nadie puede estar seguro lejos de la orientación divina. "¿Quién se endureció contra él y le fue bien?"

La única seguridad del hombre es dejarse guiar por la voz del Espíritu, y también lo es la de la iglesia. Tengo la certeza de que la iglesia triunfará. Pero no será por causa de una profecía que anuncia su victoria, sino porque permitió ser guiada por el Espíritu Santo. La seguridad de la iglesia no está en sus edificios, ni en sus instituciones, ni en los hombres brillantes que pueda tener, ni en los métodos, por más bíblicos que sean. Ella triunfará sólo en la medida en que todos, líderes y liderados, seamos sensibles a la voz de Dios, porque nadie se endureció contra él y permaneció seguro.

El fin de Judas fue trágico. Cuando vio que todo estaba perdido, se apoderó de él el remordimiento y la desesperación. Entonces fue y se ahorcó. Un triste final para alguien que convivió con Jesús pero que nunca quiso oír su voz.

¿Salvado por un ángel?

Truena Dios maravillosamente con su voz. Hace grandes cosas, que nosotros no entendemos. **Job 37:5.**

Francisco se levantó por la mañana con la sensación de que despertaba en un pequeño bote, sin remos, en medio del océano. Ese día debía pagar tres facturas y no tenía un centavo en caja. Todos los intentos por conseguir dinero el día anterior habían fracasado. Estaba ante una dura realidad. Si no pagaba las deudas, sería protestado, y el negocio no andaba tan bien como para resistir un protesto bancario.

¿Qué hacen los hijos de Dios cuando soplan vientos contrarios y parece que la barquita se va a hundir? ¿Adónde corren a refugiarse quienes confían en el Señor? Francisco cayó de rodillas y dijo: "Señor, humanamente no hay salida para mi problema, pero tú estás por encima de todo y eres todopoderoso. Necesito un milagro, y es eso, exactamente, lo que estoy pidiéndote que hagas para salvar mi negocio".

A las 8 de la mañana abrió el negocio. Para poder cumplir con el compromiso debía vender hasta el mediodía el equivalente a tres de los mejores días de venta. Él y los vendedores esperaban con expectativa la entrada de los clientes, pero nadie aparecía. El reloj indicaba ya las 9:30 cuando entró un hombre acompañado por dos jóvenes. Comenzó a comprar. Pidió un par de zapatos, y otro, y otro. Francisco y el vendedor que atendía al caballero se miraban uno al otro, desconcertados. El hombre no paraba de pedir, y cuando llegó la hora de pagar, sacó del bolsillo un enorme rollo de billetes y pagó todo al contado.

Francisco le preguntó: "¿Quién es usted? ¿Puedo ayudarlo a llevar sus paquetes hasta el auto?" El hombre le dijo que no era necesario, que había llegado esa mañana, que había subido por la Av. 7 de Septiembre, en Salvador, y había sentido deseos de entrar y comprar zapatos.

Cuando el extraño visitante desapareció, Francisco corrió a la caja. Tenía allí la suma exacta que necesitaba para pagar las cuentas. Dios no había fallado.

Dios hace grandes cosas que muchas veces no comprendemos. Dios no duerme, está siempre vigilante y atento a la oración de sus hijos.

Podemos confiar en él. Nunca falla. Su respuesta puede no armonizar con nuestras expectativas, pero no falla. ¡Cree en eso!

La tragedia de los topos

No temas, porque yo estoy contigo; no desmayes, porque yo soy tu Dios que te esfuerzo; siempre te ayudaré, siempre te sustentaré con la diestra de mi justicia. **Isaías 41:10.**

El topo es un roedor que, sin que la gente se dé cuenta, devora las raíces de los árboles y causa muchos estragos. Cuando se pueden ver los resultados, ya es demasiado tarde. Trabaja en silencio por los innumerables túneles que construye debajo de la tierra.

Terminar con estos roedores es muy difícil, porque uno nunca sabe dónde están. Seguir la trayectoria de un túnel es perder el tiempo, porque se esconden en los numerosísimos laberintos subterráneos.

Sin embargo, alguien descubrió la manera de ahuyentarlos para siempre. Los topos no ven muy bien, pero poseen un oído muy sensible. Entonces, las personas colocan en la boca del túnel un aparato que produzca barullo, como ser una sierra eléctrica. El pobre del topo, que no ve nada, simplemente oye un ruido extraño, como si todo el mundo estuviera cayéndose en pedazos, y huye desesperado para salvar la vida.

¿Sabes cuál es la tragedia del topo? Que no ve. Si pudiese ver se daría cuenta de que no hay motivos para correr. "No temas", dice el versículo de hoy, "porque yo soy tu Dios, que te esfuerzo; siempre te ayudaré, siempre te sustentaré con la diestra de mi justicia".

Puede ser que no lo veas, pero él está ahí, a tu lado, cumpliendo la promesa que te hiciera. Cuántas veces corremos asustados porque el ruido de las pruebas y dificultades es muy grande. Por favor, no corras; abre los ojos de la fe y contempla a Dios y a los ejércitos del cielo dispuestos a ayudarte.

En las horas difíciles, en lugar de correr, detente a pensar, a meditar y a aprender a confiar en Dios. Media hora empleada en comunión con Jesús por la mañana, no la sentirás en tu programa de trabajo, pero te ayudará a ver que no estás solo; abrirá tus ojos para ver a quien "te sustenta, o te ayuda y protege con la diestra de su justicia".

Los que desean ser más semejantes a Jesús, viven una vida de compañerismo diario con él, y el resultado de esa experiencia es que lo conocen cada día más. Así confían en él en los momentos más oscuros, aquellos en los que tenemos la impresión de que Jesús desapareció y se olvidó de nosotros.

En el período final de la historia humana, el verdadero pueblo de Dios tendrá que vivir sin intercesor por un breve período de tiempo. ¿Qué será de nosotros si no aprendemos a verlo en medio de todo el bullicio de las pruebas y los momentos difíciles? Jesús es el amigo que nunca falla. Experiméntalo.

El futuro siempre es mejor

Cuando Job hubo orado por sus amigos, Jehová le quitó la aflicción; y aumentó al doble todas las cosas que habían sido de Job. **Job 42:10.**

En cierta ocasión el Pr. Jair Goés fue invitado a visitar a un enfermo en la ciudad de Juazeiro. Era un joven rubio, atractivo, que estaba en la fase terminal del SIDA. El encuentro fue dramático, como todo encuentro en que ronda la muerte. Veinticinco años son pocos para pensar en el fin de la existencia, pero el enemigo cobra muy caro el precio del pecado.

El Pr. Jair creyó que un tema oportuno para esa ocasión podía ser la parábola del hijo pródigo. Abrió la Biblia y, después de analizar la parábola, hizo un llamado para que Marcio regresara al hogar.

"¿Usted piensa que todavía tengo tiempo? ¿Piensa que el Padre todavía puede recibirme?", fue la pregunta vacilante que salió de los labios, con mucha dificultad, expresando lo que el corazón sentía. El pastor lo animó, y, antes de irse, Marcio le dijo: "Si usted cree realmente que yo puedo volver al Padre, por favor, visíteme mañana".

El pastor visitó frecuentemente al joven enfermo, quien fue conociendo cada día más y más a Jesús. Se apasionó por él y le entregó el control de su vida hecha pedazos.

Seis meses después, para sorpresa de los médicos, Marcio salió del hospital y volvió a su casa. Algún tiempo más tarde, fue bautizado y se unió a la iglesia y, por la gracia de Dios, consiguió vivir dos años y medio más; finalmente, la enfermedad fatal cobró su víctima. Murió a los 28 años, pero cerró los ojos en la bendita esperanza del regreso de Cristo. El Pr. Jair lo visitó algunas semanas antes de su muerte. Débil y consumido por la enfermedad, pero con un brillo especial en los ojos, Marcio balbuceó: "Usted tenía razón, todavía podía volver al hogar". El Señor le dio a Job "el doble de lo que antes poseía", dice el texto de hoy. Claro, entre la vida perfecta de Job y el pasado tormentoso de Marcio no existe comparación. Pero con seguridad, Dios le entregó a Marcio "el doble de lo que antes poseía". Murió consumido por una enfermedad física, pero murió feliz en Cristo. Los dolores de la agonía no fueron capaces de robarle la paz del perdón y la seguridad de la salvación.

¿Qué perdió? Una vida acabada por el pecado, un mundo donde las personas corren permanentemente para poder sobrevivir, una Tierra contaminada por la miseria, el egoísmo y la ambición humana. Recibió el sueño transitorio de la muerte y ganó la vida sin fin, la cual recibirá cuando Jesús regrese.

Nadie que corra a los brazos de Jesús quedará jamás defraudado, pero conozco personas indecisas que quedan devoradas por el fuego del prejuicio, del temor y de las dudas, y abrazadas al tormento de sus propias filosofías.

¿Por qué no ir hoy a Jesús y vivir una vida maravillosa de comunión con él? El futuro siempre es mejor para quienes confían en el Señor.

Ayuda para los que ya no tienen fuerza

¿En qué has ayudado al que no tiene fuerzas? ¿Cómo has protegido al brazo débil? Job 26:2.

Un martes del mes de marzo de 1991, el auto de Isaías Apolinário, diácono de la iglesia de Riacho Grande, en San Pablo, fue violentamente interceptado por otro automóvil, del cual descendieron tres hombres armados. Ese fue el comienzo de una pesadilla que conmovió a la Iglesia Adventista y a la opinión pública brasileña. Isaías Apolinário había sido secuestrado y los delincuentes pedían dos millones y medio de dólares por su rescate.

Los secuestradores llevaron al cautivo a una choza en el barrio de Diadema y lo encerraron en un cubículo de un metro y medio por dos. Un colchón de espuma de 7 cm de espesor, tirado en un rincón del suelo húmedo, fue todo lo que el anciano de 73 años tuvo para reposar el cansado cuerpo durante los largos días en que permaneció en poder de los secuestradores.

¿Adónde van los hijos de Dios cuando aparecen las dificultades? Esos trece días quedarán en la memoria de la familia Apolinário no sólo como días de tensión, miedo y expectativa, sino como días en la dura escuela del sufrimiento, días en los que aprendieron lo que significa el poder protector de Dios.

Pasado el momento inicial de sorpresa, y consciente de su situación de prisionero, Isaías entregó su vida a Dios y le dijo: "Señor, tuviste cuidado de mi vida a lo largo de todos estos años. Has sido muy bueno conmigo y me has dado mucho más de lo que merezco. No te pido ahora tanto por mí, te pido por mi familia. Finalmente, yo sé cómo estoy. Estoy vivo por tu misericordia, pero mi familia sufre sin saber nada de mí. Confórtala y dale la certeza de tu amor y misericordia".

Los días pasaban y parecían cada vez más interminables. La humedad del cubículo en que se encontraba comenzó a afectarle los bronquios. Tomó un diario viejo y lo colocó en la espalda y en el pecho para poder dormir. Estaba cansado; ya no era joven para resistir una experiencia como esa. Pero el texto de hoy dice: "¿En qué has ayudado al que no tiene fuerzas? ¿Cómo has protegido al brazo débil?" Y ese Dios maravilloso nunca dejó de estar presente en la vida de ese anciano y de la familia, que cuando se sentía desanimada, experimentaba la ayuda y el consuelo que sólo Jesús puede dar.

Finalmente, trece días después del secuestro fue dejado libre en la Via Anchieta con el dinero suficiente como para tomar un ómnibus y llegar a su casa. La pesadilla había acabado, pero la confianza en quien nunca falla estaba más robustecida.

Doña Leonor, la esposa, declaró que, aunque no deseaba dicha experiencia para ningún hijo de Dios, ella y toda la familia alababan el nombre del Creador porque en medio de todo el sufrimiento habían aprendido dos cosas: la solidaridad del pueblo de Dios cuando se une en una cadena poderosa de oración, y el poder maravilloso de Dios para consolar, liberar y hacer que todas las cosas contribuyan para bien en la vida de los que aman al Señor.

El capítulo que no debería existir

Pasado el luto, envió David por ella, la trajo a su casa y la hizo su mujer; ella le dio a luz un hijo. Pero esto que David había hecho fue desagradable ante los ojos de Jehová. **2 Samuel 11:27.**

El capítulo 11 del segundo libro de Samuel nunca debería haber sido registrado en las Escrituras. Este capítulo es un retrato de la miseria y vileza de la que es capaz el ser humano cuando rompe su comunión diaria con Dios. Pero el capítulo está ahí, como una prueba de que por más doloroso que sea, el pecado es parte de la experiencia humana. Es justamente por eso que Jesús se hizo hombre: para solucionar esta triste situación.

Adulterio y homicidio juntos. ¿Cómo pudo aquel que fue un pastorcito inocente, que en el nombre de Dios había matado osos y leones y acabado con el gigante Goliat, ser capaz de un doble pecado, tan repugnante a los ojos de Dios?

El incidente registrado en este capítulo debería recordarnos siempre que no somos siquiera capaces de imaginar las profundidades a las cuales podemos descender si nos soltamos del brazo poderoso de Jesús.

A veces, ante la noticia de alguien que se hirió en la lucha contra el pecado, preguntamos: "¿Cómo fue capaz de hacer eso?" El hombre carnal es capaz de eso y de mucho más. El capítulo 1 de la epístola a los Romanos nos muestra el cuadro del hombre que no le concede un lugar a Dios en su existencia. Está entregado a pasiones infames, a inmundicias y a la concupiscencia de su corazón.

Gracias a Dios que no existe solamente el capítulo 11 en 2 Samuel. Alabado sea el Señor por el capítulo 12. Gracias al Señor porque el hombre es confrontado con su propia conciencia, que no es otra cosa que la voz del Espíritu Santo; y gracias, sobre todo, porque la gracia redentora del Padre es capaz de tocar el corazón del hijo. David volvió en sí, reconoció la miseria de su situación, se dio cuenta de que había actuado como un monstruo, se encontró lejos del reino de Dios, en la tierra de la culpa, la locura y la muerte, y desde allí gritó: "Señor, pequé, ten compasión de mí".

El Salmo 51 registra el clamor del corazón penitente de un hombre que percibió la enormidad de su pecado, el grito desesperado de alguien que siente que Dios debe hacer un trasplante de corazón en su vida. David reconoce que nació pecador, que el virus del mal está en cada partícula de su ser, pero no se conforma con esa situación, y clama: "Purifícame con hisopo y seré limpio; lávame y seré más blanco que la nieve" (vers. 7).

Cuando el Espíritu Santo nos muestra nuestra realidad, no lo hace para llevarnos a la desesperación o al suicidio, sino para ayudarnos a entender el valor del remedio. "Cuando él venga, convencerá al mundo de pecado, de justicia y de juicio" (S. Juan 16:8). Convencernos sólo de pecado no tendría valor sin la justicia de Cristo, al paso que mostrarnos sólo la justicia no tendría mucho sentido sin mostrarnos el juicio, el cual debemos enfrentar sin miedo, a pesar de nuestro pasado escabroso, porque ya fue perdonado por Jesús.

La fuga del hijo

Pero Absalón huyó y fue a refugiarse junto a Talmai, hijo de Amiud, rey de Gesur. Y David lloraba por su hijo todos los días. **2 Samuel 13:37.**

La reunión había terminado y miles de personas regresaban a sus hogares, después de haber oído el mensaje en el gimnasio deportivo de San Leopoldo. Un colega se me acercó y me dijo en voz baja: "Debes conversar con aquel joven; tiene una historia linda, estuvo fuera de la iglesia durante años y su regreso fue la respuesta a las oraciones incesantes de su padre". Al fin de esa semana el mismo colega me presentó a ese anciano que durante veinte años oró, cinco veces por día, por la vuelta del hijo. Hoy, sonríe feliz porque el vástago no solo está en la iglesia, sino que participa activamente en la misión que Dios dejó a su pueblo.

¿Cuánto significa un hijo en la vida de los padres? "David lloraba por su hijo todos los días", dice el versículo de hoy. Conozco a padres que un día trajeron a su bebé para dedicarlo a Dios en el altar y hoy, crecido, el hijo no quiere saber nada de Jesús y anda por caminos escabrosos, arruinando su juventud y su futuro. Constantemente recibo cartitas de madres angustiadas pidiendo oración en favor del retorno de sus hijos.

¡Ah, mi querido padre, continúa clamando por tu hijo todos los días! Hazlo con lágrimas; coloca tu pedido en manos de Dios con insistencia. Haz como la viuda importuna: golpea, continúa tocando a la puerta (Lucas 18:1-8). Habla como Jacob: "No te dejaré, si no me bendices" (Génesis 32:26). Con certeza, el Señor tendrá compasión de tu hijo y lo traerá de vuelta.

"Pero, pastor —puedes decir—, ¿qué puede hacer Dios si la decisión es personal y mi hijo no quiere saber nada más de Jesús?" Es verdad que la decisión es personal, pero tu oración intercesora le da a Dios el argumento que él precisa para continuar trabajando en el corazón de tu hijo.

Tal vez tú seas un hijo de esos que hace mucho tiempo están apartados de Dios. Es posible que nunca llegues a comprender el sufrimiento de tu padre y mucho menos el de Dios por tu persona, pero debes saber que eres el objeto de todo el cuidado y el amor de Dios. Él nunca dejó de amarte. Siempre te esperó y continuará esperando. El peligro que corres no es de que Dios se canse de esperarte, sino de que tú te canses de oír su voz llamándote y corras definitivamente hacia el desierto de la angustia y el vacío existencial.

Jesús está dispuesto a entrar hoy en tu vida y revolucionarlo todo, pero él no va a tirar abajo la puerta y entrar sin el consentimiento de tu voluntad. Tú tienes que querer, tienes de decidir. La puerta del corazón se abre sólo del lado de adentro. Jesús simplemente dice: "Yo estoy a la puerta y llamo; si alguno oye mi voz y abre la puerta, entraré a él y cenaré con él y él conmigo" (Apocalipsis 3:20).

¿Qué hay detrás de las aguas?

"Abana y Farfar, ríos de Damasco, ¿no son mejores que todas las aguas de Israel? Si me lavo en ellos, ¿no quedaré limpio también?" Y muy enojado se fue de allí. 2 Reyes 5:12.

La lepra estaba devorando las carnes de Naamán. Mientras podía esconder las llagas purulentas debajo de sus finos vestidos, todo estaba, socialmente, bajo control. Pero la repugnante llaga comenzó a mostrarse, y se hizo imposible seguir negando su existencia. Hay ocasiones en que la cultura, la educación, los modos refinados y la cortesía no pueden disfrazar ni esconder la triste realidad del pecado.

Naamán intentó de todo. Al fin de cuentas, era un hombre muy rico; pero el dinero no puede comprar ciertas cosas, y el orgulloso capitancillo se encontró con esa triste realidad. Finalmente, la respuesta para su problema vino a través de los labios de una niña esclava. Naamán no pensó dos veces. Preparó los carros, los cargó con muchos regalos y corrió a comprar el remedio. Uno de los grandes problemas del mundo en que vivimos es que aprendemos a que todo hay que comprarlo, y cuando alguien nos ofrece algo gratis, lo miramos con desconfianza, porque generalmente lo que es gratis no sirve para mucho.

Pero Dios trató el problema de Naamán de una manera diferente de la que él esperaba. Naamán pensó que el profeta lo recibiría con mucha ceremonia y lo convertiría en la estrella de la situación; pero con Dios las cosas no funcionan de ese modo. El profeta sólo envió la orden de ir al Jordán y lavarse siete veces. Naamán se indignó y preguntó: "Abana y Farfar, ríos de Damasco, ¿no son mejores que todas las aguas de Israel?"

Lo que Naamán no sabía era que no había ningún poder sanador en las aguas del Jordán, como no lo hay tampoco en el bautismo o en el hecho de pasar al frente y aceptar a Jesús. Lo que el capitán sirio necesitaba aprender era que los métodos divinos generalmente tienen por objeto mostrar la insuficiencia humana, no porque Dios se deleite en hacer que el hombre se sienta una criatura insignificante, sino porque el ser humano necesita entender que la salvación viene de arriba. La vida viene de afuera, la justicia viene de Cristo.

A lo largo de la historia, el enemigo siempre trató de probar lo contrario. "Si comiereis de este árbol seréis como Dios", le dijo al primer matrimonio. "Concéntrese en usted mismo y trate de sacar la energía interior", dice hoy. "Piense positivamente: Dios está dentro de usted, mire hacia dentro, usted es su propio Dios".

El hombre moderno muchas veces se pregunta: ¿Para qué sirve la iglesia? ¿Para qué sirve Jesús? ¿No son Abana y Farfar mejores que todas las aguas de Israel? No, no son. Sólo que para descubrirlo, muchas veces el hombre tiene que vivir años de angustia y soledad.

Cuando la sabiduría se transforma en maldición

Dios dio a Salomón sabiduría y prudencia muy grandes, y tan dilatado corazón como la arena que está a la orilla del mar. **1 Reyes 4:29.**

Salomón es conocido como uno de los hombres más sabios de la Tierra. La Biblia dice que "para oír la sabiduría de Salomón venían de todos los pueblos y de parte de todos los reyes de los países adonde había llegado la fama de su sabiduría" (vers. 34). La sabiduría es un talento confiado por Dios para ser administrado en favor de su iglesia, la sociedad y la familia, pero cuando se torna un fin en sí misma, deja de ser una bendición y pasa a ser un Dios de barro que llena de orgullo al corazón humano.

En la vida de Salomón hubo tres etapas bien definidas. Los primeros años, cuando todavía era joven, buscaba a Dios como la única fuente de poder. En esas horas solitarias con Dios, el Señor le dijo: "Pide lo que quieras que yo te dé" (cap. 3:5). Salomón podía haber pedido riquezas, gloria y fama, pero pidió sabiduría para ser un líder justo para su pueblo. Sin embargo, el versículo de hoy dice que "Dios dio a Salomón sabiduría y prudencia muy grandes, y tan dilatado corazón como la arena que está a la orilla del mar".

La segunda etapa de la vida de Salomón fue triste y vergonzosa. La sabiduría trajo junto con ella riqueza, gloria y fama, y el joven que un día había vivido una vida maravillosa de comunión diaria con Dios, no supo convivir con las luces del éxito. Se apartó de quien era el único capaz de sustentarlo. La gloria terrestre trajo el sentimiento de que él era una estrella y la fama lo hizo sentirse todopoderoso. ¿Para qué buscar a Dios si se tiene todo? ¿Para qué depender de alguien si no nos falta nada de lo que los sentidos buscan?

Sin Dios, la sabiduría, un talento que el Creador le había confiado, llegó a ser una maldición. Nada puede satisfacer en la vida mientras Dios está ausente. Esa búsqueda loca y desesperada de cosas no es nada más que el grito humano llamando a Dios. La búsqueda desenfrenada del placer llevó a Salomón a sumergirse en las aguas profundas de la promiscuidad y los serios desvíos de conducta.

Pero un día llegó al final de la línea y entonces comenzó la tercera etapa de su vida. Desde el fondo del pozo clamó, y el Señor oyó su voz; Jesús siempre está listo para oír nuestro pedido de socorro. Gracias a Dios porque Salomón tuvo tiempo suficiente como para pedir auxilio y regresar a los brazos del Padre.

Hace poco visité a una jovencita que estaba por graduarse en la facultad. Lo hice con insistencia de los padres. Yo la conocía muy bien, pues había participado conmigo en el Club de Conquistadores y en los campamentos. Pero fue a la universidad y aprendió muchas cosas. Sin embargo, todo el conocimiento que acumuló, en lugar de hacerla más útil a Dios y a su iglesia, la apartó. Se sintió superior e indiferente a las cosas divinas. Vi lágrimas en sus ojos. Percibí la lucha en su corazón. Estoy orando por el regreso de esta joven... y por ti. ¡Quién sabe si hoy tú también no puedes tomar tu decisión!

La búsqueda

Llegó una mujer de Samaria a sacar agua; y Jesús le dijo: "Dame de beber". **S. Juan 4:7.**

Jesús se sentó cerca de un pozo. Era mediodía y hacía mucho calor. Estaba "cansado del viaje", dice la Biblia (vers. 6). ¿Cansado? Dios no se cansa, él es todopoderoso y eterno. Pero, en la persona de Jesús, Dios se hizo hombre. Era la única manera de alcanzarnos. No se disfrazó de hombre; se hizo humano. En él Dios estaba reconciliando consigo al hombre. Con su divinidad, Jesús podía tocar la mano del Dios eterno; con su humanidad, podía tomar la frágil mano del hombre. Él es el puente entre el cielo y la Tierra. La cruz que se levantó en el Calvario tocó el trono de Dios.

Allí estaba Jesús esperando. Una mujer aparecería en cualquier momento y él lo sabía. Hacía tiempo que esperaba. Justamente pasó por esa ciudad porque tenía un encuentro marcado. Era el encuentro de la desesperación con la esperanza, del vacío con la plenitud. Era el encuentro entre la samaritana y Jesús.

Esa mujer no tenía ningún otro lugar a donde ir. Su vida era una permanente búsqueda y llevaba dentro de sí un vacío que dolía. Se había casado, había tratado de ser feliz y todo había fracasado. Intentó de nuevo y fracasó varias veces. Pero el vacío no desaparecía del corazón. Entonces dejó el matrimonio y se volvió hacia un amante, un hombre casado.

No pienses que la lujuria la llevaba a coleccionar maridos. No. Era solamente una persona solitaria y desesperada. Intentaba de todo para ser feliz y nada salía bien.

Ahora estaba allí, buscando agua como todos los días. El agua se terminaría en pocas horas; después tendría que volver al pozo. Siempre sola.

Pero ese día fue diferente. La diferencia se llamaba Jesús. Únicamente él es capaz de quebrar la rutina de la vida y darle un nuevo sentido.

—Dame de beber —dijo el Maestro.

Y la pobre mujer descubrió que no sólo era solitaria y vacía, sino que también estaba llena de prejuicios.

—¿Cómo tú, siendo judío, me pides a mí de beber, que soy mujer samaritana?

Vale la pena recordar que los judíos no congeniaban con los samaritanos (vers. 9). Por primera vez la samaritana estaba delante de alguien capaz de llenar el vacío de su corazón, y el prejuicio casi tira todo al cesto de la basura.

Pero Jesús la acepta con su prejuicio. Con amor le abre los ojos. Le muestra una nueva dimensión de la vida. "Cualquiera que beba de esta agua volverá a tener sed; pero el que beba del agua que yo le daré no tendrá sed jamás" (vers. 13, 14).

Era tomar o rechazar. Ella tomó y rechazó. Tomó el brazo poderoso de Jesús y rechazó sus prejuicios. Nada costaba probar. Probó y acertó.

Esa noche durmió en paz. La búsqueda había llegado a su fin.

Preparaos comida

Id por el campamento y dad esta orden al pueblo: "Preparaos comida, porque dentro de tres días pasaréis el Jordán para entrar a poseer la tierra que Jehová, vuestro Dios, os da en posesión". Josué 1:11.

El gran día estaba cercano. El pueblo de Israel había esperado cuarenta años ese momento. Finalmente, poseerían la tierra prometida. Sin embargo, antes tendrían que atravesar el río Jordán. No existe tierra prometida sin cruzar el Jordán, nunca la libertad sin el Mar Rojo, ni la gloria de la resurrección sin el sufrimiento del Calvario.

"Preparaos comida, porque dentro de tres días pasaréis el Jordán". En el programa divino, el trabajo de preparación es tan importante como la ejecución. Lo que Dios nos está diciendo es lo siguiente: en el momento de la crisis será fácil percibir quién "preparó comida" y quién no.

En la parábola de las diez vírgenes, cinco de ellas hicieron provisión y cinco no la hicieron. Pero ambas aguardaban el regreso de Cristo, ambas creían las mismas cosas. La diferencia estaba en que las prudentes hicieron provisión y las insensatas vivían al día, con lo mínimo indispensable de alimento espiritual. Las insensatas se limitaban a leer la meditación matinal, mientras que las prudentes pasaban mucho tiempo a solas con Jesús en meditación, oración y estudio de la Biblia.

Entre los discípulos hubo la misma situación. Once andaban con Jesús, participaban de sus actividades, comían con él, formaban parte de la misión. Pero cuando llegaba la noche, los once buenos discípulos se retiraban a descansar, mientras uno de ellos, Juan, quedaba a solas con Jesús. Este discípulo era el típico cristiano que salía de la rutina de ser apenas un buen hijo de Dios. Quebraba la monotonía, salía de la mediocridad espiritual y recostaba la cabeza en el corazón de Jesús.

Sólo se vio la diferencia en el momento de la crisis. Cuando el Maestro fue preso, los once lo abandonaron. El único que lo acompañó hasta la cruz fue el que "preparó comida antes de atravesar el río Jordán".

El gran día está cercano. Pronto, muy pronto, veremos a Jesús volviendo en gloria. Pronto, muy pronto, entraremos a tomar posesión de la tierra que el Señor, nuestro Dios, nos prometió. ¿Cuánto tiempo pasamos cada día con Jesús? ¿Estamos preparando alimento para atravesar el Jordán?

El cordón de la gracia

Cuando nosotros entremos en la tierra, tú atarás este cordón de grana a la ventana por la cual nos descolgaste, y reunirás en tu casa a tu padre y a tu madre, a tus hermanos y a toda la familia de tu padre. Josué 2:18.

El día de la destrucción estaba llegando para los habitantes de Jericó. Ninguna nación era capaz de resistir al Señor de los Ejércitos, quien dirigía a su pueblo a la tierra prometida. Jericó, como toda la tierra de Canaán, había "llenado la medida de iniquidad" (ver Génesis 15:16). En su decadencia espiritual y rebeldía, había llegado al punto sin retorno, y serían borrados de la tierra.

Por aquel tiempo, el pueblo de Israel no era sólo un pueblo guerrero, sino que era el pueblo de Dios con la misión de iluminar la Tierra. Todas las naciones podían ser salvas reconociendo y aceptando al gran Dios de Israel y uniéndose a su pueblo. En el versículo de hoy encontramos a una mujer que reconoció, en los grandes actos de victoria de Dios, el llamado del amor divino para ella y para su familia. Su nombre es Rahab, una pobre prostituta buscada por los hombres durante la noche, y despreciada y rechazada por los mismos hombres durante el día. La vida de pecado había acabado con los valores socialmente aceptados, pero, en el fondo del corazón, esta pobre mujer vislumbró el amor divino, sintió que no estaba todo perdido y que todavía había esperanza para ella. Por eso escondió en su casa a los dos espías de Israel, les dio protección y aceptó delante de ellos al gran Dios de Israel.

Al despedirse de ellos quedó establecido entre la mujer y los espías un pacto que incluía un cordón de grana, que debía permanecer colgado en la ventana el día en que el pueblo de Israel llegara para conquistar la tierra. Ese cordón escarlata sería el símbolo de la salvación para la mujer y su familia.

Hoy es el día de la salvación. Cuando Jesús vuelva, mirará los marcos de las puertas para ver la mancha de sangre, mirará las ventanas para ver el cordón escarlata, mirará las frentes para ver escrito allí su nombre y el de su Padre. Hoy es el día de la salvación. Los hombres de todos los ángulos de la Tierra están siendo invitados a mirar al Cordero.

Así como Moisés levantó la serpiente en el desierto, así fue levantado el Hijo del hombre, para que todo el que en él cree, no perezca, mas tenga vida eterna.

En los días de Jericó, una sencilla y pobre pecadora vio la verdad de la gracia salvadora. En los días de Jesús, otra sencilla y pobre mujer pecadora experimentó en carne propia la gracia redentora.

¿Podremos ir hoy a él como simples y pobres pecadores?

¿Basta obedecer?

Entonces Samuel dijo: "¿Acaso se complace Jehová tanto en los holocaustos y sacrificios como en la obediencia a las palabras de Jehová? Mejor es obedecer que sacrificar; prestar atención mejor es que la grasa de los carneros". 1 Samuel 15:22.

La historia de la desobediencia de Saúl debe ser analizada con mucho cuidado. Dios requería sacrificio de su pueblo. Y aún más: requería lo mejor. Saúl se había quedado con lo mejor del ganado del enemigo. ¿Cuál era entonces su delito? ¿Qué había dentro de ese acto?

Era cierto que se requerían animales para el sacrificio y que éste se realizaba después de la victoria. Pero una cosa no era verdad: que se escogiera un método diferente del indicado por Dios para realizar el sacrificio. En este caso particular, Dios había ordenado que todo lo que fuera del enemigo debía ser destruido, y Saúl pensó que lo que realmente valía era ofrecer el sacrificio.

Hoy, Dios no requiere más sacrificios de ovejas de su pueblo, ciertamente porque "el Cordero de Dios" ya fue sacrificado en la cruz del Calvario. Lo que espera es que presentemos nuestro cuerpo en sacrificio santo y agradable al Señor. Lo que espera es obediencia.

El gran peligro que hoy corre el pueblo de Dios es el de confundir las cosas, como las confundió Saúl.

Lo importante no es solamente obedecer, sino también seguir el plan que Dios tiene para llevarnos a la obediencia.

La obediencia por sí misma no soluciona los problemas. El joven rico obedecía. Nicodemo obedecía. Pero nunca habían experimentado en su vida el milagro de la conversión.

Hay dos maneras de obedecer: usar únicamente nuestro propio esfuerzo, únicamente nuestra fuerza de voluntad, únicamente nuestro dominio propio, o usar todo eso junto con la comunión diaria con Cristo, que hará que el Espíritu Santo santifique nuestra voluntad pecaminosa y nos lleve a la obediencia auténtica.

¿Cómo saber cuál es el tipo de obediencia que estamos presentando a Dios? En verdad, nadie lo puede saber. Sólo Dios y la persona involucrada, porque solamente ambos conocen si se vive una vida de comunión con Dios.

Los que nos ven, verán apenas la obediencia que sólo puede ser fruto del formalismo o de la fuerza de voluntad. Pero para Dios todo eso es como "trapos de inmundicia". Solo él puede darnos la obediencia auténtica.

¿Podemos salir esta mañana a las actividades diarias confiando en el brazo fuerte del Señor y permitiendo que viva en nosotros a través de su Santo Espíritu, transformando nuestra propia voluntad pecaminosa en una poderosa voluntad santificada?

El día en el que el Sol se detuvo

Y el sol se detuvo, y la luna se paró, hasta que la gente se vengó de sus enemigos. ¿No está escrito esto en el libro de Jaser? El sol se paró en medio del cielo, y no se apresuró a ponerse casi un día entero. **Josué 10:13.**

Cuando Dios creó al ser humano, le dio la vida y el tiempo, y también le dio talentos, posesiones materiales y un cuerpo. No existe vida sin estos cuatro elementos.

La vida no es propiedad del hombre. El ser humano es solamente un administrador. La vida le pertenece a Dios. Por eso en la creación, el Señor le dijo a Adán: "Yo te presto la vida, y con la vida el tiempo. El tiempo es mío, pero sé que en el futuro correrás el peligro de pensar que el tiempo es tuyo. Entonces, para que nunca olvides que yo soy el dueño del tiempo, vamos a hacer un pacto: seis días podrás usarlos para ti, pero el séptimo día deberás devolvérmelo a mí. Mientras respetes la alianza sabré que me estás reconociendo como el dueño. Y si por algún motivo necesitas más tiempo, o llegas a tener dificultades con él, lo único que necesitas es venir a mí; yo soy el dueño y resolveré el problema. Pero si tú no me devuelves el sábado, sabré que te estás apropiando de mi tiempo. En ese caso, tú serás el dueño y tendrás que resolver solo tus problemas de tiempo".

En el versículo de hoy encontramos al pueblo de Israel con dificultades de tiempo. El día estaba finalizando y la batalla no había terminado. Durante la noche las cosas siempre resultan más difíciles. Era preciso recurrir al dueño del tiempo. Israel era fiel devolviendo el sábado a Dios como un día especial. Era, pues, hora de reclamar la promesa. Josué clamó al Señor y el Sol paró, y el pueblo tuvo tiempo suficiente para terminar su obra. A esa semana se le añadió casi un día más.

Esta es la promesa maravillosa de Dios. Si tú respetas la alianza establecida, él está siempre listo para cumplir su promesa, sin importar si para ello tiene que hacer parar el Sol.

Frecuentemente, encuentro gente desesperada con el tiempo. No tienen tiempo para nada. Viven cansadas porque durante la semana corren apresuradas de un lado para el otro y aprovechan el sábado para dormir, pensando que así están "guardando el sábado".

El sábado, mi querido amigo, fue separado por Dios para ser un día de comunión especial con él y con los semejantes, y si respetamos este pacto, él es fiel y justo para cumplir su promesa: habrá tiempo para atender nuestro programa de trabajo; y más, habrá descanso para nuestra alma. Entraremos en su reposo y disfrutaremos las maravillas de la salvación.

Respeto por el ungido del Señor

Y dijo a sus hombres: "Jehová me guarde de hacer tal cosa contra mi señor, el ungido de Jehová. ¡No extenderé mi mano contra él, porque es el ungido de Jehová!" 1 Samuel 24:6.

La hora se presentaba propicia. Saúl había sido rechazado por Dios como rey de Israel, aunque todavía continuara gobernando y usando el poder para perseguir a un inocente como David. Así, entre los peñascos de las cabras monteses, en el desierto de En-Gadi, la providencia de Dios permitió que Saúl quedara en manos de David. Si David hubiese querido, ése habría sido el fin de su dura persecución. Podría haber matado al rey. Mas él le dijo a sus hombres: "Jehová me guarde de hacer tal cosa contra mi señor, el ungido de Jehová" ¿No era Saúl un hombre contumaz y rebelde que había apartado a Dios de su propia experiencia? ¿No había dicho el profeta Samuel que Dios no lo quería más como rey? ¿Por qué entonces esa consideración de David por el "ungido del Señor"?

A lo largo de la historia de la iglesia ha sucedido algo curioso que necesita ser observado. Hace tres o cuatro décadas, los miembros de la iglesia preguntaban todo al pastor. Yo era un niño en esa época, y recuerdo que mi madre se arrodillaba para orar antes de entrar a arreglar el cuarto donde el pastor se hospedaba, cuando él visitaba nuestra pequeña congregación. Esos niños de hace cuatro décadas, hoy son doctores, empresarios, industriales, personan que tienen en sus manos el control de muchas otras personas. Los pastores somos hoy pastores de hombres y mujeres que saben pensar y tomar decisiones.

¿Qué significa "no tocar al ungido del Señor"?

El versículo de hoy es motivo de meditación tanto para los pastores, en el sentido de saber administrar los talentos de la iglesia, como para los miembros de la iglesia, en el sentido de no confundir la exposición de sus ideas con la falta de respeto o menosprecio por un hombre a quien el Señor ungió.

La actitud de David es ejemplar, porque estaba ante un hombre que comprobadamente ya no era pastor de nada; sin embargo, en un momento de su vida, había recibido la unción divina.

Los que por la comunión diaria con Jesús reflejen cada día más y más el carácter de Cristo, aprenderán a vivir como vive el cuerpo donde cada miembro tiene una función definida, y donde todos se mueven con un mismo propósito y con un solo objetivo.

¿Dónde está el fuego?

Yo a la verdad os bautizo en agua para arrepentimiento, pero el que viene tras mí, cuyo calzado yo no soy digno de llevar, es más poderoso que yo. Él os bautizará en Espíritu Santo y fuego. S. Mateo 3:11.

Jesús vino a poner fuego en la Tierra. "Él os bautizará en Espíritu Santo y fuego", fue la promesa de Juan el Bautista. En San Lucas 12:49, Jesús dice: "Fuego vine a echar en la tierra". A lo largo de su vida en este mundo, la presencia de Jesús fue la presencia permanente del fuego: resucitando muertos, curando leprosos, haciendo andar a los paralíticos, purificando la vida de los ladrones y las prostitutas y confrontando a los líderes religiosos con el fuego de sus propias conciencias.

La iglesia primitiva ardía porque había recibido el cumplimiento literal de la promesa: "Y se les aparecieron lenguas repartidas, como de fuego, asentándose sobre cada uno de ellos. Todos fueron llenos del Espíritu Santo" (Hechos 2:3, 4). Era una iglesia poderosa, capaz de decirle al paralítico de la puerta del templo: "No tengo plata ni oro, pero lo que tengo te doy: en el nombre de Jesucristo de Nazaret, levántate y anda" (cap. 3:6). Cada cristiano ardía. No importa adónde fueran, era imposible que pasaran inadvertidos y el mundo era incendiado con el fuego del evangelio. El resultado era que "el Señor añadía cada día a la iglesia los que habían de ser salvos" (cap. 2:47). Ya pasaron siglos desde que todo eso sucediera. ¿Dónde está hoy el fuego? ¿Qué sucedió con el fuego que Jesús encendió cuando estuvo en la Tierra y que su iglesia debía continuar acrecentando?

Con tristeza en los ojos, el Señor Jesús mira a su iglesia y llora: "Conozco tus obras, que ni eres frío ni caliente" (Apocalipsis 3:15). Qué tragedia. No dejamos ni siquiera que el fuego se apague completamente. Lo mantenemos suficientemente vivo como para aplacar la conciencia, pero insuficiente como para que el mundo lo note.

¿Cuál es la solución para nuestra debilidad humana? ¿Qué significa fuego? "Él os bautizará en Espíritu Santo y fuego", dice el versículo de hoy. El fuego es uno de los símbolos del Espíritu Santo. ¿Qué debemos hacer para recibir el Espíritu Santo? Debemos ir cada día a Jesús llevando nuestras cargas e imperfecciones. Debemos confiar en él, mantenernos unidos a él, a través de la oración, del estudio de la Biblia y de la sensación permanente de su presencia en todo lo que hacemos. Entonces, él habitará en nosotros por la presencia de su Santo Espíritu. Su fuego arderá en nuestro corazón, mostrándonos el camino en que debemos andar. Y a medida que prestemos oídos a sus consejos, seremos cada día más semejantes a Jesús, y el mundo verá en nosotros el fuego de la santidad, como vio la gloria de Dios en el rostro de Moisés cuando éste retornó después de pasar cuarenta días con el Padre.

¿Dónde está el fuego hoy? Está ahí, a nuestra disposición. Esperando por nosotros, deseando arder en nosotros, deseando incendiar el mundo a través de nosotros. ¿Le permitiremos que lo haga?

El juego del poder

Diciéndole: "No temas, pues no te hallará la mano de Saúl, mi padre; tú reinarás sobre Israel y yo seré tu segundo. Hasta mi padre Saúl lo sabe". 1 Samuel 23:17.

La historia de David y Jonatán es mucho más que la historia de una amistad entre dos jóvenes que crecieron juntos. Cuando uno es niño, generalmente no tiene enemigos, no existe la lucha por el poder, nadie quiere ser mayor que el otro. Por eso, en cierta ocasión, Jesús dijo que si no somos como niños no entraremos en el reino de los cielos.

Pero el versículo de hoy nos presenta a David y Jonatán como adultos. Jonatán era hijo del rey, heredero natural del gobierno. Había sido preparado para ser rey. David, por su lado, era un simple pastor de ovejas que había aparecido en el cuadro histórico de Israel como un muchacho valiente que había derrotado al gigante Goliat.

A medida que el tiempo fue pasando, Dios se encargó de mostrar que, aunque para los hombres Jonatán era el candidato natural para ser el nuevo rey, en los planes divinos David era el indicado.

Saúl nunca aceptó esa idea. No le gustaba David. Lo consideraba un buen guerrero y nada más. Tenía miedo de él, porque Dios le daba repetidas pruebas de estar con él. Por eso Saúl trató de matar al futuro rey de Israel, y para salvar su vida, David tuvo que huir al desierto. Escondido en la región montañosa de Zif, se preguntaba muchas veces si valía la pena todo ese sufrimiento.

En esas circunstancias se destaca la figura maravillosa de Jonatán. Buscó a su amigo y lo consoló: "No temas, pues no te hallará la mano de Saúl, mi padre; tú reinarás sobre Israel y yo seré tu segundo".

¿Te das cuenta de la grandeza de Jonatán? Aceptaba ser el segundo, a pesar de haber sido educado toda la vida para ser el primero. Aceptó el plan divino, no discutió con Dios, no usó su amistad para traicionar al amigo; se conformó con ser el segundo porque entendió que es mejor ser el último dentro del plan divino, que el primero haciendo la propia voluntad.

Sin duda, esta actitud de Jonatán no era así porque él supiera que debiera ser así, sino porque vivía una vida de comunión con Dios, y el Espíritu de Dios reproducía diariamente en su vida el carácter del Padre.

Los discípulos que lucharon por cargos en el reino de Dios, también aprendieron con el tiempo que la única salida para su sed de poder era permanecer unidos a Jesús, y finalmente salieron victoriosos.

¿No podría ser nuestra esa victoria?

¿Dios u hombre?

Pero vosotros habéis desechado hoy a vuestro Dios, que os guarda de todas vuestras aflicciones y angustias, y habéis dicho: "No, tú nos darás un rey". Ahora, pues, presentaos delante de Jehová por vuestras tribus y familias. 1 Samuel 10:19.

El plan de Dios nunca fue que Israel tuviera un rey como las otras naciones del mundo, porque Dios, en persona, quería gobernar los destinos de su pueblo. Pero Israel insistió una y otra vez. Miró a las otras naciones y halló que sería muy bueno tener un rey. Algo hermoso estaba quebrándose en la relación de Dios con Israel. La elección de un rey no era apenas un asunto de gobierno. Era un asunto de experiencia, de vida interior, de confianza en quien los había liberado y sacado de la tierra de esclavitud.

"Pero vosotros habéis desechado hoy a vuestro Dios, que os guarda de todas vuestras aflicciones y angustias, y habéis dicho: 'No, tú nos darás un rey' ". Cuánta tristeza contenida en esta declaración, porque Dios siempre ve el fondo de las cosas. Cuando antes de la muerte de Cristo, el pueblo exclamó: "¡No tenemos más rey que César!" (S. Juan 19:15), Jesús no quedó triste por haber perdido un título, sino porque había perdido el corazón de su pueblo.

Cuando el pueblo escogió a Saúl como rey, en realidad estaba diciéndole a Dios: "Ya no precisamos de ti". Y Dios no insistió. Un día creó al hombre libre, y para siempre respetará la libertad humana, aun cuando el hombre se dirija a la ruina y la destrucción.

"Vosotros habéis desechado hoy a vuestro Dios". Dolía tanto el corazón del Padre en esta ocasión, como dolió el corazón de Jesús esa tarde en que miró a la ciudad y clamó: "Jerusalén, Jerusalén... ¡Cuántas veces quise juntar a tus hijos... pero no quisiste!" (S. Mateo 23:37).

Esa tarde en el Edén, cuando Adán y Eva se escondieron detrás de un árbol, el corazón del Padre sangró, así como sangró el corazón del Hijo cuando desde la cruz del Calvario nos miró a ti y a mí y vio que, a pesar de todo lo que estaba haciendo para salvarnos, todavía éramos reacios a aceptar.

¿Quién está en el control de nuestros pensamientos y acciones? ¿Es Dios el que gobierna nuestra existencia o lo sacamos de nuestro corazón y tomamos en nuestras manos las riendas de nuestra vida?

Los que desean ser cada día más semejantes a Jesús, desconfiarán cada vez más de sus fuerzas y caerán a sus pies en una búsqueda diaria del poder para vivir. Sus victorias no serán el fruto de su dominio propio y de su fuerza de voluntad, sino del fruto del Espíritu Santo, a quien entregaron el control de la voluntad humana para ser santificada.

Echad fuera los dioses extraños

Habló entonces Samuel a toda la casa de Israel, diciendo: "Si de todo vuestro corazón os volvéis a Jehová, quitad de entre vosotros los dioses ajenos y a Astarot, dedicad vuestro corazón a Jehová y servidle sólo a él, y él os librará de manos de los filisteos". 1 Samuel 7:3.

Hace muchos años conocí a un hombre sincero que era víctima del alcoholismo, aunque no lo reconocía y se calificaba apenas como un "bebedor social".

Sin embargo, su vida y la de su familia estaban completamente perturbadas por la bebida. En realidad, deseaba abandonar el vicio, pero no podía. Durante una Semana de Oración que dirigí, escuchó hablar sobre la maravillosa obra del Espíritu Santo que lleva a los hijos sinceros a la victoria. También oyó hablar de que el ser humano tiene que esforzarse para no quebrar la comunión permanente con Jesús, y que la victoria sería el resultado de esa comunión.

Algunos meses después nos encontramos nuevamente y él, desanimado, me contó que la comunión con Cristo no resolvía el problema de la bebida. Él oraba constantemente, le pedía fuerzas a Dios para abandonar el vicio, pero el bar de casa continuaba lleno de bebidas importadas que conservaba con mucho cariño. Sentado en su sala, leía la Biblia y oraba, mientras sus ojos miraban las bebidas seductoras.

El versículo de hoy dice: "Si de todo vuestro corazón os volvéis a Jehová, quitad de entre vosotros los dioses ajenos". ¿Cómo olvidar a una mujer extraña, mientras se conserva la foto y el número telefónico de ella? ¿Cómo abandonar el cigarrillo mientras existen dos atados escondidos en el cuarto? ¿Cómo conseguir la pureza de pensamientos mientras las revistas y los videos pornográficos están en los cajones? "Quitad los dioses ajenos y a Astarot" de entre vosotros, es la orden divina. Corta el cordón umbilical con el pecado. Quema tus discos, tus cintas, las revistas, las cartas o los números telefónicos. Tira todo a la basura.

La comunión con Cristo es lo que te dará fuerzas para la victoria. Su Santo Espíritu, santificando tu voluntad, te llevará a la libertad completa, pero es necesario quitar los dioses extraños que crean un ambiente desfavorable para la victoria.

Fue "doloroso" para ese joven tirar al inodoro tanta bebida fina. Pero, finalmente, entendió el mensaje. "Quitó de en medio de su casa los dioses extraños" y hoy se regocija en la bendita esperanza del regreso de Cristo, mientras avanza de victoria en victoria, hasta la victoria final.

¿Hay algo en tu vida que deba ser arrojado afuera? ¡Que Dios te ayude a hacerlo!

31 de julio

Mujeres en tiempos difíciles

Porque si callas absolutamente en este tiempo, respiro y liberación vendrá de alguna otra parte para los judíos; mas tú y la casa de tu padre pereceréis. ¿Y quién sabe si para esta hora has llegado al reino? **Ester 4:14.**

En el versículo de hoy se proyecta de manera gigantesca la figura de una mujer en tiempos de crisis. Israel iba a ser exterminado debido a la envidia y a la intriga. Aparentemente no había salida, pero Dios levantó a una mujer con la sensibilidad y perspicacia de Ester para presentarse delante del rey e interceder por su pueblo. En cierto modo, la reina Ester es un prototipo de Jesús, el intercesor de los hijos de Dios.

En el libro de Jueces encontramos la figura de otras dos mujeres que en tiempo de crisis revelaron que eran más fuertes que los hombres. Débora fue la primera. Era jueza de Israel, y además de ser esposa y madre, recibía a los hijos de su pueblo para administrar justicia.

El capítulo 4 de Jueces cuenta que Jabín, rey de Canaán, envió a Sísara para luchar contra el pueblo escogido. En ese momento se levanta majestuosamente en la historia de Israel la figura de Débora. Débora mandó llamar a Barac, comandante del ejército de Dios, y le ordenó salir a la batalla; pero Barac tembló y le dijo a la jueza: "Si tú vas conmigo, yo iré; pero si no vas conmigo, no iré". Débora tomó su decisión inmediatamente: "Iré contigo; pero no será tuya la gloria de la jornada que emprendes, porque en manos de mujer entregará Jehová a Sísara" (vers. 8, 9).

La batalla fue victoriosa para Israel, pero no fue Barac el gran vencedor. En realidad Sísara, el comandante enemigo, huyó, pero cayó en manos de otra mujer, llamada Jael. Ante ese momento crítico, sola, Jael tuvo que decidir qué hacer y decidió con sabiduría para el bien del pueblo de Dios.

Al acercarse los momentos finales de la muerte de Cristo, aparece otra mujer enfrentando la crisis sin temor. María, la pobre pecadora que un día encontró perdón y gracia de Jesús, fue la última que dejó el Calvario y la primera en aparecer ante el sepulcro.

¿De dónde sacaron esas mujeres el coraje y la sabiduría para enfrentar los momentos de crisis? Preguntemos a María Magdalena y ella nos responderá: Mientras vivía distante de Jesús, su vida era una colección de fracasos y frustraciones, pero un día descubrió el secreto de la victoria y desde entonces permaneció a los pies de Jesús. Tú la puedes ver allí, al lado de Jesús, mientras Marta corre apresurada de un lado para otro. La puedes encontrar secando los pies de su amado Maestro, mientras los demás están preocupados por divertirse. La puedes ver cerca de la cruz, mientras los otros huyen.

María, Débora, Ester y otras mujeres de la Biblia sacaron de Jesús la fuerza necesaria para enfrentar los tiempos de crisis de la cruz. Los hombres y las mujeres de hoy tenemos que ir a Jesús para recibir el poder necesario para enfrentar los tiempos turbulentos que están por delante.

La influencia que opera después de la muerte

Aconteció que estaban unos sepultando a un hombre cuando súbitamente vieron una banda armada; entonces arrojaron el cadáver en el sepulcro de Eliseo. Pero tan pronto tocó el muerto los huesos de Eliseo, revivió y se puso en pie. **2 Reyes 13:21.**

¿Oíste hablar de un profeta que fuese capaz de hacer un milagro después de muerto? El versículo de hoy presenta justamente eso: un muerto resucitado sólo por tocar los huesos de Eliseo.

Dejando de lado la espectacularidad que todo milagro envuelve, meditemos hoy sobre la influencia de un hombre, incluso después de su muerte.

En Perú es muy conocido el coronel Mego. Desde el alto cargo que ocupa en la Policía, muchas veces ayudó a la iglesia en momentos de dificultad. La conversión del coronel Mego y de su hermano Bernardo, que falleció en un accidente y hoy descansa en Cristo, muestra la influencia de una persona incluso después de su muerte.

La madre de los hermanos Mego era adventista y suplicó durante años a Dios por la conversión de los hijos. Pero ellos no tenían tiempo para Dios en medio de la vida agitada en que vivían. Un día, esa madre piadosa falleció, y en la hora del entierro el pastor de la iglesia habló sobre la esperanza de la segunda venida, la resurrección y el reencuentro de los amados separados por la muerte. Pedro y Bernardo oyeron atentos y con los ojos llenos de lágrimas. De repente, uno miró al otro y le dijo: "¿Qué te parece si nos reencontramos con mamá cuando Jesús regrese?" "Pienso que es una buena idea", fue la respuesta del hermano. Y con esa firmeza de palabra de los militares honestos, ambos se estrecharon las manos, se dirigieron al pastor y le dijeron: "Pastor, nuestra madre fue una mujer que temía a Dios y tenemos la certeza de que resucitará cuando Cristo regrese. Nosotros la amamos y queremos verla nuevamente. Por lo tanto aquí estamos: queremos bautizarnos y aguardar con esperanza el reencuentro con mamá".

Naturalmente, con el tiempo entendieron que no bastaba la palabra de un militar honesto para ser salvo. Era necesario conocer a Jesús. Fueron a Jesús tal como eran y el Salvador operó el milagro de su conversión.

El coronel Pedro Mego ya llevó a decenas de personas al conocimiento de Jesús, pero todo comenzó con la vida piadosa de su madre. Muerta, inconsciente, sin tener ya noción de nada, la influencia de su vida tocó la vida de sus hijos y los resució. En la mañana gloriosa de la resurrección, con toda seguridad tendrá la sorpresa que no tuvo mientras vivía: ver a sus hijos esperando con los brazos abiertos a Jesús.

"Nadie vive para sí y nadie muere para sí", dice Pablo. El poder de la influencia es incalculable. "Después de muertos, sus obras continúan", dice Juan (ver Romanos 14:7 y Apocalipsis 14:13).

¿Podemos ir hoy a Jesús y permitirle que habite en nosotros, y que su Santo Espíritu santifique nuestra voluntad de modo que nuestra vida sea una sucesión de victorias para la gloria de su nombre?

Del redil a la gloria

Por tanto, ahora dirás a mi siervo David: "Así ha dicho Jehová de los ejércitos: Yo te tomé del redil, de detrás de las ovejas, para que fueras príncipe sobre mi pueblo Israel". 1 Crónicas 17:7.

Voy a contarte la historia de "Paciencia", especie de matón o guardaespaldas de un coronel de Maragogipe, en Bahía, Brasil. Aunque pueda parecer contradictorio, se llamaba Paciencia a pesar de ser un hombre bravo, peligroso y con instintos asesinos.

Es verdad que existen personas difíciles, pero el evangelio alcanza a cualquier ser humano; es "poder" capaz de destrozar la piedra más dura.

Cierto día Paciencia pescaba a orillas del río, con la línea atada al dedo del pie, cuando cabeceó y vio en sueños a un hombre con un libro de tapas negras en la mano. Se despertó con esa impresión provocada por un sueño fuerte, que perturba sin saber el porqué. A la mañana siguiente apareció en su casa el Sr. Quirino, con una Biblia y con la intención de hablarle al temido Paciencia sobre el amor de Jesús. Quirino, en el fondo de su corazón, tenía miedo de predicarle al matón, pero sentía el deber de compartir las maravillas del evangelio que un día lo alcanzara a él mismo.

Cuando Paciencia vio el libro de tapas negras en la mano de Quirino, dio un salto, dejándolo completamente asustado. Esclarecida la situación, Quirino tuvo la oportunidad de darle estudios bíblicos y, en poco tiempo, Paciencia se bautizó y llegó a ser un gran ganador de almas.

En 1969, un pastor visitó Maragogipe y encontró allí a más de 30 personas bautizadas, gracias al trabajo silencioso del hermano Paciencia. Lo curioso de todo era que él no sabía leer. Oía la predicación, grababa todo en la mente y salía a trabajar. Cuentan que en cierta ocasión, mientras predicaba, levantó la Biblia al revés y mostró los versículos como si todo estuviese bien.

La vida, conversión y trabajo posterior de Paciencia, que después de conocer a Jesús llegó a honrar su nombre, es la mayor lección de lo que es capaz el poder transformador de Cristo.

"Yo te tomé del redil, de detrás de las ovejas, para que fueras príncipe sobre mi pueblo Israel", dice el versículo de hoy. Ese mismo Dios de David tomó a Paciencia y lo sacó de la violenta vida de matón, para hacerlo un príncipe en su reino y un ganador de almas.

¿Dónde estarías tú si no hubieses sido encontrado por Jesús? ¿Continuaría tu familia unida como está? ¿Serían tus hijos los jóvenes maravillosos que son si tú no hubieses sido sacado de las tinieblas para ser hecho un príncipe en el reino de Dios?

Reúne hoy a tu familia y canta, alaba el nombre del Señor, porque él te sacó de la mediocridad, la ignorancia, la insignificancia, la confusión, el miedo y el vacío, para hacerte realmente feliz en su amor.

Los huesos secos que recobraron la vida

Me dijo entonces: "Profetiza sobre estos huesos, y diles: '¡Huesos secos, oíd palabra de Jehová! Así ha dicho Jehová, el Señor, a estos huesos: Yo hago entrar espíritu en vosotros, y viviréis' ". Ezequiel 37:4, 5.

En la actualidad se usan tornillos de titanio para hacer implantes dentarios. El titanio es tan especial que el hueso entra en las ranuras del tornillo y se pega completamente, después de algún tiempo es imposible separar el uno del otro. El hueso, que normalmente es susceptible de quebrarse, queda unido al titanio de manera prácticamente inquebrantable. ¿Cómo sería si el cristiano se uniera a Cristo de tal manera que nada fuese capaz de separarlo de la fuente de poder?

En el versículo de hoy el profeta Ezequiel es llevado en visión a un valle de huesos secos y es testigo de algo espectacular. Para sorpresa suya, los huesos se juntan uno al otro y he aquí "tendones sobre ellos, y subió la carne y quedaron cubiertos por la piel... y entró espíritu en ellos, y vivieron y se pusieron en pie. ¡Era un ejército grande en extremo!" (vers. 8, 10).

Después el profeta oyó la voz de Dios que decía: "Hijo de hombre, todos estos huesos son la casa de Israel. Ellos dicen: 'Nuestros huesos se secaron y pereció nuestra esperanza. ¡Estamos totalmente destruidos!' " (vers. 11).

¿Cuál es la solución de Dios para los huesos secos, frágiles y acabados por el tiempo y la monotonía de la vida? El Espíritu Santo. Cuando él entra en los huesos, éstos recobran la vida. ¿Qué hacer si una vida fracasa y no logra que las promesas de victoria se tornen una realidad en su experiencia? Es necesario ir cada día, cada minuto a Jesús y decirle: "Señor, soy débil, soy como un hueso seco, no hay esperanza para mí lejos de ti. Necesito tu ayuda. Tómame hoy en tus manos, toma mis huesos secos y vivifícalos con la presencia de tu Santo Espíritu".

Cuando un ser humano se mantiene unido cada minuto a Jesús, con seguridad Cristo habita en él por la presencia de su Espíritu Santo, santifica la voluntad humana y reproduce en la criatura el carácter del Creador.

A lo largo de la historia, miles y miles de seres humanos débiles y sin vida corrieron desvalidos a los brazos de Jesús, y él hizo el milagro. Yo y tú podemos correr hoy hacia él y disfrutar las bellezas de la victoria prometidas por el Señor Jesús.

La lección de la torta quemada

Entonces envié mensajeros para decirles: "Estoy ocupado en una gran obra y no puedo ir; porque cesaría la obra si yo la abandonara para ir a vosotros". Nehemías 6:3.

El trabajo de reconstrucción de los muros de la ciudad avanzaba con pasos firmes, a pesar de las conspiraciones del enemigo y de las dificultades propias de toda empresa. Nada que tenga algún valor en la vida es gratis. Todo tiene su precio, y la victoria es de los que no tienen miedo de "pagar el precio", lo que a veces significa horas de sueño, sudor, lágrimas y renuncia. Hasta la salvación, que para nosotros es gratuita, tuvo un precio muy alto que fue pagado por Jesús en la cruz del Calvario.

Reconstruir una ciudad casi en ruinas no fue tarea fácil para Nehemías. Cuando los enemigos supieron que el muro ya estaba listo y que no había en él brecha alguna, Sanbalat y Gesem trataron de distraer la atención del líder, pero recibieron la respuesta que debe tener lista todo el que sueña con construir algo en la vida: "Estoy ocupado en una gran obra y no puedo ir".

Era la víspera de Navidad. Mi madre estaba preparando una deliciosa torta de frutas que formaría parte de la cena, muy sencilla, pero muy llena de amor. Por algún motivo que no recuerdo, mamá tuvo que salir y dejó la torta en el horno. Antes de salir, me llamó y me recomendó muchas veces que debía apagar el horno a una determinada hora. "Hijo, por favor, todo lo que tienes que hacer es mirar el reloj. No te distraigas con nada. Es nuestra torta de Navidad".

Todo salía bien. Sentado en la cocina, quedé atento mirando al reloj. Todavía faltaban 20 minutos. El problema comenzó cuando mis amigos me llamaron para jugar a la pelota. Les dije que no iría, que estaba ocupado, pero ellos insistieron y, a partir de ese momento, con un ojo comencé a mirar el reloj y con el otro a la pelota en el patio. Si mi equipo hubiese estado ganando quizá no se habría complicado la situación, pero, inoportunamente, mi equipo comenzó a perder. Entonces miré hacia el reloj: como todavía faltaban 10 minutos, podía bajar y hacer por lo menos un gol. Esa fue mi tragedia. Me entusiasmé tanto con el juego que olvidé la torta y arruiné la fiesta de Navidad.

Ya pasé muchas noches de Navidad en la vida. Algunas tristes, la mayoría de ellas felices, pero nunca me olvidaré de aquélla. Ni la alegría de los juguetes dados con amor sacó de mi pecho el sabor amargo de haber quemado la torta de frutas.

Yo estaba haciendo una gran obra, pero infelizmente bajé al patio. Gracias a Dios, aprendí la lección. ¿Entiendes el mensaje?

5 de agosto

El peligro de dejar el clavo

¿Qué, pues, diremos? Perseveraremos en el pecado para que la gracia abunde? ¡De ninguna manera! Porque los que hemos muerto al pecado, ¿cómo viviremos aún en él? **Romanos 6:1, 2.**

"Gato" fue una de esas estrellas fugaces que de vez en cuando aparecen en el escenario azul del cielo infinito. La historia de su conversión era impresionante. Se bautizó, y en menos de un año llevó al bautismo a 35 personas. El pastor tenía que trabajar a ritmo acelerado para visitar a los interesados que Gato preparaba. Y si en la iglesia lo conocían sólo por Gato, fue porque todo sucedió tan rápidamente que pocos lograron identificarlo por su verdadero nombre.

Un sábado, ese dinámico misionero y entusiasta miembro de iglesia no apareció. El pastor fue a visitarlo y no lo encontró. Pero la esposa anunció la tragedia: Gato nunca había conseguido abandonar el cigarrillo. Había cambiado mucho en su vida, pero el cigarrillo estaba allí y el enemigo un día se llevó el corazón que nunca fuera entregado completamente a Jesús. Una cosa siempre lleva a otra. Un pequeño error siempre conduce a uno mayor. Y en la vida de Gato el cigarrillo lo llevó de vuelta a la bebida, y ese fue el fin de su historia. Nunca más regresó a la iglesia, y algunos años después murió de cirrosis hepática.

"¿Perseveraremos en el pecado para que la gracia abunde?", es la pregunta de Pablo, en el texto de hoy, que él mismo responde con convicción: "¡De ninguna manera! Porque los que hemos muerto al pecado, ¿cómo viviremos aún en él?"

¡Tenemos que arrancar el clavo del diablo! ¿Conoces la historia del clavo del diablo? Yo la oí un día, mientras tomaba el desayuno en el Hotel Luxor, en la ciudad de Feira de Santana. La historia cuenta que un hombre estaba dispuesto a hacer cualquier cosa con el fin de ser millonario. Entonces el diablo le mostró una mansión maravillosa y le dijo que se la daría con una condición: "¿Ves aquel clavo en la pared? Es mío, siempre será mío; ¿aceptas?" Y el hombre aceptó. Años después, el hombre ofreció un banquete en su mansión. Fueron invitados los hombres más importantes de la ciudad. La fiesta era lujosa y todo superaba las expectativas, cuando alguien entró y comenzó a colocar un pedazo de carne podrida en el clavo de la pared. El dueño de la casa mandó llamar a los guardias y expulsó al intruso, pero entonces apareció el diablo y le dijo: "Un momento, el clavo es mío y yo tengo derecho a usarlo como quiera".

Esa fue la tragedia de Gato. El "clavo" siempre quedó en el corazón, y en el momento oportuno el enemigo reclamó el corazón para él.

¿Qué hacer si algún clavo está todavía en la pared de nuestra propia conciencia? Corre a Jesús ahora y dile: "Señor, no tengo fuerzas para vencer, pero tengo la libertad para decidir y aquí estoy. Te entrego mi vida, toma mi débil voluntad y santifícala con tu Espíritu Santo, y hazme victorioso en ti".

Demasiado tarde

Samuel se volvió para irse, pero él se asió de la punta de su manto, y éste se desgarró. Entonces Samuel le dijo: "Jehová ha desgarrado hoy de ti el reino de Israel y lo ha dado a un prójimo tuyo mejor que tú". 1 Samuel 15:27, 28.

En la Biblia encontramos repetidas veces el caso de hombres desesperados al darse cuenta de lo que habían perdido para siempre. ¿Te acuerdas de Esaú, que en un momento de liviandad vendió algo tan sagrado como era la primogenitura, por un plato de lentejas? Cuando Esaú se dio cuenta, lloró ante su padre diciendo: "¿No has guardado bendición para mí?" (Génesis 27:36). Pero el tiempo había pasado y el reloj de la vida había dado las doce campanadas. Era demasiado tarde.

Sansón es otro caso típico del hombre que juega con lo más santo, puro y bueno que recibió de Dios. Un día Dalila gritó: "¡Sansón, los filisteos sobre ti!... Sansón despertó de su sueño... Pero no sabía que Jehová ya se había apartado de él" (Jueces 16:20). Jugó y jugó con las oportunidades, pero el reloj de la vida había dado las doce campanadas. Era demasiado tarde.

En el versículo de hoy encontramos al rey Saúl en una actitud desesperada. "Perdona, pues, ahora mi pecado. Vuelve conmigo para que adore a Jehová", suplica al profeta Samuel (vers. 24, 25). Con tristeza, ve partir para siempre su gran oportunidad. Nunca tomó en serio los requisitos divinos; jugó con la paciencia de Dios, y ahora toma la punta del manto de Samuel tratando de asegurar lo que se le escapa. Para desesperación suya, ve que la capa se rasga. El reloj de la vida da las doce campanadas. Es demasiado tarde. El profeta lo mira y le dice: "Jehová ha desgarrado hoy de ti el reino de Israel".

¿Por qué será que al ser humano le gusta tanto jugar con las oportunidades que Dios le da? ¿Por qué será que cuando las oportunidades están en nuestras manos, tenemos la impresión de que siempre estarán allí? El otro día encontré a un hombre herido por la vida. Con los ojos llenos de lágrimas, me decía: "Se acabó, todo acabó para mí".

El mensaje de hoy es: Escucha la voz de Dios mientras te habla. Aprovecha las oportunidades que él te da mientras es el tiempo oportuno y el día de salvación todavía no llegó a su fin. El Señor está ahí, con los brazos abiertos. Cae de rodillas delante de él y di: "Señor, no tengo fuerzas, las luces del mundo ofuscan mi visión, necesito tu perdón, tu gracia, pero necesito también tu poder".

Al salir hoy a las actividades del día, lleva un cántico en tu corazón. Cree en la victoria que Jesús es capaz de darte. Tómate del brazo poderoso del Padre, y por la tarde retorna a casa victorioso/a en Cristo.

La fuerza del amor

Después de comer, Jesús dijo a Simón Pedro: "Simón, hijo de Jonás, ¿me amas más que éstos?" Le respondió: "Sí, Señor; tú sabes que te quiero". Él le dijo: "Apacienta mis corderos". S. Juan 21:15.

Pedro había vivido los últimos días atormentado por el complejo de culpa. Él, el valiente, el orgulloso Pedro, había negado a su Maestro por miedo a la inofensiva mucama, y eso le quemaba por dentro. Si alguien lo sabía o no, era lo de menos. La conciencia lo perturbaba, lo apenaba terriblemente y lo hacía sentirse un gusano. Por eso, en aquella mañana en la playa, Pedro no tenía el coraje de mirar a los ojos a Jesús. Sabía que en cualquier momento Jesús lo llamaría para el ajuste de cuentas. Estaba preparado para recibir la mayor reprensión de su vida, ya que el Maestro tenía que estar chasqueado con él. Al fin de cuentas, ¿no le había prometido que aunque todos lo abandonaran, él nunca lo haría? ¿Adónde había ido a parar su promesa? ¿Cuál es el sentimiento que se apodera de alguien que prometió algo y no fue capaz de cumplirlo?

Después del desayuno, Jesús llamó a Pedro aparte. Una de las características de Jesús que más me impresionan es, justamente, su enorme capacidad de amar, entender y perdonar a las personas. El Maestro podía exponer al discípulo traidor ante los otros colegas, pero no lo hizo. Él entiende cómo se siente el pobre pecador. Sabe que el mayor castigo de un pecador son las llamas infernales de su propia conciencia. ¿Por qué atormentarlo más? ¿Por qué no crear un clima en el que el pecador se sienta amado, a pesar de su pecado? El pecador, al ser amado por Dios, experimenta la paz por primera vez, y entonces está en condiciones de ser bueno.

Cuando, repetidamente, Dios dice que ama al pecador no es porque tenga condescendencia con el pecado, sino porque en su infinita sabiduría sabe que la única manera de sacar al hombre de la miseria del mal es haciéndolo sentirse amado y aceptado tal como es.

"Pedro, ¿me amas?", le preguntó Jesús tres veces. El discípulo podía esperar cualquier cosa, menos una pregunta tal. Reprensión, castigo, rechazo. Todo estaría justificado. Sabía muy bien lo que merecía. Pero las cosas con Jesús son siempre inesperadas, ilógicas, por ser humanamente obvias. Tal vez por eso el cristianismo sencillo es difícil de ser entendido. Nos gustan las cosas difíciles. Admiramos la elocuencia y nos dejamos atraer por el brillo, como si la sencillez del amor no fuese la elocuencia y el brillo de lo único que realmente vale en la vida.

"¿Me amas?" ¿Cómo resistir la atracción del amor? ¿Cómo continuar en el pecado ante la pureza del amor? Jesús sabía que el amor es capaz de hacer lo que el grito y la amenaza no pueden hacer. Por eso murió para vencer, aceptó la muerte para conquistar la vida; amó, se humilló, se entregó y se hizo rey en la vida de millones de seres humanos. Soberano para siempre. ¡Insustituible! ¡Imprescindible!

¿Qué hacer cuando llega la culpa?

¡Crea en mí, Dios, un corazón limpio, y renueva un espíritu recto dentro de mí! **Salmos 51:10.**

De repente, David despertó como de una horrible pesadilla y se confrontó con la realidad. Él, el rey de Israel, se había sumergido en el sensualismo y acabado en el homicidio. Se apasionó por la mujer de un comandante de su ejército, adulteró y, cuando supo que estaba esperando un hijo, envió al comandante a la guerra para ser muerto. Y esta historia está en la Biblia.

Podía negar, decir que todo era mentira; intriga de la oposición. Podía decir que nunca había hecho eso. Podía quemar las pruebas, hacer que los testigos desaparecieran. Pero, ¿qué haría con la conciencia? ¿Diría que Dios no existe? ¿Que la moral depende de la cabeza de cada uno? ¿Que nadie tiene el derecho de decirle a uno lo que debe hacer? Muchas personas tratan de hacer eso en nuestros días, y sólo consiguen perderse en los laberintos de sus propios argumentos.

David también podía tratar de explicar. Decir que todo no pasaba de un malentendido. Que en realidad, había sido visto algunas veces con la mujer de un comandante de su ejército, pero que sólo la estaba aconsejando.

O podía decir que mandó al comandante al frente de batalla no para que fuera muerto, sino porque era el mejor hombre para esa posición. Sin embargo, ¿qué haría con la verdad interior de sus propósitos reales? ¿Argumentar consigo mismo? ¿Tratar de engañarse? ¿Repetir esas explicaciones delante de un espejo hasta creer en sus propias mentiras?

También podía racionalizar. Decir, por ejemplo, que un rey no puede estar sujeto a las mismas reglas que el pueblo. Decir que lo hecho no era tan grotesco como lo pintaban. Que al final de cuentas todo el mundo lo hace, que no existen reglas establecidas, y que, cuando dos concuerdan, no existe nada pecaminoso. Pero, ¿qué haría con el vacío existencial del corazón? ¿O con las interminables noches de insomnio? ¿Cómo callaría el grito desesperado del complejo de culpa que naturalmente se apodera de las personas cuando saben que lastimaron el corazón de Dios?

David se refugió en el desierto. Allí, de rodillas, reconoció la miseria de su vida. Aceptó la realidad, la monstruosidad de su pecado. Clamó por la misericordia divina. Entendió que su gran pecado no consistía sólo en haber quebrantado los principios morales, sino que con eso había lastimado el corazón de un Dios de amor. Lloró como un niño, y luego regresó a la ciudad.

Ese fue el comienzo de una nueva etapa en su experiencia. Y tal vez David sea hoy una inspiración para muchos. No porque no haya pecado, sino porque habiendo pecado supo encarar la situación, reconocerlo, aceptar el perdón divino y levantarse de las cenizas.

Yo te necesito

Pero un samaritano que iba de camino, vino cerca de él y, al verlo, fue movido a misericordia. **S. Lucas 10:33.**

La luz roja de un semáforo nos obligó a parar en la esquina de la Av. Prestes Maia y Senador Queirós en el corazón de San Pablo. Hacía un calor terrible a esa hora del día. Mi colega, sentado al lado, esperaba impaciente el cambio de luz del semáforo. Detrás de él, su hijo adolescente miraba distraído por la ventanilla del automóvil. De repente se acercó un muchacho con una bolsa de manzanas en la mano.

—Seis por 1.200 —dijo con ojos casi suplicantes.

Era un muchacho de la calle, de esos que andan por las esquinas limpiando los parabrisas, vendiendo chucherías o simplemente pidiendo una limosna.

Mi colega lo miró a pesar del calor sofocante, se dio el trabajo de buscar dinero y le compró la bolsa de manzanas.

—¿Vas a ser capaz de comer eso? —le preguntó el hijo con aire de autosuficiencia–. Esas manzanas están casi podridas.

—No las compré para comer —respondió el padre—. Las compré para que el muchacho pudiera comer.

¿Entendiste el mensaje? La palabra correcta aquí sería compromiso. Todos tenemos que ver con todos. No somos islas. Somos, de alguna manera, responsables por los que sufren, aunque vivamos en un mundo cada vez más egoísta, donde todos parecen estar contra todos, donde cada uno trata de protegerse y proteger solamente lo que es suyo.

La dependencia es una ley de la vida. La tierra, para producir, necesita la lluvia; la lluvia necesita primero ser nube y para ser nube necesita del sol; el sol para calentar las aguas y generar la nube necesita de la rotación de la Tierra. Nadie es una isla. Todos necesitamos de todos. Tal vez unos necesiten más que otros, y si la vida nos hizo fuertes o nos colocó en un lugar de privilegio, es bueno preguntarnos qué podemos hacer por nuestro prójimo. Si no fuere así, puede suceder lo que Bertold Bretch describe en su poema:

"Primero llevaron a los judíos, pero como yo no era judío, ni siquiera me di por enterado. Después llevaron a los obreros, pero como yo no era obrero, tampoco me importó el asunto. Entonces fue la V de los estudiantes, pero como yo no era estudiante, tampoco me interesó. Después vinieron por mí, y entonces ya era demasiado tarde".

¿Y cómo quedo ante todo eso? ¿Soy capaz de alzar los ojos por encima de mis intereses y mi comodidad y mirar hacia el hermano de al lado?

¿Creo que el infortunio, el hambre, la necesidad, la enfermedad y la muerte son patrimonio exclusivo de los demás? ¿Soy capaz de extender la mano mientras tengo mano? ¿Soy capaz de mirar con simpatía mientras tengo ojos?

Quiera Dios que sí, porque un día la tristeza puede golpear también a mi puerta y entonces, tal vez ya sea tarde.

¡Que Dios te bendiga en este día!

El problema está en el corazón

Os daré un corazón nuevo y pondré un espíritu nuevo dentro de vosotros.
Ezequiel 36:26.

Eran las 14:45 del 17 de marzo de 1992 y el corazón de Buenos Aires casi se detuvo. En la esquina de Suipacha y Arroyo, la Embajada de Israel era destruida por la explosión de una bomba que segó decenas de vidas. Coincidentemente, esos días me encontraba en la Argentina. Pude observar, a través de la TV, la desesperación de la gente, las lágrimas de impotencia, las expresiones de amargura. ¿Quién sería capaz de semejante acto? Sólo podía ser una mente enferma o una cabeza perdida en los laberintos de la locura. Ningún hombre normal tendría el coraje de crear esa escena de horror, sangre y muerte.

Al día siguiente, en el vuelo que me llevaba a México, quedé con los ojos perdidos a través de la ventanilla. En mi mente todavía aparecían las escenas de horror, los gritos de socorro y la solidaridad del pueblo argentino después de la tragedia. Entonces me acordé de mi país, el Perú, cansado de sangrar, sufrir y llorar sus víctimas inocentes que mueren si saber por qué. Si interrogaras a un joven militante de Sendero Luminoso o de la OLP, o de cualquier otro grupo revolucionario que anda sembrando la muerte por diferentes países, con seguridad diría que hace eso como protesta por la injusticia social y que su objetivo es cambiar el orden de las cosas, porque el actual sistema está podrido y cayéndose a pedazos.

Si tú, por otro lado, interrogaras a un joven atrapado en las drogas por qué entró en ese tobogán que lo lleva implacablemente a la locura y la muerte, con seguridad respondería que las cosas en su casa no andaban bien, que los adultos son hipócritas o moralistas, y que él hace eso porque es auténtico y asume sus actitudes sin falso moralismo. La pregunta es: ¿Puede la violencia cambiar el sistema de las cosas? ¿Puede la autodestrucción cambiar el moralismo hipócrita de nuestra sociedad?

El problema real es la esencia de nuestras motivaciones. Cámbiense las ideologías, altérnense los partidos en el poder, sustitúyanse los sistemas, y todo quedará igual mientras el corazón humano no cambie.

¿Quién podrá cambiar el corazón humano? El profeta registra una promesa divina: "Os daré un corazón nuevo, y pondré un espíritu nuevo dentro de vosotros".

Puede parecer una respuesta demasiado simple, pero las cosas con Jesús siempre son simples. Los hombres lo esperaban en un palacio oriental, pero él nació en un pesebre. Ellos anhelaban ver su trono de oro y su cetro de piedras preciosas, pero él vivió como un sencillo peregrino, deseando establecer su trono en el corazón humano.

Felices los que pueden entender las cosas simples, aunque éstas muchas veces no tengan lugar en el siglo de racionalismo en que vivimos.

11 de agosto

Paren el mundo

De la higuera aprended la parábola: Cuando ya su rama está tierna y brotan las hojas, sabéis que el verano está cerca. Así también vosotros, cuando veáis todas estas cosas, conoced que está cerca, a las puertas. **S. Mateo 24:32, 33.**

El vuelo 918 del Lloyd Aéreo Boliviano me lleva de Santa Cruz de la Sierra hacia La Paz. Entonces abro el diario *El Día*, de Santa Cruz, y doy una mirada a los títulos. ¿Qué está pasando en el mundo?

En Sarajevo, millares de personas lloran la locura de la guerra, y los niños sólo tienen la lucha irracional de los adultos para satisfacer su hambre. En el Perú, un grupo revolucionario destruye y mata "en nombre de la justicia", sin siquiera saber por qué hace eso. En los Estados Unidos, Clinton es acusado de adulterio, en una lucha por el poder en el país más poderoso del mundo. En Irak, la guerra amenaza estallar en cualquier momento. Además de eso, hay hambre, guerras, terremotos, violencia, lucha de los sindicatos que exigen mejores salarios, explotación, corrupción y desconfianza.

"Todo eso", pienso, "es reflejo de los días en que vivimos". No en balde alguien tiró el diario a la basura y escribió una música pesimista: "Paren el mundo, me quiero bajar".

¿Te preguntaste alguna vez qué sucede con el ser humano, que es capaz de conquistar la Luna pero incompetente para resolver sus problemas en la Tierra? ¿Cómo alguien conquista los misterios del átomo y de la energía nuclear y no supera los propios desafíos? ¿Será que esa situación mejorará? ¿Alguna vez le daremos una oportunidad a la paz? ¿Cuándo llegaremos a vivir en un mundo sin drogas, contaminación y violencia?

Cada uno tiene su teoría y trata de encontrar una explicación para el asunto, pero el versículo de hoy dice que el mundo irá de mal en peor. No existe solución humana para la crisis actual. Sucede que en el fondo del ser humano hay una extraña incoherencia. Se discute qué hacer para combatir la contaminación del aire, entre humaredas de alquitrán y nicotina; se busca la paz con la violencia; se provoca una salida para el problema de los niños abandonados, mientras los viejos son despreciados en las filas bancarias para recibir una mísera jubilación, como resultado de toda una vida de producción.

Pero no todo está perdido, porque después de la noche viene el día. Es una ley. La noche puede ser oscura y fría; soplan los vientos y mucha gente queda asustada; pero el día viene. Cristo avisó: "Cuando veáis todas estas cosas, conoced que está cerca, a las puertas".

Por eso, mira a tu alrededor. Pero mira más allá. Hay una aurora eterna que ya despunta en el horizonte. Un nuevo día viene, lo creas o no. No depende de nosotros. Las profecías lo confirman. Está escrito. Y todo lo que está escrito tiene que cumplirse al pie de la letra.

¿Es posible dudar de que Cristo volverá? Recuerda: "Cuando veáis todas estas cosas, conoced que está cerca, a las puertas". ¿Estás listo para vivir eternamente?

229

Amor total

El que menosprecia el precepto se perderá; el que teme el mandamiento será recompensado. **Proverbios 13:13.**

Mientras me preparaba para hablar a los miles de personas reunidos en el Gimnasio Wilson de Freitas, en la ciudad de Victoria, Brasil, entró en el camarín una madre trayendo a su hijo de 19 años en la fase terminal del SIDA.

Me dolió el corazón ver a ese joven, que apenas comenzaba la vida, condenado a morir en poco tiempo. Pálido, delgado, con los ojos llenos de lágrimas. Sentí como si esperase que mis palabras le mostraran una salida.

Lo abracé y le dije en voz baja: "Dios te ama mucho. Él está contigo. No tengas miedo de nada. Confía en él".

Cuando el joven salió del camarín, entró otro joven que había visto lo ocurrido allí y me preguntó: "El SIDA, ¿es una especie de maldición divina?"

Hay mucha gente que cree que Dios vive creando flagelos y pestes para vengarse o castigar al ser humano por su comportamiento pecaminoso. Pero Dios no es como algunos lo imaginan.

Los cierto es que Dios tiene leyes físicas para que el universo funcione bien. Vamos a imaginar que tengo en las manos un fino objeto de cristal. Una pieza rara y valiosa, única. Si deseo que no se rompa, necesito respetar la ley de la gravedad y que no caiga al suelo. Si soy descuidado y la suelto, naturalmente se hará pedazos. ¿Sería justo, entonces, que mirara al cielo y le dijese a Dios que me está castigando? ¿O será que estoy sufriendo el resultado natural de quebrantar una ley de la naturaleza?

La Biblia declara que Dios es amor, y él en su amor creó al hombre para vivir y ser feliz. Lo que poca gente sabe es que la libertad de decidir es parte de la vida y de la felicidad.

Dios podría habernos creado sin la capacidad de decisión, como si fuésemos computadoras programadas para obedecer; pero entonces no hubiésemos sido humanos, sino máquinas. También podría haber impedido que existiera la posibilidad del mal, pero en ese caso no seríamos libres, sino esclavos del bien; obedeceríamos sólo porque no existiría la posibilidad de desobedecer. Tú y yo somos tan queridos a los ojos de Dios que nos creó con la libertad de elección, y he ahí nuestra tragedia: no sabemos usar esa libertad. Queremos llevar la vida a nuestra manera. Y él nos mira y suplica: "Hijo, no es así, te vas a lastimar". Pero parece que únicamente aprendemos cuando lloramos, sufrimos o sangramos.

Sin embargo, nuestro dolor no significa una maldición divina. Dios no se alegra con el sufrimiento humano; al contrario, se angustia cuando escogemos los caminos peligrosos, sufre cuando nos lastimamos, llora cuando tenemos que cargar con los resultados de las decisiones equivocadas.

Dios es amor, y tú eres lo más lindo que existe en el mundo. Te creó para vivir, no para morir. Él desea que seas feliz.

Callejón sin salida

Pero Jesús, luego que oyó lo que se decía, dijo al alto dignatario de la sinago-
ga: "No temas, cree solamente". S. Marcos 5:36.

Jairo era un hombre rico, poderoso, culto, inteligente y famoso. Tenía aparentemente todo lo que un hombre necesita para ser feliz. Pero vivía atormentado por un problema que se hacía insoluble a medida que el tiempo pasaba. Su hijita estaba condenada a muerte por la ciencia médica de sus días. No había solución humana para su estado. El dinero, el poder y la cultura de nada le servían; estaba en un hueco sin salida. En ese tiempo, andaba por Galilea un hombre llamado Jesús. Multitudes lo buscaban. En su presencia los ciegos veían, los paralíticos andaban, los leprosos eran curados. Todos iban a Jesús con la salud quebrantada y con los sueños hechos pedazos. Regresaban a su casa en paz y con una nueva dimensión de la vida.

Algo en su interior le decía a Jairo que su única esperanza estaba en Jesús. Pero él no podía alimentar esa fe, pues generalmente, los que seguían a Jesús eran ladrones, prostitutas, leprosos y miserables. ¿Cómo él, que era poderoso, inteligente y culto, se juntaría con la gente simple y correría detrás de Jesús?

Los días pasaban y la niña entró en estado de coma. Al ver que su hija moría, Jairo no resistió más. Buscó a Jesús, cayó a sus pies y le dijo: "Mi hija está agonizando; ven y pon las manos sobre ella para que sea salva, y viva" (vers. 23).

¿Te diste cuenta? Jairo no le pide ayuda, no deja el problema en las manos de Jesús, no dice: "Sea hecha tu voluntad". Jairo ordena. Al fin de cuentas, los líderes fueron hechos para dar órdenes, para comandar, para mostrar el camino. Los líderes no se someten, no siguen, no suplican. Pero, en la relación con Jesús, las cosas son diferentes: Tú no eres el mayor cuando mandas, tú creces cuando eres mandado.

Mira a Jairo, de rodillas, queriendo dirigir a Jesús. ¿Pueden los hombres arrodillarse y estar, inconscientemente, diciéndole a Dios cómo deben ser hechas las cosas? Jesús no discutió con Jairo. Fue con él, pero se demoró. Y cuando Jesús demora es porque tiene algo mejor para nosotros. La hija de Jairo murió, y ese fue el comienzo de la experiencia que realmente cuenta en la vida de él. Su hija murió, y él renació.

Después de la muerte de la hija, Jairo ya no manda más, es mandado. No dirige más, es dirigido. No es él quien lleva a Jesús por el brazo. Jairo coloca la mano en el brazo poderoso de Jesús y es llevado por él. La hija estaba muerta, pero Jesús entró y la hija resucitó, porque él es la vida.

Qué gran día para el líder. Por la mañana siguió a Jesús, buscando una curación. Jesús demoró, pero al anochecer le dio una resurrección.

¿Mandar o ser mandado? En el reino de Dios, las cosas son diferentes. Cuando el grano muere es cuando puede renacer transformado en muchos granos; haciéndose pequeño es como se crece; muriendo es como se vive.

Una nueva sonrisa

En el último y gran día de la fiesta, Jesús se puso en pie y alzó la voz, diciendo: "Si alguien tiene sed, venga a mí y beba". S. Juan 7:37.

Estaba descontrolada. Cada una de sus palabras era un dardo envenenado. Trataba de herir y mostrarse superior. Como si esa actitud pudiera sacarla de la confusión en que parecía sumergida. "¿Dios? ¿Para qué necesito a Dios? Él es el producto de mentes expertas que crearon la muleta que necesitan los espíritus cobardes, incapaces de ver y usar todo su potencial", decía.

Conocía bien a esa joven. En otros tiempos tenía un brillo maravilloso en la mirada; sonreía con una sonrisa que reflejaba la paz interior. Pero el tiempo pasó y fue a la universidad. Llegó a ser una profesional y adulta. Un día miró a los padres y los vio demasiado crédulos para su gusto; demasiado ingenuos, porque seguían eso que llamaban cristianismo; demasiado simples, pues creían que el mundo había sido creado por el Dios y Padre de amor que cuida a sus hijos.

Había leído y aprendido mucho. Había descubierto que el mundo no es sólo ese pequeño grupo de cristianos con quienes se congregaba todos los sábados, desde la niñez. Descubrió amigos que tenían otros sueños, otros planes; gente que vivía la vida "sin límites", que no tenía miedo de "ir al fondo de las cosas".

Entonces, algo hermoso se quebró dentro de ella. Casi sin darse cuenta, se sintió como un águila volando por espacios infinitos, mientras abajo unos pocos todavía continuaban creyendo que todo lo que hacían tenía que depender de Dios.

"¿Dios? ¿Para qué necesito a Dios? Dios está dentro de mí, dentro de ti", afirmaba. "Dios es la fuerza vital que traemos con nosotros, la energía interior que la cultura nos ayudó a desarrollar, en beneficio de los menos privilegiados".

No dije nada. Simplemente la miré. "¿No cree en mí?", preguntó. "Es verdad todo lo que estoy diciendo. No necesito de Dios. Sé de lo que soy capaz por mí misma. No hago mal a nadie; al contrario, hago más bien a mis semejantes que mucha gente que se dice cristiana". Pero las lágrimas estaban allí, queriendo salir, incomodando, doliendo. Naturalmente, quien es feliz no necesita hacer de todo para que los otros le crean. Simplemente es feliz, y la paz interior se refleja en el mirar y en la sonrisa espontánea. Alguna cosa no estaba bien dentro de esa joven morena de cabellos largos. Las lágrimas que luchaban por salir, parecían decir: "Ayúdeme, por favor. Escúcheme, no se vaya". ¿Por qué mirar hondo dentro de la gente, si sólo se encuentra un vacío extraño, que ni siquiera se puede identificar perfectamente? ¿Qué mérito hay en querer sacar a Dios de la vida, si después tenemos que correr en busca de un sentido para la existencia?

El año de la resurrección

Y habiendo dicho esto, clamó a gran voz: "¡Lázaro, ven fuera!" S. Juan 11:43.

Lázaro estaba enfermo y sus hermanas, Marta y María, enviaron mensajeros a Jesús, diciendo: "Señor, el que amas está enfermo" (vers. 3). Jesús demoró varios días en visitarlas, y Lázaro murió. Ante eso, yo pregunto: "¿Pueden aquellos a quienes Jesús ama enfermarse y morir?"

Esos días de demora fueron días de agonía; no sólo para Lázaro, sino también para sus hermanas y amigos. ¿Vale la pena tener un Dios si en el momento en que uno más lo necesita, no está presente? ¿Vale la pena pedir y orar, si la respuesta no aparece por ningún lado? ¿De qué vale creer en un Dios que parece que tiene tiempo para todos, menos para uno?

Con tristeza y en medio de la desesperación, Marta y María vieron morir a su querido hermano. Vieron cómo su cuerpo era depositado en el sepulcro.

Fue entonces, cuando humanamente todo estaba consumado, cuando ya no había esperanza alguna, que Jesús apareció.

"Quitad la piedra", dijo, y María le explicó que ya hacía cuatro días que el hermano había muerto, que ya olía mal, que ya no había posibilidad alguna de solución.

"Quitad la piedra", dijo Jesús. Después que los hombres hicieran su parte, el Dios de la vida clamó: "¡Lázaro, ven fuera!" (vers. 39, 43). Y Lázaro resucitó. ¿Pensaste alguna vez en por qué Jesús no escogió, para resucitarlo, un muerto que estaba todavía caliente? ¿Por qué escogió alguien que ya estaba en estado de descomposición? ¡Qué hábito ese de gustar de las cosas imposibles!

Detrás de todo acto divino siempre existe un propósito. Y lo que Jesús estaba queriendo decir es que, cuando para el ser humano todo está perdido, concluido, cuando ya no hay esperanzas, cuando los sueños se han hecho añicos y están por el suelo, todavía queda su oportunidad. Él es especialista en cosas imposibles. Nos da el derecho a dudar, pero tiene poder suficiente para mostrarnos que sólo duda quien quiere.

¿Por qué no pedir que el Jesús de las cosas imposibles tome el control de la embarcación? Él está dispuesto a resucitar los sueños, el futuro, los valores, los principios y hasta la dignidad que puede parecer muerta. Está dispuesto a sacar a cualquiera de la prisión, las drogas, la mediocridad, el orgullo, los temores o los prejuicios, incluso cuando la persona está enterrada para la vida.

¿Qué se necesita hacer para que el milagro acontezca? Quitar la piedra. Pero el Jesús que tuvo poder para resucitar, ¿no tiene poder para quitar la piedra? Claro que lo tiene. Pero él también nos dio el derecho de elección. Quitar la piedra es decidir, es aceptar, es decir "sí", y eso es lo único que Dios no puede hacer por nosotros. Él no entra en la vida de nadie por la fuerza. Respeta la libertad. Nos da el derecho de dudar, de rechazar y hasta de patear.

¡Qué gran día para Marta y María! Ellas esperaban apenas una curación y Jesús se demoró. Pero cuando llegó, trajo consigo la resurrección. Jesús nunca se demora sin motivo; siempre tiene algo mayor de lo que esperamos.

El cristianismo es vida

No penséis que he venido a abolir la Ley o los Profetas; no he venido a abolir, sino a cumplir. **S. Mateo 5:17.**

Después de estudiar la doctrina cristiana, Mahatma Gandhi, el carismático líder hindú, dijo algo que hirió el amor propio del mundo cristiano: "Yo me haría cristiano si no fuese por culpa de los cristianos".

¿Qué fue lo que sucedió a lo largo del camino? ¿Es el cristianismo una religión fallida? ¿Es el sueño moralista de un loco revolucionario? ¿Es imposible transformar la teoría en realidad? ¿Es puro idealismo?

Jesús, el fundador del cristianismo, no fue, como muchos piensan, un idealista, sino un hombre práctico.

Nunca pronunció un discurso sobre la santidad de la maternidad; se alimentó del pecho de su madre y así santificó, para siempre, la maternidad.

No argumentó sobre el desarrollo de la vida y del carácter; creció "en sabiduría, en estatura y en gracia para con Dios y los hombres" (S. Lucas 2:52).

No discutió sobre el misterio de la tentación humana. La enfrentó, y, después de cuarenta días en el desierto, retornó victorioso "en el poder del Espíritu" (cap. 4:14).

No encontrarás un discurso suyo acerca del trabajo, pero, si vas a la Biblia, descubrirás que trabajó en el taller de carpintero, consagrando así, para siempre, la dignidad del trabajo.

Lee toda su biografía en los cuatro Evangelios y piensa: ¿Intentó alguna vez probar la existencia de Dios? Él trajo al Padre consigo. Vivió una vida de comunión y dependencia de su Padre.

Jesús no argumentó, como Sócrates, sobre la inmortalidad del alma. Salió de la teoría: resucitó a los muertos. No discutió ni hizo discursos inflamados sobre el derecho de los niños; los colocó en sus rodillas y los bendijo.

No escribió volúmenes sobre la respuesta de Dios a las oraciones humanas: pasó algunas veces la noche entera en oración, y a la mañana siguiente el poder de su Padre fue capaz de devolver la vida a los muertos.

¿Lo vez describiendo, de manera admirable, las bellezas de la amistad y la necesidad de la simpatía que los hombres deben tener los unos para con los otros? No, claro que no, pero lo encuentras llorando en la tumba de su amigo Lázaro.

Ningún discurso feminista salió de sus labios, pero trató a las mujeres con respeto infinito, y al resucitar, fue a ellas a quienes se presentó primero.

No enseñó, en las aulas, lecciones de humildad: se colocó una toalla y lavó los pies a sus discípulos.

El cristianismo no es simplemente teología o filosofía, es práctica, es vida, es tú viviendo una experiencia de amor con Cristo y comunicando ese amor a las personas a través de los actos de tu vida. Ese tipo de cristianismo nunca puede ser el opio de los pueblos. Ese tipo de cristianismo es la única salida que tiene nuestro conturbado mundo.

¿Quién tiene miedo de la muerte?

Dicho esto, agregó: "Nuestro amigo Lázaro duerme, pero voy a despertar-lo". S. Juan 11:11.

El vuelo 194 de VASP proseguía normalmente, como todos los días, rumbo a Recife, Brasil. Los comisarios de a bordo servían rutinariamente la cena, cuando de repente el avión comenzó a enfrentar una turbulencia fuera de lo común. Todos se pusieron nerviosos y la mayoría rezaba o hacía la señal de la cruz. Cuando la turbulencia terminó y las personas se quedaron más tranquilas, mi compañero accidental en el viaje me miró y dijo: "Observé que usted estaba muy tranquilo. ¿No tiene miedo de morir?" "Si usted me preguntase si yo quiero morir, mi respuesta sería no. Me gustaría continuar viviendo, pero tener miedo de la muerte es otra historia. Yo tengo esperanza en la resurrección".

La Biblia registra una historia que es muy conocida. En la ciudad de Betania vivían Lázaro y sus hermanas, una familia a la que Jesús amaba. Un día Lázaro quedó enfermo y murió. Dos días después Jesús les dijo a sus discípulos: "Nuestro amigo Lázaro duerme, pero voy a despertarlo".

"Señor, si duerme, sanará", dijeron ellos. Sin embargo, Jesús quería decir que Lázaro estaba muerto (S. Juan 11:11, 12).

¿Te das cuenta? Para Jesús la muerte se compara al sueño, con la única diferencia de que en la muerte el corazón no late.

Para entender mejor este asunto, necesitamos ir a la creación. "Entonces Jehová Dios formó al hombre del polvo de la tierra, sopló en su nariz aliento de vida y fue el hombre un ser viviente" (Génesis 2:7). Bíblicamente hablando, sólo existe el ser vivo cuando la materia (el polvo) se junta con el soplo de vida. El polvo, aislado del soplo de vida, no tiene la capacidad de sentir, pensar o actuar. El soplo de vida, separado del polvo, tampoco siente, piensa o hace cosa alguna. La conciencia existe en el ser humano, y éste sólo vive mientras el polvo y el soplo de vida están juntos.

¿Qué es lo que sucede cuando el hombre muere? "El polvo vuelve a la tierra, como era, y el espíritu vuelve a Dios que lo dio" (ver Eclesiastés 12:7). Y añade: "Porque los que viven saben que han de morir, pero los muertos nada saben, ni tienen más recompensa. Su memoria cae en el olvido. También perecen su amor, su odio y su envidia... En el Seol [sepulcro], adonde vas, no hay obra, ni trabajo, ni ciencia, ni sabiduría" (Eclesiastés 9:5, 6, 10).

¿Quién tiene miedo a la muerte? Todo el mundo muere, pero nadie quiere morir, ¿sabes por qué? Porque el ser humano fue creado con vocación para vivir. No fue creado para morir. La muerte es un intruso en la experiencia humana. Pero la muerte verdadera no es la que ves o podemos sufrir mañana. Eso es solamente un sueño, el reposo inconsciente hasta que Jesús regrese. Entonces sí, tendremos que enfrentarnos con el hecho inevitable de que sólo existen dos caminos futuros: la vida eterna y la muerte eterna. Y nuestro destino en ese momento dependerá de nuestra decisión de aquí y ahora.

A los amigos les gusta conversar

Pero tú, cuando ores, entra en tu cuarto, cierra la puerta y ora a tu Padre que está en secreto; y tu Padre, que ve en lo secreto, te recompensará en público. S. Mateo 6:6.

La carta terminaba así: "Al fin de cuentas, parece que mi caso no tiene solución. Sé que la oración me ayudaría a resolver el problema, pero no tengo ganas de orar. Lo peor de todo es que cuando oro, digo todo lo que tenía para decir en dos minutos. Tengo la impresión de que mi oración no pasa del techo".

¿Sentiste algo parecido alguna vez? La verdad es que, en los años que llevo trabajando con los jóvenes, descubrí que el problema del joven no consiste en no saber que necesita orar. Todo el mundo sabe que es necesario orar, y que la oración es el aliento del alma. Todos saben que el poder viene a través de la oración. La angustia del joven se revela en la siguiente frase: "Pastor, no tengo ganas de orar".

Es necesario entender, en primer lugar, en qué consiste la oración. "Orar", dice Elena de White, "es el acto de abrir nuestro corazón a Dios como a un amigo" (*El camino a Cristo*, pág. 92). Según esta declaración, orar no es nada más ni nada menos que conversar con un amigo. Y a los amigos les gusta conversar. Es lo que más hacen. Si alguien no tiene ganas de conversar con su amigo, alguna cosa anda mal; se creó alguna barrera. La amistad está quebrantada, y la solución no consiste en leer libros o en oír sermones que hablen acerca del deber de conversar con un amigo. Es necesario que le enseñen cómo resolver su problema con el amigo. Necesita ayuda para que la amistad vuelva a ser como antes. Una vez que el problema haya sido resuelto, el diálogo con el amigo surgirá espontáneamente.

En segundo lugar, es necesario saber que una conversación entre amigos debe estar basada en la sinceridad. En una relación de amigos verdaderos no hay lugar para el fingimiento o la hipocresía. Cristo nos ama y lo que espera de nuestra relación con él es, sobre todo, sinceridad. Así dice en el Sermón del Monte: "Cuando oren, no finjan... no se queden recitando siempre la misma oración" (ver S. Mateo 6:5-7).

Tenemos casi de memoria una oración para las mañanas y otra para las noches. Siempre sobre el mismo asunto. Podemos estar sin el mínimo deseo de orar, pero nos arrodillamos por disciplina y repetimos la oración acostumbrada, que generalmente no dura más de dos minutos. Y al acostarnos, experimentamos la extraña sensación de que nuestra oración no pasó del techo.

¿Por qué no encarar la oración como la maravillosa experiencia de conversar con Jesucristo, en lugar de considerarla nuestro deber de cada día?

El día en que descubramos la alegría de hablar así con Dios, habremos descubierto el secreto de una vida poderosa. Eso es andar con Dios.

¿Existe el destino?

Los ojos de Jehová están en todo lugar, mirando a los malos y a los buenos.
Proverbios 15:3.

Joaquim Gomes Da Silva, después de terminar todas sus actividades, tomó la carretera de San Pablo a Curitiba. Más o menos a la altura de Itapecerica da Serra miró el reloj. Eran exactamente las 20:02. Conduciendo con prudencia a la velocidad que la ley decretó, debería llegar a Curitiba a eso de las 2 de la madrugada, pero Joaquín tenía compromisos temprano por la mañana y se desafió a sí mismo: estaría en casa alrededor de la medianoche. El auto, un poderoso Gol 1.8 negro, tenía máquina de sobra para conseguir su objetivo. Pisó fuerte y comenzó a dejar a todo el mundo atrás. A veces encontraba dificultades para sobrepasar, por causa de la larga fila de camiones que tenía delante, pero con un "poquito" de riesgo, y mucho coraje y habilidad, iba devorando los kilómetros que lo separaban de la familia.

En una puesto de gasolina, a la entrada de Jacupiranga, Joaquim paró para ir al baño. Fue una parada de apenas 5 minutos. Cuando estaba por subir al auto se acordó de comprar caramelos; regresó al negocio y se demoró dos minutos más. Miró el reloj. Eran las 22:25. Estaba dentro del tiempo previsto. Respiró hondo y tomó nuevamente la carretera.

Exactamente a las 22:38, unos 20 kilómetros más adelante, sucedió la tragedia. Joaquim estaba forzando un sobrepaso en zona prohibida, cuando de repente vio delante de sí un enorme camión. Trató de ir hacia la banquina y el chofer del camión tuvo la misma idea. Todo fue tan rápido y violento que Joaquim no vivió para contar la historia. La historia nació en mi cabeza, pero es copia fiel de la realidad en varias de las carreteras del Brasil.

Ahora vienen algunas preguntas. ¿Qué hubiese sucedido si Joaquim no se hubiera parado en el puesto de Jacupiranga? ¿Habría ocurrido el accidente si el joven no hubiese perdido dos minutos comprando los caramelos? ¿Y si el chofer del camión no hubiese entrado en esa curva exactamente a las 22:38? ¿Existe el destino o son decisiones equivocadas? ¿Es coincidencia o fatalidad?

¿Cómo sería si en lugar de pensar en los dos minutos perdidos en la compra de caramelos, pensáramos en la imprudencia de correr a más de 100 km/h y hacer sobrepasos peligrosos? ¿Joaquim murió porque estaba escrito en los astros o porque hizo una decisión equivocada, en el momento errado y en el lugar incorrecto?

Si nuestro destino estuviese determinado por la posición de los astros, ¿cuál sería la participación humana en el transcurso de la vida? Nadie puede huir a su responsabilidad. Nadie puede esconderse detrás del destino para explicar la falta de coraje o la irresponsabilidad. No existe fatalismo. Existen oportunidades aprovechadas o desperdiciadas, existe libertad. En eso consiste nuestra semejanza con el Creador.

La tragedia humana es la oportunidad de Dios

Y le preguntaron sus discípulos, diciendo: "Rabí, ¿quién pecó, éste o sus padres, para que haya nacido ciego?" S. Juan 9:2.

Jesús y sus discípulos encontraron a un ciego en su camino. Era un hombre condenado a una vida de oscuridad y tinieblas. Por aquellos tiempos, el único futuro para un ciego era pasar la vida entera pidiendo limosna en la calle, dependiendo siempre de la buena voluntad de las personas para poder vivir. Hoy, la ciencia evolucionó tanto que nacer ciego es más un desafío que un problema. Existen abogados, músicos y catedráticos ciegos. El sistema de lectura Braille revolucionó el mundo oscuro de los ciegos, permitiéndoles integrarse casi por completo a la sociedad y la cultura. Pero en los días de Jesús, la situación era completamente diferente. Un ciego era un hombre sin muchas perspectivas futuras, sin esperanzas, sin sueños, sin planes de vida. Ese pobre hombre estaba condenado apenas a sobrevivir.

Mientras Jesús veía a un hombre sufriendo, y mientras su corazón era movido por la compasión, los discípulos veían un problema teológico. "¿Quién pecó, éste o sus padres, para que haya nacido ciego?" Aquí se retrata patéticamente la diferencia de actitud entre Cristo y el ser humano. Jesús ve en el sufrimiento una oportunidad de servir, el hombre ve un tópico de discusión y análisis. Jesús está preocupado por el ser humano, en tanto que el hombre está más preocupado por la filosofía de la situación.

La respuesta que Jesús dio a sus discípulos ha creado malestar en mucha gente. "No es que pecó éste, ni sus padres, sino para que las obras de Dios se manifiesten en él" (vers. 3). ¿Quiere decir que Dios permitió que una pobre criatura naciera ciega y viviera condenada a un triste futuro sólo para tener la oportunidad de demostrar su poder?

Pensar así sería atentar contra el carácter justo y misericordioso de Dios. ¿Cuál es entonces la explicación?

La palabra griega *jína*, que en el versículo se traduce como *para que* e indica propósito, también se puede traducir como *a causa de*. Existen otros versículos, como los de San Lucas 9:45 y Gálatas 5:17, donde eso sucede. Lo que Jesús estaba diciendo a sus discípulos era: "Ni este pecó, ni sus padres, pero ya que existe esta situación, las obras de Dios se realizarán". ¿Entendiste? Dios no es el originador de nada malo en este mundo. Todo lo malo proviene del enemigo de Dios. La enfermedad, el sufrimiento y la muerte vienen del padre de la mentira, pero Dios puede tomar nuestro sufrimiento, nuestras heridas y transformarlas en alegría. Lo que el diablo cree que podría ser el fin del hombre, Dios por su poder puede transformarlo en un espectáculo de bendición para el universo entero.

Hagamos de este día un día de compañerismo maravilloso con Jesús, sabiendo que sólo podremos verlo en el momento de la dificultad, si aprendemos a convivir con él en los tiempos de paz.

21 de agosto

Racionalizar o creer

Jesús les respondió diciendo: "Ha llegado la hora para que el Hijo del hombre sea glorificado". S. Juan 12:23.

Había fiesta en Jerusalén y Jesús estaría presente. Nadie quería perder la oportunidad de verlo y oírlo. Algunos por curiosidad, otros porque no sabían adónde ir en busca de ayuda, y otros, incluso, porque esperaban ansiosos que el Maestro de Galilea cometiera un desliz para poder condenarlo.

El relato bíblico dice que "había ciertos griegos entre los que habían subido a adorar en la fiesta" (vers. 20). Los griegos practicaban una religión lógica y racional en la que no existía lugar para la fe. No eran capaces en creer en lo que sus ojos no vieran o sus dedos no tocasen. Ese era uno de los motivos por los que atribuían a sus dioses las formas y características humanas.

Pero en el mundo espiritual no es como en la ciencia. Tú no puedes colocar a Dios debajo de la lente de un microscopio para analizar su estructura. Tienes que aceptarlo por fe, porque él dejó en el universo evidencias suficientes de que está en el control de todo.

Los griegos que fueron a Jerusalén eran personas vacías, huecas y desesperadas. La lógica racional de su estilo de vida satisfacía el intelecto, pero no llenaba el corazón. La religión lógica de su país no llenaba el vacío de su corazón, y por eso dejaron todo y viajaron a Jerusalén. Habían oído decir que Jesús curaba a leprosos, devolvía la vista a los ciegos, transformaba a los marginales y prostitutas y hasta resucitaba a los muertos.

La gente desesperada corría detrás de Jesús. Después de encontrarse con él, todo el mundo regresaba feliz y dispuesto a enfrentar las luchas de la vida y a ser victoriosos. Por eso, los griegos llegaron a Jerusalén después de andar varios días. Querían ver a Jesús, querían oírlo. Habían intentado todo y nada había dado resultado. ¿Por qué no conocer a Jesús?

Sin embargo, la respuesta de Jesús es sorprendente. "Ha llegado la hora para que el Hijo del hombre sea glorificado" ¿De qué estaba hablando? De su muerte, indudablemente. ¡Pero qué modo extraño de ser glorificado!

Generalmente, para que una persona reciba la gloria es llevada a un palco y todas las luces del mundo se concentran en ella. Las multitudes aplauden, se entregan medallas y estallan botellas de champaña.

Pero Jesús habló de ser glorificado con la muerte. Estaba presentando a los griegos el carácter ilógico del cristianismo. Mientras los hombres matan para vencer, Cristo muere y de ese modo alcanza la victoria. Mientras los hombres viven para ser glorificados, Cristo es suspendido en la cruz como un marginal, con el fin de alcanzar la gloria.

Debía haber lugar para la fe. Los griegos tenían sólo dos caminos: o continuaban intentando todo y permanecían con el corazón vacío y desesperado, o creían que detrás del sufrimiento y la muerte estaba la gloria. Era racionalizar o ejercer la fe. ¿Y qué en cuanto a ti?

Cómo vencer la envidia

Nadie busque su propio bien, sino el del otro. **1 Corintios 10:24.**

La niña regresó de la escuela, entró corriendo en la cocina y, agitando una hoja de papel en la mano, le dijo a la mamá: "Mira esta mariposa, es la más linda del mundo y es para ti". Mientras la madre terminaba los detalles del almuerzo, la niña no dejaba de hablar un minuto y quería que la madre viese la mariposa. La señora se secó las manos en un repasador y bajó para observar el dibujo: "Está linda", admitió, más para satisfacer a la hijita que expresando realmente lo que sentía. "¿Dónde aprendiste a hacer este dibujo?"

"No fui yo, mami, fue mi amiguita. Ella es la que mejor dibuja en el mundo. Le pedí que me hiciera una mariposa para ti". Después de haber dicho eso, la niña salió al patio a jugar, dejando a la madre sin saber qué decir ni cómo reaccionar.

¿Alguna vez pensaste por qué Jesús dijo que si no somos como niños no entraremos en el reino de los cielos? Los niños son puros en su manera de reaccionar. ¿Tú y yo seríamos capaces de alegrarnos con el éxito de los demás? Mi pregunta es: ¿Cómo deberíamos reaccionar ante el éxito de los demás? Todos sabemos perfectamente cuál debería ser la respuesta correcta. Todos sabemos lo que Jesús enseñó. Todos sabemos cómo debe reaccionar el cristiano. Pero la pregunta es si, a pesar de todo lo que conozco en la teoría, soy capaz de alegrarme con el éxito de los demás.

La envidia, popularmente llamada "dolor de codo", tiene la propiedad de deformar la realidad y el poder de envenenar el alma. El ser humano, llevado por los celos, ve cosas que no existen y paulatinamente comienza a creer en lo que imagina. Allá en el fondo de su ser sabe que ese sentimiento está equivocado. Entonces, para justificar el sentimiento que no consigue sacar del corazón, generalmente comienza a acusar.

¿Tiene Dios remedio para ese tipo de mal? Claro que tiene, y la respuesta es Cristo. A medida que lo contemplemos diariamente, a medida que meditemos en los rasgos maravillosos de su carácter y convivamos con él, permitiendo que su Espíritu habite en nosotros, controle voluntariamente nuestras decisiones y santifique nuestra voluntad pecaminosa, cada día, de manera casi imperceptible veremos su carácter reproducido en nuestra vida.

Comenzaremos a sentir como él, a pensar y a actuar como él actuaría ante las diferentes circunstancias de la vida.

Hagamos de este día un día de comunión con Jesús. Salgamos a las luchas de la vida con la seguridad de que Jesús no quedó en casa, sino que será una presencia real y personal a lo largo de todas las circunstancias que este día pueda presentarnos.

Está llegando el "último tiempo"

Que sois guardados por el poder de Dios, mediante la fe, para alcanzar la salvación que está preparada para ser manifestada en el tiempo final. 1 S. Pedro 1:5.

"¡Feliz Navidad!" Ese era el título de una historia triste para niños que oí hace mucho tiempo. La historia relata las expectativas de un muchachito de 6 años. Soñaba con tener un poni. Cerraba los ojos y se imaginaba cabalgando en su caballito. Cuando llegó la época de Navidad, colocó papelitos con su deseo escrito por todos los rincones de la casa, para que sus padres supieran de su pedido. En su imaginación ya tenía el lugar donde el caballito dormiría y hasta el pasto que comería. Finalmente, llegó el 24 de diciembre. Esa noche el muchachito casi no durmió. En los años anteriores, su pedido siempre había sido atendido. Tenía la seguridad de que esta vez tendría su querido y deseado poni. Cuando despertó en la mañana de Navidad, él y su hermanita corrieron a buscar sus regalos. Había una linda muñeca para ella, pero no había nada para él. Miró por todos lados: nada. Primero quedó triste, después chasqueado y más tarde frustrado. Luego del desayuno, que casi no tomó, se sentó en la escalera de afuera con el rostro entre las manos y con la vista perdida en el horizonte. Había esperado tanto, ¡para qué! Días y días de sueño para de repente descubrir que todo no había sido más que una ilusión.

Mientras estaba allí, perdido entre sus pensamientos, vio por la calle a un hombre grande cabalgando en un poni. Parecía demasiado grande para el caballito, porque los pies del hombre casi tocaban el suelo. Para su sorpresa, el hombre paró enfrente de la casa y le preguntó: "¿Aquí vive Juancito?" Ese era su nombre, él era Juancito. Entonces el hombre le contó que había tenido dificultades para llegar a tiempo y que el poni era para él.

El muchachito casi no lo podía creer. Ahora las lágrimas de tristeza se transformaron en lágrimas de alegría. Pero lo que él no percibió fueron las lágrimas del padre. Durante todo el tiempo que el hijo sufrió sintiéndose frustrado, el padre miraba por la ventana, porque sabía que el poni llegaría.

Ya pasaron casi veinte siglos desde que Cristo dijo: "Volveré". Las profecías bíblicas apuntan hacia nuestros días como el tiempo del regreso de Jesús en gloria y majestad. Miramos a la higuera y notamos que las hojas ya nacen. Es hora de que Cristo aparezca, pero aparentemente no sucede nada. ¿Será, por ventura, que alguien se siente triste, frustrado y cansado de esperar? ¿Podríamos, alguna vez, tener la idea de que Jesús se olvida de nosotros? Si fuera así, miremos con los ojos de la fe y ahí, cerca de nosotros, veremos las lágrimas del Padre, diciendo: "Hijo, yo no me olvidé de ti, espera un poco más".

Una vida de permanente comunión con Cristo es el único medio de aguardar el regreso del Señor sin desesperar, porque mientras él no aparezca visiblemente, y mientras no podamos verlo cara a cara, a través de una comunión diaria podemos sentir su compañerismo y su constante protección en nuestra vida. Que Dios te bendiga en este nuevo día de espera por el regreso del Señor.

De mayor valor que el oro

Para que, sometida a prueba vuestra fe, mucho más preciosa que el oro (el cual, aunque perecedero, se prueba con fuego), sea hallada en alabanza, gloria y honra cuando sea manifestado Jesucristo. 1 S. Pedro 1:7.

El síndrome del gusano es algo terrible que destruye a mucha gente. En la Biblia existen algunos versículos, como Salmos 22:6: "Pero yo soy gusano y no hombre", e Isaías 41:14: "¡No temas, gusanito de Jacob...!", que algunas personas utilizan para probar que "el hombre no vale nada" y para justificar la autoimagen completamente negativa que acarrean por la vida.

Es verdad que cuando el ser humano se separa de Dios y cae en el pecado, se torna egoísta y se encuentra dominado por la naturaleza pecaminosa. También es verdad que mientras el ser humano no comprenda que con esa naturaleza es imposible amar a Dios, nunca reconocerá su necesidad de un Salvador. El espíritu de profecía dice: "El verdadero amor por Jesús jamás habitará en el corazón de quien abriga justicia propia. En cuanto no percibamos nuestra propia deformidad, tampoco percibiremos la belleza del carácter de Jesús. Cuando nos volvamos conscientes de nuestra propia pecaminosidad, sólo entonces apreciaremos al Maestro. Cuando más humilde sea la opinión que tengamos de nosotros mismos, más claramente veremos el carácter inmaculado de Jesús... Si no vemos el agudo contraste que existe entre Cristo y nosotros, es porque no nos conocemos. Quien no se aborrece a sí mismo, no puede comprender el significado de la redención" (*Review and Herald*, 25 de septiembre de 1900).

Como cristianos debemos tener un concepto equilibrado de nuestro valor, que solamente Jesús es capaz de colocar en el fondo de nuestro ser. No existe bien alguno en nosotros; somos criaturas dependientes de Dios, con una naturaleza pecaminosa y egoísta que procura sus propios intereses. Pero con todo, somos el objeto de mayor valor que Dios tenga en este mundo. De otra manera no hubiera enviado a su Hijo unigénito para dar su vida y morir como un marginal en la cruz del Calvario.

El versículo de hoy presenta un contraste entre los valores humanos y lo valores divinos. Para el hombre no existe en este mundo nada que sea más valioso que el oro. Los hombres son capaces de todo con tal de conseguir un poco de oro, pero Dios dice por medio de Pedro que la fe de sus hijos es más preciosa que el oro. No existe nada más valioso para Dios que el ser humano. Cuando éste, reconociendo que no tiene valor en sí mismo, cae arrepentido a los pies de Cristo, y por la comunión diaria con Cristo aprende a depositar en él toda su confianza, esa fe es motivo de orgullo santo por parte del Padre delante del universo.

Cuando tú, por algún motivo de esta vida, te sientas tentado a pensar que no vales nada, por favor, levanta los ojos hacia la cruz de Cristo y respóndele al enemigo lo siguiente: "Por mí mismo no soy nada, pero Jesús murió por mí. Yo creo en su amor, y ahora soy un príncipe y heredero al trono".

Firmes en el dolor

¿Quién ha creído a nuestro anuncio y sobre quién se ha manifestado el brazo de Jehová? Isaías 53:1.

En la noche del 29 de marzo, Floro Vásquez, que vivía en la zona de Josefina, área rural de Cuenca, Ecuador, oyó un ruido infernal y vio que las aguas subían con una rapidez violenta. Su esposa Rosario no estaba en casa.

Floro vio desesperadamente que su casa estaba siendo tomada por las aguas. Sacó a dos de sus cinco hijos que dormían y se subió a un árbol. "Desde allí observé cómo mi casa era totalmente cubierta por el torrente. Pensaba en mis otros hijos, pero no podía hacer nada. En medio de la desesperación y tristeza resistí en una posición muy incómoda hasta la madrugada. Sin embargo, más tarde no conseguí soportar más y perdí el sentido. Cuando desperté, mis hijos ya no estaban conmigo; habían desaparecido de mis manos para siempre".

A la mañana siguiente Floro fue rescatado por los bomberos, y se dio cuenta de la dimensión de su tragedia. Estaba solo. Todos sus hijos habían muerto entre las centenas de personas llevadas por las aguas que arrasaban el cerro Tamuga, y que llegó a ser conocida como la mayor tragedia que el Ecuador tuviera ese año.

Lo interesante fue que los habitantes del lugar, después de la tragedia y al comenzar los trabajos de reconstrucción, colocaron al lado de la carretera un enorme cartel con un versículo bíblico: "Cuando pases por las aguas, yo estaré contigo; y si por los ríos, no te anegarán. Cuando pases por el fuego, no te quemarás ni la llama arderá en ti" (Isaías 43:2). Fue conmovedor ver a ese pueblo trabajando para salir de la nada. Perdieron todo. Salvaron apenas lo más precioso que el ser humano posee: la vida. Las aguas enloquecidas, arrastrando lodo y piedra, llevaron casas, mujeres, niños y ancianos, y ellos tuvieron la fe suficiente como para creer que "cuando pasemos por las aguas, Jesús estará con nosotros; y si por los ríos, no nos anegarán".

Un periodista le preguntó a uno de los lugareños por qué colocaron ese versículo, si todo estaba sumergido. Él respondió con sencillez que las aguas no se habían llevado las esperanzas, ni los sueños, ni el futuro.

Mi visita al Ecuador valió sólo para ser testigo de todo lo que estoy registrando. La fe heroica de ese pueblo me emocionó. La promesa de Dios no valía solamente antes de la tragedia. Para ellos, que habían vivido la mayor pesadilla de sus vidas, la promesa divina continuaba en pie.

¿Confiaste alguna vez en Dios y tuviste la impresión de que Dios falló? ¿Qué fue lo que sucedió? ¿Continuaste confiando o pensaste que todo no era más que demagogia divina? Las promesas de Dios nunca fallan; pueden demorar, pueden incluso dar la impresión de que no se cumplirán, pero están siempre en pie y son válidas para los que pueden ver más allá de lo visible.

No te asustes

En el amor no hay temor, sino que el perfecto amor hecha fuera el temor, porque el temor lleva en sí castigo. De donde el que teme, no ha sido perfeccionado en el amor. **1 S. Juan 4:18.**

El Dr. Dubois, médico francés que ayudó al ejército de su país durante la guerra, relata la experiencia de un condenado a muerte. Le vendaron los ojos y le dijeron que le cortarían la arteria del brazo mientras un grupo de médicos observaría cuánto tiempo tardaba en morir.

Luego hicieron un torniquete en el brazo del soldado, le pasaron una navaja por la piel con cuidado de no herirlo y con una manguera diminuta dejaron correr agua lentamente. Gota a gota en un balde colocado abajo.

Mientras eso sucedía, los médicos comentaban en voz alta los síntomas que iban "observando". Hablaban sobre la debilidad del pulso y sobre la palidez del rostro.

El Dr. Dubois relata que el prisionero creyó tanto en lo que los médicos decían, que su sistema nervioso fue afectado hasta el punto de paralizársele el corazón. La ansiedad y el miedo consiguieron matarlo.

Este es un caso extremo de lo que el miedo puede hacer en la vida de una persona. Pero andando por las calles existen miles de muertos vivos por causa del miedo. Es gente que no consigue construir nada, que está paralizada por el temor y la ansiedad. No crecen, no se desarrollan, no sueñan, no construyen; simplemente vegetan.

Cuando el miedo y la ansiedad se apoderan de una vida, la hacen improductiva.

El Señor Jesús relató en una ocasión una parábola que tiene que ver con la productividad. Es la parábola de los talentos. En ella uno de los hombres respondió a su maestro: "Tuve miedo, y fui y escondí tu talento en la tierra" (S. Mateo 25:25).

El fin de esta triste vida fue un agujero en la tierra. Hay mucha gente en este mundo que no hace otra cosa sino "agujeros en la tierra". ¿Por qué no construyen alguna cosa? El miedo y la ansiedad los paraliza y los hace improductivos.

¿Qué hacer si temores ocultos y ansiedades íntimas perturban tu vida? Primero deja aflorar tus miedos, no huyas de ellos; encáralos, reconócelos y acéptalos.

Después de tener conciencia de ellos, coloca tus ojos en Jesús y pregúntate a ti mismo: "Si lo peor que puede haber sucedido con Jesús (muerte en la cruz) se transformó en algo tan maravilloso como mi salvación, ¿por qué no puedo yo también transformar el miedo y la ansiedad en algo lleno de significado como el deseo de luchar y vencer?"

Tómate del brazo poderoso del Padre y camina sin temor. El miedo y la ansiedad pueden perturbar a alguien que no descubrió el amor maravilloso de Jesús, pero nunca a quienes confían en el Dios Todopoderoso.

¿No orar puede ser pecado?

El que sabe hacer lo bueno y no lo hace, comete pecado. **Santiago 4:17.**

¿Pensaste alguna vez en que no orar puede ser un acto pecaminoso? El texto de hoy nos confronta con una realidad innegable. Si pasamos por la vida sólo preocupados en no hacer cosas erradas, pero no permitimos que el Espíritu de Dios nos lleve a practicar las cosas correctas, estamos corriendo un terrible peligro en la vida espiritual.

¿Te preguntaste alguna vez qué poder tenía Pedro para decir al paralítico a la puerta del templo: "Levántate y anda" (Hechos 3:6)? ¿Dónde está el poder prometido por Jesús a su iglesia? ¿Por qué continuamos hablando del poder como de algo que vendrá en el futuro? ¿Dónde está nuestro gran problema?

Una vida cristiana sin oración siempre estará destituida de poder. Nuestra vida sin oración es, tal vez, el gran pecado que impide que el mundo conozca a Jesús. La humanidad espera mucho de los llamados cristianos, y nosotros no tenemos nada para ofrecerles, a no ser, muchas veces, reuniones sin vida y que no responden a los anhelos del corazón humano.

¿Qué hacer para tener una vida de oración? Tenemos que separar tiempo para hacerlo. Este asunto de tiempo para orar es como el diezmo. Si tú esperas que sobre dinero para devolver el santo diezmo a Dios, ciertamente nunca lo devolverás. Y si estás esperando que sobre tiempo para orar, olvídalo, nunca serás una persona de oración.

El primer paso para ser personas de oración es determinar una hora para orar. Escoge la hora que sea mejor dentro de tu programa de trabajo, pero anótala en tu agenda de compromisos. Esa es la hora para tu encuentro con Dios, el Rey de reyes, el Creador del universo. Y si te esfuerzas por cumplir tus compromisos con los seres humanos, no permitas que nada se interponga en tu compromiso con Dios.

Tal vez puedas estar pensando: "Pastor, usted no conoce mi intenso programa de vida. Yo soy una persona muy ocupada". Bueno, cuando Martín Lutero estaba sobrecargado de trabajo acostumbraba decir: "Estoy tan ocupado hoy, que necesito pasar tres horas en oración". ¿Por qué no lo intentas? De repente da resultado. Si dio resultado en la vida de Jesús, Moisés, Enoc y tantos victoriosos, ¿por qué no puede dar resultado en la tuya?

Pero no postergues el plan para mañana. Recuerda que "mañana" es la palabra predilecta del enemigo. El mañana está siempre impidiendo que oremos hoy. El enemigo sabe que si todos los cristianos se arrodillaran y conversaran con Dios una hora por día, estaría perdido. Por lo tanto, su trabajo es conseguir que el cristiano continúe posponiendo siempre sus planes de oración.

Que Dios nos ayude a entender hoy que una vida sin oración es una vida de pecado, y que nos dé fuerzas para ir a él.

La espera silenciosa

En Dios solamente reposa mi alma, porque de él viene mi esperanza. **Salmos 62:5.**

El texto de esta mañana ha sido traducido en la versión portuguesa de la siguiente manera: "Solamente en Dios, oh alma mía, espera silenciosa, porque de él viene mi esperanza". En un mundo agitado como el nuestro, desde niños aprendemos a correr y correr sin tener tiempo para estar solos y mucho menos para quedar a solas con Dios.

La comunión con Cristo no consiste solamente en orar, estudiar la Biblia y testificar. También es necesario "esperar silenciosamente en Dios". ¿Por qué no permanecer algunos minutos en silencio, meditando en el amor de Dios, en su grandeza y misericordia, y alabando su nombre sin palabras?

La próxima vez que dediques tiempo a la comunión con Dios (puede ser hoy mismo), practica la meditación. Mientras perseveras en la presencia de Dios sentirás que el Espíritu Santo comienza a operar suavemente en tu corazón. Él te dará la seguridad de estar en la presencia del Dios Todopoderoso, aunque no estés sintiendo nada. Te llenará con una sensación de paz, fuerza y poder. El amor de Dios ahuyentará la tristeza, el desánimo y las preocupaciones por alguna prueba que puedas tener ante ti.

Entonces, tu corazón quedará lleno de alabanza y alegría, y sentirás el deseo de cantar y agradecer las bendiciones que tus ojos aun no vieron, pero que ya tienes la certeza de haber recibido. Ninguna orden se repite tan frecuentemente en la Biblia como la de alabar el nombre de Dios, pero no existe alabanza sin meditación. En una meditación, en el silencio, es donde el alma se encuentra con Dios y se deleita en las verdades eternas.

Con frecuencia hacemos de la oración un discurso a Dios. Hay poco diálogo. Alguien dijo que para cada corazón que dice: "Habla, Señor, que tu siervo oye", hay diez que dicen: "Oye, Señor, lo que tu siervo habla". ¿Te diste cuenta de que tenemos tantas cosas para decirle a Dios, que raramente nos sobra tiempo para tratar de oír su voz? A su vez, que Dios nos haya dado dos oídos y una lengua, ¿no querrá decir de alguna forma que debemos oír el doble de lo que hablamos?

¿Cómo puedo oír a Dios? ¿Debo sentir su voz en medio del dormitorio? Probablemente no. Pero si después de leer la Biblia y orar, separamos tiempo para meditar en silencio, el Espíritu Santo despertará convicciones profundas en nuestro corazón. Hará que las verdades que pasaron inadvertidas en la lectura de la Biblia, adquieran, de repente, vida y significado para las circunstancias que estamos enfrentando.

Oír interiormente es un don dado por Dios a todos sus hijos, y, como todo don, necesita ser desarrollado y requiere experiencia. Necesitamos comenzar, diciendo por ejemplo: "Señor, ¿qué tienes para decirme hoy?" Luego, permanece en silencio. Él sabe que en ese momento nuestro corazón está receptivo. Con certeza quedarás maravillado con las cosas que el Padre tiene reservadas para ti.

Más que humana sabiduría

Para que vuestra fe no esté fundada en la sabiduría de los hombres, sino en el poder de Dios. 1 Corintios 2:5.

Nuestra misión no consiste únicamente en presentar delante de los hombres a Dios como la idea de alguna filosofía, o como el gran arquitecto o el gran maestro de cualquier código de ética o de moral; nuestra misión es presentar al "Dios y Padre de nuestro Señor Jesucristo", a Aquel que estaba "en Cristo reconciliando consigo al mundo" (2 Corintios 1:3; 5:19).

Si nos detenemos a meditar un poco, veremos que si limitamos el evangelio a opiniones humanas, y tratamos de explicar filosóficamente el porqué de la rebeldía y la tragedia del hombre, caeremos en un desconcertante relativismo intelectual. Porque la verdad, desligada de Dios como experiencia íntima y personal, siempre es un engaño, una ilusión y una falsedad. ¿Qué es la verdad? Dios es la verdad, y fuera de él nada existe que sea real y concreto.

Por eso la fe, como simple asentimiento intelectual, como simple "entender las cosas", como simple satisfacción de la razón, es una fe incompleta. Puede ser útil en la experiencia como punto inicial de compañerismo con Dios, pero tiene que ir de lo conocido a lo desconocido, de lo que comprende y afecta intelectualmente a lo que no entiende, pero que acepta porque confía en la persona que inspira esa confianza: Jesús, el Autor y Consumador de nuestra fe.

¿Estás aceptando a Jesús? No intentes entenderlo todo, no pierdas tiempo en puntos y comas, no desperdicies energía queriendo comprender "por qué Dios creó al ser humano si en su presciencia sabía que el hombre pecaría"; no crees barreras pensando que Dios es injusto porque nacen niños deformados y existe hambre en la Tierra.

De repente, las múltiples preguntas que tienes en tu mente y que crean confusión no son otra cosa sino el grito del corazón clamando por seguridad, paz y perdón. ¿Pensaste ya en la posibilidad de que tu gran problema no sea entender, sino ser entendido; no sea aceptar, sino ser aceptado por Jesús?

A lo largo de mi ministerio conocí a personas intelectuales que hacían preguntas y más preguntas. Mientras trataba de satisfacer sus inquietudes intelectuales, las preguntas parecían no cesar. Un día descubrí que debía llevar esas personas a apoyar su fe no "en la sabiduría de los hombres, sino en el poder de Dios", y las preguntas terminaron y las personas encontraron y aceptaron a Jesús.

No puedo olvidar el caso de ese europeo que acompañó a su esposa a una de las grandes campañas de evangelización. Estuvo allí, atento, en medio de miles de personas. Al volver a casa, dijo a su esposa: "No vuelvo más. Ese hombre no sabe nada, es muy superficial; sólo habla de Jesús". Pero a la noche siguiente volvió, y volvió también en la otra, y finalmente lo conocí en San Leopoldo, en 1992, ya bautizado y en la iglesia.

Él entendió que lo que estaba necesitando no era la maravillosa exposición teológica de una doctrina. Descubrió a Jesús, y hoy es feliz.

Lágrimas

Aunque ande en valle de sombra de muerte, no temeré mal alguno, porque tú estarás conmigo; tu vara y tu cayado me infundirán aliento. **Salmos 23:4.**

Estoy triste. Al escribir esta página, no logro sacar de mi cabeza las horas dramáticas que viví. Mi hermana perdió a su esposo, un joven pastor, asesinado mientras regresaba a casa después de llevar esperanza a las personas. Ella debía dar la noticia de su hijita de 5 años. ¿Cómo decírselo? ¿Qué palabras usar para que una niñita comprenda el misterio de la muerte?

Quedé a su lado pidiéndole a Dios que colocase las palabras apropiadas en sus labios. Las lágrimas luchaban por salir. Su voz temblaba, quebrada por el volcán de dolor que golpeaba su corazón. Finalmente, consiguió hablar.

—Hijita, ¿te acuerdas de la historia de Lázaro?

—Sí —dijo la niña, con los ojos brillando de felicidad.

—¿Qué fue lo que le sucedió a Lázaro? —preguntó la madre.

Y la pequeña iba respondiendo y dando detalles de la historia que el mismo padre le había contado tantas veces antes de dormir.

De repente, la madre la interrumpió y dijo:

—Mira, querida, ayer papá regresaba a casa después de predicar. Él estaba cansado y Jesús le dijo: "Tienes que ir a dormir ahora". Papá quiso discutir, pero tú sabes que a él siempre le gustó obedecer a Jesús. Aunque él te quería, durmió, y ahora está descansando hasta que Jesús vuelva.

La alegría desapareció en un segundo del rostro de la niña. Parecía darse cuenta de que la ausencia del padre le dolería mucho y, con un clamor que partía el corazón, preguntó:

—¿Papá murió?

La madre llena del coraje que sólo Jesús puede dar, respondió:

—No, hijita, papá no murió. Sólo está durmiendo, y cuando Jesús vuelva vamos a abrazarlo nuevamente.

Estoy triste. La tragedia trajo mucho dolor a mi familia. A pesar de todo, fue bueno ver cómo reacciona el cristiano ante el sufrimiento.

—Tú tienes todo el derecho de preguntarle a Dios, pero sé que sólo el tiempo apagará tus preguntas —le dije a mi hermana en ese momento.

Ella, recostando la cabeza en mi pecho, respondió:

—Yo no quiero preguntarle nada a Dios. Yo no quiero respuestas. Sólo quiero que él me abrace bien fuerte, porque confío en él, aunque no comprenda muchas cosas.

¡Cuán bien hace saber que Jesús nunca nos abandona en medio del dolor!

El Señor es nuestra confianza

¡Bienaventurado el hombre que puso en Jehová su confianza y no mira a los soberbios ni a los que se desvían tras la mentira! **Salmos 40:4.**

Emilio era un cristiano sincero y muy misionero. Nunca se lo veía participando públicamente en alguna actividad. No sabía cantar ni hablar en público, pero sabía ser amigo y buscar a los pecadores para traerlos a los pies de Jesús. Era un hombre querido porque estaba siempre listo para auxiliar a las personas. Uno podía pedirle un favor a cualquier hora del día y tener la seguridad de que estaría listo para hacerlo. Me sentía feliz de ser pastor de Emilio. Nunca daba problemas. Al contrario, me ayudaba a resolver los problemas de los demás.

El tiempo nos separó. Yo dejé de ser pastor de esa iglesia y pasaron años sin verlo. Un día me encontré con un miembro de esa iglesia y con alegría le pregunté por uno y otro. Al mencionar el nombre de Emilio, la alegría desapareció del rostro del hermano.

—Está fuera de la iglesia —dijo tristemente—. No está más con nosotros.

—Debe haber algún error. Yo conozco a Emilio, él no dejaría la iglesia por nada —repliqué.

—Ah, pastor —dijo el hermano–. Nosotros no conocemos a nadie en esta vida. Emilio no sólo está fuera de la iglesia, sino que es un enemigo de la iglesia. Ataca, critica y trata de llevar a otros hermanos con él.

Un día Emilio dejó de confiar en Jesús. Comenzó a obedecer a los hombres. Apareció por allí un grupo de personas que pensaban que la iglesia debía transformarse en una iglesia nacional, que debíamos expulsar a todos los pastores extranjeros. Vinieron con hiel en los labios, sus lenguas eran picantes como las de las serpientes, y el buen hermano Emilio cometió la tontería de prestarle oídos a los soberbios y se dejó llevar por los que aman la mentira.

Meses después me encontré con Emilio y descubrí que, efectivamente, ya no era ni cristiano. Había vuelto a su antigua vida y, conforme dice la Biblia, estaba "siete veces peor".

La única seguridad que los seres humanos tienen está en Cristo. El versículo de hoy dice: "¡Bienaventurado el hombre que puso en Jehová su confianza!"

Hombres soberbios y amantes de la mentira no faltarán nunca en el camino. Son gente que vive con el dedo listo para apuntar los errores. Gente incapaz de ver las cosas buenas y que sólo tiene ojos para los defectos. Gente que va sembrando con astucia sus propias ideas, doctrinas nuevas y fascinantes, hechas para tal o cual evento y casi siempre tratando de sacarte de la comunión de los hijos de Dios para formar parte de "un nuevo remanente".

"¡Bienaventurado el hombre que puso en Jehová su confianza!", dice el salmista. Pero ¿cómo confiar en Dios en los días turbulentos, si no aprendemos a confiar en él cuando las aguas están tranquilas?

¡Haz de este día un día más de compañerismo con Jesús!

1º de septiembre

No temas, ni te desanimes

En aquel tiempo se dirá a Jerusalén: "¡No temas, Sión, que no se debiliten tus manos!" Jehová está en medio de ti; ¡él es poderoso y te salvará! Se gozará por ti con alegría, callará de amor, se regocijará por ti con cánticos. **Sofonías 3:16, 17.**

Parecía difícil encontrar las palabras necesarias para reanimar a ese amigo. Había pasado por una experiencia dura. Estaba herido y tenía la sensación de que la salvación estaba cada vez más lejos de él. ¿Te sentiste así alguna vez? Entonces medita en el versículo de hoy: "¡No temas, Sión, que no se debiliten tus manos!", y luego pasa al versículo 17, donde el profeta trata de describir la fiesta musical que ocurrirá en los cielos cuando, finalmente, la lucha llegue a su final: "Se gozará por ti con alegría, callará de amor, se regocijará por ti con cánticos".

Elena de White también tuvo una visión de ese cuadro maravilloso. "Después vi que Jesús conducía a los redimidos a la puerta de la ciudad; y al llegar a ella la hizo girar sobre sus goznes relumbrantes y mandó que entraran todas las gentes que hubiesen guardado la verdad. Dentro de la ciudad había todo lo que pudiese agradar a la vista. Por doquiera los redimidos contemplaban abundante gloria. Jesús miró entonces a sus redimidos santos, cuyos semblantes irradiaban gloria, y fijando en ellos sus ojos bondadosos les dijo con voz rica y musical: 'Contemplo el trabajo de mi alma, y estoy satisfecho. Vuestra es esta excelsa gloria para que la disfrutéis eternamente. Terminaron vuestros pesares...' Vi que la hueste de los redimidos se postraba y echaba sus brillantes coronas a los pies de Jesús; y cuando su bondadosa mano los alzó del suelo, pulsaron sus áureas arpas y llenaron el cielo con su deleitosa música y cánticos al Cordero.

"Siempre que se vuelve a presentar ante mi vista, el espectáculo me anonada de admiración. Arrobada por el insuperable esplendor y la excelsa gloria, dejo caer la pluma exclamando: '¡Oh, qué amor, qué maravilloso amor!' El lenguaje más exaltado no bastaría para describir la gloria del cielo ni las incomparables profundidades del amor del Salvador" (*Primeros escritos*, págs. 288, 289).

Aunque muchas veces seamos alcanzados por los dardos del enemigo, no estamos derrotados ni rechazados. Podemos extender la débil mano y tomarnos del brazo poderoso del Padre.

Históricamente, Sión estaba acabada. El enemigo la había dominado completamente, pero la promesa divina era: "¡No temas, Sión, que no se debiliten tus manos!"

Si por algún motivo hoy te sientes desanimado, pensando que no mereces la salvación, por favor, aparta los ojos de ti y fíjalos en Cristo. Su promesa es: "Hijo, participarás de esa gran reunión. Me regocijaré en ti con júbilo, no por causa de lo que tú hayas alcanzado, sino porque te amo. Todo lo que necesitas hacer es venir a mis brazos de amor y estar conmigo".

Avanzar por la fe

Así ha hablado Jehová de los ejércitos: "Este pueblo dice: 'No ha llegado aún el tiempo, el tiempo de que la casa de Jehová sea reedificada' ". **Hageo 1:2.**

Participé en una reunión donde se discutía si la iglesia debía permitir que una unidad evangelizadora saliese para establecer la obra en un nuevo lugar. Algunos pensaban que no, y el argumento era que no había dinero para construir una nueva capilla. "Los hermanos podrán reunirse hoy y mañana en una casa. ¿Y después?" Esos hermanos hasta citaban las palabras de Cristo, cuando dijo que un constructor, antes de construir, primero se sienta y hace los cálculos: "La iglesia está corriendo un serio peligro cuando avanza y avanza sin tener dinero para construir. Tenemos que avanzar de acuerdo con nuestras posibilidades o sufrir por nuestra imprevisión".

Desde el punto de vista humano, estaban en lo correcto. Planta por planta, fundamento por fundamento, no era lógico permitir que un grupo de hermanos saliera para abrir una nueva congregación sin un presupuesto para construir un nuevo templo. Pero, ¿cómo saber cuándo es momento de avanzar?

El versículo de hoy es como un desahogo divino: "Este pueblo dice: 'No ha llegado aún el tiempo, el tiempo de que la casa de Jehová sea reedificada' ".

Para ser fieles a la interpretación del texto, es bueno saber que el Señor está diciéndole esto al profeta Hageo porque el pueblo, con la excusa de que todavía no se había cumplido la profecía de los 70 años de Jeremías, pensaba que aún no había llegado el tiempo para reedificar el templo.

La profecía de los 70 años de cautiverio, que se inició con la destrucción del templo en el 586 a.C., terminaría en el 518, y el pueblo argumentaba que las dificultades, encontradas repetidas veces para reedificar el templo, eran una reprobación de Dios por su precipitación.

Nada de lo que vale la pena en esta vida se hace sin enfrentar dificultades. El pueblo, en tiempos de Hageo, es una muestra de cómo hasta una profecía se puede usar para mostrar que debemos avanzar sólo si hay un presupuesto que respalde nuestra marcha.

Elena de White dice: "Los israelitas no tenían una verdadera excusa para abandonar su trabajo del templo. Cuando surgieron las dificultades más serias fue el tiempo cuando debieron perseverar en la construcción. Pero fueron movidos por el deseo egoísta de evitar el peligro despertando la oposición de sus enemigos. No tenían fe, que es la sustancia de las cosas que se esperan, la evidencia de las cosas que no se ven. Vacilaron sin atreverse a avanzar por fe en las providencias con que Dios les abría el camino, porque no podían ver el fin desde el principio. Cuando surgieron dificultades, fácilmente se apartaron de la obra.

"La historia se repetirá. Habrá fracasos religiosos porque los hombres no tienen fe. Cuando miran las cosas que se ven, aparecen imposibilidades... Su obra avanzará sólo cuando sus siervos avancen por fe" ("Comentarios de Elena G. de White", *Comentario bíblico adventista*, t. 4, pág. 1197).

3 de septiembre

Ropas sucias versus ropas blancas

Josué, que estaba cubierto de vestiduras viles, permanecía en pie delante del ángel. Habló el ángel y ordenó a los que estaban delante de él: "Quitadle esas vestiduras viles". Y a él dijo: "Mira que he quitado de ti tu pecado y te he hecho vestir de ropas de gala". Zacarías 3:3, 4.

El diablo es un enemigo astuto, traicionero y cobarde. Hace cualquier cosa para engañar al ser humano, usando todas las artimañas habidas y por haber. Finalmente, cuando el hombre aparta sus ojos de Cristo, queda indefenso y el enemigo lo derriba. Podría quedar satisfecho. ¿Acaso no consiguió lo que quería? Pero él nunca queda contento; trata de llevar al hombre a la desesperación, a la locura y, si es posible, al suicidio, como en el caso de Judas.

En el versículo de hoy, Josué está ante Dios y el enemigo corre para acusarlo. "Mira su vida", dice, "él no merece tu atención". El texto de hoy dice que Josué estaba delante del ángel vestido con ropas sucias. De alguna forma, todos nosotros vestimos trajes sucios. "No hay justo, ni aun uno", dice la Biblia. "Todos pecaron y están destituidos de la gloria de Dios" (Romanos 3:10, 23). Por nuestras propias obras sólo merecemos la muerte. La buena conducta y el buen comportamiento que podamos tener, separados de Jesús, son para él como trapos de inmundicia.

Quiere decir que las ropas sucias que Josué vestía pueden ser símbolos de una vida completamente errada, o también símbolos de una vida moralmente correcta pero destituida de Cristo.

Pero entonces aparece la maravillosa presencia de Jesús. Él es nuestro gran abogado defensor. "Cristo es nuestro Sumo Sacerdote. Satanás está frente a él noche y día como acusador de los hermanos. Con su poder magistral presenta cada rasgo objetable de carácter como razón suficiente para que se retire el poder protector de Cristo, permitiendo así a Satanás que desanime y destruya a quienes ha hecho pecar. Pero Cristo ha hecho expiación por cada pecador" ("Comentarios de Elena G. de White", *Comentario bíblico adventista*, t. 4, pág. 1199).

¡Cuántas personas erraron alguna vez en la vida y después, atormentadas por el enemigo, no logran levantar la cabeza, ven todo oscuro y se sienten condenadas y perdidas para siempre! Esas personas deben meditar en el mensaje del texto de hoy. Es verdad que somos indignos y no merecemos nada, que podemos habernos ahogado en algún pecado por apartarnos de la fuente de poder, y que con todo eso merecemos la muerte. Pero, sobre todas las cosas, es verdad que Cristo murió para sacarnos del callejón sin salida.

Cuando en algún momento el enemigo te muestre tus vestiduras sucias, mira los vestidos blancos del Cordero, arrodíllate y di: "Señor, soy un pecador. Necesito que operes un milagro en mí". Instantáneamente las vestiduras sucias serán sacadas, pues Jesús dice: "He quitado de ti tu pecado, y te he hecho vestir de ropas de gala".

No con ejército, sino con mi espíritu

Entonces siguió diciéndome: "Esta es palabra de Jehová para Zorobabel, y dice: 'No con ejército, ni con fuerza, sino con mi espíritu, ha dicho Jehová de los ejércitos' ". **Zacarías 4:6.**

Zorobabel tenía ante sí la difícil tarea de construir un templo para Dios. Ninguna empresa de valor se realiza sin esfuerzo. Todo sueño tiene un precio, y tú no tienes el derecho a soñar si no estás dispuesto a pagar el precio de tu sueño.

Zorobabel encontró terribles dificultades externas, por parte de enemigos que no querían la construcción del templo, y también encontró obstáculos internos, por parte de la gente que criticaba, porque pensaba que el trabajo podía ser hecho de otra forma pero no hacía nada para ayudar. En esas circunstancias le llegó a Zorobabel el mensaje de Dios, diciendo: "No con ejército, ni con fuerza, sino con mi Espíritu, ha dicho Jehová de los ejércitos".

El mensaje del texto tiene que ver directamente con los que participan en la obra de Dios en la Tierra. "Las mismas dificultades que fueron creadas para estorbar la restauración y el desarrollo de la obra de Dios, las grandes montañas de dificultades que surgieron en el sendero de Zorobabel, serán enfrentadas por todos los que hoy son leales a Dios y a su obra. Se usan muchos inventos humanos para llevar a cabo planes según el parecer y la voluntad de hombres con los cuales Dios no trabaja. Pero la demostración de que Dios está al lado de su pueblo no consiste en palabras jactanciosas ni en una multitud de ceremonias. El supuesto poder de los agentes humanos no decide esta cuestión. Los que se oponen a la obra del Señor pueden ser un estorbo por un tiempo; pero el mismo Espíritu que siempre ha guiado la obra del Señor la guiará hoy" ("Comentarios de Elena G. de White", *Comentario bíblico adventista*, t. 4, pág. 1200).

Dios está dando a su pueblo hoy la seguridad de que la obra iniciada llegará a su glorioso fin, a pesar de las dificultades que puedan aparecer.

Esto puede ser aplicado a la obra de la redención en la vida particular de cada persona. Muchas veces, en nuestro proceso de desarrollo, podremos sentirnos desanimados y cansados por causa de los enemigos y de las dificultades externas o internas. Pueden ser críticas; gente que sólo ve nuestros defectos, pero que no tiene ojos para ver nuestro crecimiento espiritual. Pueden ser tentaciones, trampas y celadas que el enemigo siempre coloca en nuestro camino para destruir lo que Dios comenzó. Pueden ser los reclamos que nosotros mismos nos hacemos, la intolerancia propia, la prisa por ver resultados que no aparecen.

Pero, el Señor le dice a todos sus hijos: "No con fuerza, sino con mi Espíritu".

¿Qué hacer, entonces, para que el plan de Dios se cumpla en nuestra vida? Permitir que el Espíritu de Dios habite en nosotros. ¿Cómo? Yendo a él cada día, buscándolo con ansiedad, haciendo de él el centro de nuestra atención, pasando tiempo con él y permitiendo que participe en cada minuto de nuestra vida.

5 de septiembre

Cantando en la cárcel

Pero a medianoche, orando Pablo y Silas, cantaban himnos a Dios; y los presos los oían. **Hechos 16:25.**

Los dos hombres llegaron con un mensaje diferente y perturbaron a la ciudad. Todo lo que es nuevo provoca miedo, y cuando las personas están con miedo, generalmente atacan. De repente, los líderes de la ciudad sintieron que temblaban los fundamentos de su manera de encarar las cosas. Durante décadas habían vivido sujetos a las tradiciones y los prejuicios, y no estaban dispuestos a aceptar nada que fuese nuevo.

Por eso tomaron a los dos hombres, les sacaron las ropas y los mandaron azotar en la plaza pública. La Biblia registró la historia. La ciudad era Filipos y los hombres se llamaban Pablo y Silas.

Era medianoche. Todo estaba oscuro en la cárcel. Los discípulos habían sido tirados en la celda del fondo y sus pies habían sido atados con cadenas. Las espaldas sangraban y dolían. Era una situación insoportable. ¿Dónde estaba Dios en esa hora? No conseguían verlo en medio de las lágrimas, no podían tocarlo con los dedos, pero creían en su amor. Por eso cantaron himnos de loor.

¿Es posible cantar cuando el corazón sangra y las lágrimas corren? ¿Es posible creer y alabar cuando todo está oscuro y vivimos la medianoche de la vida? Pablo y Silas lo hicieron. ¿Sabes por qué? Porque el cristianismo no sirve sólo cuando el Sol brilla y las rosas se abren. El cristianismo real tiene que funcionar cuando no existe motivo para creer.

Jesús nunca les prometió a sus hijos que no tendrían dificultades. Lo que él le prometió fue que, en medio del dolor, nunca estarían solos. La más conocida oración de David no dice que nunca andaríamos por el valle de sombra de muerte; al contrario, afirma: "Aunque ande en valle de sombra de muerte, no temeré mal alguno, porque tu estarás conmigo" (Salmos 23:4).

¿Sabes por qué otro motivo cantaron esos hombres? Porque tenían la seguridad de que el dolor no es eterno. Tú puedes sufrir hoy y mañana, pero al tercer día brillará el Sol de nuevo; puede sangrar hoy y mañana, pero al tercer día la herida cicatrizará.

El Sol brilló en la medianoche de esas vidas. Un terremoto estremeció los cimientos de la prisión, las puertas se abrieron y las cadenas se soltaron. Podemos tener la impresión de que las promesas divinas se demoran, pero tarde o temprano se cumplen.

¿Por qué no huyeron? No necesitaban hacerlo. Los hombres pueden sacarnos el derecho de ir y venir, pero nunca pueden quitarnos nuestra libertad. Pueden colocarnos detrás de las rejas, pero no pueden encarcelar nuestros pensamientos. Pueden herir nuestro cuerpo, pero no pueden impedir que cantemos.

Y el carcelero vio que el Cristo que los dos predicaban no era una teoría. No eran palabras nuevas; traían una nueva vida. Si ellos cantaban en medio de la noche, en esas circunstancias, es porque había algo que valía la pena conocer.

El Dios de quien soy

Pues esta noche ha estado conmigo el ángel del Dios de quien soy y a quien sirvo, y me ha dicho: "Pablo, no temas; es necesario que comparezcas ante César; además, Dios te ha concedido todos los que navegan contigo". **Hechos 27:23, 24.**

Doscientos setenta y cinco hombres estaban desesperados en alta mar. Durante días la embarcación fue llevada de un lado para el otro como una simple hoja. Humanamente no había esperanza de salvación. Hasta los mismos aparejos de la nave habían sido tirados al mar, para impedirle naufragar.

En esas circunstancias de extrema necesidad humana, Pablo, el prisionero que estaba siendo llevado a Roma, se colocó en un lugar estratégico para ser oído por todos y dijo: "Esta noche ha estado conmigo el ángel del Dios de quien soy y a quien sirvo, y me ha dicho: 'Pablo, no temas; es necesario que comparezcas ante César; además, Dios te ha concedido todos los navegan contigo' ".

La seguridad con la cual el apóstol habló, no admitía argumentación. No dijo: "Oí decir que Dios puede salvarnos en estas circunstancias". Tampoco dijo: "He estudiado sobre el poder que Dios tiene para proteger a sus hijos". Pablo dijo: "El ángel del Dios de quien soy y a quien sirvo". Estaba hablando por experiencia y no por simple teoría.

Él no se pertenecía a sí mismo. Pertenecía a Dios. Su vida era el desarrollo de la voluntad divina. Su tiempo pertenecía a Dios, y lo demostraba al devolverle al Señor el santo sábado. Sus talentos pertenecían a Dios, y lo demostraba al devolverlos para alabanza de Dios y el crecimiento de su iglesia en el día reservado por Dios. Su cuerpo pertenecía a Dios, y lo probaba no colocando en su cuerpo cosas nocivas para la salud. Finalmente, sus posesiones pertenecían a Dios, y lo demostraba al usar para Dios sus recursos financieros.

En la hora de la dificultad, era esencial tener conciencia de pertenecer a Dios, porque si Dios es dueño de todo, entonces es él quien debe resolver el problema.

Pablo también dijo: "Yo sirvo". El idioma griego da a entender que esta palabra podría ser traducida como: "Yo adoro, vivo con él, lo conozco, paso todos los días un tiempo a solas con él y, a lo largo del día, permito que él participe de todas mis actividades. Ese Dios a quien pertenezco y a quien sirvo, envió su ángel y me dijo que no tengo nada que temer. Todos llegaremos bien a Roma, porque es necesario que yo me presente delante del César".

¿Sabes tú a quién perteneces? ¿Sabes a quién sirves? En medio de los problemas de la vida, ¿puedes levantarte sin miedo y oír la voz del ángel del Señor, diciendo: "No temas, yo estoy contigo"?

Nadie podrá confiar en Dios en medio de las tinieblas, si no aprendió a confiar en él cuando todo estaba tranquilo. Por eso es vital que los que deseen ser cada día más semejantes a Jesús, lo busquen y hagan de él su Compañero, Salvador y Amigo a cada minuto.

7 de septiembre

Alas protectoras

Él me esconderá en su Tabernáculo en el día del mal; me ocultará en lo reservado de su morada; sobre una roca me pondrá en alto. **Salmos 27:5.**

David escribió este salmo mientras huía y "tenía que buscar refugio en las rocas y en las cuevas del desierto" (*La educación*, pág. 164).

Es interesante destacar que la palabra hebrea *sok*, empleada en este versículo para "tabernáculo", es comúnmente usada para referirse a una "cueva" o "guarida" para protegerse de un león. Por lo tanto, *sok* es símbolo de un lugar donde protegerse del enemigo.

En este versículo David expresa su deseo de, en el día de la adversidad, esconderse en lo recóndito del tabernáculo de Dios. ¿Adónde van los hijos de Dios cuando todo parece oscuro, cuando el enemigo —que puede ser la enfermedad, una situación financiera difícil o las dificultades familiares— parece implacable y contundente? Ellos corren al *sok* que es Dios. Allí encuentran refugio, y allí entran en comunión con los otros creyentes y son alimentados por la palabra de Dios.

En Apocalipsis 3:10 encontramos al pueblo de Dios perseguido en los últimos tiempos, y también encontramos la promesa divina: "Te guardaré de la hora de la prueba". ¿Cómo cumple Dios su promesa? ¿Cómo guarda a sus hijos de la hora de la prueba? "Extenderá su tienda junto a ellos" (Apocalipsis 7:15).

¿Entiendes lo que Dios está queriéndonos decir hoy? Puede venir la tormenta sobre los hijos de Dios. Pueden soplar los vientos de las dificultades. Hay momentos en que parece que todo se va a perder, pero los hijos de Dios pueden descansar confiados, porque él "extenderá su tienda junto a ellos".

"Después de esto miré, y vi que había una puerta abierta en el cielo" (Apocalipsis 4:1). Por esa puerta entran en el tabernáculo los que aprenden a depender diariamente de Dios. Se esconden en los cielos. Es allí donde habitan, y es allí donde descansan confiados.

¿Y cómo se esconden en los cielos, si Cristo todavía no volvió? ¿Cómo entran en el santuario, si el santuario celestial todavía está en los cielos? ¿Quieres saber cómo? Mira lo que dice Juan: "Y oí una gran voz del cielo que decía: 'El tabernáculo de Dios está ahora con los hombres. Él morará con ellos, ellos serán su pueblo y Dios mismo estará con ellos como su Dios' " (Apocalipsis 21:3).

¿Te das cuenta ahora cómo es que los hijos de Dios se esconden en el tabernáculo? ¿Qué es el tabernáculo? Jesús, por supuesto; él está siempre con los brazos abiertos y debajo de sus alas estaremos seguros. Tenemos que aprender a vivir diariamente en Cristo, porque en él, aun en medio de las dificultades, estaremos seguros. Los vientos y las olas pueden soplar, pero los que están en Cristo, están en su santuario, están en su refugio, en los montes más altos, y jamás serán alcanzados.

La mejor venganza

Si el que te aborrece tiene hambre, dale de comer pan, y si tiene sed, dale de beber agua; pues, haciendo esto, harás que le arda la cara de vergüenza, y Jehová te recompensará. **Proverbios 25:21, 22.**

Francisco y su familia sufrían mucho debido a un vecino que gratuitamente se había transformado en su enemigo. Cuando la familia de Francisco se reunía para cantar en el culto matinal, el vecino colocaba la radio a todo volumen, sólo para molestar. Transformaba la vida en un infierno por cualquier motivo, y un día les dijo: "Yo los odio, no soporto la presencia de ustedes. Si un día vuestra vida dependiese de mí, no movería un dedo y los dejaría morir".

Pero un día, el tiempo se encargó de transformar en realidad el cuadro imaginado por el vecino, sólo que al contrario. Una explosión de gas hizo que en pocos minutos la casa del vecino quedara completamente en llamas. El fuego se extendió a las casas vecinas de la izquierda, pero la derecha, donde Francisco moraba, quedó milagrosamente protegida.

El buen Francisco y su esposa luchaban con todas sus fuerzas, ayudando a apagar el fuego. Pero cuando los bomberos llegaron y realizaron su trabajo, había varias familias desamparadas y sin saber adónde ir.

Francisco se acercó al vecino enemigo y bondadosamente le ofreció la casa. El hombre no aceptó. Con los ojos llenos de lágrimas contemplaba los destrozos hechos por el fuego. Francisco y su esposa insistieron, y finalmente el vecino aceptó. Fue tratado con amor. Durante algunas semanas quedó él y su familia vivieron en la casa del hombre que tanto había atacado en la vida, y entendió que no tenía motivo para mantener en su corazón ese odio gratuito. Actualmente, Fulgêncio Vega y su familia también están en la iglesia.

El versículo de hoy es una metáfora que ha sido mal interpretada por muchos cristianos. Ya oí muchas veces decir que la mejor venganza del cristiano es tratar bien al enemigo porque así "amontonará ascuas de fuego sobre su cabeza". En otras palabras, el enemigo se sentirá avergonzado, humillado y en el cristiano quedará un "sabor a victoria".

¿Pero qué tipo de cristianismo es ese? ¿No afirmó el Señor que la venganza es de él (Hebreos 10:30)? ¿No nos mandó que amemos a nuestros enemigos y suframos todo lo que nos hicieren (S. Mateo 5:44; Santiago 5:9-11).

¿Qué significan, entonces, las ascuas amontonadas sobre su cabeza? ¿No crees que la bondad con que fue tratado el enemigo, o el ir a él para pedirle perdón, cuando debería ser él quien viniera a nosotros, pueden hacer que las brazas del Espíritu Santo, las brazas del arrepentimiento y el dolor por el pecado, consuman en su mente todos esos sentimientos negativos y nos haga amigos y hermanos en Cristo?

Cuando en la cruz del Calvario Jesús pidió perdón por sus enemigos, ¿lo hizo para humillarlos? ¿O lo hizo porque los amaba y quería verlos salvos y felices en su reino? Medita en esto a lo largo del día.

9 de septiembre

Así comenzó todo

Irá andando y llorando el que lleva la preciosa semilla, pero al volver vendrá con regocijo trayendo sus gavillas. Salmos 126:6.

El 18 de julio de 1894 partieron de Nueva York, rumbo a América del Sur, el Pr. Francisco Westphal, su esposa y los hijos de ambos: Carlos y Elena. Llegaron a La Plata, Argentina, el 18 de agosto, después de un largo viaje. El valiente pionero dejó a su familia en Buenos Aires y comenzó su primer viaje misionero por Entre Ríos, donde había algunos observadores del sábado.

Uno de ellos era Jorge Riffel, que debía esperarlo en Diamante, pero por alguna falla de comunicación no se encontraron.

En la noche del 26 de agosto, el Pr. Westphal se hospedó en un hotel, y al día siguiente encontró en la calle a un ruso alemán que lo llevó a Puíggari.

Hacía mucho frío, y el pastor estaba con gripe. Todo lo que consiguió como hospedaje fue la cocina de una casa que servía al mismo tiempo como gallinero y refugio nocturno de los patos. Para cubrirse le dieron un sobretodo de piel de oveja lleno de pulgas, y como colchón el piso.

Al día siguiente agradeció el hospedaje y contrató un carro que lo llevó adonde vivían los Riffel, en Crespo. Los hermanos lo recibieron con alegría, y luego se congregó mucha gente deseosa de oír la palabra de Dios.

El Pr. Westphal estaba con gripe, pero esa noche predicó cuatro sermones, hasta la una de la mañana, porque las personas no querían irse.

Las reuniones prosiguieron durante varias semanas y muchos se convirtieron. A pesar de estar enfermo, el Pr. Westphal predicaba tres o cuatro sermones por día, y, en el tiempo restante, visitaba a las familias y estudiaba la Biblia con ellas.

Después de algunas semanas, el 9 de septiembre de 1894 se organizó la primera Iglesia Adventista del Séptimo Día de América del Sur, con 36 miembros, en la ciudad de Crespo, Entre Ríos, Argentina.

Ése fue el comienzo de la obra adventista en este continente, y ya se cumplieron cien años desde la inauguración de esa primera iglesia. Sin duda, un motivo de gratitud y alabanza a Dios por la providencia divina y el sacrificio de los pioneros que trajeron el mensaje a América del Sur.

¿Qué provecho tienen?

¿Qué provecho obtiene el hombre de todo el trabajo con que se afana debajo del sol? Generación va y generación viene, pero la tierra siempre permanece. **Eclesiastés 1:3, 4.**

Había mucha gente esa tarde en el cementerio. Bastaba mirar a las personas presentes para percibir que se trataba de una familia de mucha influencia o de mucho dinero. Había muerto un hombre que, venido de la nada, había conseguido hacer fortuna. Conoció a Jesús cuando era joven, pero la carrera loca de esta vida, los compromisos que cada día eran mayores, le dejaron poco tiempo para pensar en Dios. Por "coherencia y honestidad", según él, abandonó la iglesia, vivió lejos de Dios y de su pueblo, pero envejeció y se apagó como todas las vidas. Gracias a Dios, tuvo tiempo para pensar mientras estaba en el lecho de la enfermedad, tuvo tiempo para abrir el corazón a Jesús nuevamente y decirle que lo amaba, hasta que, finalmente, descansó en la bendita esperanza del regreso del Señor. Ahora estaba en un cajón de la mejor calidad. Era apenas un cuerpo sin vida. Sería enterrado, y con el tiempo, sólo quedarían huesos y luego el polvo. Fui al cementerio lleno de túmulos, y me di cuenta de que en la muerte todos somos iguales. Allí no existe la posición social, ni la raza, ni la nacionalidad, ni la cultura, ni el dinero; todos estamos nivelados.

En un deseo extremo de mantener las diferencias, los que quedan vivos pueden colocar encima de nosotros plata, u oro, o diamantes, pero debajo de todo ese brillo sólo queda lo que somos: huesos y polvo.

¿Y todo lo que se hizo durante la vida? ¿Y todo lo que se consiguió con tanta lucha, y el conocimiento que se acumuló con tanto estudio, a dónde van? ¿Qué provecho tienen?

El versículo de hoy nos recuerda la insensatez de correr tras los valores terrenos, olvidándonos del único valor eterno: Jesús. "Generación va y generación viene, pero la tierra siempre permanece". ¿Qué es lo que llevamos? ¿Qué es lo que queda? ¿Qué resta?

¿Nos estará diciendo Dios que debemos pasar la vida de brazos cruzados, en la mediocridad de la espera improductiva, contemplando perezosamente que la historia pase? De ninguna manera. Lo que el escritor bíblico está tratando de expresar es que en la vida todo tiene sentido, únicamente, cuando Jesús está en primer lugar. Con él, la cultura tiene sentido, porque el dinero se transforma en un medio y no en un fin, y también el trabajo tiene sentido, porque es una oportunidad de servir y no una búsqueda inconsciente de cosas perecederas.

En un momento de su vida, Salomón fue atraído por las luces, acumuló dinero, cultura, poder, fama y placeres. Experimentó de todo, y entonces descubrió que lejos de Dios nada satisface. Salomón tuvo tiempo de regresar a Dios, tuvo tiempo de reconocer que sin Jesús no tienen ningún provecho lo que el trabajo y la fatiga del hombre son capaces de conseguir.

¿Estás dándole a Jesús el lugar que le corresponde?

Levantémonos de mañana

Vayamos de mañana a las viñas, a ver si brotan las vides, si ya están en cierne, si han florecido los granados. ¡Allí te daré mis amores! **Cantares 7:12.**

El Cantar de los Cantares de Salomón es la historia de un amor bellísimo entre un joven príncipe que deja las cortes reales y sale al campo para allí encontrarse con una joven sencilla —hermosa, morena, de cabellos largos, aunque campesina—, por quien se apasiona y con su amor la transforma y la hace reina de la corte.

Simbólicamente, el Cantar de los Cantares de Salomón es la historia del amor de Cristo, el Príncipe de los Príncipes, quien un día dejó sus palacios reales en los cielos, se hizo hombre y vino a este mundo para encontrar y redimir al ser humano condenado a un triste futuro de pecado y destrucción. Hasta que un día nos encuentra —deformados, desesperados, culpados, desnudos, fracasados—, y en su amor nos hace nuevamente herederos con él de las mansiones eternas.

Después de todo este cuadro, tal vez sea posible entender mejor el versículo de hoy: "Vayamos de mañana a las viñas, a ver si brotan las vides, si ya están en cierne, si han florecido los granados. ¡Allí te daré mis amores!"

De manera romántica, el Señor Jesús nos invita a buscarlo diariamente, de mañana. El sabio Salomón resume aquí la vida cristiana y el proceso de la santificación. Finalmente, ¿qué es el cristianismo sino la maravillosa experiencia de andar cada día con el Señor del cristianismo?

"Vayamos de mañana a las viñas", es la invitación de Jesús, "a ver si brotan las vides, si ya están abiertas sus flores".

El cristiano que no separa tiempo cada día para quedar a solas con Jesús y no aprende a conservar la presencia de Jesús en las tareas cotidianas, nunca podrá ver los frutos auténticos del Espíritu en su vida. Podrá falsificarlos con sus propias manos, imitarlos con su esfuerzo humano y falso moralismo. Pero los frutos auténticos sólo aparecen en la vida de la persona que aprende a "levantarse de mañana para ir a las viñas".

Santificación es aprender a vivir diariamente con Jesús, permitiendo que su Espíritu transforme nuestra voluntad pecaminosa, para que podamos ser victoriosos sobre el pecado. ¡Es una experiencia gratificante!

¿Dónde está la seguridad del pueblo de Dios?

Si os dicen: "Preguntad a los encantadores y a los adivinos, que susurran hablando", responded: "¿No consultará su pueblo a su Dios? ¿Consultará a los muertos por los vivos?" **Isaías 8:19.**

Félix era un hombre sincero que estaba atravesando un momento difícil: su esposa estaba enferma, pero la ciencia médica no podía explicar qué le pasaba, porque aparentemente todo estaba bien. Sólo que ella sufría dolores horribles que no la dejaban vivir en paz. Félix, próspero comerciante, iba gastando lentamente todo lo que poseía para poder ver a su esposa recuperada, pero nada daba resultados positivos.

Un día me encontré con Félix y quedé asustado con lo que ese hombre, que conocía muy bien la Biblia, me dijo:

—Pastor, he llevado a mi esposa a un centro espiritista y está mejorando. Allí le dijeron que alguien hizo un "trabajo" contra ella, y que las obras del diablo pueden ser desechas con el poder del diablo; él conoce y entiende mejor que nadie sus propios negocios.

La declaración de Félix me preocupó. Si hubiese sido un cristiano sin experiencia, quizá me habría sido fácil entender su actitud. Sin embargo, traté de entenderlo y, al pensar en los años de sufrimiento, viendo a su esposa gemir de día y de noche, tuve que reconocer que en algún momento su confianza en Jesús flaqueó, por lo que ahora trataba de justificar el hecho de haber llevado a su esposa a un centro espiritista para ser tratada.

El espiritismo, en todas sus formas, desde las más sofisticadas hasta las más populares —como la macumba, quizumba y otras hechicerías—, es una de las armas que Satanás usará para engañar "si fuere posible, a los escogidos".

Sin embargo, la Biblia es contundente en condenar cualquier forma de espiritismo. "¿No consultará el pueblo a su Dios?", es la pregunta. "¿Consultará a los muertos por los vivos?"

Existe un arsenal listo, ahí afuera, para ser usado contra los que desean seguir a Jesús. Son películas, libros, música, cursos, seminarios. Todo para mostrar que la solución de los problemas humanos está en el propio hombre o en el ocultismo. "Tu destino está escrito en los astros", declaran, pero la enseñanza bíblica es clara en el sentido de que no debemos consultar "a los médium y a los hechiceros" (ver Deuteronomio 18:10, 11).

Increíble como pueda parecer, la esposa de Félix sanó y algún tiempo después abandonó la iglesia. Félix volvió a ser un comerciante de éxito y no quiso saber nada más de Jesús y su iglesia. Hoy pertenece a una sociedad espiritista y piensa que es mejor que muchos cristianos, porque da dinero para obras de asistencia social.

Nuestra única seguridad contra los engaños del enemigo está en Cristo. Tenemos que buscarlo diariamente, y hacer de él el centro de nuestra vida.

Jesús nuestra luz

El pueblo que andaba en tinieblas vio gran luz; a los que moraban en tierra de sombra de muerte, luz resplandeció sobre ellos. Isaías 9:2.

El versículo de hoy presenta una promesa-profecía de esperanza para el pueblo de Israel. Desde el cautiverio de las diez tribus en el 723/722 a.C., Galilea quedó literalmente en tinieblas, esclava del poder dominante, sin el ministerio de los sacerdotes ni de los profetas, y completamente sumergida en la oscuridad espiritual.

Hasta que aparece Isaías trayendo la promesa divina: Galilea vería, repentinamente, una gran luz. Esa profecía tuvo su cumplimiento con la primera venida del Mesías a la Tierra (S. Juan 1:4-9).

Transfiriendo el texto a la experiencia espiritual, podemos concluir que una vida sin Cristo es como una Galilea sin luz. La oscuridad trae consigo los peligros y los riesgos propios de la noche. En la oscuridad, los ladrones salen en busca de sus víctimas, y los hombres dan rienda suelta a sus más bajos instintos.

El pueblo de Galilea, que conocía todo el poder y el amor del Dios creador, se sumergió en las tinieblas al punto de prostituir a sus mujeres y sacrificar a sus hijos en los cultos a dioses paganos. ¿Qué esperanza queda para un pueblo que, pensando en que está adorando al Dios verdadero, no hace otra cosa que ofenderlo con el fuego y las costumbres extrañas que incrementan su culto? ¿Adónde van los principios morales cuando el ser humano saca al Dios verdadero de su existencia?

Pero la promesa estaba ahí. El pueblo que andaba en tinieblas vería la gran luz, y sobre los que habitaban la tierra de profunda oscuridad, resplandecería la luz.

Alabo el nombre de Dios porque un día apareció Jesús en mi vida, sacándome de la mediocridad. Alabo su nombre porque un día entendí que ser cristiano es mucho más que solamente guardar los mandamientos. Cuando Jesús llega a una vida, ciertamente ilumina cada rincón de ella. El ser humano comienza a entender muchas cosas que antes no entendía, comienza a percibir una dimensión mayor del evangelio.

En las muchas campañas evangelizadoras en que Dios me usó, he visto miles de vidas que, antes de conocer a Jesús, vivían en la más densa oscuridad. Después de aceptar la luz, se preguntaron a sí mismas: "¿Cómo fui capaz de vivir de esa manera?" Esa es la mayor prueba en favor del evangelio. No existe argumento más poderoso para probar que Cristo salva, que el de una ex prostituta que alaba a Dios con dignidad, o un homosexual transformado por Dios, o un marido que había abandonado a la familia y retorna al hogar.

¿Ya experimentaste a Jesús en tu vida? ¿Sentiste la luz entrando en tu corazón e iluminando tus sentimientos adormecidos por las tinieblas?

Pronto, muy pronto, finalmente veremos a Jesús iluminando la Tierra con su gloria, cuando con miles y miles de ángeles venga por segunda vez.

14 de septiembre

Él nos salvará

Porque Jehová es nuestro juez, Jehová es nuestro legislador, Jehová es nuestro Rey. ¡Él mismo nos salvará! Isaías 33:22.

En medio de la esclavitud y las tinieblas morales y espirituales que envolvían al pueblo de Dios, el profeta presenta una vislumbre de lo que será la Tierra cuando Jesús aparezca.

"Mira a Sión", dice el profeta. "Ciertamente allí será Jehová poderoso para con nosotros" (vers. 20, 21).

Cualquier persona, por más bajo que haya caído, por más lejos que haya ido, tiene un futuro glorioso cuando permite que el Señor reine en su vida con majestad.

Nadie que mirase los escombros espirituales de Israel podía pensar que habría remedio para ella, pero Jesús se presenta como el Libertador y Restaurador, capaz de hacer cosas "imposibles" según la opinión humana.

El versículo de hoy presenta la experiencia de una persona que vive en comunión diaria con el Dios soberano. "Jehová es nuestro juez", dice. Un juez es una persona probadamente madura y equilibrada. Un juez debe saber tomar decisiones no sólo para él, sino para los demás. A veces en la vida pasamos por situaciones en las cuales no sabemos cómo actuar, no sabemos qué decisión tomar; nos sentimos en una encrucijada. En esos momentos es reconfortante saber que el Señor es nuestro juez, y si el Señor habita en nosotros por la presencia de su Santo Espíritu, entonces será fácil entender por qué dice que nuestros "oídos oirán detrás [de nosotros] la palabra que diga: 'Este es el camino, andad por él' " (Isaías 30:21).

Otras veces en la vida necesitamos entender y respetar los principios divinos, porque fueron establecidos para nuestra protección. El Señor, que es nuestro Legislador, quiere que su ley esté escrita no solamente en las tablas de piedra, sino también en nuestro corazón. Aunque la letra sólo dice: "No matarás", el Espíritu habla dentro de nosotros y dice: "Si te enojas locamente contra tu hermano, ya mataste". La letra sólo dice: "No adulterarás", pero cuando Cristo habita en nosotros, nos dice: "Si miras a una mujer para codiciarla, ya adulteraste con ella en tu corazón" (ver S. Mateo 5:21-30).

Quien quiera huir de la letra, caerá necesariamente en el Espíritu. Jesús no nos libera de sus principios; nos libera del pecado para que andemos en su luz.

Finalmente, Jesús es nuestro Rey. Gobierna soberano en el corazón de su pueblo. No por la fuerza, no por el miedo. "Me llevó a la sala de banquetes, y tendió sobre mí la bandera de su amor" (Cantares 2:4).

La salvación es Cristo trayendo a la experiencia humana el equilibrio y la madurez del juez, la rectitud y la justicia del legislador, y la realeza y el brillo majestuoso de un rey.

¿Te gustaría abrir tu corazón y decirle hoy a Jesús: "Reina soberano en mi vida"?

Por el camino que vino... volverá

"Por el camino que vino, volverá y no entrará en esta ciudad", dice Jehová. **Isaías 37:34.**

El pueblo de Dios estaba siendo amenazado. El rey Senaquerib se aproximaba con sus ejércitos, listo para destruir. El rey de Asiria incluso se dio el lujo de enviar una carta amenazadora a Ezequías, diciendo: "No te engañe tu Dios, en quien tú confías, diciendo: 'Jerusalén no será entregada en manos del rey de Asiria. He aquí que tú has oído lo que han hecho los reyes de Asiria a todas las tierras, que las han destruido. ¿Y escaparás tú?' " (vers. 10, 11).

¿Qué hacer cuando todo parece perdido? ¿Qué hacer cuando da la impresión de que no hay salida? ¿Qué hacen los hijos de Dios en esas circunstancias?

Ezequías cayó de rodillas y clamó al Dios eterno: "Ahora pues, Jehová, Dios nuestro, líbranos de sus manos, para que todos los reinos de la tierra conozcan que sólo tú eres Jehová" (vers. 20).

Hay algo aquí que necesita ser comprendido. Cuando el pueblo de Dios es humillado, derrotado y aniquilado; cuando los hijos de Dios sufren el oprobio y viven en la miseria, no son ellos los únicos alcanzados, sino que también el nombre de Dios está en juego. La vida victoriosa de un cristiano es un gran argumento "para que todos los reinos de la tierra conozcan que sólo tú eres Jehová".

La oración de Ezequías debería llevarnos a entender esta mañana que aunque en la vida podemos enfrentar dificultades y muchas veces sentimos que no hay condiciones humanas para vencer, tenemos un Dios que nunca falla y en quien podemos confiar. Necesitamos aprender, como hijos suyos, a confiar cada día menos en nuestras fuerzas y más en las de nuestro Señor Jesús. Necesitamos permanecer más tiempo de rodillas y colocar a sus pies todas nuestras necesidades.

¿Cuál es la circunstancia que aparentemente no tiene salida? ¿Qué estamos viviendo en este momento que parece sin solución? ¿Estás sintiendo que Senaquerib, con todos sus ejércitos, se acerca a tu vida? ¿Estás temeroso porque otros ya fueron arrasados y tal vez tú no consigas resistir?

Hay aquí una gran promesa que los empresarios adventistas deben tomar en cuenta cuando el Senaquerib de la recesión va devorando todo lo que encuentra en su camino. Y también hay una promesa para los jóvenes que terminaron la enseñanza media, cuando el Senaquerib del examen de ingreso a la Facultad va hiriendo los sueños de muchos y sienten que quizá no consigan aprobarlo.

El versículo de hoy trae una promesa divina: "Por el camino que vino, volverá y no entrará en esta ciudad, dice Jehová".

¿Quién podrá derrotar al cristiano que vive cada día una vida de compañerismo permanente con Jesús? Entonces, ¿por qué temer? Sal esta mañana preparado para las grandes victorias que Dios te tiene reservadas.

16 de septiembre
Levantad vuestros ojos y ved

Levantad en alto vuestros ojos y mirad quién creó estas cosas; él saca y cuenta su ejército; a todas llama por sus nombres y ninguna faltará. ¡Tal es la grandeza de su fuerza y el poder de su dominio! Isaías 40:26.

Trabajé al lado de los jóvenes durante 18 años. Conviví con ellos en los campamentos, en las semanas de oración, en los congresos y en los programas evangelizadores. De entre todas las actividades, lo que más quedó grabado en mi memoria, sin duda alguna, fueron las largas caminatas a la luz de la Luna o bajo el cielo estrellado, cumpliendo alguno de los requisitos de las clases JA.

El amor de Dios está escrito de manera admirable en las estrellas y en los astros. Él conoce cada estrella, por diminuta que parezca en la inmensidad del universo. "A todas llama por sus nombres", dice el versículo de hoy. Este pensamiento es reconfortante, porque si Dios conoce hasta el nombre de una estrella, que por más bella que sea no tiene vida, ¿cómo no tendrá cuidado de nosotros? También conoce nuestro nombre, sabe la calle donde vivimos, se interesa en los detalles de nuestra vida y desea que lo dejemos participar de nuestros sueños y alegrías.

Desdichadamente, el hombre anda distraído con tantas cosas que no tiene tiempo para detenerse y contemplar las maravillas de la creación.

Elena de White dice: "Satanás procurará distraer a los hombres para que no piensen en Dios. El mundo, lleno de entretenimientos y de amor al placer, siempre está sediento de alguna novedad. Y cuán poco tiempo y atención se le dan al Creador de los cielos y de la tierra. Dios exhorta a sus criaturas para que aparten su atención de la confusión y perplejidad que las rodean, y admiren su obra. Los cuerpos celestes merecen ser contemplados. Dios los ha hecho para el beneficio del hombre, y mientras estudiamos sus obras, ángeles de Dios estarán a nuestro lado para iluminar nuestra mente y guardarla del engaño satánico" ("Comentarios de Elena G. de White", *Comentario bíblico adventista*, t. 4, pág. 1167).

En una noche estrellada, Abraham recibió la promesa maravillosa de que sus hijos serían una multitud como las estrellas del cielo. En una noche estrellada, en el campo, los pastores de Belén oyeron los cánticos de los ángeles que anuncia el nacimiento de Jesús. ¿Quedaste alguna vez solo/a, en medio de la noche, contemplando las estrellas? Es una experiencia que recoge el espíritu y lo eleva al trono de la gracia de Dios.

"Levantad en alto vuestros ojos y mirad quién creó estas cosas", es el consejo de Isaías. Cuando los afanes de esta vida oscurecen tu visión al punto de que llegas hasta a dudar del amor de Dios, cuando las luces de neón de este mundo te distraen al punto de soñar sólo con las cosas terrenas y pasajeras, levanta tus ojos y mira, porque hay otros mundos, hay otras dimensiones, existe un universo sin fin esperando por ti.

Nada me apartará de su amor

Pero por causa de ti nos matan cada día; somos contados como ovejas para el matadero. **Salmos 44:22.**

En el Salmo 44 el salmista trata de mostrar que la persecución y los sufrimientos del pueblo de Dios no se deben al quebrantamiento del pacto, sino simplemente al hecho de que son el pueblo de Dios.

Ser un cristiano genuino ya es, en sí mismo, una afrenta a los que desprecian a Dios y sus caminos. Muchas veces el cristiano es llamado fanático, extremista y anticuado porque no condesciende con la transgresión de los principios divinos.

¿Cómo es visto el joven cristiano en la universidad, donde todos fuman, beben y salen con muchachas los fines de semana? ¿Cómo es visto el cristiano que mantiene la honestidad en los negocios o que no acepta un soborno? ¿Cómo es considerado el hijo de Dios que, por causa de dos horas el viernes a la noche, pierde un empleo con un buen salario?

El mundo en que vivimos no fue programado para los hijos de Dios. Los cristianos andan a contramano de la vida. Por amor de Jesús somos entregados a la muerte todos los días. Muerte de los sueños, muerte de una carrera profesional, muerte de un examen que cayó en sábado, muerte de un buen negocio, muerte de un amor, muerte de un plan muy hermoso... en fin, "somos contados [o considerados] como ovejas para el matadero".

El apóstol Pablo cita el versículo de hoy, en el capítulo 8 de la Epístola a los Romanos, al hablar de las tribulaciones de los hijos de Dios. Allí pregunta: "¿Quién nos separará del amor de Cristo? ¿Tribulación, angustia, persecución, hambre, desnudez, peligro o espada?... Antes, en todas estas cosas somos más que vencedores por medio de aquel que nos amó. Por lo cual estoy seguro de que ni la muerte ni la vida, ni ángeles ni principados ni potestades, ni lo presente ni lo por venir, ni lo alto ni lo profundo, ni ninguna otra cosa creada nos podrá separar del amor de Dios, que es en Cristo Jesús, Señor nuestro" (vers. 35-39).

Gilberto fue expulsado de su casa cuando aceptó a Jesús; tenía 20 años en esa ocasión. Lo que más le dolía era la incomprensión de sus padres y hermanos, siendo que él, cuando no conocía a Jesús como su Salvador, había vivido una vida tortuosa, llena de vicios. Cuando Gilberto se bautizó, la madre le dijo: "Preferiría que fueras un adicto a las drogas antes que un creyente". A partir de entonces, Gilberto no sólo perdió el hogar paterno, sino que fue implacablemente perseguido por la familia.

Conocí a Gilberto en un campamento para jóvenes y me contó que, por causa del sábado, había tenido dificultades para conseguir un empleo.

—¿Estás arrepentido de haber aceptado a Jesús? —le pregunté.

—No, pastor; Jesús fue lo mejor que pudo haberme sucedido en la vida. Yo lo seguiré, y nada me apartará de su amor, no importa los sufrimientos y las dificultades. Iré con él hasta el fin —dijo Gilberto.

Aprendiendo a confiar en él

Hecha sobre Jehová tu carga y él te sostendrá; no dejará para siempre caído al justo. Salmos 55:22.

¿Pueden los cristianos estar, a veces, deprimidos? La depresión en el cristiano, ¿no es una indicación de que no confía en Dios? ¿Es pecaminoso el sentimiento depresivo?

Antes de considerar este asunto, veamos algunas declaraciones de David: "¿Por qué te abates, alma mía?" (Salmos 42:5). "Dios mío, mi alma está abatida en mí" (vers. 6). "¿[Por qué] te turbas dentro de mí?" (vers. 5). Ahora veamos las declaraciones de otros hombres bíblicos. Elías dijo: "Basta ya, Jehová, quítame la vida, pues no soy yo mejor que mis padres" (1 Reyes 19:4); y Jonás: "Ahora pues, Jehová, te ruego que me quites la vida" (Jonás 4:3). ¿Quieres ir un poco más adelante? Mira lo que dijo Jesús: "Mi alma está muy triste, hasta la muerte" (S. Mateo 26:38).

Generalmente, cuando una persona está deprimida, queda con el rostro triste, el semblante decaído, llora, pierde el apetito y siente como si su situación no tuviese salida. Para completar el cuadro, la persona se siente culpable porque piensa que el cristiano no puede estar deprimido, y entonces el problema se complica más.

¿Qué hacer cuando surgen en la vida momentos difíciles que nos llevan al desánimo? El consejo del salmista es: "Echa sobre Jehová tu carga y él te sostendrá".

¿Qué significa eso? Primero: Acéptate como eres. No tengas miedo de las situaciones adversas. Dios nos creó con temperamentos diferentes. Unos son más duros y difícilmente tiemblan; otros, a su vez, son más sensibles y sujetos a sentirse débiles ante la adversidad. Eso no quiere decir que nuestra vida deba estar dominada por la personalidad torcida que podamos traer de antes de la conversión. En cambio, deja que el Espíritu Santo complete en ti lo que inició. No te desesperes. Reconoce tu realidad y acéptala.

En segundo lugar, alaba el nombre de Dios aunque no sientas que debas alabar. Alábalo porque el amor de Dios, su misericordia y las bendiciones que él está dispuesto a derramar sobre ti, no dependen de cómo te sientas, sino de cuánto significas para él. Tú eres lo más importante para Dios, al punto de que envió a su Hijo unigénito para salvarte.

La palabra "carga", o "fardo", usada en el versículo de hoy, en hebreo es *yehab*, y significa "carga pesada". En la Septuaginta, una versión griega de la Biblia, se usa la palabra *mérimna*, que significa "cuidado", "ansiedad", "preocupación" por lo que todavía no aconteció.

Por lo tanto, el consejo divino para nosotros es: "Hijo, yo te amo. Tú no tienes por qué andar preocupado por los problemas que todavía no aparecieron. Confía en mí, echa sobre mí tu carga. Yo te ayudaré a llegar descansado al puerto seguro".

19 de septiembre

Por qué tener miedo de la noche

Con sus plumas te cubrirá, y debajo de sus alas estarás seguro; escudo y protección es su verdad. No temerás al terror nocturno ni a la saeta que vuele de día. Salmos 91:4, 5.

Quienes un día llegamos a conocer a Jesús, tenemos algún motivo de agradecimiento. Llegamos a él con el peso de la culpa —llevando muchas veces una personalidad torcida por el pecado, cargando traumas y complejos que no nos permitían ser felices, abrigando temores y miedos que nos atormentaban—, y en Jesús fuimos liberados de todo lo que perturbaba nuestra paz.

El drama de Gloria, una señora de clase media alta, era su profundo temor a la oscuridad. Era un miedo inconsciente que cargaba desde niña. Ya adulta, trató de entender las causas de ese miedo incontrolable y acudió al psicólogo, sin obtener resultados positivos. Dormía con las luces del cuarto prendidas, ya que de otra manera le resultaba imposible conciliar el sueño.

Pero un día conoció el evangelio, y entre las muchas promesas bíblicas encontró el versículo de hoy: "No temerás al terror nocturno... Con sus plumas te cubrirá y debajo de sus alas estarás seguro; escudo y protección es su verdad".

En el original hebreo hay dos palabras que se traducen por escudo. La primera es *magen*, que es el escudo que conocemos y que el soldado lleva en una mano mientras empuña la lanza con la otra. La segunda palabra es *tsinnah*, que se refiere a una especie de coraza que protege todo el cuerpo. En el versículo de hoy, Dios no promete ser nuestro *magen* sino nuestro *tsinnah*. No existe posibilidad de que seamos alcanzados. El enemigo puede atacarnos por donde quiera pero no puede tocar nuestra vida, porque el Señor protege nuestro cuerpo entero.

¿Cuál es, entonces, el motivo para vivir con miedo de los horrores de la noche o de los peligros que amenazan de día?

Aquí hay un mensaje de consuelo para las personas que, por fuerza de las circunstancias, tienen que trabajar de noche como choferes, guardias u otras tareas nocturnas. Hay también un mensaje de esperanza y liberación para los que, como Gloria, tienen miedo de la oscuridad sin saber por qué.

El Salmo 91 tiene palabras de ánimo para quienes pasan por momentos de tribulación, especialmente para "el pueblo de Dios que observa los mandamientos divinos", y para los que "pasarán por el tiempo de angustia" y los peligros de los últimos días.

El predicador inglés Charles Spurgeon decía: "Démosle a Dios las mañanas de nuestros días y las mañanas de nuestra vida. La oración debería ser la llave que abre de día el cerrojo de la noche. La devoción debería ser el astro matinal y el lucero de la tarde. Si comenzamos bien el día, durante sus horas tendremos una mayor conciencia de la presencia de Dios. También tendremos una mayor seguridad de llegar al lecho, a la noche, con el corazón lleno de paz y confianza".

20 de septiembre
Un Dios que no se adormece ni duerme

Por cierto, no se adormecerá ni dormirá el que guarda a Israel. **Salmos 121:4.**

En una de las principales plazas de Tokio hay una enorme estatua de Buda. De ella, dos detalles sobresalen: está con los brazos cruzados y los ojos cerrados. Todo el mundo sabe que ese dios no está durmiendo sino sólo meditando, pero, sea como fuere, permanece con los ojos cerrados. Sin embargo, nuestro versículo nos habla de un Dios que siempre está vigilante, siempre con los ojos abiertos. "No se adormecerá ni dormirá el que guarda a Israel".

Los peregrinos que se dirigían anualmente a Jerusalén para participar de las fiestas, cantaban este salmo mientras iban por el camino. Hoy, este salmo es conocido como el "Salmo de los viajeros". Todo el cántico habla de lo que el salmista espera de su Dios a lo largo del viaje, pero el versículo 4 expresa el porqué de la confianza.

Tenemos un Dios que se preocupa por cada uno de sus hijos. Conoce nuestra entrada y nuestra salida. Será nuestra sombra a nuestra derecha. No dejará vacilar nuestro pie; el Sol no nos incomodará de día ni la Luna de noche, porque nuestro Dios está por encima de todos esos dioses. No es simplemente un gran hombre que pasó por la historia, no es simplemente una filosofía de vida o una estatua de mármol. Es un Dios personal que se interesa por los detalles de mi vida, que ve mis lágrimas, se regocija con mis alegrías y se entristece con mis penas. Sufre, cuando en nuestra humanidad, tratamos de arrojarlo de la experiencia, porque nos ama y porque lo que más desea es que vivamos una vida diaria de comunión personal.

Tal vez en este momento aparezcan en tu corazón preguntas como: "Si Dios está siempre vigilante, ¿por qué murió mi padre en ese accidente de tránsito? ¿Por qué no cuidó de mi hijo? ¿Dónde estaba él cuando todo eso sucedió?"

Dios se hizo hombre para poder entender mejor nuestra humanidad y responder a nuestras inquietudes. No necesitaba hacerlo, porque era Dios, pero, además de salvarnos, era necesario sacarnos las dudas de nuestra cabeza. Se hizo hombre y murió en la cruz, y en los dolores de la agonía también clamó: "Dios mío, Dios mío, ¿por qué me has desamparado?" (S. Mateo 27:46).

¿Dónde estaba el Padre cuando, en esa tarde de viernes, sucedió toda la tragedia? Si él nunca se adormece ni duerme, ¿por qué no intervino para proteger la vida de su Hijo?

No estoy tratando de inducirte a que "tapes el Sol con una mano", ni a que "entierres la cabeza como el avestruz". No. Simplemente estoy mostrándote que por detrás de todo sufrimiento humano hay un propósito redentor o educador, que sólo el tiempo se encargará de revelarnos.

Confía en Dios, aunque las lágrimas te impidan verlo.

Estoy esperando

Fueron mis lágrimas mi pan de día y de noche, mientras me dicen todos los días: "¿Dónde está tu Dios?" Salmos 42:3.

Rubén, nuestro segundo hijo, era un muchachito de apenas 5 años y estaba perdido en el centro de la enorme ciudad de Bello Horizonte. Mi esposa y yo salimos en su búsqueda. Fue mi esposa la que lo encontró, en la plaza de la estación terminal de ómnibus. Estaba sentadito, tranquilo, como si nada de extraordinario estuviera sucediendo. Después, cuando ya estábamos en el refugio de nuestro hogar, le pregunté:

—¿No tuviste miedo?

—No —fue la respuesta lacónica.

—Pero los niños tienen miedo cuando están perdidos —le dije yo.

—Pero yo no estaba perdido, sólo estaba esperando. Yo sabía que me iban a buscar —respondió él admirado.

¿Alguna vez en la vida te sentiste perdido en las enormes calles de esta vida? ¿Sentiste que caminabas solitario como un trompo? ¿Alguien te preguntó sarcásticamente, como le preguntaron a David, "¿Dónde está tu Dios?"?

¿Estás perdido? ¿O "sólo estás esperando, porque sabes que él vendrá a buscarte"?

En el versículo de hoy el salmista expresa el dolor que siente porque en algún momento todo parece andar mal y los escarnecedores aparecen para decir: "¿Cómo es posible que sufras si eres un hijo de Dios? ¿Dónde está tu Dios? ¿Dónde están las bendiciones que te fueron prometidas?"

No puede existir un momento más doloroso que cuando la persona en que confías parece no acudir en tu defensa. ¿Cómo reaccionarías ante un padre que ve a un grupo de muchachos pegándole a su hijo y no reacciona? ¿Qué pensarías de un padre que es considerado un héroe por el hijo, pero que en su presencia permite que otros lo ofendan o vituperen?

Tal vez logres entender el porqué de las lágrimas del salmista; perseguido, humillado, traicionado y sufriendo burlas por confiar en un Dios que parecía no reaccionar.

Rubén nos contó esa noche que mucha gente le preguntaba: "¿Estás perdido?" Y él les respondía que no, que sólo estaba esperando a sus padres.

Y tú, ¿estás perdido? ¿Te sientes abandonado? ¿O ya conoces lo suficiente a Jesús como para saber que nunca te olvida y que, si demora, debes esperarlo porque ciertamente vendrá y no tardará?

A medida que nos aproximemos al fin, cada día aparecerán escarnecedores, burladores, vituperando el nombre de Dios. Debes estar preparado para continuar creyendo en él, aunque no puedas verlo. Pero, para tener la certeza de su presencia, aún sin verlo, es necesario convivir con él en un compañerismo diario, en una vida de comunión a través de la oración, el estudio de la Biblia y el testimonio. En esa convivencia maravillosa, él llegará a ser real para ti al punto de que sabrás que nunca estás solo, que no estás perdido, que "sólo estás esperando".

Yo mulliré tu lecho en la enfermedad

Jehová lo sostendrá en el lecho del dolor; ablandara su cama en la enfermedad. **Salmos 41:3.**

El salmista escribió el Salmo 41 en un momento en que padecía una enfermedad grave. Mientras estemos en este mundo, muchas veces la enfermedad tocará nuestro cuerpo. Job, un ser íntegro como ningún otro, quedó postrado en el lecho de dolor, y ahora David, viviendo una vida de entera dependencia divina, sufría también las inclemencias de la enfermedad.

Muchas veces Dios permite que la enfermedad toque a la puerta de nuestra vida para que "las obras de Dios se manifiesten" en nosotros. Alabemos su nombre si, en medio de nuestras lágrimas, él es glorificado. Otras veces Dios permite que la enfermedad llegue por algún motivo, redentor o educativo, que "al presente no es motivo de gozo sino de tristeza", pero que el tiempo se encargará de mostrarnos que Dios tenía razón. ¿No será que a través de la enfermedad el Señor quiere despertarnos del letargo espiritual, o que el dolor que sufrimos en el presente está siendo un testimonio de la misericordia divina y de la maldad del diablo ante las criaturas del universo? (Ver S. Juan 9:3; Hebreos 12:11.)

En fin, lo que realmente importa no es conocer las causas, sino saber que en la hora de la enfermedad podemos contar con el consuelo divino. "Jehová te sostendrá en el lecho de dolor", es la promesa del versículo de hoy, pero el salmista continúa: "Ablandará tu cama en la enfermedad".

La palabra hebrea *hafak*, usada en la traducción como "mullirás", quiere decir literalmente "dar vuelta", "cambiar". La idea sugerida aquí por el original es el consuelo que el doliente experimenta cuando le cambian la cama.

Dicen que una de las cosas que mejor revela la capacidad de una enfermera es su perfecta idoneidad para cambiar la ropa de cama con el enfermo acostado sin que éste se sienta incómodo. ¿Te das cuenta de lo que Dios está tratando de decir?: que él transformará el lecho del sufrimiento. No promete que siempre va a curar, pero promete proporcionar alivio y consuelo.

"No os ha sobrevenido ninguna prueba que no sea humana; pero fiel es Dios, que no os dejará ser probados más de lo que podéis resistir, sino que dará también juntamente con la prueba la salida, para que podáis soportarla" (1 Corintios 10:13).

A veces, cuando visito a alguien que está pasando por el valle del sufrimiento, me gustaría leerle solamente las promesas de sanidad y restauración, pero la realidad es que Dios no siempre promete curar. A veces, dice: "Bástate mi gracia" (2 Corintios 12:9). Y, como Pablo, tenemos que cargar con el aguijón en la carne hasta el fin de nuestros días.

Y es en esos momentos cuando brilla la promesa del versículo de hoy. Las manos divinas que abrieron los ojos del ciego, también pueden venir para mullir el lecho y confortar el corazón afligido del enfermo y de los familiares.

Gloríate en la tribulación

Y no sólo esto, sino que también nos gloriamos en las tribulaciones, sabiendo que la tribulación produce paciencia. **Romanos 5:3.**

Para Francisco, aceptar a Jesús significó la renuncia a muchas cosas: sus amigos lo abandonaron; sus familiares no quisieron saber nada de él y lo declararon persona indeseable; su negocio comenzó a fallar, porque las mejores ventas las había realizado los sábados.

Pocos meses después perdió el hijo mayor en un accidente de tránsito, y todo el mundo decía de que las tribulaciones por las que pasaba eran porque había quebrantado un voto de fidelidad que había hecho en otro tiempo a Nuestra Señora Aparecida.

Cuando conversé con él, traté de animarlo y mostrarle que no entendemos los caminos de Dios, pero que ellos son siempre los mejores para nosotros. "No se preocupe, pastor", dijo Francisco, y mencionó el versículo de hoy: "Nos gloriamos en las tribulaciones, sabiendo que la tribulación produce paciencia".

Los músculos se hacen fuertes en el dolor del ejercicio diario. Las ampollas logran que nuestras manos se tornen duras. El fuego hace que el oro sea cada vez más puro, y la lapidación permite que el diamante bruto adquiera las formas delicadas que dejan traslucir toda su belleza.

Naturalmente, el ser humano no fue creado para sufrir y, por lo tanto, rechaza todo lo que es doloroso. Huye de lo que provoca lágrimas, prefiere el consuelo de una cama suave a la dureza del asfalto en una noche fría.

Nunca te sientas mal por no gustar del sufrimiento; es natural que así sea. Pero no te desesperes cuando lleguen las tribulaciones, porque ellas producen paciencia.

En la vida cristiana nada es más importante, después de Cristo, que la paciencia o la perseverancia. "El que persevere hasta el fin, éste será salvo", encontramos muchas veces en la Biblia (S. Marcos 13:13). En el desierto de esta vida quedaron muchos cuerpos de quienes se desanimaron y abandonaron la lucha. Fueron los que no consiguieron pasar por el valle de las tribulaciones. Pensaron que Dios los había abandonado. Se creyeron injustamente tratados y olvidados; no se gloriaron en las tribulaciones, no agradecieron por las lágrimas, no alabaron el nombre de Dios por la adversidad. Como resultado, nunca desarrollaron un carácter a toda prueba, cayeron en las arenas calientes del desierto, abandonaron el camino y perdieron de vista la tierra prometida.

Puede ser para mí muy fácil escribir esto, porque al hacerlo ninguna tormenta está envolviendo mi vida, pero le pido a Dios que cuando el invierno llegue y los vientos helados castiguen mi rostro, me dé fuerzas para tomarme de su brazo poderoso y aceptar con resignación las inclemencias de la vida, "sabiendo que la tribulación produce paciencia", y que sólo los que perseveran hasta el fin serán salvos.

Orad con acción de gracias

Por nada estéis angustiados, sino sean conocidas vuestras peticiones delante de Dios en toda oración y ruego, con acción de gracias. **Filipenses 4:6.**

Hope Mac Donald, en su libro *Enséñanos a orar*, cuenta que una noche, cuando sus hijos Tomás y Daniel eran pequeños, estaba orando con ellos, arrodillados cerca de la cama. Tom hacía la última oración y ya había empleado más de cinco minutos agradeciéndole a Jesús por todas las cosas que se podía acordar. Había citado a toda la familia y a los parientes próximos y distantes. Le había agradecido al Señor por todos los amigos que tenía en la escuela, nombre por nombre; por todas las flores y árboles; por el Sol, la lluvia, la Luna, las estrellas y todo lo que existe en la naturaleza. Después de agradecerle a Dios por todas las personas del mundo, paró, se dio vuelta hacia el padre y dijo: "¿Qué más debo decir, papá?" Y antes de que el padre pudiese responder, su hermano replicó en un rapto de inspiración: "¿Qué tal si dices 'Amén'?"

Sin duda, estás sonriendo. Pero el cuadro presenta la sinceridad con que los niños hablan con Jesús. ¡Toda la oración fue empleada solamente para agradecer! ¿Cuántas veces hicimos lo mismo en nuestra devoción personal?

¿Por qué ser agradecido si todavía no presentamos nuestro pedido y no hemos recibido la respuesta? Eso dependerá mucho de tu concepto de la oración. Si crees que, antes de salir de nuestros labios, todas las peticiones ya fueron respondidas por Dios, y que todo lo que necesitamos hacer es abrir la puerta del corazón a Jesús, que viene con todas sus bendiciones, entonces la oración de gratitud tiene sentido. Pero si continúas pensando que tienes que orar para cambiar la posición de Dios respecto de tu persona, entonces, naturalmente, todavía no tienes motivos para ser agradecido.

Si te detienes a pensar un poco y comienzas a enumerar todas las bendiciones que ya recibiste en la vida, verás que ni el tiempo ni la memoria alcanzan para mencionarlas a todas. Dios es un Dios de salvación y es también un Dios de bendiciones. No somos nosotros los que deseamos ser bendecidos, es él quien está deseoso de bendecirnos. Tenemos que alabar su nombre porque es grande. Tenemos que agradecer su amor porque mucho tiempo antes de que supliquemos alguna cosa, su Espíritu trabajó en nuestra vida creando en nosotros el deseo de buscarlo, haciéndonos sentir la necesidad de sus bendiciones.

Antes de salir hoy al trabajo diario, derrama tu vida a los pies de Jesús. Agradécele las bendiciones que tus ojos todavía no vieron, pero que él ya preparó para ti. Canta un himno de alabanza y mantén ese cántico en el corazón a lo largo del día. No salgas ansioso. No tienes motivo para eso. Tu Dios es el mismo Dios de Moisés, Abraham, Daniel y Pablo. Él puede cerrar la boca de los leones, librarte de la prisión o abrir el Mar Rojo.

¡Créelo!

25 de septiembre

Escudo protector

¿Con qué limpiará el joven su camino? ¡Con guardar tu palabra! Salmos 119:9.

El viejo profesor sorprendió a los alumnos haciendo circular una revista pornográfica entre la clase. Tomó la revista en silencio, hizo correr las hojas ligeramente, se dirigió al frente y habló: "Durante ocho años trabajé en una editora que publicaba este tipo de revistas. Ellas siempre traían la última página en blanco. Nunca nadie se atrevió a publicar la foto que debería ir en la última página. Ojalá que no sea uno de ustedes quien lo haga".

Los alumnos estaban inquietos. Había una pregunta en el aire, que nadie se atrevía a hacerla. De repente un muchacho rubio, con espinillas en el rostro, no pudo quedarse callado y preguntó: "¿Qué había en esa última página y por qué no se imprimía la última foto?"

La respuesta del viejo profesor sacudió a la clase: "La última foto no puede ser impresa en una revista como ésa. La vida se encarga de hacerla realidad. Son las mentes perturbadas, las conciencias torcidas, los sueños deshechos, las vidas acabadas, las personalidades extraviadas en los laberintos de la locura".

"¿Con qué limpiará el joven su camino?", es la pregunta del versículo de hoy. Y la respuesta aparece a continuación: "¡Con guardar tu palabra!" Cuando la mente del cristiano aprende a deleitarse en las verdades eternas, ya no hay lugar para las ideas y los pensamientos mediocres, que el enemigo inventa para arruinar la vida de los hijos de Dios.

Somos lo que pensamos y pensamos lo que le leemos o vemos. Las mentes alimentadas de basura sólo pueden seguir fabricando basura y continuar proveyendo basura a los demás.

Existen personas esclavizadas, incapaces de librarse de los brazos de la pornografía. Son revistas, discos y cintas de video que llenan los estantes, los quioscos y las tiendas de discos. Millones y millones de pesos son canalizados para alimentar la industria de la pornografía, y unas pocas personas se enriquecen a costa de las mentes enfermas y esclavizadas.

¿Existe remedio para un problema tal? ¿Hay una salida para una mente que sólo consigue ver la vida y el mundo a través de ese prisma?

La Palabra de Dios es el escudo protector. La experiencia de estudiar la Biblia diariamente es la única salida para la liberación en Cristo, porque a través de ella el alma desvalida se comunica con la fuente de poder. Es verdad, una mente que por años se alimentó de basura, y cuyo paladar intelectual está distorsionado, no encuentra ningún deleite en estudiar la Biblia. Pero este no es un asunto de opción, es la única salida. Cuando tienes una prueba de Física en el colegio y tu única salida es ser aprobado en la materia, ¿no concentras toda tu energía y fuerza de voluntad en estudiarla? Ahora transfiere eso a la vida espiritual. ¿No te parece que el estudio de la Biblia, por más insípido que parezca al comienzo, merece el mismo tratamiento que la materia de Física?

Con esta naturaleza no

Ten misericordia de mí, Jehová, porque estoy enfermo; sáname, Jehová, porque mis huesos se estremecen. Salmos 6:2.

La oración de David es el clamor de un hombre que conoció el dolor, el peso y la angustia de la culpa. El pecado no compensa. Un minuto de alegría tiene detrás de sí horas y horas de desesperación y soledad. Adán y Eva fueron atraídos por una experiencia nueva y fascinante, pero con tristeza tuvieron que abandonar el jardín y más tarde ver a un hijo quitándole la vida al otro. Esaú no pensó dos veces para tomar el plato de lentejas, y después tuvo que llorar con desesperación: "¿No has guardado bendición para mí?" (Génesis 27:36). David miró a la mujer del vecino, se dejó llevar por las pasiones humanas, vivió su momento de aventura y, cuando el placer de la novedad acabó, se confrontó con la triste realidad de una conciencia intranquila.

Justamente por conocer el otro lado del pecado, el salmista clama: "Ten misericordia de mí, Jehová, porque estoy enfermo; sáname, Jehová, porque mis huesos se estremecen".

"Soy débil". Esta es la triste realidad humana desde la caída de nuestros primeros padres. Hoy, la raza humana carga sobre sí la naturaleza pecaminosa. "En pecado me concibió mi madre", dice David en oración de arrepentimiento en Salmos 51:5.

Con la presente naturaleza nacemos separados de Dios, y lo que más nos gusta es vivir lejos de él. Sin Dios, llegamos a ser pobres esclavos de nuestras pasiones y apetitos. Nos lastimamos a nosotros mismos y nos dejamos llevar por ellos, pero ni aun así enmendamos el rumbo. Podemos intentarlo una vez y otra. Podemos hacer promesa tras promesa, decisión tras decisión, pero volvemos siempre al punto de partida, hasta entender un día que en nosotros no hay bien alguno.

"Ten misericordia de mí, que soy débil", clamamos, y al hacerlo le damos a Dios la oportunidad de operar el milagro de la transformación, el trasplante del corazón. Él implanta en nosotros la naturaleza divina (2 S. Pedro 1:4), y por primera vez aparecen los frutos espirituales de manera natural en nuestra vida.

La experiencia de David nos dice que hay esperanza para el hombre que un día cayó en las profundidades del abismo. Nos dice que no todo está perdido. Que aunque nuestras promesas nunca hayan sido totalmente cumplidas, hay una salida para el alma en la encrucijada de la muerte. Es sólo clamar: "Ten misericordia de mí, que soy débil". Es sólo reconocer que él es todo en nosotros, y, al reconocer este hecho, buscarlo cada día y vivir con él una vida de comunión ininterrumpida, permitiendo que su Espíritu santifique nuestra debilitada voluntad y nos guíe a las maravillosas obras de victoria.

No pasamos de meros hombres

Infunde, Jehová, tu temor en ellos; ¡conozcan las naciones que no son sino hombres! **Salmos 9:20.**

Desde el jardín del Edén, el hombre siempre tuvo la inquietud de ser igual a Dios. El enemigo usó esa arma para derribar a nuestros primeros padres. A Eva le dijo: "Seréis iguales a Dios", y ella comió del fruto prohibido. El diablo trae en el fondo de su ser esa ambición. Siempre trató de sacar a Dios del trono y colocarse como el soberano. No consiguió hacerlo en el universo, pero hoy trata de derribar a Dios del trono de nuestro corazón y ocupar el centro de nuestra atención y de nuestros afectos.

A lo largo de la historia, Dios ha tratado de mostrarle al ser humano que él es la criatura y que necesita del Creador. La vida del hombre es una vida dependiente, necesita "mirar y vivir". En el momento en que el hombre saca a Dios de su existencia, muere espiritualmente, y todo el tiempo va muriendo psicológica, social y físicamente.

Para que el hombre entendiese que necesita de Dios para poder vivir, muchas veces el Creador, en su misericordia infinita, tuvo que usar métodos que nunca estuvieron en sus planes. Dios es amor y en él no existe violencia, pero para un pueblo que nació y vivió en un mundo de violencia, para una raza que sólo entiende el lenguaje del grito y del miedo —un lenguaje que al diablo le gusta usar y al cual el hombre se habituó—, Dios muchas veces tiene que hablar en el único lenguaje que el hombre entiende. Y aquí viene la declaración de David: "Pon, Jehová, temor en ellos. Ellos sólo entienden ese lenguaje. Háblales de la única manera que los va a hacer prestar atención, y que se acuerden que 'no son sino hombres' ".

El sufrimiento que azota la vida no tiene origen divino. Las lágrimas y el dolor nacen en la mente enemiga de Satanás. Dios tiene poder suficiente para impedir que el sufrimiento provocado por la mente diabólica alcance a los seres humanos, pero a veces permite que la criatura sea alcanzada para que el hombre se acuerde de que "no pasa de ser un mero hombre".

El enemigo, a través de diversas disciplinas y filosofías de la Nueva Era, nos dice hoy: "Tú tienes poder, existe una energía cósmica en ti; busca dentro de ti, concéntrate y descubre tus valores internos". Pero Dios sigue hablando: "Hijo, tú eres nadie sin mí; necesitas entender que tu vida es una vida dependiente. No te dejes engañar por la mente enemiga que quiere llevarte y quitarme de tu existencia. ¡Yo te amo! Estoy siempre con los brazos abiertos, listo para ayudarte. Si para que te acuerdes de que no pasas de ser un mero hombre, es necesario que atravieses el valle de las lágrimas, yo lo permitiré, porque te amo".

El maravilloso plan de Dios no incluye el temor. Él quiere conquistar nuestro corazón y llevarnos a obedecer por amor. Espera un servicio voluntario, pero muchas veces se ve forzado a hablar en el único lenguaje que el hombre es capaz de entender.

Principios guiadores

Si son destruidos los fundamentos, ¿qué puede hacer el justo? Salmos 11:3.

¿Somos cristianos porque guardamos los mandamientos, o guardamos los mandamientos porque somos cristianos? Esta pregunta debe ser respondida con toda claridad por quienes desean ser cada día más semejantes a Jesús. Si la salvación está en Cristo, y si "no hay otro nombre, fuera de él, en quien podamos ser salvos" (ver Hechos 4:12), ¿para qué necesitamos las normas?

El versículo de hoy trae una pregunta de David. Un hombre que en cierto momento de su vida conoció la tragedia de vivir apartado de Dios, pero que, después arrepentido, aprendió a ser justo viviendo una vida de comunión diaria con el Rey. La pregunta del salmista es: "Si son destruidos los fundamentos, ¿qué puede hacer el justo?"

Analizando cuidadosamente el texto, llegamos a la conclusión de que el justo no precisa fundamentos para ser justo. Él ya es justo. Pero la pregunta expresa la necesidad que el justo tiene de fundamentos, porque sin ellos el justo no sabrá adónde ir, ni qué hacer.

Aunque el Salmo 11 está hablando del refugio y de la defensa que es Dios para el justo, y aunque literalmente los "fundamentos" mencionados en el versículo de hoy sean los "lugares seguros" donde puede colocar el pie, no podemos dejar de ver el significado espiritual del versículo.

Los principios establecidos por Dios en su palabra y adaptados en forma de normas, leyes y mandamientos para su iglesia, son los "lugares seguros" donde el cristiano puede colocar el pie al andar en un mundo lleno de violencia y destrucción.

En el Salmo 11, David comienza preguntando: "¿Cómo decís a mi alma que escape al monte cual ave?" Después habla de los peligros que el enemigo utiliza para destruir desde la oscuridad a los rectos de corazón. Aquí vemos a un enemigo insatisfecho, porque los hombres huyeron de sus manos y corrieron a los brazos de Jesús. Ahora él tratará con engaños, ocultamente, de llevar a los justos a la perdición.

¿Qué hace Dios para proteger a sus justos, los perseguidos y tentados, en medio de este mundo lleno de inmoralidad y de tantas filosofías que sólo buscan destruirlo? Establece lugares seguros, fundamentos, principios guiadores, normas que tienen como único objetivo mostrarnos el camino.

Teniendo ante sí esos fundamentos, el cristiano sabe adónde ir y qué hacer, porque "¿cómo sabríamos que matar es pecado si la ley no dijese: No matarás?" (ver Romanos 7:7). Cristo no nos libertó apenas para ser libres y volar sin dirección; nos libertó, pero nos mostró el camino. Nos dejó un itinerario. Nos hizo justos para vivir en justicia, y "porque Jehová es justo y ama la justicia, el hombre recto verá su rostro" (Salmos 11:7).

¿Por qué tener miedo de las normas? No debemos verlas como frases escritas para cercenar nuestra libertad. Debemos verlas como lugares seguros donde colocar el pie.

Cómo reaccionar ante los enemigos

Encamíname en tu verdad y enséñame, porque tú eres el Dios de mi salvación; en ti he esperado todo el día. **Salmos 25:5.**

Al escribir el Salmo 25, encontramos a David perseguido y acusado de algo que no había cometido: apoderarse ilícitamente del trono de Saúl. Pero David nunca se reveló tan generoso, humilde y perdonador como en los momentos de tribulación y persecución.

El salmista tenía un hijo rebelde que trataba de arrebatarle el trono. Además, tenía contra él a gente como Siba, el criado de Mefi-boset, que trataba de engañarlo (2 Samuel 16), y a Simei, que le tiraba piedras y lo maldecía sin motivo. ¿Alguna vez te sentiste perseguido, acusado de algo que no hiciste y atacado por gente emocionalmente desequilibrada? ¿Cómo reaccionan los discípulos de Jesús en esas circunstancias?

La oración de David fue: "Encamíname en tu verdad y enséñame, porque tú eres el Dios de mi salvación; en ti he esperado todo el día".

Necesitamos suplicar a Dios que nos enseñe cómo reaccionar delante del enemigo gratuito. Y en el versículo de hoy el salmista nos dice que la única manera de reaccionar ante la persecución gratuita es ser guiados en la verdad. ¿Qué es la verdad? "Yo soy la verdad", dijo Jesús (ver S. Juan 14:6). Entonces, ¿qué significa andar en la verdad? ¿Te das cuenta de que en las Escrituras todo termina en Jesús? No hay manera de salir ileso de los peligros, de la persecución y de las ofensas si no vivimos una vida de comunión diaria con Jesús. De él viene nuestra salvación, y por él tenemos que esperar todo el día.

Cuando David y sus hombres estaban llegando cerca del Jordán, al pasar por una pequeña ciudad llamada Bahurim apareció Simei, un descendiente de Saúl, un hombre que había incubado en su corazón el veneno de la amargura. La amargura se transformó en odio, y el odio lo llevó a la esquizofrenia. Cuando vio a David, comenzó a apedrearlo y a gritar: "¡Fuera, fuera, hombre sanguinario y perverso! Jehová te ha dado el pago por toda la sangre de la casa de Saúl, en lugar del cual tú has reinado" (2 Samuel 16:7, 8).

El rey, que había aprendido con lágrimas a depender diariamente de Dios, miró con amor a ese pobre hombre. El desequilibrio emocional llevaba al pobrecito a pensar que estaba defendiendo a Dios, arrojando improperios sobre David. Ante la sugerencia de Abisai, uno de sus hombres de confianza, de cortarle la cabeza al ofensor, David, que había aprendido a depender del Señor, respondió: "Dejadlo que maldiga" (vers. 9, 11).

¿Cómo va tu comunión diaria con Jesús? ¿Experimentaste en tu vida la paz que el corazón siente cuando lo lastiman los improperios del enemigo? ¿Aprendiste con Cristo a responder una carta ofensiva con amor? ¿Puedes mirar cariñosamente a las personas que te persiguen sin ni siquiera saber por qué? Que Dios te dé esa aptitud.

El pacto de su paz

"Porque esto me será como en los días de Noé, cuando juré que nunca más las aguas de Noé pasarían sobre la tierra. Asimismo he jurado que no me enojaré contra ti ni te reñiré. Porque los montes se moverán y los collados temblarán, pero no se apartará de ti mi misericordia ni el pacto de mi paz se romperá", dice Jehová, el que tiene misericordia de ti. Isaías 54:9, 10.

En el capítulo 4 del Apocalipsis encontramos una visión del trono de Dios. Juan veía a alguien sentado en el trono, cuya apariencia era semejante a una piedra de jaspe y de cornalina, y alrededor del trono "un arco iris semejante en su apariencia a la esmeralda" (vers. 3).

¿Recuerdas cuándo fue la primera vez que apareció un arco iris? Fue después del diluvio. El Sol brillaba en el fondo, y una lluvia fina caía sobre la tierra vencida por la fuerza de un nuevo día. La naturaleza creó las condiciones propicias para el fenómeno del prisma y pintó un cuadro de impresionante belleza. Dios estaba anunciándole al mundo que nunca más sería destruido con agua.

En el versículo de hoy, Dios llama al arco iris "el pacto de mi paz", y promete que no se enojará más contra Judá.

Es reconfortante saber que en la visión del trono de Dios, el arco iris, que es el pacto de su paz, está presente en forma destacada. Su carácter, su santidad, la obediencia fiel a los principios de su ley eterna, simbolizados en el Sol de su justicia, brillan con fuerza y poder. Pero la fina lluvia de sus lágrimas, que simbolizan su amor, su misericordia y la infinita paciencia con que espera al ser humano, se mezclan al primero de manera tan armoniosa que dan origen no sólo a uno, sino a dos de los espectáculos naturales más hermosos del universo. Sin embargo, el mensaje más maravilloso es: Dios ama a la raza humana y hará todo por salvarla.

Cuando era pequeño me decían que nunca debía señalar un arco iris con el dedo, porque éste podía caer. Pero crecí, y la tradición propia de un pueblo simple se transformó, a la luz de la palabra de Dios, en la más bella esperanza de perdón y de salvación en Cristo.

Cuando veo un arco iris, me emociono. Al contemplar la belleza de dicho fenómeno natural, aprendí a leer entrelíneas la historia más linda de amor por una raza caída, condenada a muerte eterna, y un Dios maravilloso que envió a su Hijo para morir y salvarla para siempre.

Cuando el enemigo te traiga a la mente tus pecados pasados, cuando intente atormentarte con el peso de la culpa, muéstrale el arco iris sobre el trono de Dios. Dile que en verdad no eres más que un pobre pecador, pero que no estás perdido, porque Jesús murió por ti, y que confías en su sacrificio y su vida de obediencia. En sus brazos puedes esconderte, en su gracia puedes encontrar paz y poder para continuar la larga caminata de la vida cristiana.

Cuando Dios habla, él espera

Entonces salió de la presencia de Jehová un fuego que los quemó, y murieron delante de Jehová. Levítico 10:2.

Nadab y Abiú son dos tristes ejemplos de los hombres que han perdido la noción de lo que es santo y de cómo funcionan las cosas en el reino de Dios.

Cuando Dios determina algo —que en su infinita sabiduría siempre tiene razón de ser— no acepta la interferencia del hombre. El ser humano tiene el derecho de aceptar o rechazar lo que Dios decidió como correcto o errado, pero no tiene el derecho de escoger lo errado y tratar de que Dios y el mundo acepten su elección como algo correcto.

En el servicio del santuario, Dios era el encargado de proveer el fuego. Pero Nadab y Abiú pensaban que lo mejor sería llevar su propio fuego. "Finalmente", pensaban ellos, "lo que realmente importa es que haya fuego; el origen no es el problema. Dios no estará preocupado con los detalles". La tragedia de ambos fue que confundieron las cosas. No son los detalles los que salvan, pero los detalles tienen su lugar y Dios no los menosprecia.

En la actitud de los hijos de Aarón había algo más profundo, que es muy evidente a lo largo de la Biblia.

"Traed un cordero", les dijo Dios a Caín y a Abel, y Caín pensó que el fruto de la tierra era la misma cosa.

"No toquéis el arca", dijo al pueblo de Israel, pero Uza pensó que el fin justificaba los medios.

"Confiad en mí, no castigaré nunca más al mundo con agua", dijo Dios después del diluvio, pero los hombres se pusieron a construir una torre.

"El sábado es mi día santo", dice en las Escrituras, pero millones piensan que el domingo puede ser igual.

"Aquel que permanece en mí, produce muchos frutos", está escrito bien claro (ver S. Juan 15:5), pero muchos tratan de vivir una vida de obediencia a los mandamientos, sin dar la debida importancia a la vida de comunión con Cristo, pensando que si somos cristianos, la comunión ya es obvia.

Tal vez hoy Dios no consuma a los hombres con fuego, porque el fuego de una conciencia intranquila y una vida sin paz ya es suficiente tormento para quienes no obedecen los consejos divinos.

El resumen del pensamiento de hoy es que cuando Dios habla, espera que el ser humano siga el plan divino, porque todo plan nacido de él es nacido en el amor y la misericordia, cuyo único objetivo es la felicidad del hombre.

¿Estás dispuesto a aceptar el programa divino para tu vida, tomarte con fuerza del brazo poderoso y esperar el fruto abundante del Espíritu Santo?

Mirar y vivir

Y Jehová le respondió: "Hazte una serpiente ardiente y ponla sobre una asta; cualquiera que sea mordido y la mire, vivirá". **Números 21:8.**

La rebeldía del pueblo había traído una vez más consecuencias fatales para el pueblo de Israel. Serpientes ardientes y venenosas estaban causando la muerte de mucha gente. Entonces el pueblo buscó a Moisés, diciendo: "Hemos pecado por haber hablado contra Jehová y contra ti; ruega a Jehová que aleje de nosotros estas serpientes" (vers. 7).

¿Sencillo, verdad? Pecamos, pedimos perdón y listo. Está todo resuelto. Pero el perdón divino es mucho más profundo, mucho más amplio, y sus soluciones son mucho más serias y concretas.

El Señor le mandó a Moisés hacer una serpiente de bronce, levantarla sobre una estaca larga y después dijo: "Cualquiera que sea mordido y la mire, vivirá".

La solución no era tan sencilla como parecía: pecó, pidió perdón y está todo resuelto. No. Si existió pecado, tenía que existir muerte, porque el salario del pecado es la muerte (ver Romanos 3:23). ¿Que el hombre no quería morir a pesar de haber pecado? Muy bien, Dios ama al ser humano y no quiere que muera, pero, ¿qué hacer con el pecado del hombre? Era necesario que alguien pagase, que alguien muriera, que alguien derramase su sangre para remisión de los pecados.

"Y como Moisés levantó la serpiente en el desierto, así es necesario que el Hijo del hombre sea levantado, para que todo aquel que él cree no se pierda, sino que tenga vida eterna", le dijo Jesús a Nicodemo (S. Juan 3:14, 15).

Cierra los ojos y mira, en la montaña del Calvario, al Dios hombre, muriendo para salvarte. "Mirad y vivid" es la orden. La muerte de Cristo no tiene ningún valor si tú no miras. Ve a él, tal como estás. Él te ama, nunca dejó de amarte y de esperarte.

Si en esa ocasión los hombres hubiesen discutido la orden divina, si hubiesen tratado de entender el porqué de las cosas, si hubiesen querido racionalizar en torno de la solución que Dios presentaba, hubieran estado condenados a morir por causa del veneno cruel de las serpientes del desierto. Pero sólo debían creer. Mirar significaba vivir. Dejar de mirar, era sinónimo de muerte.

No vivieron todos. Hubo mucha gente que murió. En medio de la agonía clamaron buscando una razón lógica de por qué mirar a la serpiente resolvía el problema. Pero la salvación no tiene lógica, está más allá de la capacidad de la comprensión humana.

El único camino es confiar. "Mirad y vivid", es la orden, y es un asunto diario, de cada minuto, de cada instante.

La salvación viene de la cruz, donde Jesús sufrió y murió por todo el veneno de la miseria humana.

¿Para quién es la gloria?

Reunieron Moisés y Aarón a la congregación delante de la peña, y él les dijo: "¡Oíd ahora, rebeldes! ¿Haremos salir agua de esta peña para vosotros?" **Números 20:10.**

Como líderes humanos, por lo general somos líderes de barro. Cargamos dentro de nosotros la naturaleza pecaminosa que le gusta aparecer, proyectarse, atraer la atención de las personas sobre sí. Es algo casi inconsciente que requiere vigilancia permanente.

La experiencia de Moisés en el desierto es una gran lección para los seres humanos en general, y para los líderes en particular.

La orden que Dios había dado a Moisés era hablar con la roca y esperar que Dios hiciera el gran milagro de la multitud (vers. 8). Pero Moisés golpeó la roca y dijo: "¿Haremos salir agua de esta peña para vosotros?"

A primera vista podría parecer que el error del profeta estuvo en el hecho de golpear la roca, que era símbolo de Cristo, en lugar de tan sólo hablarle, como había sido la orden. Pero la raíz del problema es más profunda. Moisés estaba atrayendo la gloria del hecho para sí, en lugar de tributar las alabanzas a Dios.

¿Quién es el autor de los actos victoriosos de esta vida? ¿Quién es el que produce los frutos? ¿De dónde viene nuestra fuerza? ¡Un momento, no respondas! Tú sabes que debes decir que todo viene de Dios, pero la pregunta no es para probar lo que sabes, sino para ayudarte a meditar en lo que vives.

Si yo salgo cada día al trabajo leyendo con prisa esta meditación, si no separo tiempo para pasar a solas con Jesús y, a pesar de eso, me "porto bien" durante el día, ese mi buen comportamiento no es para la gloria de Dios. Es el fruto de mis fuerzas, es justicia, y mi justicia es para Dios como trapos de inmundicia.

La única manera en que las victorias de mi vida son para alabar a Dios, es viviendo cada minuto en permanente dependencia de su poder salvador y sustentador.

¿Te diste cuenta de que cuando Jesús estaba en la Tierra, la mayoría de quienes lo buscaban era gente aparentemente fracasada? Allí estaban los leprosos, los ciegos, los paralíticos, los ladrones, las prostitutas. Era gente simple y despreciada, que tal vez nunca había cumplido las promesas que había hecho. Era gente que comprobadamente no conseguía vivir una vida moralmente correcta por sus propias fuerzas, justamente lo que llevaba al pueblo a buscar a Jesús. Los que por sus propias fuerzas se consideran buenos, no sienten necesidad de buscar a Jesús. Viven contentos con sus propios frutos y llevan todos los loores para sí.

¿Qué tipo de justicia es la nuestra? ¿Quién lleva la gloria de los frutos que aparecen en nuestra vida?

4 de octubre

El Señor os llevará a la tierra

Si Jehová se agrada de nosotros, él nos llevará a esta tierra y nos la entregará; es una tierra que fluye leche y miel. **Números 14:8.**

La medida de la bendición es proporcional al tamaño de la confianza que depositamos en las promesas divinas. Esta es una lección que descubrimos repetidas veces a lo largo de las Escrituras.

En el versículo de hoy encontramos una declaración de fe salida de los labios de Josué y Caleb, después de oír las cobardes y pesimistas perspectivas presentadas por los otros diez espías.

"La tierra es buena", habían dicho los otros, "pero es imposible conquistarla. Es una tierra que traga a sus habitantes. Y los que en ella habitan son tan grandes que delante de ellos somos como langostas" (ver los vers. 27-33).

¡Mentira! La falta de confianza en las promesas divinas siempre nos hace ver fantasmas donde no existen. ¿Cómo vieron habitantes enormes si la tierra tragaba a sus moradores? ¡Qué tragedia! La falta de confianza en Dios siempre nos hace tener una imagen insignificante de nosotros mismos. ¿Cómo puede alguien ser del tamaño de una langosta delante de otra persona?

Los doce espías eran iguales en fuerza, inteligencia, oportunidades y religión. Los doce adoraban al mismo Dios, tenían los mismos mandamientos y la misma doctrina, pero Josué y Caleb salían de la mediocridad de una vida rutinaria y vivían una experiencia de comunión diaria y permanente con Dios. La diferencia siempre aparece en el momento de la crisis. "Si Jehová se agrada de nosotros, él nos llevará a esta tierra y nos la entregará", dijeron, con la seguridad que sólo pueden tener los amigos de Jesús.

Es posible que hoy estés ante grandes conquistas en tu vida profesional, espiritual, familiar o personal. ¿Hay gigantes delante de ti? No temas, no minimices al enemigo ni las dificultades, pero "si el Señor se agrada, él te llevará a la tierra y te la entregará".

Cuando era pequeño me gustaba jugar en un prado verde, que parecía no tener límites. El problema era que para llegar a ese lugar necesitaba atravesar un puente peligroso, que casi se caía a pedazos. Muchas veces quedaba mirando el pasto verde y los campos sin fin del otro lado, sin el coraje de atravesar el puentecito. Pero cuando mi padre llegaba y me tomaba de la mano, el miedo desaparecía. Nada había cambiado, el río estaba igual, el puente viejo continuaba de la misma manera. La única diferencia era que ahora ya no estaba solo.

¿Entendiste el mensaje? Entonces ve. ¡La tierra es tuya porque ya no estás solo!

5 de octubre

La tierra será fructífera

Si andáis en mis preceptos y guardáis mis mandamientos, y los ponéis por obra, yo os enviaré las lluvias a su tiempo, y la tierra y el árbol del campo darán su fruto. Levítico 26:3, 4.

El versículo de hoy no presenta simplemente una promesa y la condición para ser merecedor de ella. Cuando una persona desarrollaba una experiencia diaria de amor con Jesús, ese versículo llega a ser entonces la descripción de una experiencia fructífera, porque la persona posee la fuente de la vida y el poder.

Si eres un agricultor y parece que las condiciones climatológicas no permiten prever para este año una gran cosecha, espera un poco. ¡No desistas! Escóndete en las promesas maravillosas de quien tiene el poder para hacer llover y también para que deje de llover.

Vive cada día una vida de dependencia de Jesús. Levántate de madrugada y antes de empuñar el arado, pasa algún tiempo a solas con el dueño de la vida y la naturaleza. Después, sal al trabajo sin miedo. No te atemorices por las previsiones climáticas. No mires con angustia al cielo. "Yo daré vuestra lluvia en el tiempo correcto y la tierra fructificará", es la promesa. Confía en ella.

Pero la enseñanza de hoy puede también ser transferida a la vida espiritual. ¿Te sientes improductivo? ¿Intestaste muchas veces ver en tu vida los frutos del Espíritu Santo sin conseguirlo? ¿No es posible para ti abandonar ciertos hábitos que destruyen tu vida espiritual? ¡Un momento! No te desesperes. La condición es: "Si andáis en mis preceptos y guardáis mis mandamientos, y los ponéis por obra". No pienses en primer lugar en lo que debes o no debes hacer. Piensa en el plan que Dios tiene para hacer una vida productiva.

Pasa tiempo con él, ve a él, permanece en él y deja que el Espíritu Santo te lleve a las grandes obras de victoria.

¿Por qué no pensar en estatutos y mandamientos no solamente como normas y prohibiciones, sino como el plan que Dios tiene para llevar a su pueblo a una vida de obediencia?

Cuando esa trágica tarde Dios llegó al Edén y el hombre se escondió de su presencia, la tristeza divina ¿fue motivada por un fruto comido o por una relación de amor y confianza quebrada?

La gran preocupación de Dios, ¿era que el hombre no comiese el fruto, o que viviese siempre una vida de comunión con él y, como consecuencia, siguiese el consejo de no comer el fruto?

¿Podemos ir esta mañana a Jesús y decirle: "Señor, habita en mí, fructifica el desierto de mi vida y llévame a ver en mi experiencia los frutos maravillosos del Espíritu Santo?"

6 de octubre

Unidad: fruto de la madurez y el equilibrio

Sino que, siguiendo la verdad en amor, crezcamos en todo en aquel que es la cabeza, esto es, Cristo. **Efesios 4:15.**

El capítulo 4 de la Epístola a los Efesios comienza hablando de la unidad que debe existir en la iglesia. Unidad no quiere decir uniformidad. Cada miembro tiene el derecho a pensar de un modo diferente, pero los que son controlados por el Espíritu saben cuándo la manera individual de encarar un asunto está atentando contra la unidad de la iglesia. Por lo general, quien al exponer sus ideas comienza a perder la paciencia, deja de defenderlas y pasa a defenderse a sí mismo.

El versículo de hoy se encuentra casi en el resumen final del tema de la unidad. El versículo habla de nuestro crecimiento en Cristo, "la cabeza". En la iglesia no puede existir unidad sin que haya miembros maduros y equilibrados. La madurez y el equilibrio son atributos propios de quienes, por su comunión con Cristo, son cada día más semejantes a él.

"Como la flor se dirige hacia el sol, para que los brillantes rayos la ayuden a perfeccionar su belleza y simetría, así debemos tornarnos hacia el Sol de justicia, con el fin de que la luz celestial brille sobre nosotros, para que nuestro carácter se transforme a la imagen de Cristo... Así fue como los primeros discípulos se hicieron semejantes a nuestro Salvador. Cuando ellos oyeron las palabras de Jesús, sintieron su necesidad de él. Lo buscaron, lo encontraron, lo siguieron. Estaban con él en la casa, a la mesa, en su retiro, en el campo... Aquellos discípulos eran hombres sujetos 'a las mismas debilidades que nosotros'. Tenían la misma batalla contra el pecado. Necesitaban la misma gracia con el fin de poder vivir una vida santa" (*El camino a Cristo*, págs. 68, 72).

Y si los discípulos lo consiguieron, la promesa puede cumplirse también en nosotros, ¿no te parece?

Los discípulos eran víctimas del egoísmo y del orgullo. Mientras estaban al lado de Jesús, el carácter del Maestro se reflejaba en sus vidas pero, cuando se apartaron de la única fuente de poder, fueron poseídos por un sentimiento de desunión y peleas a causa de los cargos que consideraban importantes. Por eso, saber que "eran hombres sujetos a las mismas pasiones que nosotros" (ver Santiago 5:17), y que sin embargo, llegaron a ser victoriosos en Jesús, es inspirador y nos da la seguridad de que, en la medida en que vivamos una vida de permanente comunión con Cristo, también veremos el maravilloso carácter del Maestro reflejado en nuestra vida.

7 de octubre

La responsabilidad paterna

Cuando el mensajero hizo mención del Arca de Dios, Elí cayó de su silla hacia atrás, al lado de la puerta, y se desnucó y murió, pues era hombre viejo y pesado. Había sido juez en Israel durante cuarenta años. **1 Samuel 4:18.**

¡Qué triste fin para un hombre que Dios había escogido para ser una fuente de inspiración para su pueblo! Elí estaba viejo y cansado: "Tenía noventa y ocho años de edad y sus ojos se habían oscurecido, de modo que no podía ver" (vers. 15). Sus hijos habían crecido y estaban vacíos por dentro. No tenían vida espiritual ni respeto por las cosas divinas.

Es verdad que un padre puede educar con amor, firmeza y dedicación a sus hijos y, aun así, éstos, al crecer, no querer saber nada de Dios y su iglesia, haciendo un uso equivocado de la libertad que Dios les dio. Pero en el caso de Elí era diferente. La inspiración menciona su responsabilidad en la educación equivocada de sus hijos. Nunca debemos confundir tolerancia con paciencia, ni amor con permisividad, ni "mente abierta" con liberalismo.

La educación de los hijos requiere padres que busquen diariamente sabiduría, fuerza y gracia en los brazos del Padre. Es preciso estar cimentados en los principios educativos de la palabra de Dios para no ser confundidos por las teorías modernas que corren el peligro de crear una generación de valores fundados apenas en las circunstancias y los sentimientos.

"La mayor necesidad del mundo es la de hombres que no se vendan ni se compren; hombres que sean sinceros y honrados en lo más íntimo de sus almas; hombres que no teman dar al pecado el nombre que le corresponde; hombres cuya conciencia sea tan leal al deber como la brújula al polo; hombres que se mantengan de parte de la justicia aunque se desplomen los cielos" (*La educación*, pág. 57).

Este tipo de hombres no es fruto del moralismo, de principios sin vida; estos hombres son obras de arte que el Espíritu Santo está listo a plasmar en la vida de quienes van a Jesús a cada momento. Y nosotros, los padres, tenemos una participación importante al enseñar a nuestros hijos la necesidad diaria de Cristo.

Como líderes de la iglesia y como padres, ¿estamos simplemente preocupados en que nuestros jóvenes se porten bien y no salgan de la iglesia? ¿O también procuramos inducirlos a tener una experiencia de vida con Cristo?

Recuerda: En la iglesia es posible aparentar sin tener una experiencia con Jesús, pero es imposible vivir una vida de comunión con Cristo y no permanecer en la iglesia.

¿Cuál debe ser entonces la motivación de nuestro trabajo en favor de los hijos y de los jóvenes?

¡La respuesta es tuya!

No con ejército ni con fuerza

Jehová dijo a Gedeón: "Hay mucha gente contigo para que yo entregue a los madianitas en tus manos, pues Israel puede jactarse contra mí, diciendo: 'Mi mano me ha salvado' ". Jueces 7:2.

La naturaleza humana es egoísta y orgullosa y mientras la llevemos con nosotros en el cuerpo, siempre estará tratando de interferir en nuestras decisiones y actos.

Dios conoce bien nuestra naturaleza. Sabe que aunque estemos convertidos, está ahí, presente, incomodando la vida del cristiano y muchas veces interfiriendo hasta en la comprensión de la obra redentora de Jesús.

El ser humano, controlado por la naturaleza pecaminosa, siempre quiere aparecer. Así fue con Pedro, Juan y tantos otros hombres de la Biblia, antes que aprendieran definitivamente a vivir una vida de comunión permanente con Cristo.

En el versículo de hoy encontramos un retazo de la historia victoriosa de Gedeón. Ese juez de Israel había recibido la promesa de victoria: Dios estaría al mando de la batalla. Nada puede derrotarnos si tenemos la seguridad de que Dios está al control de la situación. Pero Dios sabía que su pueblo podía correr un gran peligro en esa ocasión. Eran 32.000 hombres listos para la batalla; era mucha gente, y el pueblo podía pensar que la victoria era el resultado de un gran número de soldados. Tú conoces bien la historia. Dios llevó apenas a Gedeón y a 300 soldados. Combatientes que ni siquiera lucharon, pues sólo rompieron las vasijas de barro y dejaron brillar todas las antorchas, y los enemigos confundidos comenzaron a matarse unos a otros.

A lo largo de toda la Biblia, Dios siempre está tratando de decirnos: "Hijo, mírame, depende de mí, confía en mí, vive una vida de comunión conmigo. Yo soy la única fortaleza y tu garantía de victoria. Permíteme controlar tu vida, santificar tu voluntad con mi Espíritu y llevarte a grandes victorias sobre el pecado".

La mayor lección que tenemos que aprender en la vida cristiana es la lección de la dependencia de Dios. Muchos de nosotros sólo aprendemos en medio de las lágrimas, el dolor y el sufrimiento. A veces, Dios nos deja avanzar por nuestros propios caminos para enseñarnos que los métodos humanos, por más brillantes y extraordinarios que parezcan, sólo pueden llevarnos al sufrimiento, la frustración y la muerte.

"Hay mucha gente contigo", le dijo a Gedeón. Es necesario entender que la victoria nunca puede ser el resultado de nuestro esfuerzo, aislado de Cristo, sino de la obra del Espíritu Santo, quien santifica nuestra voluntad e inspira en nosotros tanto el querer como el hacer.

Estar vestido con la justicia

¡Despierta, despierta, vístete de poder, Sión! ¡Vístete tu ropa hermosa, Jerusalén, ciudad santa, porque nunca más vendrá a ti incircunciso ni inmundo! **Isaías 52:1.**

La justicia de Cristo aparece muchas veces simbolizada en la Biblia como un manto o vestido. El versículo de hoy dice: "Vístete tu ropa hermosa, Jerusalén". El propósito de los vestidos es cubrir la desnudez del cuerpo. Después del pecado, Adán y Eva perdieron los vestidos de luz y trataron de esconder su desnudez con miserables hojas de higuera. El Señor tuvo que sacrificar un cordero y preparar con su piel vestidos para los angustiados padres de la raza humana, para así mostrar que la solución al problema del pecado no está en las manos del hombre, sino en las manos del Cordero.

Siguiendo esta línea de pensamiento es posible que alguien piense que de algún modo, los vestidos de la justicia divina sirven para encubrir los pecados y en consecuencia, trate de vivir una vida de permisividad, "descansando" en la promesa de justicia que dice que cubre multitud de pecados.

Pero el texto de hoy es enfático al declarar: "¡Despierta, despierta, vístete de poder, Sión!" La obra redentora de Cristo no incluye simplemente el perdón de los pecados pasados, también significa el poder para una presente vida de victoria. Los vestidos de la justicia divina no son solamente hermosos, sino también poderosos.

Ser perdonados para continuar fracasados y esclavos del pecado no tendría mucho sentido. El objetivo final de la salvación es hacer que la criatura refleje en su vida el carácter del Creador. La ropa hermosa de la justificación es necesaria para que el hombre sea liberado de sus miedos, temores y complejos de culpa. Necesita también ser vestido de la vestidura poderosa de la santificación, para ser liberado del poder que el pecado ejerce en su vida.

La vestidura es la misma, y el donante es Cristo. No recibimos primero una vestidura y después otra. La vestidura es hermosa y poderosa al mismo tiempo. El ser humano necesita ser justificado y santificado diaria y permanentemente.

Antes de salir hoy para las actividades del día, necesitamos tener la seguridad de que seremos vestidos con la justicia hermosa del perdón, que nos da seguridad, y también con la vestidura poderosa, que nos garantiza la presencia del Espíritu que santifica nuestra voluntad y nos lleva a la victoria sobre el pecado.

No actuar nunca sin pensar

El alma sin ciencia no es buena, y aquel que se precipita, peca. **Proverbios 19:2.**

El versículo de hoy es una figura de la literatura hebrea llamada paralelismo. En el paralelismo bíblico, la primera sentencia es la declaración principal, y la segunda complementa el pensamiento de la primera. La Biblia en lenguaje actual presenta el versículo de la siguiente manera: "No es bueno el afán sin reflexión; las muchas prisas provocan errores" (versión *Dios habla hoy*).

Muchos problemas y dificultades podrían evitarse si aprendiéramos a "actuar después de pensar", pero, generalmente, los actos y palabras que nos traen complicaciones son el fruto de reacciones casi instintivas e impensadas.

Los que tienen "pocas pulgas" han dejado en el camino muchos corazones heridos, sueños frustrados y amistades deshechas.

¿Cómo controlar esas reacciones instintivas mientras vivimos en comunión con Cristo? Es simple. El cristiano que después de tener sus momentos devocionales sale a la lucha de la vida con Jesús, haciendo de su vida diaria un permanente "estar atado a Cristo", simplemente le contará a Jesús lo que está sintiendo en la hora de la tentación, y el Señor hará desaparecer el sentimiento negativo de manera natural.

"Pastor, usted es muy utópico. Nadie piensa en Jesús en momentos en que las papas queman", podrás decir. Tal vez tengas razón, y ahí está todo nuestro problema. Si en la hora de la dificultad estamos sin Cristo, nos encontraremos perdidos, aunque no hablemos una palabra fea ni hagamos algo equivocado contra alguien.

Mantenerse unido a Jesús cada segundo es la gran lucha del cristiano. En eso consiste la vida cristiana: en vivir una vida de comunión permanente con Cristo. Si vivimos esa vida, las cosas buenas serán el resultado natural de ese compañerismo.

Conocí a un joven que era un espectáculo, pero cuando entraba al campo de deportes se peleaba con todo el mundo y hacía un escándalo por cualquier cosa. Años después lo vi completamente transformado. Continuaba practicando deportes, pero ahora era un caballero. El secreto de la victoria fue su vida diaria de comunión con Cristo. Podía abandonar el deporte para no crearse dificultades, o podía llevar a Jesús al campo de juego. Hizo lo segundo y dio resultado.

¿Quiere decir que quien está en comunión permanente con Cristo nunca tiene reacciones instintivas propias de la naturaleza humana? No, claro que las tiene, pero nadie será juzgado por eso.

El carácter de una persona no se juzga por uno u otro acto bueno o malo, sino por la tendencia de la vida.

La presencia permanente de Cristo hará que esos "actos instintivos" sean cada vez menos frecuentes, dando lugar al carácter maravilloso de Jesús.

Jesucristo: hombre para siempre

Porque hay un solo Dios, y un solo mediador entre Dios y los hombres: Jesucristo hombre. 1 Timoteo 2:5.

Muchos años antes de morir, el millonario Robert Garret, sufrió una enfermedad cerebral que le producía el desvarío de ser el "Príncipe de Gales". Ante el asombro de la gente, la esposa atendía todas las manías del marido y para que todo pareciera real, gastaba mucho dinero. La casa en que vivían se transformó en una pequeña corte de Inglaterra. Contrató a un elenco de actores para que representara los papeles de funcionarios de la corte y embajadores de otros países. Hizo traer un perito de Londres para certificar que todos los detalles de los disfraces fuesen fidedignos.

La esposa también consiguió reproducciones de todas las condecoraciones que poseía el Príncipe de Gales, y de los uniformes de los principales regimientos de diversos países, para poder presentarse correctamente vestido ante cada uno de los embajadores visitantes. Todos los días su esposa comparecía ante él como la Princesa de Gales, representando durante horas enteras la trágica farsa para que su marido pudiera mantener la ilusión.

Muchas veces los amigos le recriminaban: "Tu marido está loco, ¿por qué no lo dejas en un hospicio, donde puedan cuidar de él?"

"Mi marido", respondía ella, "fue siempre un hombre maravilloso. Hoy está enfermo y se acerca lentamente a la muerte. ¿Por qué no hacer felices sus últimos días?"

Un día, mis amados, el Señor Jesús nos vio perdidos y encaminándonos lentamente a la muerte. No teníamos salida, y él, por amor, se hizo hombre. No se disfrazó, no representó una pieza teatral, no fingió. Él se hizo hombre de verdad y para siempre. Y hoy permanece en los cielos, Jesucristo hombre, por toda la eternidad. Por eso la raza humana será siempre en el universo, la raza más cercana al corazón de Dios.

En cierta ocasión conocí a una niña, Adriana, que había donado un riñón para que su hermana pudiera vivir. Tenía tres hermanos, pero, según ella, la más querida era Jésica, porque llevaba dentro de sí un pedazo de ella. En el futuro quizá sufra problemas por tener sólo un riñón, pero ¿qué importa eso ante la alegría de ver viva a su hermanita?

Cuando el Señor Jesús adoptó el cuerpo humano, no perdió ninguno de sus atributos, porque Dios no puede perder nada, pero no hizo uso de su omnipresencia, por el hecho de que no tomó prestada la forma humana. Se tornó hombre, plenamente humano, y es justamente allí donde radica la profundidad de su amor y la seriedad con que consideró nuestra salvación.

12 de octubre

¿Dónde quedan los detalles?

Porque en Cristo Jesús ni la circuncisión vale algo ni la incircuncisión, sino la fe que obra por el amor. **Gálatas 5:6.**

En la vida cristiana no hay peor tragedia que perder de vista la esencia de las cosas y entretenerse con los detalles. Lo que el apóstol Pablo quiere decirnos en el versículo de hoy no es que la circuncisión no tenga ningún valor. En el Antiguo Testamento, entre las muchas ceremonias y ritos religiosos que señalaban al Mesías, sin duda la circuncisión tuvo su lugar apropiado. Aún hoy puede tener algún valor profiláctico. Pero el apóstol quiere abrir los ojos del cristiano hacia el hecho de que ningún detalle debe oscurecer la visión de la esencia del cristianismo. "En Cristo Jesús ni la circuncisión vale algo ni la incircuncisión, sino la fe que obra por el amor".

La vida cristiana incluye cierto número de detalles con relación al comportamiento, la manera como nos vestimos y nos alimentamos, la liturgia y muchos otros aspectos de la vida. Esas pequeñas cosas tienen su lugar apropiado, y la ausencia de ellas puede, incluso, quebrar la belleza del cuadro como un todo. El hecho de amar y mantener comunión con Cristo no significa que deban tirarse a la basura los detalles, pero cuando la vida cristiana se concentra únicamente en simples detalles, algo no anda bien.

"La fe que obra por el amor" es lo que da sentido al cristianismo. Y si nos acordamos de que la fe es confianza, y de que nadie puede confiar en alguien que no conoce, y de que no se puede conocer a una persona si no se convive con ella, necesariamente llegaremos a la conclusión de que lo que realmente da sentido a la experiencia cristiana es el compañerismo permanente con Cristo, el Autor y Consumador de nuestra fe.

Al vivir esa experiencia maravillosa de comunión con Jesús, todos los detalles de la vida cristiana cobrarán sentido. No nos incomodarán, no los rechazaremos, armonizarán de manera natural en la vida del cristiano y, en cierto modo, serán un medio de expresar nuestro amor por Cristo, porque cuando alguna persona ama a otra, lo que más desea es verla feliz.

¿Se reduce tu vida cristiana sólo a observar ciertos detalles, o tienes una experiencia agradable de convivencia con la persona amada? Es bueno pensar en eso antes de salir a las actividades de este día.

Lleva a Jesús contigo y permanece unido a él a lo largo del día.

Con todo nuestro corazón, alma y cuerpo

Amarás a Jehová, tu Dios, de todo tu corazón, de toda tu alma y con todas tus fuerzas. **Deuteronomio 6:5.**

Recientes descubrimientos arqueológicos en la costa norte del Perú revelaron pinturas de un sacerdote, de la cultura mochica, con un cuchillo en la mano derecha y una cabeza humana en la izquierda.

Los arqueólogos se apresuraron a decir que quizá los preincas practicaban sacrificios humanos. Otro entendido en el asunto, el Dr. Carlos Velaochaga, presentó otra posibilidad, recordando similares imágenes tibetanas que sirven como base para las meditaciones budistas.

¿Cómo puede una escena tan feroz servir de base para que los tibetanos apoyen sus teorías acerca de la meditación trascendental?

Para ellos la conciencia no reside en el cerebro, sino en el corazón, pues el cerebro, con su incesante flujo de pensamientos, puede molestar la percepción del mundo espiritual. Por tal motivo las imágenes tibetanas presentan siempre a un ser poderoso que corta la cabeza del hombre, para que sin el "computador" de la cabeza consiga entender los misterios de la religión.

"Querer entender a Dios con la cabeza es como tratar de colocar el agua del mar en un vaso", diría San Agustín.

Parece que los seres humanos no logran hacer que la cabeza combine con el corazón. Están los racionalistas, que creen que todo lo que viene del corazón es falso, pasajero y sospechoso; por otro lado están los trascendentalistas, como los tibetanos, que creen que la cabeza obstaculiza la percepción del mundo espiritual.

Sin embargo, el versículo de hoy nos recuerda que el ser humano es una unidad de facultades físicas, mentales y emocionales. No puede separárselo. Hay quienes creen que debemos trabajar sólo con la razón de las personas, olvidándose de que el hombre no es un computador, sino un ser humano con corazón y sentimientos.

Es necesario alcanzar al ser humano en su unidad completa. Primero su razón, después sus sentimientos y finalmente todo el cuerpo. Y también es preciso servir a Dios con nuestra unidad completa.

En un mundo cada vez más materialista y práctico, donde el hombre se siente muchas veces como una simple máquina de producción, que sólo vale algo mientras es capaz de producir, es animador saber que Dios se interesa por nuestros sentimientos.

Él no quiere que lo sigamos sólo con la cabeza o sólo con el cuerpo, sino también con el corazón.

Él quiere saber cómo estamos sintiéndonos, y está siempre dispuesto a venir a nuestro encuentro y consolarnos en nuestra tristeza y alegrarse con nuestras alegrías.

¿No es maravilloso?

14 de octubre

La ganancia del evangelio

Pero gran ganancia es la piedad acompañada de contentamiento. **1 Timoteo 6:6.**

En el capítulo 6 de la primera Epístola a Timoteo, el apóstol Pablo habla de la insensatez humana al creer que el dinero es capaz de dar sentido a todo.

En el versículo 6 presenta la ganancia real que el evangelio produce en la vida de los amigos de Jesús. "Gran ganancia es la piedad acompañada de contentamiento".

Vivir satisfecho es uno de los frutos que el Espíritu Santo produce en la vida de los cristianos. "Vivir satisfecho" no en el sentido de la mediocridad o la incapacidad de mirar o soñar alto, o de intentar subir cada día nuevas montañas, sino en el sentido de la satisfacción de aceptar la voluntad de Dios para nuestra vida sin desesperarnos.

A lo largo del día descubriremos muchas veces que el "estar contento" será puesto a prueba duramente. Es muy fácil "estar contento" cuando toda la familia goza de buena salud, cuando tenemos un buen empleo, una buena cuenta bancaria y nuestros planes van saliendo conforme a nuestras expectativas. Pero es diferente estar satisfechos cuando soplan vientos contrarios y nuestra embarcación parece que va a naufragar.

¿De dónde nace "el contentamiento" de los amigos de Jesús? De su compañerismo con él, de su comunión diaria con el Salvador. Lo conocen, y por eso saben que pueden confiar en él, que él no fallará, aunque parezca que la tormenta va a destruir todo.

Un día visité a un fiel siervo de Dios, cuya vida es una inspiración. Su actitud ante la enfermedad me confirmó la verdad del texto de hoy. "Conozco a mi Dios", dijo él, "y estoy contento y confiado en sus manos". En medio del dolor disfrutaba del verdadero "contentamiento del evangelio": la paz que sólo pueden experimentar los que aprendieron a vivir satisfechos en las manos de Dios.

Una vez, por ahí, encontré en la pared de un consultorio dental una oración que copié en un pedazo de papel y que armoniza con el mensaje de hoy:

"Te traigo ahora, Señor, la carga de un día que terminó. La traigo envuelta en mis pensamientos, atada con mis actos, almacenada entre los propósitos por los cuales vivo. Mientras la tarde muere y busco tu rostro en oración, dame el gozo de los buenos amigos, el poder curativo de las nuevas expectativas y la paz de un corazón tranquilo. Dame la luz, ahora que las tinieblas llegan. Luz para ver los errores y los aciertos del trabajo hecho. Concédeme, Señor, la gracia de sentirme satisfecho con lo que me diste y dame una vez más el toque curativo del sueño. Amén".

293

15 de octubre

La medida de nuestro amor

Porque nada hemos traído a este mundo y, sin duda, nada podremos sacar. 1 Timoteo 6:7.

Los habitantes de Silesia, un pequeño territorio alemán, ofrecían dura resistencia a la invasión de Napoleón y sus fuerzas. Corría el año 1813. Todos los ciudadanos contribuían con lo que tenían para poder equipar el ejército defensor.

En ese momento se destacó la figura de una muchacha silesiana que no tenía dinero, pero que ofreció sus largos cabellos para contribuir con su país.

El peluquero no podía entender por qué la linda muchacha quería deshacerse de tan hermoso cabello. Después que la joven le explicó su propósito, el peluquero aceptó la oferta, pero no quiso pagar más que dos pesos de oro.

Sin embargo, el hombre quedó tan conmovido por el ejemplo de sacrificio, que no hizo una peluca, sino muchos brazaletes. Todo el país llegó a saber lo que la muchacha silesiana había hecho por su país; los artículos elaborados con su cabello fueron tan buscados que le proporcionaron al peluquero una gran ganancia, mitad de la cual la dio para los gastos de guerra.

Historias como ésta son muy conocidas. En realidad, cuando una persona llega a entender el valor de lo que defiende, no mide sacrificios.

Un día estábamos perdidos y Cristo nos encontró. Pagó el precio, pero no con oro o plata: derramó su vida gota a gota, se inmoló en el Calvario y compró nuestra libertad.

Cualquier cosa que podamos ofrecer a Jesús no es una retribución, porque nunca podremos retribuir su gran sacrificio, sino el reconocimiento de que él es importante en nuestra vida y lo aceptamos como el soberano Creador, Redentor y Sustentador.

La medida de nuestro amor siempre será proporcional no a cuanto damos, sino a cuanto nos sacrificamos.

Mientras dirigía una semana de oración, fui buscado por una madre afligida que me pedía que hablara con su hija porque estaba al borde de un casamiento que, con seguridad, sería la ruina de su vida espiritual. El joven no amaba a Jesús ni quería saber nada de la iglesia, porque consideraba que todo eso era "ridículo y banal". La señorita me dijo que amaba mucho a su novio y que nada la haría desistir de ese casamiento, pero al fin de la semana me volvió a buscar, llorando, y me mostró la mano sin la alianza.

—¿Por qué desististe de casarte? —le pregunté—. ¿Dejaste de amarlo?

—No, pastor —fue su respuesta—. Lo continúo amando mucho, sólo que esta semana entendí cuánto me ama Jesús, y, aunque estoy sufriendo, ahora no tengo valor para lastimar el corazón de mi Señor.

16 de octubre
¿Para qué sirve el poder?

Miré, y vi que en medio del trono y de los cuatro seres vivientes y en medio de los ancianos estaban en pie un Cordero como inmolado. **Apocalipsis 5:6.**

Éramos amigos. Por lo menos eso era lo que yo pensaba. De repente, él llegó al poder y las cosas cambiaron. Al principio pensé que el problema era conmigo, pero un día me dijo: "Vamos a dejar las cosas bien claras. Ahora yo soy el jefe". Parecía increíble. Se podía esperar una actitud semejante de cualquier otro, menos de él. Pero, en realidad, yo nunca lo había conocido. Si quieres conocer realmente a alguien, tienes que darle poder. Sólo entonces podrás conocerlo de verdad.

La sed de poder está enraizada en las misteriosas profundidades de la naturaleza humana. Cuando Jesús vino a la Tierra, no lo hizo para destruir la jerarquía de las cosas, pues hasta en el cielo hay serafines, querubines y ángeles. El cristianismo pretende dar la orientación correcta al uso del poder. Jesús mismo dijo: "Si alguien quiere ser el primero, tendrá que ser el último". Él no quería anular en el ser humano el deseo de ser el primero. Pretendía enseñarnos cómo realmente se adquiere poder y, sobre todo, para qué sirve.

En el concepto de Jesús, no está equivocado querer ser el primero; pero si quiero ocupar ese lugar, debo estar dispuesto a ser el último. El problema está en querer llegar al poder por los motivos y métodos equivocados. Y es entonces cuando el poder corrompe. En la perspectiva divina, el poder tiene como objetivo el servicio. Siguiendo el ejemplo de Jesús, tú no eres poderoso porque tienes un cargo; eres poderoso porque, sirviendo, conquistas los corazones.

Cuando en la lucha triste por el poder humano alguien señala con el dedo y dice: "Yo soy el jefe", es porque nunca entendió el propósito ni el camino que conduce al verdadero poder.

En el último libro de la Biblia, el Apocalipsis, Jesús se presenta de una manera extraña. "Y miré", dice San Juan, "y vi que en medio del trono y de los cuatro seres vivientes y en medio de los ancianos estaba en pie un Cordero como inmolado" ¿Por qué parecer muerto si es el Cristo victorioso? ¿Sabes por qué? Porque Jesús muere para vencer, mientras que los hombres para vencer hieren, lastiman y muchas veces, matan. Contradicciones de la vida.

Durante años, Jesús trató de enseñar a sus discípulos el camino del poder que realmente compensa. Él mismo estaba dispuesto a dar su vida en la cruz del Calvario para salvar al hombre y conquistar los corazones. Pero los pobres discípulos, sin entender, buscaban desesperadamente un cargo, luchando unos contra otros. No habían entendido nada. El maestro se acercaba al momento de la muerte, mientras los discípulos querían ser servidos.

¿Quieres poder? No hay nada de malo en eso. Pero ¿cuál es tu motivación? ¿Servir o ser servido? Y ¿cómo pretendes llegar allá?

¡Piensa en eso!

Se necesita un milagro

Lo que nace de la carne, carne es; y lo que nace del Espíritu, espíritu es. S. **Juan 3:6.**

Adán y Eva salieron de las manos del Creador con una naturaleza perfecta. ¿Qué es naturaleza perfecta? Es la capacidad natural de querer hacer el bien. Ellos no tenían tendencias pecaminosas. La obediencia era una inclinación natural de la naturaleza perfecta que poseían.

Pero un día decidieron desobedecer y, en cierto modo, esa actitud fue contraria a su naturaleza. Entonces sucedió algo que la Biblia llama "misterio de la iniquidad". Perdieron su naturaleza perfecta y adquirieron la naturaleza pecaminosa; es decir, la tendencia natural para hacer todo equivocadamente y gustar de las cosas contrarias a la voluntad divina.

El versículo de hoy dice que con la naturaleza pecaminosa, con la cual todos los seres humanos vienen al mundo, es imposible obedecer: "Lo que nace de la carne, carne es; y lo que nace del Espíritu, espíritu es".

A veces, las personas confunden convicción con conversión. Convicción tiene que ver con la manera de pensar, y conversión, con la manera de vivir. Nuestra cabeza puede estar llena de principios morales, pero si nuestro corazón es inconverso, nunca conseguiremos vivir esos principios, experimentando en consecuencia un conflicto permanente que puede llevarnos a la desesperación.

Imagínate, por ejemplo, que un lobo observa cierto día a las ovejas y llega a la conclusión de que la mejor vida es la vida de las ovejas. El problema es que el lobo nació lobo, y no es suficiente querer para transformarse en oveja. Imagínate, también, que este lobo se coloque una piel de oveja y comience a convivir con ellas. ¿Piensas que un día sentirá placer en hacer las cosas que las ovejas hacen de manera natural? Puede esforzarse. Puede ejercer su fuerza de voluntad para vivir como su cabeza cree, pero está viviendo contrariamente a su naturaleza. Lo que él necesita no es sólo pensar como oveja, sino ser una oveja de verdad. Necesita ser transformado. Pero, ¿viste alguna vez un lobo transformado en oveja? Si eso sucediera, sin duda, sería la mayor noticia del mundo. Eso sólo podría ser un milagro.

Bueno, es precisamente eso lo que Dios promete hacer en nuestra vida. "Esparciré sobre vosotros agua limpia y seréis purificados de todas vuestras impurezas, y de todos vuestros ídolos os limpiaré. Os daré un corazón nuevo y pondré un espíritu nuevo dentro de vosotros. Quitaré de vosotros el corazón de piedra y os daré un corazón de carne" (Ezequiel 36:25, 26).

Este es el milagro que Dios quiere hacer en nuestra vida. Un nuevo corazón. ¿Comprendes? Nuevos motivos, nuevos gustos, nuevas tendencias. No es suficiente la información. Es necesario el milagro de la conversión.

La sombra de la cruz

Diciendo: "Padre, si quieres, pasa de mí esta copa; pero no se haga mi voluntad, sino la tuya". S. Lucas 22:42.

Esa noche en el Getsemaní, fue la noche más terrible que un ser humano puede vivir. Getsemaní quiere decir, literalmente, "lugar donde se exprime la oliva". En ese lugar donde la oliva es aplastada para soltar el aceite, el señor Jesús también fue exprimido para proveer el aceite capaz de curar las llagas del pecado.

La vida de Cristo siempre estuvo acompañada por la sombra de la cruz. Él sabía, desde niño, por qué había venido al mundo. Llegaría el día, tarde o temprano, en que su vida sería ofrecida por el pecado de la humanidad.

Cuando Jesús fue presentado en el templo, como un bebé, Simeón dijo: "Este está puesto para caída y para levantamiento de muchos en Israel" (S. Lucas 2:34). Y a lo largo de su vida, Jesús habló constantemente de su sacrificio. En San Juan 3:14 dice: "Y como Moisés levantó la serpiente en el desierto, así es necesario que el Hijo del hombre sea levantado". En San Juan 10:11 afirma: "Yo soy el buen pastor; el buen pastor su vida da por las ovejas". Y a sus discípulos les anunció: "Es necesario que el Hijo del hombre padezca muchas cosas y sea desechado por los ancianos, por los principales sacerdotes y por los escribas, y que sea muerto y resucite al tercer día" (S. Lucas 9:22).

Por eso el Getsemaní no lo tomó de sorpresa. Pero Jesús tembló. Allí tenía que confirmarse la decisión de entregar su vida por el hombre. ¿Valdría la pena hacerlo? ¿Aprovecharía el ser humano el gran ofrecimiento de su amor?

Nunca podemos olvidar que Jesús era plenamente Dios y plenamente hombre, y que como hombre tenía miedo de morir porque abrigaba en su ser el instinto de conservación. No fue un loco suicida que dio la vida por nosotros. Fue Jesús, en la plenitud de sus facultades, pero incendiado por un amor incomprendido. Tembló, sufrió y clamó a su Padre para saber si había otro plan para salvar al hombre. Pero no lo había. Él era la única persona que podía hacer algo para remediar la situación a que el pecado había sometido a la raza humana.

Yo nunca podré olvidar las horas interminables de esa noche en el Getsemaní. No era su sufrimiento físico lo que despedazaba su corazón. Lo que angustiaba su alma era saber que, a pesar de todo, habría miles y miles de personas que no querrían aprovechar su sacrificio de amor.

¿Qué más puede hacer un padre para salvar al hijo, sino entregar la propia vida? ¿Qué más podría haber hecho Jesús para que tú no anduvieses por la vida cargando esa sensación de vacío y desesperación?

¡Alabado sea Dios por eso!

19 de octubre

¿Perdiste a Dios?

Al regresar ellos, acabada la Fiesta, se quedó el niño Jesús en Jerusalén, sin que lo supieran José y su madre. S. Lucas 2:43.

Cierto día un muchachito de unos seis años entró en una antigua y tradicional iglesia, llena de candelabros y velas encendidas. En su inocencia pensó que era el aniversario de Jesús y comenzó a apagar todas las velas, mientras cantaba: "Cumpleaños feliz". El sacerdote lo vio y horas más tarde fue a su casa con el fin de darle algunas lecciones de respeto y reverencia por las cosas de Dios.

Con aire solemne le dijo a la madre del muchachito: "Necesito hablar con su hijo". La madre subió al segundo piso y le dijo a su hijo que bajara. El sacerdote miró bien a los ojos del niño y le preguntó: "¿Dónde está Dios?" El muchachito, asustado, no decía nada, aunque sus ojitos se abrían mucho y tragaba saliva. El sacerdote le preguntó por segunda vez: "¿Dónde está Dios?" El muchachito no sabía qué hacer, sus manos transpiraban, sus piernas temblaban, pero no dijo nada. Por tercera vez, el sacerdote le preguntó: "No estoy jugando, ¿dónde está Dios?" El muchachito subió las escaleras como un rayo, y buscando a la madre le dijo casi sin aliento: "Mamá, por favor, ayúdame; ellos perdieron a Dios y piensan que yo lo escondí".

¿Perdiste tú a Dios? No tengas mucha prisa en responder, porque el versículo de hoy nos dice que hasta los padres de Jesús lo perdieron una vez. Eso sucedió cuando, después de participar de las fiestas religiosas, regresaban a su casa. Perdieron a Jesús por tres días. Es increíble pensar cómo tomaron el desayuno, almorzaron, cenaron y durmieron sin darse cuenta de que Jesús no estaba con ellos. Por favor, no pienses que lo habían dejado de amar, no. No pienses que habían perdido la fe y la confianza en Jesús. Ellos simplemente lo perdieron. Permitieron que Jesús se extraviara en medio de la multitud de pensamientos y actividades. Estaban tan ocupados con las fiestas, con los preparativos para el retorno, con todos los detalles, que se olvidaron de Jesús.

Nosotros también corremos el peligro de perder a Jesús. No significa que lo dejemos de amar o que dejemos de creer en él, no. Simplemente, vivimos tan llenos de actividades que no nos queda tiempo para pensar en él. Muchas veces esas actividades pueden ser cosas muy buenas, pero eso no es una justificación para olvidarnos de Jesús.

Él quiere ser parte permanente de nuestros pensamientos. Quiere inspirar en nosotros el deseo de participar de las actividades de esta vida. Quiere ser la motivación de nuestros sentimientos y la razón de nuestra existencia.

Afortunadamente, los padres de Jesús se dieron cuenta de que lo habían perdido y regresaron a buscarlo. ¡Qué bueno que siempre podemos buscarlo y que él está ahí, con los brazos abiertos, listo para recibirnos!

Andando con Jesús

Lo que hemos visto y oído, eso os anunciamos, para que también vosotros tengáis comunión con nosotros; y nuestra comunión verdaderamente es con el Padre y con su Hijo Jesucristo. **1 S. Juan 1:3.**

Si pudiera escoger una época en la historia para nacer, escogería la época en que Jesús vivió. Supongo que me llevaría un tiempo adaptarme: sin auto, sin aviones, sin teléfono y sin fax. Tal vez encontraría demasiado lento el proceso de las cosas. Pero tendría el privilegio que tuvieron los hombres de esa época: oír personalmente a Jesús. Podría tocarlo, abrazarlo. Mis ojos quedarían maravillados al presenciar en vivo los milagros extraordinarios que él realizara. Hoy podría describirlo con exactitud de detalles: su sonrisa, el color de sus ojos, sus cabellos, su estatura exacta, etc.

Quedé impresionado con la expresión de Juan: "Lo que hemos visto y oído, eso os anunciamos, para que también vosotros tengáis comunión con nosotros". ¿Quiere decir que tú y yo nunca podríamos decir lo mismo porque nacimos en otra época de la historia? Ahí está el gran error de mucha gente. Quizá no podamos verlo ni tocarlo físicamente, pero podemos tener una experiencia personal con él a través de la comunión diaria. El versículo dice que Juan anuncia todo lo que vio y oyó para que nosotros podamos tener comunión con el Padre.

El gran problema del hombre moderno es que no tiene tiempo para dedicarlo a Dios. Las múltiples actividades diarias lo absorben de tal manera que no le queda tiempo en su agenda para decir: "Señor, estoy aquí, no quiero salir a la lucha de la vida ni comenzar las actividades de hoy sin la seguridad de que estarás conmigo a lo largo del día".

Nunca olvides que la devoción sin acción se transforma en fanatismo, y acuérdate siempre que la acción sin devoción es locura, porque no satisface. Andarás siempre con la sensación inconsciente de que te falta algo. El grito desesperado de tu corazón te impedirá disfrutar de las cosas buenas que puedas conseguir en la vida.

Aprende a andar diariamente con Jesús. Haz de él el centro de tu experiencia. Que él te dé las fuerzas para luchar y vencer, la inteligencia para tomar decisiones sabias y la sabiduría para definir situaciones cuando tengas la impresión de que todo el mundo está confuso.

En medio de la agitación del día, detente por un minuto, cierra los ojos y dile: "Hasta aquí todo está bien, continúa en el control de la situación". Verás que ese minuto de comunión directa con él te dará un nuevo aliento para las actividades del día. Entrarás en la sala de sesiones con un nuevo brillo en el rostro, porque no estarás solo. Jesús estará a tu lado.

Espera en el Señor

¿Por qué te abates, alma mía, y te turbas dentro de mí? Espera en Dios, porque aún he de alabarlo, ¡salvación mía y Dios mío! Salmos 42:5.

David escribió este salmo cuando andaba perseguido por el desierto. Mucha gente se preguntaba al verlo sufrir: "¿Dónde está el Dios de David?" En medio de todo ese aparente abandono, no fueron pocas las veces en que sintió un principio de desánimo. Pero cuando el viento del desánimo soplaba en su vida, sacaba fuerzas y clamaba a sí mismo: "¿Por qué te abates, alma mía, y te turbas dentro de mí?"

El verbo turbar, traducido del hebreo *hamah*, envuelve la idea de gritar de dolor como un animal acorralado, o el ruido de las olas del mar enfurecido en una noche de tormenta.

Tal vez eso nos dé una idea de la situación terrible que David estaba viviendo cuando escribió este salmo. ¿Qué será lo que Dios nos está queriendo decir hoy? ¿Estás viviendo una situación semejante a la de David? ¿Hay momentos en que tienes ganas de gritar como un león herido? ¿Te sientes impotente ante la adversidad? ¿Te parece que los días son interminables y tienes miedo de que llegue la noche porque no puedes huir de tus propios pensamientos? Entonces, presta atención a la manera maravillosa como el salmista termina el versículo de hoy: "Espera en Dios, porque aún he de alabarlo, ¡salvación mía y Dios mío!"

Puede parecer contraproducente el consejo de "esperar en Dios" cuando es necesario actuar con el fin de evitar una tragedia mayor. Pero el consejo divino no es una invitación a la inercia o a la rendición pasiva. Por el contrario, es un desafío a luchar después de tener la certeza de que no estamos solos. Oí a cierto predicador decir que normalmente oraba una hora por día, pero que cuando estaba ocupado y lleno de desafíos, oraba dos horas. ¿Por qué? Tal vez aquí esté la lección básica para la victoria, aunque es difícil de aprender. El esfuerzo humano basado en sus propios recursos, en sus talentos, técnicas y métodos no nos traerá otra cosa sino frustración, dolor, angustia y desánimo. Pero luchar, después de haber quedado a solas con Jesús, luchar "esperando en él", genera en el corazón humano un optimismo sano, seguridad en un poder superior y confianza en la promesa de quien nunca falla.

No importa si, como en el caso de David, las personas te preguntan: "¿Dónde está tu Dios?" Tú no necesitas probarle nada a nadie, simplemente necesitas enfrentar la vida y sus desafíos en la compañía de alguien que los demás no pueden ver, pero que tú sabes que está ahí, a tu lado.

Él ve todo

Los ojos de Jehová están en todo lugar, mirando a los malos y a los buenos.
Proverbios 15:3.

El otro día recibí una carta desesperada de una persona que pensaba que Dios se había olvidado de ella y que nadie sería capaz de imaginar su sufrimiento. La conclusión final de la carta era que había vivido equivocadamente, y que tal vez no merecía que Dios la mirase. Pero el versículo de hoy dice que Dios mira tanto a los buenos como a los malos. Él está en todos los lugares y ve todos los corazones y todas las lágrimas. A veces, podemos abandonarlo y tratar de escondernos de su presencia, pero el profeta Amós dice: "Si se esconden en la cumbre del Carmelo, allí los buscaré y los tomaré; y aunque de delante de mis ojos se escondan en lo profundo del mar, allí mandaré a la serpiente y los morderá" (Amós 9:3).

Nadie puede huir de los ojos vigilantes de Dios. No hay manera de escondernos de su presencia, es imposible ocultar algo a sus ojos. Esto, en lugar de perturbarnos, debería inspirarnos confianza. Podemos no verlo, pero él no nos abandona. Podemos no tocarlo, pero él está ahí.

Oí la historia de una esposa que tenía que darle a su marido la noticia terrible de que la enfermedad que por meses lo había postrado en cama era un cáncer en fase terminal. "Pedro, ¿entiendes que estás con cáncer? ¿Sabes de qué estoy hablando?" Y el marido, acomodado en la almohada, la miró y respondió: "Yo sé, Susi, yo sé. Sé que Jesús está aquí conmigo, sentado a mi lado. Sabes de qué estoy hablando, ¿verdad?" Esa es la confianza maravillosa de los hijos de Dios. El problema humano no es si Dios nos ve, sino si nosotros somos capaces de verlo a él, y de sentirlo a nuestro lado cuando la noche está oscura y el viento helado sopla sin cesar.

Tienes delante de ti un día lleno de desafíos. Dios sabe lo que te espera, porque no sólo ve, sino que conoce todo. En eso consiste la diferencia entre los hombres y Dios. Nosotros vemos y juzgamos por los hechos. Dios ve y juzga por los propósitos del corazón. Tal vez por eso sea difícil ser comprendidos por otros hombres y, con seguridad, es por eso que Dios puede aceptarnos cuando los hombres nos rechazan.

Sal sin temor, consciente de que ningún paso es dado, ninguna decisión es tomada sin que los ojos del Señor nos alcancen. No temas. No estás solo. El mar embravecido puede amenazar y hacer naufragar tu embarcación. Las circunstancias de esta vida pueden arrancar lágrimas de tus ojos, pero nadie podrá derrotarte. Hay alguien vigilante en el control de todo. Un día él vio a Zaqueo escondido entre las ramas de un árbol, perturbado por la conciencia, y lo perdonó y lo transformó. Otro día vio a un paralítico, traído por sus amigos e introducido por el techo para poder llegar cerca de él, y lo curó y lo restauró. Hoy sus ojos continúan buscando a sus hijos buenos y malos, con la esperanza de que éstos lo reconozcan como Padre y corran a sus brazos de amor.

¿Predestinados?

Por su amor, nos predestinó para ser adoptados hijos suyos por medio de Jesucristo, según el puro afecto de su voluntad. Efesios 1:5.

¿Oíste la historia del conductor que entró en la sala de su patrón, transpirado, pálido y desesperado, y le pidió la cuenta? Cuando el patrón le preguntó por qué tanta prisa para huir, el conductor le respondió que en la calle se había encontrado con la muerte, y que ésta le había levantado la mano amenazadoramente. "Por favor, arregle mis cuentas", continuó, "necesito esconderme en un lugar donde la muerte nunca me descubra. Mi tía vive en el campo, en el interior de Pernambuco, y pienso que allí estaré seguro". Horas después el industrial salió a la calle y se encontró con la muerte. "¿Por qué asustaste al conductor de mi auto?", reclamó. Y la muerte le respondió: "Yo no lo asusté, sólo levanté la mano, sorprendida de verlo aquí en San Pablo, porque tengo anotado un encuentro con él, mañana, en el interior de Pernambuco".

¿Destino? ¿Existe el destino? El versículo de hoy dice que Dios nos eligió antes de la fundación del mundo, para ser santos e irreprensibles delante de él en amor; y nos predestinó para ser hijos adoptados por Jesucristo. ¿No prueba este versículo que existe el destino? Sí, lo prueba, en el sentido de que todos los seres humanos fuimos predestinados para ser salvos y felices. Predestinación quiere decir "destinado con anticipación", "destinado para".

Pensemos por ejemplo en la corbata. Fue confeccionada, predestinada, para ser usada alrededor del cuello. El lugar correcto para ella es el cuello. El que la fabricó la hizo con ese propósito, pero eso no quiere decir que necesariamente tendrá que ser colocada allí, porque si yo quiero puedo usarla como cinto. Sólo que ni el diseño, ni los colores, ni el estilo de ella fueron preparados para sujetar los pantalones.

Todos nosotros fuimos creados con un propósito glorioso, para ser salvados y felices y para reflejar el carácter maravilloso de Jesús, pero eso no quiere decir que, hagamos lo que hagamos, tendremos que ser salvos porque estamos predestinados para que sea así. Todo va a depender de nosotros. Somos libres para escoger. Podemos cumplir el propósito glorioso para el cual fuimos creados o ahogarnos en la miseria, la depravación, la soledad y la muerte eterna.

Dios sería injusto si la ruta de nuestra vida estuviera escrita en los astros o en la posición de los planetas, y si nuestra voluntad no tuviese nada que ver con el éxito o el fracaso.

Hay mucha mediocridad en el mundo escondida detrás de los horóscopos o del tarot. Hay mucha gente que cree que "nació para sufrir". Nadie nace para ser un derrotado en la vida. El propósito por el cual fuimos creados es un propósito glorioso y Dios hará todo lo que esté a su alcance para llevarnos a lograr ese ideal, pero no lo hará forzando nuestra voluntad. Nuestra voluntad será siempre respetada. Seremos nosotros los que tendremos que decidir.

Él terminará lo que comenzó

Estando persuadido de esto, que el que comenzó en vosotros la buena obra la perfeccionará hasta el día de Jesucristo. **Filipenses 1:6.**

Lo conocí durante una campaña evangelizadora. Su testimonio fue poderoso e inspiró a muchas personas, porque había vivido una vida turbulenta antes de conocer a Jesús. Los primeros años de su experiencia cristiana habían sido extraordinarios. Buscaba diariamente a Jesús y el resultado fue la victoria sobre los hábitos que lo habían esclavizado a lo largo de su vida.

Pero algo sucedió con el correr del tiempo. Sus períodos de comunión diaria con Jesús comenzaron a disminuir, y poco a poco se fue distanciando de Jesús y de su iglesia. Cuando lo encontré accidentalmente, no tenía ganas de comenzar de nuevo. Se encontraba totalmente desmotivado para salir de la vida tortuosa que estaba viviendo.

El versículo de esta mañana es justamente un mensaje de ánimo que necesitamos entender para continuar creciendo en la experiencia cristiana. Jesús comenzó la obra en nuestra vida y ciertamente la terminará. En las olimpíadas, los entrenadores acostumbran a decirle a sus atletas: "La prueba no terminó mientras no la hayas concluido". Siempre es posible recomenzar mientras no se dé el silbato final. Nadie se perderá en el día eterno porque una vez cayó. Si alguien se pierde será, con seguridad, porque, cayendo, no quiso levantarse de nuevo.

Jesús es un Padre amoroso y su mayor deseo es ver que sus hijos son adultos en la vida espiritual. Él sabe que llegamos a este mundo cargando la naturaleza pecaminosa que nos lleva constantemente en dirección al mal. Eso nunca puede ser un justificativo para vivir equivocadamente, pecando, pero es ciertamente la ocasión para que el Padre nos extienda su brazo poderoso, presto a salvarnos.

La obra de la salvación es enteramente divina y tiene que ver con nuestro presente, pasado y futuro.

Con respecto al pasado nada podemos hacer, pero Dios nos justifica. Sólo necesitamos aceptar su ofrecimiento. Con relación al presente podemos hacer algo: permitir que Dios santifique nuestra voluntad y que sus grandes obras de victoria vivan a través de nosotros. Con relación al futuro, él nos promete que finalmente erradicará de nuestro ser la presencia del pecado y nunca más sentiremos el deseo de pecar. Eso sucederá cuando el Señor regrese.

La obra de la salvación está, pues, pronta para acompañarnos durante todo el proceso de nuestra vida. Por eso Pablo afirma que "el que comenzó en vosotros la buena obra la perfeccionará hasta el día de Jesucristo".

¡Alabado sea Dios por eso!

Dad gracias en todo

Dad gracias en todo, porque esta es la voluntad de Dios para con vosotros en Cristo Jesús. 1 Tesalonicenses 5:18.

La gratitud es un fruto del Espíritu Santo, que se manifiesta en la vida de los que llegan a ser cada día más semejantes a Jesús.

Cierto profesor universitario fue asaltado por ladrones que le robaron la billetera. Entonces escribió en su diario lo siguiente: "En primer lugar, estoy agradecido porque nunca antes me robaron; en segundo lugar, porque aunque me robaron la billetera, no me quitaron la vida; en tercer lugar, porque aunque me hubiesen quitado todo lo que tenía, eso no era mucho; y, en cuarto lugar, porque fui yo el que fue robado y no el que robó".

¿De qué modo la gratitud nos lleva a encarar la vida de manera más optimista? ¿Por qué Jesús, al reproducir su carácter en nosotros, desea que conservemos siempre una actitud de gratitud?

Una vez leí la leyenda de un hombre que encontró el galpón en el cual Satanás guardaba las semillas que plantaría en el corazón humano. Notó que las simientes del desánimo eran más numerosas que las otras, y cuando se interesó en saber por qué, le informaron que era porque podían crecer en casi todas partes. Sin embargo, molesto, Satanás admitió que había un lugar en el cual nunca conseguiría que brotasen. "¿Cuál es ese lugar?", preguntó el hombre. Y Satanás respondió con pesar: "En el corazón de una persona agradecida".

En la Biblia hay dos palabras que están siempre unidas: "agradecer" y "alabar". Esta última palabra significa aprobar lo que Dios hace, aunque eso esté contra lo que nos gustaría que sucediese. Este aparente milagro sólo puede suceder en el corazón de alguien que conoce a Jesús por experiencia propia.

¿Estás triste? Alaba el nombre de Jesús y verás que las tristezas desaparecerán como la niebla cuando el Sol sale en todo su esplendor. ¿Estás atribulado? Canta un cántico de gratitud a Dios, y sentirás salir de tu corazón la fuerza que sólo Jesús es capaz de inspirar para caminar victorioso en medio del dolor.

Si hoy estás enfrentando algún momento doloroso en tu vida, prueba con la alabanza. Mientras diriges tu auto rumbo al trabajo, conserva un cántico en tu corazón. Puede ser que el momento doloroso no desaparezca, pero tu actitud ante el dolor cambiará. Enfrentarás la dificultad con la seguridad de que no estás solo y de que todo lo que está sucediendo, por más negro que parezca, es porque Dios en su infinito amor así lo permite. Esta actitud te permitirá ver las dificultades en su realidad, y entonces serán mucho menores de lo que imaginamos.

Una vida vale más

Entonces comenzaron a rogarle que se fuera de sus contornos. **S. Marcos 5:17.**

Las personas tenían miedo y pena del pobre hombre. Andaba por los montes gritando de día y de noche y dormía en los sepulcros. Sus únicos amigos eran los demonios. Se hería a sí mismo y no lo sabía. Hería a los demás y ni se daba cuenta. Hasta que un día se encontró con Jesús. Entonces todo cambió. La violencia se tornó en tranquilidad, la desesperación se transformó en paz y la locura dio lugar al juicio; llegó a ser un nuevo hombre.

Pero el milagro, lejos de causar alegría a todas las personas, provocó terror, y los habitantes del lugar le pidieron a Jesús que se fuera de la ciudad. Tenían sus razones y hoy nosotros podemos tener también las nuestras. Tal vez no directamente y en forma clara como lo hicieron esos hombres, pero inconscientemente podemos descubrirnos a nosotros mismos pidiéndole a Jesús que nos deje solos, porque donde él llega y donde él está las cosas necesariamente exigen un cambio. Tiene que haber siempre una dolorosa, necesaria y costosa mudanza.

Esos habitantes de Gadara estaban más preocupados por sus puercos que por la vida del endemoniado. Si la mayoría estaba bien, entonces ¿qué importaba la vida de una persona? El hombre estaba desnudo, hambriento, cansado, pero la comunidad vivía confortable, feliz y satisfecha. Jesús llegó y sacudió esa vidas. Los cerdos murieron, y la gente quedó más preocupada por la vida de los puercos que por la vida del pobre endemoniado.

Con seguridad esas personas eran especialistas en definir la vida, en filosofías y teorías en torno de la vida, pero Jesús vino a enseñar cómo vivir, y ese sentido práctico de Jesús desestabilizó la confianza que la gente tenía en sus tradiciones.

¿Pensaste alguna vez cuánto vales para Jesús? Si a veces en la vida alguien te hace sentir sin valor, si otras veces tú mismo te miras en el espejo y llegas a la triste conclusión de que no hay nada en ti que valga la pena, piensa un momento en la cruz del Calvario y di: "¿Habría Jesús dejado todo y venido a este mundo a morir la muerte vil de un criminal si yo no tuviese algún valor?"

Jesús está hoy queriendo entrar en tu corazón y revolucionar todo, cambiar todo, dar un giro completo en el orden de las cosas. Eso tal vez te asuste al comienzo, pero después sentirás la paz maravillosa que viene como resultado de una vida perdonada y transformada.

Qué gran día para el endemoniado, que renació en los brazos de Jesús, y que día terrible para una sociedad ingrata y cruel, en que el dinero, el capital y hasta la vida de un cerdo tenían más valor que la vida de un ser humano.

Gracias a Dios que Jesús siempre aparece en la hora más negra, en el momento de mayor desesperación, y que, cuando lo hace, viene para devolver la dignidad perdida y restaurar el valor del ser humano.

No lo reconocieron

Y sucedió que, mientras hablaban y discutían entre sí, Jesús mismo se acercó y caminaba con ellos. Pero los ojos de ellos estaban velados, para que no lo reconocieran. S. Lucas 24:15, 16.

Malas noticias en Jerusalén. Cleofas y otro discípulo que lo acompañaba partieron tristes en dirección a Emaús. Ese día quedaría marcado en la experiencia de ellos para siempre. Sentían que todos sus sueños estaban deshechos. Siguieron a Jesús porque creían que era el Mesías que restauraría el reino de Israel. Dejaron todo por causa de él. Al fin de cuentas, ¿qué significaban tres años de sufrimiento comparado con la gloria terrena del reino restaurado? Pero ese día había sido terrible. Los soldados fueron a prender a Jesús y él no hizo nada para defenderse. No se quejó; se entregó como una oveja silenciosa que es llevada al matadero. Lo condujeron a la cima de la montaña y allí lo crucificaron como un pobre criminal.

Con la muerte de Cristo, murieron también sus sueños y los planes y proyectos de sus vidas. Tenían la impresión de que habían perdido tres años de su existencia. Trabajaron, sufrieron, pagaron el precio, pero todo había concluido, en una tarde gris, en la cruz del Calvario.

¿Alguna vez te sentiste así? ¿Trabajaste y trabajaste y, de un momento a otro, sentiste que todo se rompía a tus pies? Tal vez entonces logres comprender cómo se sentían los discípulos.

De repente, dice el texto, "Jesús mismo se acercó y caminaba con ellos. Pero los ojos de ellos estaban velados, para que no lo conocieran".

Hay dos lecciones que necesitamos aprender hoy. La primera es que Jesús nunca abandona a sus hijos. Podemos estar viviendo la noche más oscura de nuestra vida, pero no estamos entregados a nuestro triste destino. Él siempre se acerca a nosotros. No prometió que la tristeza no golpearía a la puerta de nuestro corazón, pero nos aseguró que nunca nos dejaría solos.

La segunda lección es que a veces el pesimismo puede ser tan grande que no nos permite ver a Jesús a nuestro lado. ¿Por qué crees que los discípulos no lo reconocieron? El versículo 16 explica la razón. El versículo 21 habla de lo que ellos esperaban: "Esperábamos que él fuera el que había de redimir a Israel". Ellos habían tenido una experiencia personal con Jesús, habían andado con él. Ahora se sentían frustrados y chasqueados y no lograban reconocerlo.

¿Y qué en cuanto a ti? ¿Lo conoces? ¿Eres capaz de verlo a tu lado en los tiempos de bonanza? Si no es así, tal vez tendrás dificultades de reconocerlo cuando las tinieblas lleguen a tu vida. Hoy, hazlo el centro de tu experiencia.

Zarandeados como trigo

Dijo también el Señor: "Simón, Simón, Satanás os ha pedido para zarandearos como a trigo; pero yo he rogado por ti, para que tu fe no falte; y tú, una vez vuelto, confirma a tus hermanos. S. Lucas 22:31, 32.

Satanás siempre pone en duda nuestros motivos. Un día se presentó ante Dios y señalando la vida de Job dijo: "Extiende ahora tu mano y toca todo lo que posee, y verás si no blasfema contra ti en tu propia presencia" (1:11). Tú conoces muy bien esta historia. Job tuvo que besar el suelo de la miseria y la enfermedad, pero su fe no lo abandonó.

En el texto de hoy vemos nuevamente al enemigo de Dios juzgando los motivos del hombre. Quiso zarandear la vida de Pedro para probarle a Jesús que el discípulo lo servía por interés y no por amor. Infelizmente, cuando Pedro vio que Jesús estaba preso y que el reino que él esperaba parecía desvanecerse, siguió de lejos a su Maestro y negó que alguna vez lo hubiese conocido.

¿Sabías que tú y yo somos el mejor argumento que Jesús tiene para probar al universo que el evangelio funciona? Es muy fácil seguir a Jesús y decir que lo amamos cuando tenemos la mesa abundantemente servida, los hijos sanos y la cuenta bancaria en orden. Pero, ¿qué sucede cuando los vientos de las dificultades soplan en nuestra vida? ¿Somos capaces de seguirlo cuando los pies sangran y las lágrimas corren? ¿Podemos decirle al enemigo que está engañado al juzgar que servimos a Jesús por interés mientras pensamos en las bendiciones que podemos recibir de sus manos?

Hoy, "Satanás os a pedido para zarandearos como a trigo", dice Jesús, pero luego promete: "Pero yo he rogado por ti, para que tu fe no falte".

El Señor se preocupa por ti. ¿No es maravilloso? Él rogó por ti, para que en la hora del dolor no te sientas abandonado. Suplicó al Padre por ti, para que Satanás nunca dé una carcajada de triunfo y te vea derrotado.

Sal hoy de tu casa con la seguridad de que, aunque el enemigo quiera destruirte, no lo conseguirá. Podrá hacer que los negocios no salgan bien, podrá hacer que pierdas el empleo o incluso herirte con llagas como lo hizo con Job, pero por la gracia de Jesús serás el trigo bueno y no la paja que el viento lleva al ser zarandeada.

Dile hoy al Señor: "Encomiendo a ti mi camino y no te suplico que me libres de las pruebas, sino que me hagas fuerte en medio de ellas".

29 de octubre

La fe hace la diferencia

Pero Pedro dijo: "No tengo plata ni oro, pero lo que tengo te doy: en el nombre de Jesucristo de Nazaret, levántate y anda. Hechos 3:6.

La historia del paralítico sentado a la puerta del templo es la historia del caminar en la experiencia cristiana. Al comenzar el día estaba arrastrándose por el suelo y pidiendo limosna, pero al fin de la jornada lo vemos saltando y cantando himnos de loor a Dios. La pregunta es: ¿Qué hizo la diferencia? Sin duda alguna fue ese momento en que el pobre hombre se encontró con los apóstoles. Había nacido y vivido paralítico toda la vida. Tal vez trató muchas veces de encontrar algún tipo de cura pero, evidentemente, nada resultó, y se conformó con su triste situación. Cuando se acercó Pedro, no le pidió un milagro, simplemente imploró una limosna, un poco de dinero. Estaba resignado a andar por la vida viviendo de la bondad ajena. Lo que sostenía su vida no era el dinero, sino la compasión de los demás.

¿Puede alguien llegar al punto de ser motivado a vivir por la compasión ajena? Tal vez sí, pero eso no puede ser vida. Arrastrarse y extender la mano para recibir un poco de dinero nunca podría ser llamado vida. Pero ahí estaba él, pidiendo limosna, cuando oyó la respuesta de Pedro: "No tengo plata ni oro" ¿Cómo que no? ¿Sería posible que ese apóstol no tuviese algunas monedas en el bolsillo? ¿Por qué dijo: "No tengo plata ni oro?" ¿Sabes por qué? Porque el apóstol, inspirado por el Espíritu divino, vio que el problema del hombre no era la falta de dinero, era la parálisis. Una moneda no resolvería su problema, y cuando Jesús cura, sale de la superficie de las cosas y va a la raíz del problema. "En el nombre de Jesucristo de Nazaret, levántate y anda", fue la orden, y el paralítico anduvo y entró con los apóstoles en el templo, caminando y saltando, alabando a Dios.

¿Piensas que tu problema es la falta de dinero, o de empleo, o de oportunidades, cuando en realidad es la falta de carácter? ¿Puede ser que pasemos por la vida lamentándonos y echando la culpa de nuestros errores a todo el mundo, sin reconocer que está en el propio corazón?

Recuerda: Jesús no cura solamente la superficialidad de lo que se ve. Él va a las profundidades ocultas de los traumas y complejos que cargamos en la vida. Él puede curarte, si tú así lo deseas.

30 de octubre

Por un plato de lentejas

Jacob respondió: "Véndeme en este día tu primogenitura". **Génesis 25:31.**

Cuando leemos la historia de Esaú y Jacob, la primera impresión que tenemos es que el villano de la historia es Jacob, que subterráneamente, aprovechándose de un momento de flaqueza del hermano, se apodera de la primogenitura. Generalmente Esaú aparece como la pobre víctima, que fue engañada. Pero la verdad es otra. Naturalmente, nada disminuye el carácter mentiroso, astuto y egoísta de Jacob, pero la liviandad con que se tratan las cosas espirituales es igualmente grotesca a los ojos de Dios.

Por aquellos tiempos, la primogenitura era un derecho reservado al primogénito. Eso significaba no solamente beneficios espirituales, sino también ventajas materiales. Claro que el dinero de la primogenitura sólo llegaba a estar disponible cuando el padre moría, y aparentemente faltaba mucho tiempo para que Isaac muriese.

La historia bíblica cuenta que un día Esaú llegó cansado, después de andar por los montes buscando caza. Era tarde y estaba hambriento. Al llegar a la entrada de la tienda sintió el olor agradable de un guiso de lentejas que su hermano Jacob estaba preparando.

"Te ruego que me des a comer de ese guiso rojo, pues estoy muy cansado", pidió (vers. 30). Y Jacob aprovechó el momento para pedir a cambio el derecho de la primogenitura. Esaú no lo pensó dos veces. "Estando a punto de morir", racionalizó, "¿para qué sirve el derecho a la primogenitura?"

Nadie muere por resistir el hambre durante diez minutos más. Estaba a la entrada de su tienda. Todo lo que tenía que hacer era ir a la cocina y encontrar la comida que necesitaba. El asunto no era el hambre. El problema era que había vivido toda la vida satisfaciendo sus sentidos, el "aquí y ahora". La primogenitura era una bendición futura, mientras que el plato de lentejas era el placer del momento. Casi instintivamente cambió el fugaz presente por el futuro eterno.

Pero el tiempo cobró el precio de su decisión equivocada. Siempre es así. El tiempo es el juez inexorable, implacable y siempre justo. Finalmente, el padre envejeció, y la bendición, que antes era futura, se hizo presente, y Jacob astutamente consiguió lo que había comprado años atrás. Cuando Esaú descubrió que no había más bendición, lloró delante de su padre y clamó: "¿No has guardado bendición para mí?" (cap. 27:36).

Era tarde. Todo estaba perdido. ¿Por qué será que sólo valoramos las cosas cuando las perdemos? ¡Cuántos maridos lloran en silencio la soledad del hogar que perdieron! ¡Cuántos hijos sienten nostalgia, en las oscuras horas de insomnio, de los padres que abandonaron, de las oportunidades que no supieron aprovechar, del tiempo que se fue y que no vuelve más!

Él es el único que puede colocar en nuestro corazón el equilibrio necesario para no cambiar por un momento de placer fugaz las bendiciones que Dios nos ha preparado.

La hora es llegada

Estas cosas habló Jesús, y levantando los ojos al cielo, dijo: "Padre, la hora ha llegado: glorifica a tu Hijo, para que también tu Hijo te glorifique a ti". S. Juan 17:1.

Era de noche cuando Jesús pronunció estas palabras. Una de las noches más tristes del mundo. El maestro reunió a sus discípulos y después de animarlos hizo una oración intercesora en su favor. El texto bíblico dice que "levantando los ojos al cielo, dijo: 'Padre, la hora ha llegado' ".

¿La hora de qué? De ser glorificado. ¿Cómo? En la humillante muerte de cruz. Desde pequeño Cristo sabía por qué había venido al mundo. El sentido de su misión acompañó cada uno de sus actos en la tierra. De noche y de día sus ojos se dirigían al Calvario. Era allí donde un día tendría que ofrecer la vida para salvar a la humanidad. Su instinto de conservación tal vez le dijese que podía abandonar todo, pero su amor por ti y por mí era mayor que la vida y la muerte. Nada lo haría desistir de su misión. El trigo debía caer en la tierra y morir, para germinar y producir muchos frutos. Y él estaba dispuesto a morir.

Por eso, levantó los ojos al cielo y exclamó: "La hora ha llegado".

¿Alguna vez pensaste que en la vida de todos nosotros un día llega la hora? Parece un principio de la vida. Es en el dolor donde el ser humano se hace fuerte. Es el fuego lo que purifica el oro, y es muriendo como realmente se descansa.

¿Será, por ventura, que en este momento sientes que llegó tu hora? ¿Las tinieblas de la noche que vives están más oscuras que nunca? ¿Tu Getsemaní parece no tener fin, y allá abajo tus enemigos te esperan, listos para destruirte? No tengas miedo. Haz como Jesús, levanta los ojos al cielo y di: "Padre, la hora ha llegado; glorifica a tu Hijo, para que también tu Hijo de glorifique a ti".

Los hombres pueden matar tu cuerpo, pero nunca tu capacidad de soñar. Podrán enterrarte por uno o dos días, pero al tercer día resucitarás, renacerás de las cenizas, te levantarás del fracaso. Y tus enemigos entenderán que tu Dios es omnipotente.

No huyas, no te entregues, no te rindas. Si la hora llegó, enfréntala, y que Dios glorifique a su hijo. Finalmente, Jesús no vino a este mundo solamente para salvarnos, no vino únicamente para enseñarnos a obedecer, vino también para enseñarnos cómo sufrir y cómo morir con dignidad. Vino a enseñarnos a mirar más allá de la cruz, hacia el tercer día, hacia el glorioso día de la resurrección, el día de la victoria y de la vida.

Tómate del brazo poderoso de Jesús y camina hoy con él.

La salvación es gratuita

¡Venid, todos los sedientos, venid a las aguas! Aunque no tengáis dinero, ¡venid, comprad y comed! ¡Venid, comprad sin dinero y sin pagar, vino y leche!
Isaías 55:1.

El auditorio estaba repleto esa noche. Entre la centena de personas presentes se destacaba la figura elegante de un caballero bien vestido, que oía el mensaje sin pestañar. Cuando predico, siempre estoy atento a las reacciones del público, y no podía dejar de notar el torrente de sentimientos y pensamientos que estaba perturbando a ese hombre. Parecía haber olvidado que estaba junto a otras personas; estaba absorto, mientras las lágrimas luchaban por salir. Cuando hice el llamado, no se levantó, pero me buscó al día siguiente en mi oficina, y con voz educada, siempre tratando de conservar su postura de dignidad, me dijo: "Parece mentira, pastor, la salvación no puede ser así de fácil".

En el versículo de hoy, el profeta Isaías presenta la sed como símbolo del anhelo interior de Dios, anhelo que todo ser humano carga dentro de sí y que sólo encontrará satisfacción permanente en la comunión con él. De manera poética, y utilizando una construcción literaria llena de belleza, el profeta presenta la salvación bajo el símbolo del agua, un don accesible a todos los hombres.

No hay base bíblica para pensar que unos fueron creados para ser salvos y otros para perderse. Si fuera así, Dios sería injusto. Dios le dio al ser humano la libertad de elección, y siempre respetará esa libertad.

"¡Venid, todos los sedientos, venid a las aguas!", es la invitación del Señor Jesús. El agua, el vino, la leche y el pan, mencionados en el versículo que sigue, son símbolos de las otras bendiciones que la salvación trae a la vida de los que aceptan a Jesús. Cuando una persona acepta a Cristo y deja de fumar, no sólo recibe el don gratuito de la salvación, sino que, además, reduce el riesgo de contraer un cáncer pulmonar. Cuando una persona conoce a Jesús y abandona su vida promiscua, no sólo experimenta la sensación de paz que la salvación ofrece, sino que también pasa a tener una vida familiar sólida y disfruta del amor y la admiración de la esposa y los hijos.

"¡Venid, comprad sin dinero y sin pagar!", es la otra parte de la invitación. Tal vez, más importante que la invitación a beber del agua que satisface es saber que es gratuita. Cuando no se tiene dinero, en el corazón se experimenta la sensación de que no se tiene derecho. Tú puedes mirar una vidriera e incluso ver a otras personas comprando muy felices, pero si no tienes dinero, ni siquiera te atreves a soñar.

Con la salvación no es así. Tú no la mereces, no hay nada de bueno en ti, no tienes dinero, te sientes un pecador. Piensas que "no puede ser así de fácil". Pero el Señor Jesús te mira y te dice: "Hijo, puedes venir, ya pagué el precio por ti. La salvación soy yo. Y estoy con los brazos abiertos esperándote".

¿No es maravilloso?

¡Tu carácter puede ser cambiado!

Yo les daré lugar en mi casa y dentro de mis muros, y un nombre mejor que el de hijos e hijas. Les daré un nombre permanente, que nunca será olvidado. Isaías 56:5.

La promesa del versículo de hoy fue hecha a los eunucos que no tenían la posibilidad de tener hijos y, por tanto, cargaban dentro de sí el miedo de que al morir perderían su nombre y sus propiedades. En otras palabras, la vida no significaría demasiado para ellos. Verían cómo se desarrollaba la historia, pero no participarían de ella. La muerte sería el triste fin de todo y no quedaría nadie para perpetuar su nombre.

En Israel eso era una tragedia de grandes dimensiones. Según la tradición hebrea, en esencia, la felicidad terrena del hombre dependía de tener uno o más hijos que preservaran el nombre y la herencia de la familia. Ese era el terrible drama del pobre eunuco. Un defecto físico, natural o provocado, lo incapacitaba para tener hijos.

Entonces, para esas personas aparece la promesa de que, si son fieles, Dios les dará un nombre mejor que el que los hijos podrían perpetuar. Dios está hablando aquí del nuevo nombre prometido en Apocalipsis 2:17. Más todavía, de que el hombre puede tener la seguridad de que su nombre será inscripto en el libro de la vida (Apocalipsis 3:5).

El nombre es símbolo del carácter de una persona, y en nuestro versículo encontramos más que una simple promesa de cambiar Juan por Francisco o María por Josefa. La promesa es la de un nuevo carácter, que no depende de nosotros sino de Dios. Es lo que él obra en nosotros. Todo lo que necesitamos hacer es decirle que somos débiles, que no tenemos fuerzas y que por eso vamos a él.

¿Cómo hacerlo? Buscándolo cada día al separar tiempo para estar a solas con él, a través de la oración, la meditación, el estudio de la Palabra y, además, a lo largo del día, contarles a otros acerca del amor de Jesús. Todo con el objetivo de mantener la sensación de la presencia permanente de Jesús en todas nuestras actividades.

Dios no quiere únicamente perdonar nuestros pecados pasados. También desea reproducir su carácter en nosotros, darnos su nombre, y para eso nos invita a ir a "mi casa y dentro de mis muros", llevando nuestros defectos, que pueden ser físicos (como en el caso de los eunucos) o espirituales o morales (como en nuestro caso).

¿Estás dispuesto a aceptar la invitación divina? ¿Crees que él es capaz de transformar tu carácter? ¿Cómo podrás saberlo si no lo pruebas en tu vida? Vete a él sin temor. No conozco a ninguna persona que haya ido a Jesús, quedado con él y haya regresado frustrada. Hoy es el día de la gran noticia. Hoy es todavía el día de la salvación. ¿Te gustaría arrodillarte, ahí donde estás, y aceptar la invitación?

Su brazo nos trajo salvación

Vio que no había nadie y se maravilló de que no hubiera quien se interpusiese; y lo salvó su brazo y lo afirmó su misma justicia. **Isaías 59:16.**

En los tiempos del profeta Isaías, Judá estaba inmerso por completo en tinieblas espirituales y morales. El gran problema era su alejamiento del Dios verdadero. El otro era simplemente el resultado natural de vivir lejos de la única fuente auténtica de poder y salvación.

¿Puedes imaginar un pueblo con destino glorioso, nacido para ser "cabeza y no cola", establecido para ser la luz para las naciones, viviendo ahora en medio de la opresión y sin ninguna esperanza de volver a ser el pueblo que un día había sido? (Ver Deuteronomio 28:13.)

En la crisis decente que vivía Judá, el Señor "vio que no había nadie y se maravilló de que no hubiera quien se interpusiese". Generalmente cuando existe alguna posible solución humana, el ser humano no vuelve los ojos hacia Dios. El hombre agota todos sus recursos, busca sus propias soluciones, fabrica sus propias salidas, y Dios a veces permite que llegue al fondo del pozo para que pueda entender que el socorro viene de arriba.

Mira a Israel ante el Mar Rojo. No existía lugar hacia donde ir. De ambos lados había montañas imposibles de escalar, por detrás el enemigo implacable y por delante las aguas profundas y agitadas del mar. No había "intercesor", "nadie que pudiera hacer nada". Sólo entonces el pueblo se acordó de que existe un Dios todopoderoso y levantó sus ojos a lo alto, pues es de lo alto de donde viene el socorro.

En el versículo de hoy no encontramos únicamente la promesa de protección y solución divina en la hora de la dificultad. Dentro de ella hay una aplicación espiritual básica para entender el porqué de los repetidos fracasos de nuestra vida. "Lo salvó su brazo y lo afirmó su misma justicia", dice Isaías.

Dios vuelve a mostrar aquí algo que trata de decir desde el jardín del Edén, cuando quitó de Adán y Eva las miserables hojas de higuera (justicia humana) para cubrirlos con la piel del cordero (justicia de Jesús): Cuando como hombres queremos hacer las cosas bien únicamente con nuestras fuerzas, sin vivir una vida diaria de comunión con Jesús, con toda seguridad nuestra vida será una sucesión de fracasos o, en la mejor de la hipótesis, una sucesión de victorias de arena, una falsificación, una vida hueca, que podrá satisfacer la expectativa de los demás, pero que nos incomodará por dentro.

Muchas veces, en su infinito amor, Dios permite que descendamos al fondo del pozo para que entendamos una lección muy sencilla: "Lo salvó su brazo y lo afirmó su misma justicia".

¿Por qué luchar solos? ¿Por qué no hacer del compañerismo de Cristo el centro de nuestro esfuerzo y atención?

¿Adúlteros, sin adulterar?

Dicho está: "Si alguno deja a su mujer, y ésta se va de él y se junta a otro hombre, ¿volverá de nuevo a ella? ¿No será tal tierra del todo mancillada?" Tú, pues, que has fornicado con muchos amigos, ¿habrás de volver a mí?, dice Jehová. Jeremías 3:1.

Un grupo de mujeres reivindicaba justicia frente al palacio de los tribunales en Bello Horizonte. "Quien ama, no mata", gritaban, exigiendo un severo castigo para el empresario que había asesinado a su esposa en "legítima defensa de honra", según sus abogados. No sería la primera vez que la justicia humana daría un veredicto de libertad a un marido que había asesinado a la esposa infiel.

En el versículo de hoy encontramos el cuadro de una esposa infiel. La ley decía que un hombre que repudiaba a una mujer, nunca más podía tomarla de nuevo (Deuteronomio 24:1-4), pero Dios mira a su pueblo y le dice: "Tú, pues, que has fornicado con muchos amigos, ¿habrás de volver a mí?"

Cuando pensamos en el pueblo adúltero que abandona a su Dios y corre tras otros amantes, generalmente pensamos que esos "otros amantes" son las formas del pecado en sus diferentes tipos de placeres. Nuestra mente, inmediatamente piensa en cine pornográfico, robo, vicios, promiscuidad, perversiones o cosas parecidas. Para nosotros, un adúltero espiritual es el que está completamente fuera de la iglesia, viviendo una vida desarreglada y yendo hacia abajo en el tobogán de los apetitos carnales.

Pero el versículo 2 nos da a entender que el problema de Judá tenía profundas implicaciones espirituales. Menciona los montes santos donde Judá se prostituía con cultos a dioses paganos, y también menciona a los árabes, cuyo culto a la naturaleza tenía como centro la adoración al propio hombre.

Dios habla aquí de una mujer adúltera. Ella tiene otro marido, otro Dios, otro sustentador. Ella concentra su confianza en otro brazo. "¿Acaso alguna nación ha cambiado sus dioses, aunque éstos no son dioses? Sin embargo, mi pueblo ha cambiado su gloria por lo que no aprovecha" (Jeremías 2:11).

Podemos pensar que Dios está hablando aquí de la idolatría. Esta bien. Pero, ¿existe mayor idolatría que la de confiar en las propias fuerzas para vivir la vida cristiana? ¿Qué está haciendo el hombre que pretende ser un buen cristiano, pero que no pasa tiempo a solas con Dios? ¿En el brazo de quién está confiando? ¿A quién está sirviendo?

El Señor nos dice hoy: "Has fornicado con muchos amigos; ¡vuelve a mí!"

Gracias sean dadas a Dios porque siempre está dispuesto a recibirnos de nuevo.

5 de noviembre

¿El mensaje o el Dios del mensaje?

Id ahora a mi lugar en Silo, donde hice habitar mi nombre al principio, y ved lo que le hice por la maldad de mi pueblo Israel. Jeremías 7:12.

Entre 1926 y 1932, un grupo de arqueólogos dinamarqueses excavó las ruinas de Silo y llegó a la conclusión de que fue destruida por el fuego, aproximadamente alrededor del año 1100 a.C., luego de lo cual fue abandonada por unos 90 años. Esos descubrimientos armonizan con la historia bíblica.

En 1 Samuel 4:1-11 encontramos la historia de la derrota de los israelitas ante los filisteos en Eben-ezer y Afec, cuando el arca fue capturada. Posiblemente, en esta ocasión la ciudad fue incendiada.

Aparentemente, Silo era una ciudad hermosa. Quedaba en el territorio de Efraín y quizás había sido escogida por su ubicación central para ser el lugar del santuario y del arca. El arca simbolizaba la presencia personal de Dios con su pueblo. En las grandes batallas de Israel, el arca siempre estaba presente, porque una batalla sin la presencia de Dios estaría perdida.

Pero el tiempo fue pasando e Israel cayó en la tragedia de quitar los ojos de Dios y colocarlos en los simples objetos. Llevaban el arca por todos lados, pero vivían como si Dios no existiera. Elí no le dio importancia a la conducta pecaminosa de los hijos; el pueblo dependía del arca y no del verdadero Dios.

Cualquier cosa, por mejor que sea, cuando es colocada sobre el Dios verdadero pierde su sentido y pasa a ser un estorbo en la experiencia espiritual.

En el versículo de hoy, Jeremías trata de dirigir la atención del pueblo hacia Silo: "Id ahora a mi lugar en Silo, donde hice habitar mi nombre al principio, y ved lo que le hice por la maldad de mi pueblo Israel".

Las cosas nunca garantizarán la seguridad del pueblo de Dios. Los escombros y las cenizas de Silo se levantaron como un monumento a la insensatez humana, cuando el hombre comenzó a confiar en las cosas, sacando los ojos del Dios personal que él desea ser para nosotros.

¿Podemos caer en el riesgo de depositar nuestra confianza en las cosas, o en las formalidades del culto? Sí, desafortunadamente podemos.

Un día un joven me buscó desesperado y me dijo: "Pastor, conozco el mensaje de la justificación por la fe. Compré todos los libros que hablan del tema, los leí y los subrayé, y, además, tengo todos sus casetes y libros. Sé que tengo que confiar solamente en Jesús para ser salvo, pero nada me sale bien; no siento que esté salvo, soy un fracaso". Entonces le pregunté cuánto tiempo pasaba diariamente con Jesús, y bajó los ojos.

Había caído en el mismo problema de Israel. Pensaba que el mensaje de la justificación por la fe lo salvaría. Depositó su confianza en el mensaje, pero no conocía al Dios del mensaje. Es imprescindible conocer el mensaje y conocer al Dios del mensaje. Ese joven no pasaba tiempo con él. ¡Qué tragedia!

6 de noviembre
Preparación para los tiempos difíciles

Si corriste con los de a pie, y te cansaron, ¿cómo contenderás con los caballos? Y si en la tierra de paz no estabas seguro, ¿cómo harás en la espesura del Jordán? **Jeremías 12:5.**

Ese joven sentía que la vida había sido injusta con él. "¿Por qué otros tienen oportunidades y yo no?", se preguntaba, queriendo, inconscientemente, justificar su indolencia. Alguien le consiguió un empleo como cadete. Duró una semana; lo dejó porque "era mucho trabajo para ganar muy poco". Le ofrecieron un puesto como mecanógrafo, pero no sabía escribir a máquina. Entonces, los padres le pagaron un curso de mecanografía, que en pocos días abandonó porque "no vale la pena aprender a escribir a máquina si el salario es tan pequeño".

¿Conoces a alguien parecido? Entonces medita en la pregunta que presenta el versículo de hoy. "Si corriste con los de a pie, y te cansaron, ¿cómo contenderás con los caballos?" El Señor nos está hablando de la administración correcta de las pequeñas responsabilidades, útil como una preparación para las responsabilidades mayores. Si sucumbimos ante las pequeñas tareas, si no somos capaces de realizar un trabajo de cadete, ¿por qué soñamos con llegar a ser el gerente?

En la segunda parte del texto, Jeremías dice: "Y si en la tierra de paz no estabas seguro, ¿cómo harás en la espesura del Jordán?"

Los comentaristas dicen que a orillas del río Jordán, junto a los enormes árboles había matorrales habitados por leones y otros animales salvajes. Podemos deducir de esto una lección espiritual: si en los tiempos de paz no seguimos fieles a los principios divinos, tampoco seremos fieles cuando lleguen los tiempos difíciles.

Por lo general, cuando se habla de la conservación de la juventud en la iglesia, de inmediato pensamos en actividades recreativas: tenemos que programar algo para el sábado de noche porque si no nuestra juventud hará lo que no debe. ¡Cuánto error detrás de una buena intención! Claro que tenemos que tener actividades recreativas para los jóvenes los sábados de noche, pero no por miedo a perderlos, sino porque merecen tener un compañerismo agradable, en un ambiente donde se sientan bien por causa de sus principios. Las actividades recreativas nunca pueden ser el "caramelo" que le demos a un niño para que no haga cosas equivocadas. Tenemos que enseñar a nuestra juventud que la fidelidad a Dios no depende de las actividades recreativas.

A veces me pregunto si la juventud, en estos tiempos de libertad, hace cosas malas los sábados de noche "porque en la iglesia no hay ninguna actividad social". ¿Qué será entonces cuando lleguen los tiempos difíciles y no podamos reunirnos para celebrar el culto en el templo? "Si en la tierra de paz no estabas seguro, ¿cómo harás en la espesura del Jordán?"

Que Dios nos ayude a entender que Jesús es el único capaz de conservar a nuestra juventud firme hasta el fin.

7 de noviembre

Un vaso nuevo

¿No podré yo hacer con vosotros como este alfarero, casa de Israel?, dice Jehová. Como el barro en manos del alfarero, así sois vosotros en mis manos, casa de Israel. Jeremías 18:6.

"¿Qué es lo que hice con mi vida?", gritaba la joven, mientras tomaba firmemente con sus manos el resultado positivo del test de embarazo. Tenía sólo 16 años. Nunca nada volvería a ser igual. Estaba ante una lucha inmensa, que comenzaba por cómo les daría la noticia a sus padres.

El versículo de hoy fue escrito para una nación que, por apartarse de Dios, también había arruinado el futuro glorioso para el cual había sido establecida. ¿Qué puede hacer el hombre solo? ¿Para qué sirven sus fuerzas, su dominio propio o los principios morales que pueda tener? "¡Maldito aquel que confía en el hombre, que pone su confianza en la fuerza humana, mientras su corazón se aparta de Jehová!" (cap. 17:5), dice el Señor, y "¡Bendito el hombre que confía en Jehová, cuya confianza está puesta en Jehová!" (vers. 7).

Dios no está maldiciendo al ser humano. Sólo está describiendo el triste futuro que le espera al que, sacando los ojos de Dios, comienza a confiar en sus propias fuerzas. Piensa un poco: ¿Qué está haciendo el hombre que no separa tiempo cada día para Jesús? ¿En quién está confiando?

El resultado de apartarse de Dios llevó a una triste situación de inmoralidad, pecaminosidad, formalismo, esclavitud, desesperación y muerte.

¿Qué es lo que hizo Israel con su vida? ¿Qué futuro le esperaba? ¿Cuál es el destino de un vaso deshecho y roto en pedazos, a no ser el tacho de basura?

Pero Dios nunca pierde las esperanzas. El hombre puede haber arruinado todo lo que tenía de bello, pero Dios siempre ve posibilidades futuras. Él no nos mira cómo somos, sino cómo podemos llegar a ser por su gracia transformadora. "¿No podré yo hacer de vosotros como este alfarero, casa de Israel?", dice el Señor. "Como el barro en manos del alfarero, así sois vosotros en mis manos".

Una joven vida de 16 años, arruinada por jugar con el pecado, no es un vaso perdido para Dios. Un hombre maduro, que arruinó su vida y la de su familia por condescender con el mal, no es todavía un caso sin salida para Dios. Una persona que descendió a las profundidades de los vicios y de la promiscuidad, tampoco es un caso sin esperanza para Dios. "¿No podré yo hacer de vosotros?", es la pregunta del Padre. Si él fue capaz de crear, puede ser capaz de recrear. Si resucitó a Lázaro, también puede resucitar un cadáver espiritual.

Naturalmente, para eso tenemos que aceptarlo, seguir sus caminos, obedecer sus deseos y morar siempre junto a él. El trabajo del alfarero puede ser doloroso para el barro, pero el resultado final deja deslumbrado a todo el mundo. Si tú colocas el barro de tu vida en las manos del Alfarero divino, eso puede ser un tanto doloroso, pero el universo todo rendirá loores a Dios por tu transformación.

8 de noviembre
Seguros en el tiempo de angustia

¡Ah, cuán grande es aquel día! Tanto, que no hay otro semejante a él. Es un tiempo de angustia para Jacob, pero de ella será librado. **Jeremías 30:7.**

El profeta Jeremías está describiendo la angustia que los babilonios, al mando del gran Nabucodonosor, muy pronto traerían a Jerusalén y Judea. Haciendo aplicaciones espirituales para nuestro tiempo, "aquel día" se refiere al día del Señor y a los acontecimientos finales de la Tierra.

En el versículo 6, el profeta dice: "¡Inquirid ahora, considerad si un varón da a luz!, porque he visto que todos los hombres tenían las manos sobre sus caderas, como la mujer que está de parto, y que se han puesto pálidos todos los rostros".

Para el pueblo de Dios el tiempo de angustia que se aproxima no es "grande y terrible" debido al sufrimiento físico, a las persecuciones o las privaciones que sufrirá. El sufrimiento tiene un trasfondo espiritual. El enemigo tratará por todos los medios de hacer pensar a los hijos de Dios que están perdidos. Para eso, les hará recordar todas las cosas en que erraron en el pasado. "Pero de ella será librado".

Cierta vez un pastor me contó un incidente de cuando su hija era pequeñita. Mientras él leía el diario en la sala, oyó el barullo de un vaso quebrado, corrió a la cocina y vio a su hijita y a su sobrina con el terror estampado en el rostro.

—¿Qué sucedió? ¿Quién hizo eso? —preguntó el padre.

Las niñitas se señalaron mutuamente con el dedo. En ese momento el padre dijo:

—Ninguna va a ser castigada. Estoy seguro de que el vaso se quebró por accidente, pero quiero saber qué fue lo que sucedió para evitar que en el futuro suceda otra vez.

Los ojos de su hijita se llenaron de lágrimas.

—Disculpa... papá. Fue mi culpa.

La aflicción de la niña era evidente, pero ella se liberó del peso de la culpa porque entendió el perdón del padre.

Es por eso que necesitamos conocer muy bien al Señor Jesús. Es por eso que necesitamos pasar mucho tiempo con él, convivir con él cada minuto de la vida, pues esa es la única manera de conocer y entender la amplitud de su misericordia.

Cuando llegue el día terrible, cuando las puertas de la gracia ya estén cerradas, el enemigo de las almas tratará de atormentarnos por causa de nuestro pasado. Entonces, lo único que nos sustentará será la confianza que hayamos adquirido en la convivencia diaria con Jesús.

Los amigos de Jesús, los que viven con él y permiten que su carácter sea reproducido cada vez más en su vida, no tienen nada que temer con relación al futuro.

Podrán caer mil a su izquierda y diez mil a su derecha, pero no serán alcanzados.

9 de noviembre

Instrumento de paz

Y la paz de Dios, que sobrepasa todo entendimiento, guardará vuestros corazones y vuestros pensamientos en Cristo Jesús. Filipenses 4:7.

El Pr. Arthur S. Maxwell relata, en la edición del 21 de diciembre de 1953 de la revista *Signs of the Times*, su asistencia como observador en una gran reunión de evangélicos. Se estaba desarrollando un servicio de comunión y a continuación, poco antes de partir el pan, se realizó lo que ellos llamaban "la transmisión de la paz".

Poniendo ambas manos en la mano derecha de sus asistentes, el ministro dijo a cada uno: "¡La paz de Dios sea contigo!" Entonces los dos hombres se aproximaron a los diáconos que servían y tomando la mano derecha de ellos, repitieron: "La paz de Dios sea con vosotros".

"Luego los diáconos comenzaron a moverse lentamente, descendiendo por los corredores y llevando la paz a todos los miembros. En cada banco, los diáconos se detenían y tomaban la mano derecha del miembro más cercano, y susurraban: 'La paz de Dios sea contigo'. Ese miembro, a su vez, tomaba la mano de la persona que estaba más próxima y le pasaba el mismo mensaje. Yo contemplaba la conmovedora escena desde la galería. La esencia de todo era algo maravilloso. No se oía ningún otro sonido en la iglesia, a no ser el murmullo ocasional de las graciosas palabras: 'La paz de Dios sea contigo'. Luego noté que los diáconos estaban arriba. Sentí un susurro en el banco en que yo estaba sentado, miré a mi izquierda y vi una mano extendida, la mano de un extraño, esperando tomar la mía en amigable saludo. Un momento después oí las graciosas palabras: 'La paz de Dios sea contigo'. Fue un momento tocante. No sabía qué decir. Creo que dije: 'Muchas gracias, Dios lo bendiga'. Entonces se despertó en mí la sensación de que era mi turno para transmitir la paz a alguien más; pero yo era la última persona en ese banco. Miré a mi alrededor, pero no había nadie a quien pudiera pasarla. ¿Había terminado o no la ceremonia conmigo? ¿Podría una cosa tan bonita tener fin? ¿No era el deber de cada participante continuar transmitiendo la paz de Dios, por el resto de su vida?"

"Mi paz os doy", dijo Jesús, y al hacerlo nos confió la misión de que seamos la paz para el mundo. El cristiano vive en un mundo de aflicciones. Hay gente desesperada por todos lados: las familias se caen a pedazos; los jóvenes arruinan sus vidas con las drogas; las naciones se matan sin casi saber por qué. Y en medio de esa tormenta es donde el Señor Jesús desea que su pueblo se convierta en instrumento de su paz (ver S. Juan 14:27; 16:33).

Es por eso que necesitamos diariamente vivir en la fuente de la paz, bañarnos en ella, y salir al mundo con la paz en la mirada y en la vida.

¿Oro oscurecido u oro brillante?

Los hijos de Sión, preciados y estimados más que el oro puro, ¡son ahora como vasijas de barro, obra de manos de alfarero! Lamentaciones 4:2.

El ser humano fue creado con un destino glorioso: predestinado para la salvación. Eso no significa que todos seremos salvos, pues nadie puede ser salvo contra su voluntad, sino que el ideal de Dios, el propósito final de Dios para todo hombre, es verlo salvo. Naturalmente, el ejercicio del libre albedrío, para aceptar o rechazar el plan divino, determinará nuestro destino final.

El versículo de hoy compara a los apreciados y nobles hijos de Sión –seres de barro— con el oro puro. ¿Qué sucedió? Según el versículo anterior, ¡el oro "ha perdido... su brillo! Las piedras del santuario están esparcidas por las encrucijadas de todas las calles". De repente, el polvo del pecado comenzó a empañar el brillo del oro. Cualquier vida que sea tocada por el virus del pecado pierde su brillo: el príncipe se transforma en esclavo, el heredero termina apacentando puercos y con el tiempo, no somos más que una piedra en cualquier calle.

¿Tiene Dios un plan para levantar al hombre de su estado de pecaminosidad y recrear en él la imagen perdida? Un día seremos piedras preciosas en las esquinas del santuario de Dios, un día su pueblo reflejará el carácter de Cristo y cuando eso suceda, él volverá para reclamarnos como suyos. ¿Cuál es ese plan? ¿Cómo desea Dios hacernos cada día más semejantes a Jesús?

Veamos este consejo de Elena G. de White: "Un rayo de gloria de Dios, un destello de la pureza de Cristo que penetre en el alma, hace dolorosamente visible toda mancha de pecado y descubre la deformidad y los defectos del carácter humano. Hace patente los deseos impuros, la infidelidad del corazón y la impureza de los labios. Los actos de deslealtad del pecador, al querer anular la ley de Dios, quedan expuestos a su vista, y su espíritu se aflige y se oprime bajo la influencia escudriñadora del Espíritu de Dios. Se aborrece a sí mismo viendo el carácter puro y sin mancha de Cristo" (*El camino a Cristo*, pág. 27).

¿Y después, qué sucede? ¿El plan del evangelio es simplemente crearnos desesperación por causa de nuestra situación? ¡No! "Cuando veas la enormidad del pecado, cuando te veas como eres en realidad, no te entregues a la desesperación. Fue a los pecadores a quienes Cristo vino a salvar. No tenemos que reconciliar a Dios con nosotros, sino ¡oh maravilloso amor!, 'Dios estaba en Cristo, reconciliando consigo mismo al mundo' [2 Corintios 5:19]. Él está solicitando por su tierno amor los corazones de sus hijos extraviados. Ningún padre según la carne podría ser tan paciente con las faltas y los yerros de sus hijos como lo es Dios con aquellos a quienes trata de salvar" (*El camino a Cristo*, pág. 35).

Cuando el hombre entienda este plan divino, la piedra llena de barro volverá a ser nuevamente oro fino. El mundo nos mirará y verá en nosotros el carácter de Jesús. ¡Alabado sea Dios por eso!

Condenado por no hacer nada

Entonces él le dijo: "Mal siervo, por tu propia boca te juzgo. Sabías que yo soy hombre severo que tomo lo que no puse y siego lo que no sembré". **S. Lucas 19:22.**

Una señora de edad había esperado toda la vida la oportunidad de viajar en tren. Quería contemplar, devorar cada paisaje con los ojos y disfrutar todo cuanto pudiera en los kilómetros que iría a recorrer. Entró muy decidida en el vagón de pasajeros y cuando el tren partió, comenzó a acomodar los paquetes y cestas que traía, trató de arreglar confortablemente su asiento y acomodar las cortinas, de colocarse en situación cómoda, pero... de repente, cuando ya estaba lista para comenzar la contemplación del paisaje, el conductor voceó el nombre de la estación a la cual estaban llegando. "Qué pena", dijo ella, "si hubiese sabido que llegaríamos tan pronto no habría perdido mi tiempo en pequeñeces".

Es posible que sonrías mientras lees esta anécdota, pero en la mejor de las hipótesis nuestro viaje por la vida es relativamente corto. No podemos desperdiciar el tiempo en niñerías, sino que debemos ser diligentes y responsables en la administración de las cuatro áreas de la vida: el tiempo, los tesoros, los talentos y el cuerpo que Dios nos dio.

El versículo de hoy fue encontrado subrayado en la Biblia de Dwight L. Moody, y al lado había una nota escrita por él mismo, que decía: "Condenado por no hacer nada".

La vida de Moody fue justamente una vida de acción. Criticado por otros por causa del pésimo inglés que hablaba, nunca se atemorizó, y en cierta ocasión, cuando alguien le dijo que cometía muchos errores gramaticales, le respondió: "Yo sé que cometo muchos errores, y que me faltan muchas cosas, pero estoy haciendo lo mejor que puedo con lo que tengo". Entonces fijó la mirada en el hombre y añadió: "Mire mi amigo, por lo que veo, usted posee mucha gramática. ¿Qué está haciendo con ella para el Maestro?"

Si la vida no dura más que 80 o, en la mejor de los casos, 90 años, ¿por qué quedar de brazos cruzados, disculpando nuestra inactividad con el hecho de que no nos apoyan o nos critican? La única manera de no ser criticado es no hacer nada, pero aun así, te perderás por no haber hecho nada.

Vivir la vida es aceptarla con sus riesgos y desafíos, es colocar cada gota de sangre y cada gramo de energía para construir un sueño, es buscar nuestro lugar en el mundo, es crear oportunidades y no quedar sentados, sintiendo compasión de nosotros mismos y creyéndonos los más desdichados en la vida.

Puedes hacerte las siguientes preguntas esta mañana: ¿Qué hice o construí hasta ahora en la vida? ¿Cuáles son mis sueños? ¿Hacia dónde voy? ¿Cómo pienso alcanzar mis objetivos?

Los que cada día permanecen a los pies de Jesús, recibirán poder de él y no quedarán satisfechos con lo poco que consiguieron.

12 de noviembre

¿Cuál es la señal?

Y le dijo Jehová: "Pasa por en medio de la ciudad, por en medio de Jerusalén, y ponles una señal en la frente a los hombres que gimen y claman a causa de todas las abominaciones que se hacen en medio de ella". Ezequiel 9:4.

La visión de Ezequiel se refiere, en primer lugar, a la destrucción de Jerusalén ordenada por Nabucodonosor; pero como toda profecía escatológica, tendrá otro cumplimiento en el tiempo del fin, antes del regreso de Jesús.

El sellamiento del pueblo de Dios es un asunto que necesita ser bien entendido, pues tiene que ver con nuestra salvación. El sello divino es la señal de aprobación que Dios coloca en la frente de los que, al buscar diariamente a Jesús, permiten que el Espíritu Santo reproduzca en ellos el carácter de Cristo.

En la visión era una señal literal, pero su significado tiene que ver con el carácter de "los hombres que gimen y claman a causa de todas las abominaciones que se hacen en medio de ella".

Estos hombres son personas que por su vida diaria de comunión con Jesús crearon una repulsión hacia el pecado. No aceptan convivir con la maldad bajo ninguna de sus formas. El carácter de Cristo ya fue fielmente reproducido en la vida de estos hijos, y Dios lo aprueba, una aprobación simbolizaba por la señal.

Sin embargo, existe una señal externa y visible de que la aprobación divina ya fue dada a estos hijos. Esa señal externa es la observancia del sábado bíblico.

Esto sucederá de la siguiente manera: "El día sábado siempre ha sido el día designado por Dios para el descanso del hombre. Establecido en la creación (Génesis 2:1-3), debía ser una obligación perpetua. La orden de observarlo fue colocada en el corazón de la ley moral (Éxodo 20:8-11). Ni Cristo ni sus apóstoles abrogaron el sábado. La gran apostasía que siguió a la muerte de los apóstoles pretendió ponerlo de lado para colocar en su lugar otro día de reposo, el primero de la semana. Pero la Palabra de Dios predice que una gran obra de reforma con respecto al sábado precederá a la segunda venida de Cristo (Isaías 56:1, 2, 6-8; 58:12, 13; Apocalipsis 14:6-12; ver *CS* 504-513). También predice que al mismo tiempo Satanás, el gran caudillo apóstata, ensalzará su propio fraudulento sistema de religión que ostenta un falso día de reposo, el día domingo, como día de culto (Apocalipsis 13; 14:9-12; *cf.* Daniel 7:25). Logrará éxito hasta el punto de que podrá unir a todo el mundo en un gran movimiento a favor del domingo (Apocalipsis 13:8; 14:8; 16:14; 18:3; ver *CS*, caps. 36-41). Como resultado de sus esfuerzos, el mundo se dividirá en dos sectores: los que son fieles a Dios y guardan su sábado, y los que se unen al falso movimiento religioso universal y guardan el falso día de reposo" (*Comentario bíblico adventista*, t. 4, págs. 635, 636).

Pero lo que necesitamos entender es que no es la observancia del sábado, por sí misma, lo que salvará a alguien. No es el sábado lo que nos identificará. La señal es el carácter de Jesús, y los que tienen el carácter de Cristo serán fieles en la observancia del sábado hasta el fin.

¡Tú decides!

¿Qué pensáis vosotros, los que en la tierra de Israel usáis este refrán, que dice: "Los padres comieron las uvas agrias, y a los hijos les dio dentera"? Ezequiel 18:2.

Los israelitas repetían constantemente este proverbio, dando a entender que Dios era injusto porque los estaba castigando por causa de los pecados cometidos por sus padres. Pero Ezequiel se levanta y dice que no es así, y que Dios no es injusto hasta el punto de castigarlos por algo que no cometieron.

¿Cómo entender esta declaración de Ezequiel a la luz de lo que el mismo Dios dice en el segundo mandamiento, de que la maldad alcanzaría hasta la tercera y cuarta generación?

Lo que necesitamos entender es la diferencia que existe entre las "consecuencias" del pecado y el "castigo" por el pecado. "Es inevitable que los hijos sufran las consecuencias de la maldad de sus padres, pero no son castigados por la culpa de sus padres, a no ser que participen de los pecados de éstos" (*Patriarcas y profetas*, pág. 313).

Por ejemplo, es inevitable que un padre alcohólico transmita a sus hijos algún problema propio del hombre alcoholizado, o que una madre embarazada que fuma, obligue a su hijo a nacer con algunos problemas congénitos. La criatura nacerá con dificultades, que tal vez lo acompañarán toda la vida, pero eso no es un castigo de Dios; es simplemente la consecuencia natural de haber quebrantado algunas leyes físicas de la vida.

En la Biblia no encontramos ninguna base para pensar que la vida buena o mala de los padres tenga algo que ver con la salvación o la perdición de los hijos, pero sí encontramos el pensamiento de que la salvación o la perdición es un asunto de decisión personal, en el cual ni siquiera Dios puede intervenir. El hombre, y únicamente el hombre, tiene el derecho y la responsabilidad de aceptar o rechazar la salvación.

Cuando Jesús estuvo en esta Tierra, sus discípulos vieron a un hombre ciego y le preguntaron: "¿Quién pecó, éste o sus padres?" (S. Juan 9:2). Esa era la idea distorsionada que tenían: todo lo que le sucede de malo a una persona es el resultado del pecado, o de los padres o de ella misma. Pero eso no siempre es verdad. Hay muchas cosas falladas como consecuencia del mundo deformado en el cual vivimos. Una persona puede contraer un cáncer pulmonar sin haber fumado jamás, o sin haber heredado algún problema de los padres.

El versículo de hoy trata de sacar de la mente de las personas la idea diabólica de que Dios es un Dios cruel, que se regocija en ver sufrir a sus hijos. Muchas veces él ve con tristeza el nacimiento de un niño que carga, en su inocente vida, las consecuencias naturales de las transgresiones de las leyes físicas cometidas por sus padres; pero eso no es castigo. No hay implicaciones espirituales en ese sufrimiento. Él no se salvará o se perderá por eso. El niño, al crecer, tendrá que ser el mentor de sus propias decisiones.

14 de noviembre
Cuando dejamos a Dios de lado

Porque el que me halle, hallará la vida y alcanzará el favor de Jehová; pero el que peca contra mí, se defrauda a sí mismo, pues todos los que me aborrecen aman la muerte. **Proverbios 8:35, 36.**

Después de atormentar a su joven esposa por más de cinco años, Domingo la abandonó con tres hijos pequeños. Se entregó a una vida de promiscuidad y delincuencia. Quedó preso en las redes de los vicios, descendió al fondo del pozo. Perdió todo lo que había conseguido en la vida, y el diploma universitario que poseía no le sirvió para nada. Sin dignidad, ni respeto propio y sin ganas de continuar viviendo, se encontró con Jesús. En otras circunstancias, tal vez no hubiera aceptado "ese asunto de creyentes". Pero cuando se pierde todo en la vida y ya no se tiene lugar adonde ir, ¿qué cuesta intentarlo? Qué maravilla la del amor de Dios, que no nos rechaza ni nos dice: "¡Ah!, ahora que todo te sale mal en la vida te acuerdas de mí". Con cuánta paciencia acepta al ser humano arrepentido. Con qué amor seca sus lágrimas, cura sus heridas, saca del hombre los trapos inmundos y pestilentes de su vida pasada y hace de él una nueva criatura.

Al conocer a Jesús, Domingo entendió que no todo estaba perdido. Vio una luz brillando en el fondo del túnel, se aferró a Jesús con las últimas fuerzas que le quedaban y el Señor operó el gran milagro. Domingo fue transformado.

Algunos meses después, ya bautizado, y trabajando en una empresa de futuro, Domingo buscó a su esposa, encontró a su familia en una triste situación, les pidió perdón, le habló a su esposa de Jesús y de su nueva vida, y hoy toda la familia se regocija en la esperanza del regreso del Señor. Es maravilloso verlos, todos los sábados de mañana, entrar con sus hijos en la iglesia; es conmovedor ver el brillo de felicidad en su esposa; es emocionante ver lo que Dios es capaz de hacer por las personas.

"Porque el que me halle, hallará la vida", dice el versículo de hoy. ¿Cómo puede llamarse vida lo que Domingo vivía cuando no conocía a Jesús? ¿Cómo puede llamarse vida el infierno de agresiones y conflictos, angustias y culpa, en que el ser humano vive cuando está lejos de Dios?

"Todos los que me aborrecen aman la muerte", continúa diciendo nuestro versículo, porque la vida sin Cristo es muerte, y tal vez peor. Hay gente que preferiría morir antes que vivir la vida que está viviendo.

La experiencia de Domingo puede ser la experiencia de cualquiera de nosotros. El Señor desea darnos vida, y vida abundante. Por eso está siempre con los brazos abiertos, esperando que el hombre acepte la invitación de vivir con él la más linda experiencia de amor. Para eso, es preciso buscarlo diariamente, buscarlo en oración y a través del estudio de la Biblia; después, contarle a otros la paz y la felicidad que él trajo a nuestra vida. Y al vivir esta experiencia, el carácter de Cristo se irá reproduciendo cada día más y más en nuestro carácter.

Amigos, en vez de siervos

Ya no os llamaré siervos, porque el siervo no sabe lo que hace su señor; pero os he llamado amigos, porque todas las cosas que oí de mi Padre os las he dado a conocer. **S. Juan 15:15.**

A lo largo de mi ministerio he tratado de enseñarles a las personas que el cristianismo es la maravillosa experiencia de andar cada día con Jesús en una relación de Padre e hijo. Cuando un cristiano comienza a tener miedo de Dios, algo anda mal en su cristianismo. Naturalmente, es mucho más fácil tratar que las personas obedezcan por miedo al castigo. Incluso, instintivamente, a nadie le gustaría ser quemado en el fuego del infierno. Nadie tendría placer en recibir los castigos divinos.

Pero el cristianismo que Jesús vino a enseñarnos está descrito en el versículo de hoy. "Ya no os llamaré siervos, porque el siervo no sabe lo que hace su señor; pero os he llamado amigos, porque todas las cosas que oí de mi Padre os las he dado a conocer".

¿Tienes miedo de encontrarte con tu amigo? ¿Hablas con él por obligación? Ése es, precisamente, el tipo de relacionamiento que Jesús quiere desarrollar con nosotros. Él no creó máquinas programadas para obedecer, creó hijos, seres humanos, con alegrías y tristezas, con sueños, planes y sentimientos, y se preocupa con la felicidad de los hijos que creó.

La tragedia del jardín del Edén consistió en que se quebró la relación entre Dios y el hombre. El hijo que en otros tiempos corría a los brazos del Padre comenzó a tener miedo y se escondió, y desde ese día ha estado siempre con miedo y ha enseñado a sus hijos a vivir con miedo de Dios.

El clamor del Padre siempre fue: "Ven a mis brazos, no tengas miedo de mí". Pero, por algún motivo, parece que los seres humanos no aprendimos la lección.

Cuando Jesús estuvo en la Tierra, cierta noche se les apareció a sus discípulos. Cuando todo estaba oscuro y la embarcación comenzaba a naufragar, los discípulos pensaron que lo que venían era un fantasma, pero, se dieron cuenta de que era Jesús el que andaba sobre el mar y respiraron aliviados al oír la voz suave del Maestro que les decía: "Soy yo, no temáis" (S. Marcos 6:50).

¿Qué tipo de cristianismo es el tuyo? ¿Sirves a Jesús por miedo? ¿O le sirves por amor? ¿Qué clase de cristianismo enseñas a tus hijos? ¿Los llevas a comprender el inmenso amor de Jesús? ¿O creas en ellos la imagen de un Dios superior, preocupado solamente por el buen comportamiento?

Acuérdate, ya no eres un esclavo, ni un siervo, eres el amigo de Jesús. Sal hoy con él por los caminos de esta vida. A su lado no tienes nada que temer.

16 de noviembre
La reunión de los hijos esparcidos

Como reconoce su rebaño el pastor el día que está en medio de sus ovejas esparcidas, así reconoceré yo a mis ovejas y las libraré de todos los lugares en que fueron esparcidas el día del nublado y de la oscuridad. Ezequiel 34:12.

Los medios de comunicación transformaron completamente nuestro mundo. Hoy, cuando la nostalgia toca nuestro corazón, escribimos una carta a la persona amada o tomamos el teléfono y oímos su voz y hasta su respiración. Pero muy pronto tendremos el teléfono con imagen, y, si esperamos un poco más, no podremos ni siquiera imaginar lo que la ciencia será capaz de inventar.

Pero en los tiempos en que el versículo de hoy fue escrito no existía nada de eso. El ejército enemigo había llevado cautivo al pueblo de Dios y lo había esparcido por los cuatro puntos cardinales de su territorio. Los amigos y familiares morían de nostalgia, pues no tenían la mínima esperanza de volver a verse. En esas circunstancias, Dios prometió a su pueblo: "Como reconoce su rebaño el pastor el día que está en medio de sus ovejas esparcidas, así reconoceré yo a mis ovejas y las libraré de todos los lugares en que fueron esparcidas el día del nublado y de la oscuridad".

Esta promesa tuvo un cumplimiento parcial cuando Israel regresó del exilio, pero nunca se cumplió como Dios había deseado que se cumpliese, pues, como todas las promesas divinas, era una profecía condicional e Israel no cumplió su parte. "A lo suyo vino, pero los suyos no lo recibieron", dice Juan (1:11). En consecuencia, cuando los judíos rechazaron abiertamente al Mesías, el reino político y terrenal de la nación de Israel dejó de ser el centro del reino espiritual de Dios.

Aunque la promesa de la "gran reunión" no tuvo un cumplimiento completo en Israel, ella continúa en pie, y en nuestros días está teniendo un cumplimiento parcial al tratar el Señor Jesús de reunir a sus hijos sinceros que están esparcidos por los cuatro puntos de la Tierra. Él está tratando de reunirnos en su iglesia, y usa para esta gran reunión el pasaje de Apocalipsis 14:6-12: el evangelio eterno que presenta la salvación por la fe en Cristo, la eternidad de su ley (incluyendo el sábado) y la advertencia a los hombres para salir de la Babilonia espiritual y unirse a la iglesia del Cordero.

Finalmente, cuando Cristo regrese, la promesa tendrá su cumplimiento final y completo. Seremos un solo pueblo —proveniente de todos los países, todas las razas y todas las lenguas—, unidos y rescatados por Jesús.

Dios está convocando para ti esa gran reunión. La convocación es hecha en "el día del nublado y de la oscuridad". Es hecha en nuestros días. Las tinieblas morales están cubriendo el mundo. Las tinieblas espirituales reinan casi absolutas. La luz parece cada vez más opaca.

Jesús te está extendiendo hoy la invitación. Es tu gran oportunidad. ¡No la rechaces!

Unidos, en su mano

Diles: "Así ha dicho Jehová el Señor: Yo tomo el leño de José que está en la mano de Efraín, y a las tribus de Israel sus compañeros, y los pondré con el leño de Judá; haré de ellos un solo leño, y serán uno en mi mano". **Ezequiel 37:19.**

Cuando era pastor distrital, un día me encontré en una iglesia completamente desunida. Había dos bloques que se oponían entre sí, y unos pocos hermanos que miraban de un lado para el otro sin saber qué posición tomar.

Los pastores que llegaban para pastorear el distrito eran inmediatamente visitados por los líderes de uno u otro grupo. Si el pastor daba la mínima impresión de que apoyaba a un grupo, el otro se declaraba enemigo y hacía todo lo posible para derribarlo; muchos pastores ya habían sufrido por causa de eso.

¿Qué hacer para ayudar a una iglesia en esas circunstancias? El versículo de hoy fue una inspiración para mí. El reino de Israel estaba dividido. Efraín y las tribus de Israel, sus compañeras de un lado y Judá del otro. El reino se había dividido después de la muerte de Salomón (1 Reyes 11:33-38). Esa división, aunque trágica, sirvió para proteger de alguna manera al reino de Judá de la idolatría que arrasó al reino del norte: Israel.

En esa división, aparentemente Judá tenía la razón e Israel estaba equivocado, pero el tiempo demostró que Judá también estaba equivocado, igualmente cayó en la completa apostasía que trajo como consecuencia el exilio.

Una casa dividida no puede sobrevivir. No es el plan de Dios que sus hijos anden en grupos divididos. Él tiene un solo cuerpo y quiere que todos los miembros de su cuerpo marchen en armonía. Por eso, en los tiempos del profeta Ezequiel el Señor da el secreto para que la unidad vuelva al seno de la iglesia. "Haré de ellos un solo leño, y serán uno en mi mano".

"En mi mano". Ahí estaba el secreto. No en mis argumentos, no en mis métodos, sino en "mi mano".

Como pastor de esa iglesia, caí a los pies de Jesús. Él era capaz de unir mi iglesia. Solo él podría operar el milagro de derretir los corazones orgullosos que estaban en peligro de pecar contra el Espíritu Santo, al permitir que la situación se prolongara por tanto tiempo.

Esa gente era sincera. Yo quería creer que ellos amaban a Dios. ¿O estarían desperdiciando su tiempo en la iglesia, sabiendo que finalmente se perderían?

Hice una semana de oración. Prediqué todas las noches acerca de Cristo. Levanté a Jesús en la cruz del Calvario, lo mostré con los ojos llenos de lágrimas y muriendo por un pueblo rebelde y orgulloso. Una de las noches hice un llamado y el milagro sucedió. Una tras otras, las personas fueron pasando al frente. Se abrazaban, se pedían perdón. Desde el púlpito podía ver las dos varas, hechas una sola, en las manos de Jesús.

¿Podrá suceder el mismo milagro en el seno de nuestra familia? ¿En la escuela donde trabajamos? ¿En nuestra oficina? ¡Vivamos hoy una vida de compañerismo en las manos de Jesús!

Sabiendo vivir

Habló Daniel y dijo: "Sea bendito el nombre de Dios de siglos en siglos, porque suyos son el poder y la sabiduría". **Daniel 2:20.**

Por alguna razón, cuando pienso en el compañerismo que un ser humano puede llegar a tener con Dios, pienso en José, Enoc y Daniel. Desde pequeño escuché la historia de Daniel. Esa serenidad en la cueva de los leones, ese coraje de orar con las ventanas abiertas, tres veces al día, esa integridad de no contaminarse con la comida del rey. ¿De dónde sacaba Daniel el poder para enfrentar la tentación y el peligro, y salir siempre victorioso?

El tiempo fue pasando y yo fui analizando la vida de Daniel y descubriendo que el gran secreto de su vida no estaba únicamente en su fuerza de voluntad, en su coraje, en su confianza o en su sabiduría. Todo eso era resultado del verdadero secreto. Daniel era un amigo personal e íntimo de Jesús. Ahí estaba el secreto no sólo de las cualidades heroicas de su vida, sino también de su prosperidad.

"Si se hubiera escrito toda la historia de Daniel, abriría ante vosotros capítulos que os mostrarían las tentaciones a las que él tuvo que hacer frente: tentaciones de ridículo, envidia y odio; pero él aprendió a dominar las dificultades. No confió en su propia fuerza. Puso delante de su Padre celestial toda su alma y todas sus dificultades, y creyó que Dios le oía, y fue consolado y bendecido. Superó el ridículo, y así también lo hará el que sea vencedor. Daniel adquirió un estado mental sereno y alegre, porque creía que Dios era su amigo y ayudador. Los abrumadores deberes que tenía que cumplir le resultaban livianos, porque ponía en ellos la luz y el amor de Dios" (*Comentario bíblico adventista*, t. 4, pág. 1189).

Daniel debe de haber sido llevado al exilio cuando tenía aproximadamente 16 años. Era prácticamente un adolescente, pero tenía en su corazón no sólo principios, sino también una experiencia de amor diario con Dios. Al igual que Enoc, andaba con Dios. Permitía que Dios participara de sus sueños, sus planes y sus proyectos de vida.

Solo, en el exilio, se apegó más que nunca a la mano poderosa del Padre, y los frutos de la vida cristiana —el coraje, la valentía, la sabiduría, el equilibrio, la confianza y demás virtudes— fueron apareciendo naturalmente en su vida.

Cuando enfatizamos el valor de Daniel, necesitamos explicar que era fruto de una amistad hermosa que mantenía diariamente con Dios. La vida de Daniel es una inspiración para los jóvenes de hoy, no sólo porque resistió la tentación, sino por la forma en que lo hizo.

¿Quieres ser semejante a Jesús? Haz de él el centro de tu vida. Búscalo diariamente a través de la oración y el estudio de la Biblia. Aprende a andar con él y te admirarás de las cosas que Jesús puede hacer en ti y a través de ti.

Cuando no se conoce a Dios

No piensan en convertirse a su Dios, pues en medio de ellos hay un espíritu de fornicación y no conocen a Jehová. **Oseas 5:4.**

¿Pensaste alguna vez si hubo un tiempo en que la inmoralidad y la licencia imperasen como en nuestros días? Bueno, meditemos en la época en que vivió el profeta Oseas. En ese tiempo la adoración de la criatura había desalojado la adoración al Creador, y cuando eso sucede, cuando el ser humano y lo que él puede hacer llegan a ser el centro de la atención, entonces tiene lugar una religión de exterioridades. En los días de Oseas, nadie, o casi nadie, obedecía al Dios verdadero. Prevalecía la falta de honestidad y la falsedad delante de Dios y de los hombres. Eran días de prosperidad material, pero de pobreza espiritual. Se pervertía la justicia, se oprimía a los pobres y se adulteraba en nombre de Dios, ya que habían mezclado el culto pagano con la verdadera adoración a Dios.

Ante ese cuadro Oseas dice, en el versículo de hoy, que todo eso sucede porque "no conocen a Jehová".

Si no conocían a Dios, ¿cómo pretendían servirlo? Si no lo conocían, ¿cómo le rendían culto? ¿Es posible servir a Dios y darle culto sin conocerlo? Bueno, la historia del pueblo de Israel en los días de Oseas nos demuestra que sí.

Cualquier culto, cualquier iglesia, cualquier mensaje que desvía del Dios verdadero los ojos del pueblo y de alguna forma trata de llamar la atención de los hombres a la criatura, al ser humano, a su comportamiento y a sus logros, da evidencia de que el conocimiento de Dios está oscurecido, limitado o nulo, y más tarde o más temprano ese tipo de religión da lugar a un cristianismo hueco y de fachada.

¿Quiere decir que no debemos enseñar al pueblo cómo vestirse, cómo alimentarse y cómo comportarse? No, de ninguna manera. Lo que estoy diciendo es que debemos enseñarle a la gente cómo vestirse, cómo alimentarse y cómo comportarse mientras vive una vida de comunión diaria con Cristo.

Sólo enseñar normas de conducta, apenas es un asunto ético. Pero el cristianismo que Jesús vino a enseñar es más, mucho más, que un código moral de ética. Él vino a transformar vidas, crear nuevas criaturas, que después de transformadas sintieran alegría en vivir los principios eternos de su santa ley.

En el capítulo 7, versículo 8, Oseas llama "torta no volteada" al reino del norte. Aquí Dios usa una vez más al profeta para combatir la cáscara de religiosidad. Una torta no volteada queda cocida sólo de un lado, mientras que por dentro la masa está cruda. Dios no acepta eso. Él quiere una torta cocida por dentro y, naturalmente, dorada por fuera. Dios se deleita en el buen comportamiento de su iglesia. Las buenas obras siempre son para alabanza de su nombre. Son una ofrenda agradable para él, pero sólo cuando son el resultado de una vida interior de comunión diaria con Cristo.

La lluvia tardía... ¿cuándo?

Después de esto derramaré mi Espíritu sobre todo ser humano, y profetizarán vuestros hijos y vuestras hijas; vuestros ancianos soñarán sueños, y vuestros jóvenes verán visiones. Joel 2:28.

¿Oíste hablar de la lluvia tardía del Espíritu Santo? ¿Qué entiendes por eso? La lluvia temprana es el primer trabajo que el Espíritu Santo realiza en la vida, y la lluvia tardía es el trabajo final en la vida del cristiano y en la de la iglesia.

Históricamente, la lluvia temprana ya vino en la época del Pentecostés (Hechos 2), y la lluvia tardía vendrá en nuestros días. "Si esta profecía de Joel halló un cumplimiento parcial en los días de los apóstoles, estamos viviendo en un tiempo cuando se ha de manifestar aún más evidentemente al pueblo de Dios. Él derramará de tal manera su Espíritu sobre su pueblo, que éste se convertirá en una luz en medio de la oscuridad moral, y se reflejará una gran luz en todas partes del mundo" ("Comentarios de Elena G. de White", *Comentario bíblico adventista*, t. 4, pág. 1196).

Pero tenemos que estar prevenidos contra el peligro de confundir la historia de la iglesia con nuestra propia experiencia. En la historia de la iglesia tú ves cómo sucedieron los eventos. En la experiencia cristiana, tú participas de esos eventos.

En la historia de la iglesia la lluvia temprana ya vino y la tardía vendrá. En mi experiencia, debo aceptar la lluvia temprana para estar preparado y listo para recibir la lluvia tardía.

La lluvia temprana es la primera obra que el Espíritu Santo realiza en mi vida. Juan la describe así: "Y cuando él venga, convencerá al mundo de pecado, de justicia y de juicio" (S. Juan 16:8).

¿Quién convencerá al cristiano de las cosas no correctas en su vida? ¿El pastor? ¿El sacerdote? ¿La junta de iglesia?

Los prodigios de la lluvia tardía sólo sucederán después que la lluvia temprana haya realizado su obra y después que el cristiano haya permitido que esa obra sea hecha, porque en la vida espiritual nada funciona por decreto o por voto.

"Y después de esto derramaré..." ¿Después de qué? Mira el versículo 26: "Comeréis hasta saciaros, y alabaréis el nombre de Jehová". Después viene el versículo de hoy: "Y después de esto..."

¿Está quedando claro en tu mente? No esperemos la lluvia tardía, en nuestra propia experiencia, si diariamente no pasamos tiempo con Jesús, "comiendo abundantemente" el pan de la vida, orando y alabando el nombre de Dios. La alabanza es una especie de condición para recibir la lluvia tardía.

¿El creador o la creación?

Buscad al que hace las Pléyades y el Orión, vuelve las tinieblas en mañana y hace oscurecer el día como noche; el que llama a las aguas del mar y las derrama sobre la faz de la tierra: Jehová es su nombre. Amós 5:8.

Mira el reloj que tienes en tu muñeca. ¿Qué pensarías si te dijese que ese reloj, durante el día, apareció solo en Pocoma, y que no hubo necesidad de un relojero? Bueno, tal vez hayas oído mencionar muchas veces esta ilustración, pero la traigo nuevamente porque no existe nada más sencillo y más profundo para ilustrar la falta de sentido al pensar que el universo, en el transcurso de los siglos, pudo haber aparecido solo, por casualidad.

Dice Amós: "Buscad al que hace las Pléyades y el Orión, vuelve las tinieblas en mañana y hace oscurecer el día como noche; el que llama a las aguas del mar y las derrama sobre la faz de la tierra: Jehová es su nombre".

El relato de la creación que presenta a un Dios maravilloso compartiendo su existencia con la criatura, da propósito, significado y valor a nuestra existencia. Me gusta la idea de que mi existir no es el fruto de la casualidad, sino el fruto de un propósito especial.

Mi creación a imagen y semejanza de Dios me reviste de dignidad y responsabilidad. Y cuando miro el cielo estrellado y contemplo la grandiosidad del Creador, tengo la certeza de que, por haberse tomado el trabajo de modelar con sus propias manos la figura del hombre, debo ser algo especial.

Cuando era un muchachito, siempre leía una poesía en la que un monito quedaba intrigado con la discusión de los seres humanos sobre su origen. Unos decían que el hombre provenía del mono, otros que descendía de otras formas inferiores de vida, y otros que venía de las manos de Dios. Y el mono de la poesía pensaba: "¿Por qué tanta discusión? Lo que realmente importa es que el mono no vino del hombre".

Puede parecer demasiado simplista el mensaje del creacionismo. Muchos pueden pensar que creer que Dios creó todo es como tratar de tapar el Sol con el sombrero, pero el versículo de hoy pinta el cuadro más bello de la esfera celeste y la pregunta es: ¿No es acaso más simplista el creer que todo es fruto de la casualidad?

Los hombres corren detrás de la creación tratando de entender cada detalle de ella. ¿No sería mejor correr detrás del Creador? ¡El Señor es su nombre! El capítulo de la creación, Génesis 1, no es en realidad el relato de la creación, sino el capítulo del Creador. En la versión inglesa, la palabra Dios aparece 32 veces en los 31 versículos que tiene el capítulo. Esta es una advertencia a la perversa curiosidad humana, que muestra más interés en conocer la naturaleza que en conocer al Creador de la naturaleza.

¿Por qué no hacer de ese Creador maravilloso nuestro compañero de cada instante de nuestra vida? ¿Por qué no permitir que participe en los detalles de nuestra existencia y descansar confiados en sus brazos de amor?

La insensatez de la soberbia

Anque te remontaras como águila y entre las estrellas pusieras tu nido, de ahí te derribaré, dice Jehová. Abdías 4.

Desde pequeño fue admirado por todo el mundo. Era muy inteligente y no perdía ocasión de demostrar que estaba por encima de los otros colegas. A medida que fue creciendo, reveló una personalidad de comandante. Estaba siempre en el frente, era el líder.

En la vida alguien que piensa que lo puede todo, generalmente no deja espacio para Dios. Cuando fue a la universidad tiró por la borda los últimos principios de vida cristiana que todavía le quedaban.

Fue una estrella fugaz. Creció. En pocos años prosperó financieramente; abandonó la iglesia, se casó y tuvo hijos que nunca dieron valor al dinero que tenían, tal vez porque nunca les faltó nada.

Pero la tragedia sucedió un sábado de noche, mientras regresaba en auto a su casa en compañía de su esposa. Después de un compromiso social, chocó contra un camión que no obedeció la luz roja.

La esposa murió instantáneamente y él quedó parapléjico, después de pasar días de agonía en el centro de cuidados intensivos de un hospital.

Los hijos, aunque ya eran adultos, no estaban preparados para enfrentar la vida, ni para dirigir la empresa, y fueron fácilmente engañados por expertos que trabajaban en la firma. De un momento para otro, el castillo comenzó a derrumbarse como si fuese de arena. Condenado a moverse auxiliado por otros, el protagonista de nuestra historia veía impotente que todo lo que había construido en la vida estaba transformándose en polvo. Ni el dolor, ni la adversidad fueron capaces de hacer madurar a los hijos, los cuales continuaron viviendo como si nada hubiese sucedido, hasta que quedaron arruinados.

"Aunque te remontaras como águila y entre las estrellas pusieras tu nido, de ahí te derribaré, dice Jehová".

¿Castigo divino? Tal vez "castigo" sea la mejor palabra que los seres humanos podemos usar, incluyendo el escrito bíblico, aunque el sentimiento divino no es lo que nos imaginamos.

Hoy él está de vuelta en la iglesia y alguien le lee la Biblia todos los días. Cierra los ojos, conversa con Jesús y las lágrimas brotan. "La soberbia de tu corazón te ha engañado, a ti, que moras en las hendiduras de las peñas, en tu altísima morada, que dices en tu corazón: '¿Quién me derribará a tierra?' " (vers. 3).

No me gustaría escribir lo que estoy escribiendo. Personalmente rechazo todo lo que pueda llevar al hombre a servir a Dios por miedo, pero no puedo ignorar que estos versículos están en la Biblia y son una realidad. Salieron de los labios de Dios y Dios no miente.

¿Enojado por la salvación?

Así que oró a Jehová y le dijo: "¡Ahora, Jehová!, ¿no es esto lo que yo decía cuando aún estaba en mi tierra? Por eso me apresuré a huir a Tarsis; porque yo sabía que tú eres un Dios clemente y piadoso, tardo en enojarse y de gran misericordia, que te arrepientes del mal". Jonás 4:2.

El ser humano nunca podrá entender la inmensidad del amor de Dios. Jonás había huido hacia Tarsis, cuando Dios le había pedido ir a Nínive y avisarle a sus habitantes que serían destruidos, en un plazo determinado, si no se arrepentían.

La misión del profeta o del líder religioso no puede ser nunca la de presentar simplemente el mensaje de condenación, sino la esperanza y el camino de restauración. Jonás era un hombre que había crecido con el concepto de retribución bien arraigado en su mente. Quien peca, sufre las consecuencias de su pecado. "Ojo por ojo, diente por diente". La vida de Jonás era una vida destituida de la gracia. No existía lugar para la misericordia ni para el perdón en su ministerio.

Después de su fuga fracasada, Jonás va finalmente a Nínive y predica. Es un sermón fuera de lo acostumbrado. No está preocupado con el resultado de su predicación en la vida de sus oyentes; cumple solamente su trabajo y listo. No apela a los corazones, no clama por el pueblo entre el pórtico y el altar, no insiste, no ora a Dios para que el Espíritu Santo toque los corazones. Él sólo está preocupado en que esa banda de idólatras sea destruida.

Pero tú conoces la historia. Dios ve el arrepentimiento del pueblo y lo perdona, y ahora Jonás se enoja con Dios. "Por eso me apresuré a huir a Tarsis", reclama, "porque yo sabía que tú eres un Dios clemente y piadoso, tardo en enojarte y de gran misericordia, que te arrepientes del mal".

¡Qué tragedia! El hombre colocado para salvar las almas, está más preocupado por su prestigio de profeta que por la salvación de las personas. "¿Qué dirán ahora? ¿Que soy un falso profeta? Yo sabía que la profecía de la destrucción no se iba a cumplir, porque te conozco y sabía que los perdonarías. ¿Y ahora? ¿Cómo queda mi reputación?"

Pero gracias a Dios porque él es longánimo. No hay en el mundo nada que pueda impedir nuestra salvación, a no ser nosotros mismos. El hombre puede haberse alejado de Dios, puede haber caído en el fondo del pecado, pero si desde allí clama arrepentido, el Señor está presto para oírlo, perdonarlo y restaurarlo.

Aunque en nuestra opinión hay gente que ya no tiene remedio, aunque en nuestro concepto humano de justicia algunas personas ya no tengan el derecho a ser aceptadas por Dios, el Señor las alcanzará porque Jesús murió no sólo por ti y por mí, sino que murió por todos nosotros "cuando todavía éramos enemigos", dice Pablo (ver Romanos 5:10).

¿Qué te hice?

Pueblo mío, ¿qué te he hecho o en qué te he molestado? Di algo en mi contra. **Miqueas 6:3.**

Hay algunos cristianos sinceros que tienen miedo de ser alegres. Creen que la alegría no es compatible con el cristianismo. La vida cristiana para ellos es la difícil tarea de andar como pisando sobre huevos sin romperlos. No saben lo que es regocijarse en Cristo. En su opinión, cuanto más dura y sufrida sea su vida, más agradable será a los ojos de Dios. Después de todo, ¿no fue Jesús el que comparó la vida cristiana con un "camino estrecho"?

Es una tragedia cuando los cristianos dan la impresión de que andar con Jesús en obediencia a sus mandamientos es una experiencia traumatizante y aburrida.

En el versículo de hoy, Miqueas registra la pregunta que Dios le dirige a su pueblo: "Pueblo mío, ¿qué te he hecho o en qué te he molestado?" ¿Por qué estás con la cara larga, sin brillo, sin alegría, preguntándote: "¿Con qué me presentaré ante Jehová y adoraré al Dios altísimo? ¿Me presentaré ante él con holocaustos, con becerros de un año?... ¿Daré mi primogénito por mi rebelión, el fruto de mis entrañas por el pecado de mi alma?" (vers. 6, 7).

El mensaje que Dios desea que los cristianos transmitan al mundo es éste: el camino de la obediencia es un camino de felicidad. Y esto no sólo tiene que ser anunciado con palabras, sino con la vida. Tenemos que mostrar a los hombres que la vida de transgresión de los principios divinos es una vida de amargura y de tristeza, si no, ¿cuál sería entonces la ventaja de ser cristiano?

El cristianismo no consiste en "Haz esto" o "No hagas aquello". Es una experiencia agradable de obediencia por amar a una persona y de andar con la persona que se ama.

Cuando dos novios se aman, no necesitan que se les pida que estén juntos, ni miran el reloj a cada rato para ver si ya deben irse. No dicen: "¡Qué lástima!, tengo que encontrarme con él/ella". La vida para esos jóvenes es color de rosa. Puede haber dificultades, puede ser que estén desempleados, muchas veces pueden ser azotados por las pruebas de la vida, pero, aún así, se aman y, por el amor que se tienen, tratan de vivir de tal modo que la persona amada se sienta feliz.

¿Quién es Jesús para ti? ¿Qué significa la vida cristiana para ti? La obediencia a los mandamientos no tiene por objeto aplacar la cólera divina. La obediencia es el resultado de estar apasionado por Jesús y permitirle que él habite en tu corazón por su Santo Espíritu y te lleve a una vida de obediencia.

Reúne todas tus fuerzas

¡Un destructor avanza contra ti! ¡Monta guardia en la fortaleza! ¡Vigila el camino! ¡Cíñete la cintura! ¡Reúne todas tus fuerzas! **Nahum 2:1.**

"Pastor, ¿debo esforzarme en la vida cristiana?", es lo que muchos preguntan. "¿Jesús ya no hizo todo por mí? ¿Quién es el que debe esforzarse: yo con la ayuda de Jesús, o Jesús en mí?"

El asunto es delicado y muchos cristianos, sencillamente, no entienden este aspecto vital de la experiencia cristiana.

"¡Un destructor avanza contra ti!", dice el versículo de hoy. "¡Monta guardia en la fortaleza! ¡Vigila el camino! ¡Cíñete la cintura! ¡Reúne todas tus fuerzas!"

En la vida cristiana el esfuerzo supremo del hombre debe cooperar con la gracia de Dios: debemos "vigilar el camino", "reunir todas las fuerzas". ¿Cómo puede conseguir eso el ser humano? "Las plantas y las flores crecen no por su propio cuidado o solicitud o esfuerzo, sino porque reciben lo que Dios ha provisto para que les dé vida. El niño no puede, por su solicitud o poder propio, añadir algo a su estatura. Ni tú podrás, por tu solicitud o esfuerzo, conseguir el crecimiento espiritual. La planta y el niño crecen al recibir de la atmósfera que los rodea lo que les da vida: el aire, el Sol y el alimento. Lo que estos dones de la naturaleza son para los animales y las plantas, lo es Cristo para los que confían en él... Así tú también necesitas el auxilio de Cristo, para poder vivir una vida santa, como la rama depende del tronco para su crecimiento y fructificación" (*El camino a Cristo*, págs. 67, 68).

El ser humano necesita buscar diariamente el poder en la única fuente de poder: Cristo. Pero buscar a Jesús a toda hora y en cada momento no es fácil, porque llevamos una naturaleza pecaminosa dentro de nosotros, y lo que más le gusta a esa naturaleza es vivir apartada de Dios. Aquí es donde tenemos que concentrar toda nuestra atención: "¡Cíñete la cintura! ¡Reúne todas tus fuerzas!"

Al vivir una vida de permanente comunión con Cristo, él habita en nosotros por medio de su Santo Espíritu, y el Espíritu santifica nuestra voluntad pecaminosa y nos lleva a la victoria.

Es necesario entender que el hombre puede tener dos tipos de voluntad: la voluntad pecaminosa, cuando está sin Cristo, y la voluntad santificada, cuando está con el Señor. Esforzarnos por vencer el pecado por medio de la voluntad pecaminosa, es dar la cabeza contra la pared, es tratar de desplazar el Aconcagua empujándolo. Esforzarnos por vencer el pecado por medio de la voluntad santificada es otra cosa, porque ella es invencible. Pero nosotros sólo tenemos la voluntad santificada mientras estamos en comunión con Cristo y permitimos que el Espíritu Santo habite en nosotros. En el momento en que nos separamos de Jesús, nuestra voluntad vuelve a ser pecaminosa y, por lo tanto, incapaz de vencer la tentación.

La minoría diferente

Y esta es la vida eterna: que te conozcan a ti, el único Dios verdadero, y a Jesucristo, a quien has enviado. **S. Juan 17:3.**

¿Es fácil ser honesto en un mundo programado para la deshonestidad?

¿Es fácil mantenerse puro en un mundo contaminado por la inmoralidad y arrasado por filosofías existencialistas, que predican y enseñan que todo lo que cuenta en la vida es el "aquí y ahora"?

La revista *Vogue* aumentó considerablemente el número de sus lectores después de una gran campaña publicitaria que decía: "*Vogue* es leída por una abrumadora minoría". El mensaje transmitía la idea de que lo importante no era el número de lectores, sino la calidad de éstos. Ser minoría no es problema si la minoría llega a ser abrumadora.

Lo que Jesús estaba queriendo decir en su oración intercesora era, justamente, que su pueblo siempre será minoría, pero debe ser una minoría abrumadora, capaz de revolucionar el mundo. Una minoría que no sea contaminada, sino que "contamine", que no sea influenciable, sino que "influencie".

Repetidas veces afirmó ese mensaje al usar las figuras de la sal, que siendo minoría en los elementos que conforman una comida, es capaz de cambiar completamente el sabor de la misma. Otra vez usó la figura de la luz, que siendo apenas un rayo insignificante, puede romper el poder de las tinieblas que reinan en un cuarto oscuro.

¿Una minoría abrumadora?

"No te pido que los quites de mundo, sino que los mantengas siempre como una 'abrumadora minoría', capaz de reflejar mi carácter ante los hombres" (ver el vers. 15).

Todos conocen la oración del gran predicador Carlos Spurgeon: "Dame doce hombres, hombres importunos, amantes de las almas, que no teman nada sino al pecado, y no amen nada sino a Dios, y revolucionaré Londres de una punta a la otra".

La abrumadora minoría de Gedeón fue capaz de derrotar al enemigo. La abrumadora minoría de los cristianos primitivos fue capaz de llevar el evangelio a todos los rincones del mundo conocido de ese tiempo.

No tengas miedo de formar parte de una minoría, pero ten la seguridad de que sea "abrumadora". No tengas miedo de que todos tus colegas en la facultad sepan que no fumas, no bebes y no utilizas drogas porque amas a Jesús. No tengas vergüenza de que todos tus colegas en el trabajo sepan que no puedes tener "aventuras" inmorales porque amas a Jesús. No tengas miedo de ser honesto, de defender la virtud, de dar valor a los principios, aunque vives en un mundo que nos hace sentir que estamos a contramano de la vida.

Haz de Jesús el centro de tu vida y permite que él viva en ti las grandes virtudes del evangelio, sin el falso moralismo, pero de la manera más natural y auténtica.

Las costumbres cambian, los principios no

Les dijo: "Cuando os envié sin bolsa, alforja ni calzado, ¿os faltó algo?" Ellos dijeron: "Nada". Y les dijo: "Pues ahora el que tiene bolsa, tómela, y también la alforja; y el que no tiene espada, venda su capa y compre una". S. Lucas 22:35, 36.

Puede parecer exagerado, pero todavía hay gente que cree que las mujeres no deben predicar porque Pablo dijo que debían "estar en silencio" (1 Timoteo 2:12). ¿Por qué Pablo dijo eso? Esa orden, ¿es válida para nuestros días?

El versículo de hoy, que presenta una aparente contradicción de Jesús, aclara el asunto. Primero da una orden, y pocos meses después la modifica. ¿Cuándo estaba él en lo cierto, en la primera o en la segunda orden?

Cuando Jesús envió a los setenta, las condiciones en la tierra de Galilea eran tranquilas. El pueblo estaba dispuesto a abrir sus casas y a hospedar a los mensajeros del evangelio. Nada les faltó, y al regresar dieron un entusiasta y positivo informe. "Hasta los demonios se nos sujetan en tu nombre" (Lucas 10:17). Pero los meses pasaron. El versículo de hoy nos traslada al día de la última cena. En breve Cristo ya no estaría con ellos, y los discípulos tendrían que partir con las nuevas del evangelio hacia los cuatro rincones de un mundo hostil. Por eso Jesús les dijo: " 'Cuando os envié sin bolsa, alforja ni calzado, ¿os faltó algo?' Ellos dijeron: 'Nada'. Y les dijo: 'Pues ahora el que tiene bolsa, tómela, y también la alforja; y el que no tiene espada, venda su capa y compre una' ".

Cuando en la primera ocasión Jesús aconsejó a sus discípulos que no hicieran ninguna provisión al salir para cumplir la misión, las condiciones y la cultura del pueblo galileo, entre los cuales la misión sería cumplida, eran peculiares. Pero cuando, meses después, Jesús les ordenó que hicieran provisión, las circunstancias eran diferentes y la cultura de los pueblos en los cuales la misión sería cumplida, también era distinta de la cultura galilea. Jesús cambió la orden porque ella no involucraba ningún principio.

Cuando Pablo dijo que las mujeres no debían hablar en público, las circunstancias y la cultura eran diferentes; además, en el hecho de que una mujer predique no hay ningún principio eterno involucrado. Pero cuando Pablo dice que los maridos deben amar a sus mujeres como a sus propios cuerpos, está hablando de un principio eterno que tiene que sobrevivir a cualquier cultura y a cualquier tiempo.

El ser humano correrá el peligro de caer en discusiones mezquinas cuando, por no tener una vida de comunión diaria con Jesús, comienza a fundamentar su fe en pequeños asuntos bíblicos que no tienen nada que ver con la eternidad del evangelio.

Que Dios nos ayude de hacer de este día, un día más de compañerismo con la fuente de nuestro poder, de nuestra seguridad y de nuestra salvación: JESÚS.

¿Por qué lo seguimos?

Pero nosotros esperábamos que él fuera el que había de redimir a Israel. Sin embargo, además de todo, hoy es ya el tercer día que esto ha acontecido. **S. Lucas 24:21.**

El tercer día había llegado, y mientras María y las otras mujeres se regocijaban en la gloriosa resurrección de Jesús, dos discípulos caminaban encorvados bajo el peso de la tristeza y del chasco. Habían invertido todo en él, habían dejado todo para seguirlo, habían creído en sus palabras. Aun después de verlo morir colgado en una cruz como un criminal, mantenían la esperanza de la resurrección, pero ya habían pasado tres días y no pasaba nada. Aunque las mujeres habían dicho que el sepulcro estaba vacío, ellos necesitaban más pruebas para creer.

"Nosotros esperábamos que él fuera el que había de redimir a Israel", decían. En esos momentos de extrema confusión, apareció el Señor Jesús. Él nunca permitirá que sus sinceros hijos sean confundidos.

¿Estás viviendo una etapa de confusión en tu vida?

¿Confiaste en algo que de repente parece derrumbarse bajo tus pies? Al conocer la Biblia y estudiarla, ¿sientes un dolor extraño por haber pasado tanto tiempo en la oscuridad? ¿Comienzas a creer en la nueva luz que estás recibiendo, aunque "ya pasaron tres días y nada sucede"?

Espera un poco. El Señor no te dejará perdido en la penumbra de tus pensamientos. Allí, en el camino a Emaús, Jesús fue explicando a sus discípulos, punto por punto, todas las profecías y su maravilloso cumplimiento. Ese mismo Jesús vive hoy, y volverá a traer seguridad y paz a tu corazón.

En nuestro versículo hay otro pensamiento que necesita ser destacado, y se trata de los motivos que nos llevan a seguir a Jesús.

Cuando era niño, teníamos unos vecinos que no querían saber nada de Jesús y muchas veces hasta se burlaban de nuestra fe. Un día el hijo mayor se cayó de un árbol y estuvo entre la vida y la muerte durante varios días. Toda la familia buscó a Jesús. Le pidieron a la iglesia que orara por la recuperación del hijo y el hijo salió del peligro. Estaba condenado a una silla de ruedas por el resto de la vida, pero la familia creía que si Dios fue poderoso para sacarlo del servicio de cuidado intensivo, también sería poderoso para sacarlo de la silla de ruedas. Por lo tanto, empezaron a frecuentar la iglesia. Pasaron los meses. Ya estaban pensando en bautizarse cuando el hijo, repentinamente, tuvo que regresar al hospital; hubo complicaciones serias y, finalmente, murió.

Ese fue el motivo para que toda la familia se rebelara contra el Señor. Salieron todos de la iglesia y nunca más quisieron saber algo de Jesús. ¿Para qué, si "ya pasaron tres días y nada sucedió"?

¿Quién es Jesús en nuestra vida? ¿Qué significa para nosotros? ¿Por qué decidimos seguirlo? ¿Qué esperamos recibir a cambio? ¿O lo estamos siguiendo simplemente porque nos amó primero y nuestro corazón fue tocado y enternecido por su amor?

Las tinieblas y la luz

¿Quién de entre vosotros teme a Jehová y escucha la voz de su siervo? El que anda en tinieblas y carece de luz, confíe en el nombre de Jehová y apóyese en su Dios. Isaías 50:10.

El ministerio evangélico es una escuela, como la vida, donde nunca se termina de aprender. Nos encontramos con tantas circunstancias, con tantas actitudes, que cuando pensábamos que habíamos visto todo, descubrimos que aún no vimos nada.

¿Cómo entender la actitud de un hombre, que predicó la verdad bíblica y fue usado por Dios para llevar a muchas personas al conocimiento de Jesús, que de repente publica un libro donde contradice la vida, el evangelio y los principios eternos que Dios estableció para la protección humana? ¿Qué sucede con un corazón que se endurece al punto de negar la existencia de Dios, y gasta tiempo y dinero para sembrar su "nueva luz" en la mente de los demás?

Elena de White, al hablar de esta clase de personas, dice: "Las evidencias que Dios ha dado no los convencen porque han cegado sus propios ojos al escoger las tinieblas antes que la luz. Después dan origen a algo que llaman luz, la que el Señor llama teas, que ellos mismos encendieron y por las cuales dirigen sus pasos" ("Comentarios de Elena G. de White", *Comentario bíblico adventista*, t. 4, pág. 1168).

El versículo de hoy presenta la advertencia de Dios: "¿Quién de entre vosotros teme a Jehová y escucha la voz de su siervo? El que anda en tinieblas y carece de luz, confíe en el nombre de Jehová y apóyese en su Dios".

Pero en el versículo siguiente encontramos a los hombres creando su propia luz, encendiendo su propio fuego, siguiendo sus propios caminos.

Cuando Jesús estuvo en este mundo, fue muy claro al decir que para juicio vino a este mundo, para que los que no ven, vean, y los que ven, sean cegados. "Yo, la luz, he venido al mundo, para que todo aquel que cree en mí no permanezca en tinieblas... El que me rechaza y no recibe mis palabras, tiene quien lo juzgue: la palabra que he hablado, ella lo juzgará en el día final" (S. Juan 12:46-48).

"Las palabras que el Señor envía serán rechazadas por muchos; pero las palabras que pueda hablar el hombre serán recibidas como luz y verdad" ("Comentarios de Elena G. de White", *Comentario bíblico adventista*, t. 4, pág. 1169).

¿Cuál es nuestra única seguridad? Cuando Juan, en el capítulo 12 del Apocalipsis, vio a la iglesia de Dios simbolizada por una mujer pura, la vio con la Luna debajo de sus pies. La Luna siempre refleja el brillo del Sol. ¿Dónde está reflejada hoy la gloria de Dios? ¿Dónde encontramos sus enseñanzas y sus principios? La verdadera iglesia tendrá que fundamentar sus mensajes y sus doctrinas siempre en el firme fundamento: la Biblia.

Aunque los hombres busquen cosas nuevas, nuestra única seguridad está en los eternos principios del amor de Dios contenidos en su Palabra.

¿Por qué María era especial?

Habiendo, pues, resucitado Jesús por la mañana, el primer día de la semana, apareció primeramente a María Magdalena, de quien había echado siete demonios. **S. Marcos 16:9.**

María Magdalena era una mujer especial a los ojos de Jesús. Fue tan especial como tú y yo podemos llegar a serlo. Tal vez consigas entender mejor esto al pensar en los padres cuyo hijo a punto de morir, recupera milagrosamente la vida. Ese hijo llega a ser especial para ellos, no porque los otros hijos signifiquen menos, sino porque en algún momento parecía perdido. La vida de este último es una vida de gracia.

María era especial porque un día llegó a estar consumida por el pecado, pero había sido recuperada por el amor del Padre. No fue fácil para ella entender que Jesús la había perdonado después de haber vivido tanto tiempo en medio de la basura de la vida. Pero el redentor la llevó a confiar en su amor perdonador.

"María había sido considerada como una gran pecadora, pero Cristo conocía las circunstancias que habían formado su vida. Él hubiera podido extinguir toda chispa de esperanza en su alma, pero no lo hizo. Era él quien la había librado de la desesperación y la ruina. Siete veces ella había oído la represión que Cristo hiciera a los demonios que dirigían su corazón y mente. Había oído su intenso clamor al Padre en su favor. Sabía cuán ofensivo es el pecado para su inmaculada pureza, y con su poder ella había vencido.

"Cuando a la vista humana su caso parecía desesperado, Cristo vio en María aptitudes para lo bueno. Vio los rasgos mejores de su carácter. El plan de la redención ha investido a la humanidad con grandes posibilidades, y en María estas posibilidades debían realizarse. Por su gracia, ella llegó a ser participante de la naturaleza divina" (*El Deseado de todas las gentes*, pág. 521).

Aquí podemos ver el poder que tiene el amor para transformar una vida. Muchas veces ella volvió a traicionar a su Maestro y lo abandonó, pero Jesús le infundió la esperanza del perdón y la nueva aceptación. De repente, ella comenzó a verse como Jesús la veía: pura, noble y llena de posibilidades futuras. Sólo entonces estuvo en condiciones de vencer.

Un alma atormentada por el peso de la culpa no puede ser victoriosa. Cuando nuestra mente cree que "somos un fracaso y no merecemos perdón", tendemos a transformarnos en lo que creemos que somos. Sin embargo, si comenzamos a pensar que somos pecadores perdonados y rescatados por la sangre de Jesús para vivir sus grandes obras de victoria, pasamos a vivir como personas victoriosas.

María venció. Después de un fracaso tras otro, ella creyó en el poder transformador de Jesús y fue transformada.

¿Y tú? ¿Le prometiste muchas veces a Jesús que andarías con él y volviste a ser como antes? Búscalo diariamente y no te apartes de él en ningún momento del día.

No hay disculpa para el pecado

Cuando lo vio [Acab a Elías], le dijo: "¿Eres tú el que perturbas a Israel?" Él respondió: "Yo no he perturbado a Israel, sino tú y la casa de tu padre, al abandonar los mandamientos de Jehová y seguir a los baales. **1 Reyes 18:17, 18.**

El rey Acab estaba perturbado. Pasaba las noches sin dormir. No tenía paz en el corazón, y cuando tuvo la oportunidad de encontrarse con el profeta Elías, lo acusó: "¿Eres tú el que perturbas a Israel?" La respuesta de Elías fue que él no tenía nada que ver con los problemas de insomnio del rey. Acab estaba recogiendo los frutos de una conciencia culpable, pero no creía que la culpa la tuviese él; creía que Elías era el responsable de todos sus problemas.

Este incidente nos muestra una manera muy común como las personas manejan el problema de la culpa. Muchas veces podemos subestimarla, convenciéndonos de que en realidad, no somos tan culpables. Algunos llaman a eso "racionalizar". La racionalización sucede, por lo menos, de tres maneras diferentes: 1) "Esto, comparado con lo que los demás hacen, no es nada", o "Comparado con fulano, yo soy un santo". 2) "Mis acciones no están equivocadas, lo que sucede es que las normas son muy anticuadas". 3) "La culpa no es mía".

A lo largo de la historia humana, el hombre ha tratado de enfrentar el problema de la culpa usando artificios. Después que nuestros primeros padres pecaron en el Edén, Adán culpó a la mujer y Eva culpó a la serpiente; nadie quiso asumir la culpa. Es muy doloroso aceptar que somos culpables, tan doloroso que hacemos todo lo posible y lo imposible para evitar la confrontación con nuestro error. Adán y Eva no pudieron culpar a ningún otro ser humano, no tuvieron infancia para culpar a sus padres y ni dificultades financieras para culpar a la falta de dinero o al desempleo. Entonces, culparon a la serpiente e, indirectamente, a Dios.

Hoy hay gente que condesciende con perversiones sexuales y culpa a Dios por haber "nacido así".

Es verdad que la manera como fuimos educados, o alguna circunstancia desfavorable, puede propiciar "tendencias", pero el acto pecaminoso es, necesariamente, un acto volitivo. Pecamos porque queremos. Nadie puede obligarnos a hacerlo, si no queremos. El diablo puede presentar la tentación que quiera. Puede apelar a nuestro pasado, a nuestro presente y a nuestro futuro. Puede usar todas las artimañas que desee, pero lo único que no puede hacer es obligarnos a pecar.

Cuando llegamos a entender el amor del padre y sus deseos de aceptarnos y perdonarnos, cuando nos sentimos amados como somos, entonces brotará de manera natural de nuestros labios la confesión, que es el fruto de algo maravilloso que Jesús ya hizo en nuestro corazón.

Tu fe te ha salvado

Él le dijo: "Hija, tu fe te ha salvado. Vete en paz y queda sana de tu enfermedad". S. Marcos 5:34.

No conocemos su nombre, tal vez porque así podía ser un símbolo más adecuado del ser humano en general. Era una mujer maltratada por las circunstancias. Hacía 12 años que llevaba en su cuerpo un terrible mal. Iba perdiendo sangre, día tras día. Y como la sangre es símbolo de vida, esta mujer iba perdiendo la vida lentamente. Sus sueños, su futuro, sus planes, todo se le escapaba como arena entre los dedos.

En esos tiempos una mujer con hemorragia no podía entrar en el templo de Dios. Quiere decir que la mujer de nuestra historia hacía por lo menos doce años que estaba separada de la comunión con los hijos de Dios. ¿Puede haber un cuadro más patético para ilustrar la situación del pobre pecador, que vive apartado de la iglesia porque el complejo de culpa lo hace sentirse indigno de ir al templo y alabar el nombre de Dios?

Doce años es mucho tiempo. Cualquier hábito, cualquier vicio, cualquier rasgo equivocado de la personalidad se enraíza profundamente en doce años. El pecado es algo serio. Son casi 6.000 años de existencia, es decir, 60 siglos atormentando a la humanidad, deformando la imagen de Dios en la vida de los hombres. Pero Jesús vino a la Tierra justamente para arrancar el pecado de raíz. Jesús no quiere curar sólo las cosas externas. Él sabe que el gran problema humano es el corazón, y está dispuesto a curar el pecado en su raíz. Hoy nos mira y dice: "Hijo, ven a mí trayendo tu vida como está y no te preocupes si estás así hace dos, cinco, o veinte años. Yo vine a este mundo para curarte, y lo haré con toda seguridad".

Esa pobre mujer llegó a Jesús abriéndose camino en medio de la multitud, y con fe tocó su manto. No se sentía digna de llamar la atención del Maestro. No se sentía alguien. "Si toco tan sólo su manto, seré salva", pensaba, y el milagro sucedió. Entonces fue cuando oyó la voz maravillosa de Jesús. "¿Quién ha tocado mis vestidos?" (vers. 28, 30). Jesús levantó los ojos para buscar a alguien. En medio de toda esa multitud y por más que ella se consideraba indigna, Jesús la valoró, le devolvió el sentido de dignidad, el amor propio. Jesús se detuvo en su viaje porque la mujer era importante. Despreciada y rechazada por su pueblo, para Jesús era de un valor incalculable.

Ese maravilloso Jesús no cambió, continúa siendo el mismo. Continúa buscando a personas que se sientan indignas, para hacer de ellas las herederas del reino.

"Vete en paz y queda sana de tu enfermedad", dijo Jesús. Pero, aun antes de que Jesús hablara, ella ya se sentía curada, ya creía que su oración había sido respondida. El pecado ya no tenía poder. El dolor, el sufrimiento y la vergüenza habían llegado a su fin. Era una nueva mujer. Y todo sucedió en un segundo. Dios no necesita más tiempo para operar un milagro.

Quien ama su vida la perderá

Había ciertos griegos entre los que habían subido a adorar en la fiesta. Éstos, pues, se acercaron a Felipe, que era de Betsaida de Galilea, y le rogaron, diciendo: "Señor, queremos ver a Jesús". **S. Juan 12:20, 21**

Era día de fiesta en Jerusalén y Jesús hacía su entrada triunfal en la ciudad, dando apenas una vislumbre de su glorioso aspecto de rey y soberano. Entre las miles de personas que habían ido a la fiesta, un grupito de griegos, cansados de su religión hueca y sin sentido, buscaba a Jesús. Los griegos racionalizaban todo. En la vida de ellos no había lugar para la fe. Dios tenía que ser llevado al laboratorio y analizado bajo la lente de un microscopio para ser aceptado. Por eso, los dioses griegos tenían forma humana y se les atribuía pasiones humanas. De otra forma, no lograrían creer.

Los dioses humanos no salvan. Ni son capaces de llenar el vacío del corazón. Esos griegos estaban cansados de los cultos paganos ofrecidos a dioses de barro. Allí en el fondo de su ser sentían que necesitaban algo superior. Y cuando oyeron hablar de Jesús, dejaron todo y se dirigieron a Jerusalén.

El texto bíblico dice que buscaron a Felipe y le dijeron: "Queremos ver a Jesús". Este clamor de los griegos es más serio de lo que imaginamos. Ellos querían ver a Jesús, y, tanto en esos tiempos como hoy, cuando las personas desean ver a Jesús, buscan a sus discípulos. Nosotros, los cristianos, somos el mayor argumento que Jesús tiene para probar a los seres humanos que el evangelio funciona transformando vidas. Las personas que todavía no aceptaron a Jesús están mirando nuestra vida para ver si hay coherencia entre lo que predicamos y lo que vivimos.

Felipe y Andrés llevaron a los griegos a Jesús, y entonces Jesús les mostró el difícil camino cristiano a esos aspirantes al reino. Jesús habló de muerte, de sufrimiento, de rechazo, de burlas. "El que ama su vida, la perderá; y el que odia su vida en este mundo, para vida eterna la guardará" (vers. 25).

¿Estás deseoso de seguir a Jesús? ¿Deseas conocerlo y seguirlo porque lejos de él no hay nada que compense? ¿Experimentaste en tu vida la búsqueda incesante del corazón y, finalmente, encontraste a Jesús en tu camino y estás dispuesto a dejar tu destino con él? ¡Felicitaciones! Pero recuerda: Seguir a Jesús significa muchas veces ser despreciados por los amigos de otros tiempos. Otras veces significa rechazo por parte de los parientes. Serás llamado "loco", "fanático", "cuadrado". Muchas puertas se cerrarán. Tu barco, en algún momento, dará la impresión de naufragar. Pero no te olvides, tú no serás ni la primera ni la última persona que pasa por todo eso. Muchos ya decidieron. Muchos sufrieron y hoy son victoriosos en Cristo, y disfrutan la paz que sólo Jesús puede ofrecer a los que corren a sus brazos y viven con él una vida de comunión diaria.

4 de diciembre

Creer en Jesús y en su palabra

De cierto, de cierto os digo: El que oye mi palabra y cree al que me envió tiene vida eterna, y no vendrá a condenación, sino que ha pasado de muerte a vida. S. Juan 5:24.

¿Oíste alguna vez la frase: "Todos los caminos conducen a Roma?" Surgió en la época en que Roma dominaba al mundo y todos los caminos, de una u otra forma, se dirigían a la majestuosa ciudad que controlaba el destino de las otras ciudades (el poder imperial estaba simbolizado por las piernas de hierro de la estatua de Daniel 2).

Fue en esa época, precisamente, cuando Jesús se levantó para decir algo que contradecía al poder romano, pero que llenaba los corazones de fe y de esperanza: "Yo soy el camino, la verdad y la vida" (S. Juan 14:6).

Tal vez todos los caminos de aquellos días condujeran a Roma, pero hoy, con toda seguridad, no todos los caminos conducen a Dios. El ser humano, en su desesperante anhelo por encontrar solución a sus problemas, puede inventar el tipo de religión o filosofía de vida que desee, pero nada que sea de creación humana nos conducirá a Dios. Sólo Jesucristo es el camino que nos lleva al cielo; no hay otro nombre, debajo del cielo, en que podamos ser salvos.

Los caminos que el hombre fabrica para llegar a Dios llevan a la muerte, por mejores que sean sus intenciones. La vida eterna no se alcanza con buenas intenciones. "El que oye mi palabra y cree al que me envió tiene vida eterna, y no vendrá a condenación, sino que ha pasado de muerte a vida", dice el versículo de hoy.

Creer en la Palabra de Dios y creer en Jesús es algo que no puede separarse. Jesús y la Palabra de Dios son una sola cosa, aunque la palabra creadora y redentora haya sido escrita y registrada para nosotros en las Sagradas Escrituras.

No es suficiente creer en Jesucristo, ni alabar su nombre. Es necesario creer en su Palabra. O mejor dicho: es imposible creer en Jesucristo sin creer también en su Palabra. En la Palabra de Dios es donde el cristiano fundamenta su fe en Cristo.

Mientras dirigía una semana de evangelización en la ciudad de Vitória, estado de Espírtu Santo, Brasil, conocí a un hombre que doce años antes se había encontrado con Jesucristo y lo había aceptado como su Salvador. En un viaje que hicimos juntos a la ciudad de Cachoeira, vi la lucha que había dentro de él al descubrir verdades que no conocía en la Palabra escrita de Dios. "¿Quiere decir que durante todo este tiempo estuve equivocado, pastor?", fue la pregunta sincera de su corazón. "No", le respondí, "tú conocías una verdad parcial, pero hoy estás descubriendo una verdad mayor". Ahí estaba él, entre Cristo y su Palabra. Aceptar a uno y rechazar la otra sería aceptar a un Cristo amputado; no había coherencia en una actitud semejante. Cristo y su Palabra son una cosa sola. Y todos nosotros, en algún momento de la vida, tenemos que tomar, sin duda, una gran decisión que nos llevará a la vida o a la muerte.

5 de diciembre

La belleza de Jesús hace que el pecado sea horrible

Y, con gozo, daréis gracias al Padre que nos hizo aptos para participar de la herencia de los santos en luz. Él nos ha librado del poder de las tinieblas y nos ha trasladado al reino de su amado Hijo. **Colosenses 1:12, 13.**

Cierto joven encontró que su amigo tenía las paredes de su dormitorio llenas con imágenes obscenas. ¿Cómo actuar en una situación semejante? ¿Podía reprender al amigo y llamarle la atención para que fuera más cuidadoso con lo que contemplaba? ¿Qué hacer? ¿Cómo ayudar al amigo? En lugar de reprenderlo le regaló un cuadro muy lindo de Jesús para que lo colgara en la pared. El amigo colocó el cuadro en el centro, en medio de las láminas obscenas, pero casi instantáneamente se dio cuenta de que ambas cosas no armonizaban. Entonces fue sacando una a una las otras pinturas hasta quedar sólo el cuadro de Cristo.

"Nos ha librado del poder de las tinieblas y nos ha trasladado al reino de su amado Hijo", dice nuestro versículo. ¿Cómo hace el Señor para sacarnos de las tinieblas? Utiliza la fuerza de su amor. Primero nos busca. Para hacerlo, dejó su gloria y se hizo hombre en la persona de su Hijo. Después nos encuentra, perdidos en los laberintos del pecado, deformados y arruinados. No existe más la imagen del Creador en nuestra vida. Somos pobres caricaturas de Adán, pero él nos acepta, nos conquista con la grandeza de su amor, nos cautiva al pagar el precio de nuestra vida con su muerte en la cruz. Entonces, abre los brazos en forma de cruz y dice: "Venid a mí, todos".

Ahora, en sus brazos de amor, desea reproducir en el hombre su carácter. Cuando vamos a él, diariamente, reconociendo nuestra necesidad y dependencia de él, recibimos la presencia de su Espíritu que nos guía a toda verdad, que nos muestra el camino, que nos dice: "No es por ahí, es por aquí".

Ese Espíritu maravilloso santifica nuestra pobre y débil voluntad pecaminosa, y una vez santificada podemos usarla para conseguir los tan deseados frutos de victoria que nunca habíamos conseguido.

Mientras vivamos al lado de Jesús no habrá lugar para el pecado. Todos los otros cuadros pierden el atractivo ante el cuadro de Cristo. Él reina absoluto si se lo permitimos; ocupa el trono de nuestro corazón. "Ya no vivo yo, mas vive Cristo en mí", dice Pablo (Gálatas 2:20), y a través de esa convivencia nos vamos tornando cada día más semejantes a Jesús.

Si buscaste muchas veces en tu vida los frutos del Espíritu Santo y no los viste todavía en su plenitud, tal vez sea porque no descubriste lo que significa vivir una vida diaria de comunión con él. No es simplemente realizar el culto devocional de cada día, sino aprender a andar con él y a tener conciencia permanente de la presencia de Jesús a nuestro lado, en todos los actos de la vida.

Invítalo hoy a salir contigo, llévalo dondequiera que vayas. Toma su brazo poderoso y siente su presencia constante contigo. Verás, entonces, la transformación que se operará en tu vida.

6 de diciembre
En Cristo no existe el pasado

Libro de la genealogía de Jesucristo, hijo de David, hijo de Abraham. S. Mateo 1:1.

Si lees los primeros 17 versículos del capítulo 1 de San Mateo encontrarás, a primera vista, que en ellos no hay algún mensaje inspirado, sino sólo nombres, algunos conocidos y la mayoría desconocidos.

Pero leyendo con más cuidado notarás que en dicho cuadro genealógico hay algo que no es común entre los judíos. En ese esquema aparece el nombre de cuatro mujeres; tres son conocidas pecadoras (como Tamar, Rahab y Betsabé) y una es extranjera (como Rut).

Tamar estuvo envuelta en un escándalo público con su suegro y, amparándose bajo la disculpa de que quería justicia, cometió un pecado abominable a los ojos de Dios (Génesis 38:13-26).

Rahab era la conocida prostituta que vendía su cuerpo por un poco de dinero a los que visitaban Jericó, pero que entendió el poder de Dios, fue cautivada por su amor y cambió de vida, uniéndose al pueblo de Israel.

Betsabé también tuvo su nombre asociado al pecado. Fue obligada a cometer adulterio por David, siendo esposa de Urías.

Finalmente, Rut, una mujer extranjera, sin derechos de ciudadanía, fue rescatada por Booz y llegó a formar parte de los ascendientes de Jesús.

En cualquier tradicional cuadro genealógico judío nunca se incluía a las mujeres. ¿Por qué, entonces, en el del más ilustre judío de todos los tiempos se mencionan cuatro mujeres que no tienen muchas cosas en su pasado por las cuales enorgullecerse?

Cualquier historiador habría sacado a estas mujeres con pasado nada recomendable del cuadro genealógico de Jesús, por miedo a comprometer la figura inmaculada de Cristo. ¿Para qué correr el riesgo de ser mal interpretado por alguien?

Sin embargo, Mateo coloca a esas mujeres en las raíces humanas de Jesús y con eso está presentándonos la esencia del evangelio. Está diciéndonos que en Cristo no hay hombre ni mujer, ni judío ni gentil. Que en él no hay lugar para el prejuicio de cualquier tipo.

Y más todavía, Jesús nos está diciendo que en él el ser humano no tiene pasado. Podemos haber luchado toda la vida para olvidar la miseria que vivimos cuando no conocíamos a Cristo, sin haber conseguido resultados positivos, pero a los pies de Jesús podemos deponer todas nuestras cargas y ansiedades, y si aceptamos arrepentidos su oferta de perdón y el trabajo de su gracia, somos considerados como si nunca hubiésemos pecado.

¿Por qué, entonces, vivir angustiados por un pecado del pasado? Podemos ir hoy a Jesús, caer a sus pies y deponer allí todo lo que nos agobia. En él encontraremos descanso para nuestras almas.

7 de diciembre

Buscad las cosas de arriba

Si, pues, habéis resucitado con Cristo, buscad las cosas de arriba, donde está Cristo sentado a la diestra de Dios. Colosenses 3:1.

En el capítulo 3 de la Epístola a los Colosenses, los actos pecaminosos son clasificados en tres partes distintas. En el versículo 5 se nos ordena exterminar cinco cosas de nuestra vida: la prostitución, la impureza, las pasiones desordenadas, la concupiscencia y la avaricia. Estos cinco actos pecaminosos se refieren a los apetitos físicos. Muchas personas son derrotadas en esta primera trinchera, cayendo víctimas de los pecados de la carne.

Pero si salimos victoriosos en ese terreno, el enemigo puede llevarnos a tentaciones más altas, sutiles y refinadas. Ese segundo grupo aparece descripto en el versículo 8. Son los pecados que van por dentro y se disfrazan fácilmente. "Dejad también vosotros todas estas cosas", dice Pablo, y menciona la ira, el enojo, la malicia, la blasfemia y las palabras deshonestas o la maledicencia.

Muchas personas que huyen asustadas de los pecados de la carne, llegan a ser víctimas de este segundo grupo de pecados, que podríamos decir que son más "respetables". Son peligrosos porque la ira y la malicia pueden fácilmente cubrirse con las vestimentas del celo por los "principios religiosos".

Hay mucha gente que cae en esta segunda trinchera. Rechazan con todas sus fuerzas los pecados sexuales, pero son víctimas pasivas del mal genio, de la incapacidad de perdonar o de la maledicencia.

Pero el apóstol no se detiene aquí. Va más lejos y nos presenta otro grupo de pecados, que podríamos llamar "pecados sociales": "Donde no hay griego ni judío [distinción racial], circuncisión ni incircuncisión [distinción religiosa], bárbaro ni extranjero [distinción cultural], esclavo ni libre [distinción económica]" (vers. 11), "hombre ni mujer [distinción sexual]" (Gálatas 3:28).

Estos pecados sociales son peligrosos. Muchos que salen victoriosos en el primero y en el segundo grupo, sucumben ante el exclusivismo racial, o el prejuicio religioso, o el orgullo cultural, o las diferencias económicas, o las superioridades sexuales.

El versículo de hoy se refiere a un estilo diferente de vida, que viven los que murieron y resucitaron en Cristo. La respuesta cristiana al problema de la victoria sobre el pecado no consiste en exponer al hombre a una lucha de uñas y dientes contra el enemigo, sino en enseñarle a que se rinda a Dios. No es una lucha; en cierto sentido, es una entrega. Cuando el hombre llega a entender que por sí solo está perdido y que necesita una fuerza exterior que viene de arriba, entonces el amor llena toda su vida y "busca las cosas de arriba". Simplemente, ya no desea cometer los viejos pecados. Le parecen espantosos y horribles, ante la pureza de Jesús que habita en él.

¿Estás listo para salir hoy, a tus actividades, con la certeza de que Jesús va contigo?

El amor en la práctica

Así que todas las cosas que queráis que los hombres hagan con vosotros, así también haced vosotros con ellos, pues esto es la Ley y los Profetas. **S. Mateo 7:12.**

José Luis Briones, que forma parte del equipo evangelizador de Billy Graham, relata que su amigo, el Pr. Máximo Álvarez, llevó a su casa, durante los días más fríos del invierno, a un borracho que no tenía dónde morar. Lo atendió durante varios meses en su hogar, le dio comida, ropa y la oportunidad de conocer a Jesús. Aunque en esa ciudad nadie aceptaba al pobre hombre, ese pastor consideraba que era su deber ayudarlo, porque el amor cristiano debe mostrarse en la práctica.

Es interesante cómo nosotros, los seres humanos, hablamos generalmente acerca del amor. Nos gusta teorizar sobre las cosas y nos deleitamos en discutir acerca de los conceptos filosófico y teológicos del amor; sin embargo, no dejamos la teoría y corremos detrás de las personas que necesitan, en la práctica, del amor maravilloso que conocemos mejor que ningún teórico.

A veces, cuando en la calle encuentro personas marginadas por la vida, de repente me descubro indiferente a las necesidades ajenas. Muchas veces trato de justificar mi actitud, diciéndome a mí mismo que nunca podré resolver el problema de todas las personas. Pero, aunque argumente de muchas maneras, allí dentro de mi corazón queda el amargo sabor de darme cuenta que mi concepto del amor todavía continúa sumergido en el sofisticado mundo de la teología y la filosofía.

El amor de Jesús no conocía límites. Iba más allá de los prejuicios, quebraba las barreras de las oposiciones sociales y hería a los teóricos del amor. Ese fue uno de los motivos por que lo mataran.

Hoy miro a Jesús y sé, en el fondo del pecho, que nuestra única solución es buscarlo diariamente. Pasar tiempo con él. Dejar que forme parte de nuestra vida cotidiana. Permitir que, por la presencia de su Santo Espíritu, tome completa posesión de nuestra vida y produzca, de manera natural, el maravilloso fruto que nos llevarán a aceptar a las personas como son y a aprovechar cada oportunidad para aliviar el sufrimiento humano.

En el mundo existen multitudes de personas alcoholizadas. No tienen futuro, ni horizontes, ni esperanzas. Viven sumergidas en la miseria física, moral y espiritual. ¿Seríamos capaces de llevar a uno de ellos a nuestra casa e interesarnos por él?

¿O argumentaremos, para justificar de mil maneras, que no es necesario hacer eso para probar nuestro amor?

9 de diciembre

Salvados para servir

Fue Jesús a casa de Pedro y vio a la suegra de éste postrada en cama, con fiebre. Entonces tocó su mano y la fiebre la dejó; ella se levantó, y los servía. S. Mateo 8:14, 15.

¿Cuál es el propósito de la salvación? ¿Por qué somos salvados? En el reino de Dios nada sucede por casualidad. Todo tiene una razón de ser.

La experiencia que Jesús tuvo en casa de Pedro muestra claramente el sentido de la salvación. La suegra de Pedro estaba enferma, pero Jesús entró en la casa, y donde entra Jesús entra la vida, porque él es la vida. El toque maravilloso de Jesús levantó a esa señora, y el texto bíblico dice: "Tocó su mano y la fiebre la dejó; ella se levantó, y los servía". Dicha mujer estaba en cama y con fiebre; era una vida improductiva, sufrida, cansada. Pero la presencia de Jesús hizo la diferencia. "Se levantó, y les servía". Fue salvada para servir. Fue curada para producir. No era el sentido del deber lo que la llevaba al servicio; era el amor que sentía por haber experimentado en su propia vida la misericordia divina.

Aquí está la respuesta de Dios para una vida improductiva. Podemos pasar toda la vida en cama "y con fiebre", lamentándonos y quejándonos de dolor. Pero cuando Jesús llega, trae no solamente la cura, sino también el propósito sublime de la vida: el servicio.

No se puede esperar que un enfermo, postrado en cama, preste un servicio. Se necesita llevarlo primero a la fuente de la vida y de la salud: Jesús. Antes que los miembros sean incentivados a cumplir con la misión evangélica, primero es necesario llevarlos a entender la belleza del evangelio. El servicio es un resultado de la salvación. Cuando la persona se baña en la sangre del Cordero y se viste con los vestidos blancos de la justicia de Cristo, el servicio deja de ser una obligación y se transforma en un privilegio.

La suegra de Pedro "se levantó, y le servía". Conozco a centenas y centenas de personas que, al no conocer a Jesús, andaban perdidas en el mundo de la confusión y la desesperación. Pero un día se encontraron con el Salvador. Experimentaron el perdón de un pasado lleno de amarguras. Experimentaron la transformación que sólo Jesús es capaz de operar en las vidas. Creyeron. Sintieron en su propia vida el toque divino. Se levantaron, y hoy sirven a Jesús con alegría.

En las grandes concentraciones, donde se reúnen miles de personas para oír hablar del poder transformador de Cristo, esas personas me buscan y me presentan a otras, diciendo: "Pastor, muchas gracias porque un día conocí a Jesús, y ahora le presento a un amigo que estoy trayendo a los pies de Cristo". Es como una bola de nieve. Los seguidores de Jesús aumentan cada vez más. Uno a uno van buscando a otras personas para contarle las cosas maravillosas que Jesús hizo en su vida. ¿Y tú?

Salvado, pero tullido

Y sucedió que le llevaron un paralítico tendido sobre una camilla. Al ver Jesús la fe de ellos, dijo al paralítico: "Ten ánimo, hijo; tus pecados te son perdonados". S. Mateo 9:2.

Jerónimo era un buen esposo y un padre ejemplar. Pero no aceptaba a Jesús. Su esposa, doña Juana, decía que la única cosa que faltaba para que el hogar fuese realmente feliz, era que Jerónimo decidiera entregar su vida a Cristo. Pero los años pasaban y Jerónimo no tomaba la decisión. Era un hombre correcto, un ciudadano cumplidor de sus deberes, asistía de vez en cuando a los cultos de la iglesia, pero nunca respondía a un llamado para aceptar a Jesús y unirse al pueblo de Dios.

Un domingo de mañana, mientras él y la familia se preparaban para salir de paseo, fue sorprendido por un horrible dolor de cabeza. Lo llevaron al hospital y el diagnóstico fue: derrame cerebral.

Cuando salió del hospital estaba todo deformado, no podía andar por sí solo, y tuvo que usar una silla de ruedas para ser transportado de un lado al otro. En esas circunstancias aceptó a Jesús y pidió el bautismo.

Un sábado de tarde tuve la alegría de bautizar a Jerónimo. Dos diáconos lo levantaron y lo hicieron descender a las aguas del bautismo. Podría haber llegado por sus propios medios, con sus propios pies, pero postergó la decisión, y cuando la tomó fue necesario que lo llevaran a la pila bautismal.

En el versículo de hoy encontramos una situación parecida. "Le llevaron un paralítico tendido sobre una camilla." Se trataba de un hombre que había vivido una vida de pecado. No era la primera vez que sentía la invitación de Cristo. Cuando todavía estaba físicamente bien, había oído muchas veces la voz del Espíritu Santo trabajando en su corazón. Pero estaba totalmente amarrado a hábitos y vicios. Era una situación que lo envolvía por todos los lados. Alguna cosa, allí adentro, le decía que no podía jugar con el pecado, que la vida que estaba viviendo no lo llevaría a ningún lugar bueno, que estaba cavando su propia sepultura. Pero quien entra en la rueda del pecado no sale nunca, a menos que voluntariamente permita que Cristo opere un milagro.

El resultado de la vida pecaminosa de ese hombre comenzó muy pronto a manifestarse en síntomas físicos. La parálisis comenzó a adueñarse de su cuerpo y quedó postrado en el lecho del sufrimiento. En medio del dolor y frente a la desesperación de sentirse inútil, era atormentado incesantemente por la culpa. Fue entonces cuando despertó a las cosas espirituales y manifestó la decisión de aceptar a Jesús. Solo que ya no podía ir a Jesús por sus propias fuerzas, se necesitó que otras personas lo llevaran. El milagro sucedió. Jesús perdonó sus pecados y él volvió a su casa andando.

¿Vendrás hoy a Jesús andando con tus propios pies? ¿O esperarás que llegue el día en que sean otros los que te traigan? ¡La decisión es tuya, y tiene que ser tomada ahora!

11 de diciembre
El mayor hombre de la Tierra

De cierto os digo que entre los que nacen de mujer no se ha levantado otro mayor que Juan el Bautista; y, sin embargo, el más pequeño en el reino de los cielos es mayor que él. S. Mateo 11:11.

A lo largo de varios años la aprensión de las multitudes se había concentrado en el mensaje que Juan predicaba. Él llamaba a las personas al arrepentimiento. Lo hacía con fuerza y el poder que sólo tienen los que viven una vida de comunión diaria con Dios. No tenía temor de presentar el mensaje de manera clara y simple delante de quienquiera que fuese, aunque eso significara para él el riesgo de perder la propia vida.

Juan aprendió que es imposible separar el mensaje del mensajero. Vivía en el desierto, se vestía humildemente, comía tratando de no llamar la atención, pero las personas lo buscaban y, como en el caso de Jesús, no lo dejaban solo.

Es fácil acostumbrarse a la fama y a la gloria humana. Es fácil comenzar a pensar que los hombres vienen por causa del mensajero y no del mensaje. Pero en el caso de Juan, el no se dejó arruinar por los aplausos, porque era en los momentos solitarios con Dios, en el desierto, cuando sacaba la fuerza que necesitaba para continuar con la visión clara de que simplemente estaba preparando el camino para "aquel que había de venir" (S. Mateo 11:3).

Un día apareció otro predicador. Y las multitudes comenzaron a correr detrás de él y a llenar los auditorios donde predicaba. Las personas abandonaron a Juan con la misma rapidez con que lo habían buscado. ¿Cómo debería sentirse Juan ahora? ¿Frustrado? ¿Olvidado? ¿Destruido? Cayó de rodillas y entendió que su misión estaba llegando a su fin. Lo que nunca podía pensar era que ese fin sería más trágico de lo que se imaginaba. Herodes lo mandó prender. Allí en la prisión, solo, abandonado, olvidado, sintió en algún momento dudas y temores. También los hombres de Dios, mientras cargan la naturaleza pecaminosa en la Tierra, pueden muchas veces ser asaltados por la duda.

Juan envió emisarios que le preguntaron a Jesús: "¿Eres tú aquel que había de venir o esperaremos a otro?" Si Jesús era el Mesías esperado, si era el libertador de su pueblo, ¿por qué permitía que Juan se pudriera en una prisión inmunda? Aquel que curaba leprosos, hacía andar a los paralíticos y resucitaba a los muertos, no tenía poder para liberarlo? La respuesta nunca llegó. Él no pudo ir a Jesús para conocer la respuesta. Pero los que fueron a Jesús, trataron de "ayudarlo". Le dijeron que el nuevo predicador hacía grandes cosas, nunca vistas, y que las multitudes lo seguían. Fue entonces cuando se elevó la figura maravillosa de este siervo de Dios. "Es necesario que él crezca, y que yo disminuya". Y Jesús dijo: "Entre los que nacen de mujer no se ha levantado otro mayor que Juan el Bautista" (S. Juan 3:30; S. Mateo 11:11).

¿Podemos permitir y admitir que nuestro nombre desaparezca del escenario, y que aparezca el nombre de otros para gloria de Dios?

¡Del desierto y de los momentos de compañerismo con Cristo vendrá la respuesta!

La responsabilidad del conocimiento

Por tanto os digo que en el día del juicio será más tolerable el castigo para Tiro y para Sidón que para vosotras. S. Mateo 11:22.

Cuando era criatura admiraba mucho a ese hombre. Era el pastor de nuestro distrito, y cuando visitaba, una vez por año, al pequeño grupo donde nos congregábamos, el fin de semana se transformaba en una fiesta espiritual cuyos efectos podíamos sentir por mucho tiempo.

Años más tarde, cuando casi me estaba graduando en la Facultad de Teología y pensaba que podría tener la oportunidad de trabajar al lado de ese hombre, que siempre había sido una inspiración para mí, sucedió la tragedia. Él abandonó el ministerio y también la iglesia. Organizó un pequeño grupo de personas y comenzó a trabajar contra la iglesia que durante años había defendido.

El ministerio de ese hombre había sido muy bendecido. Dios lo había usado con poder muchas veces. Cierta vez lo escuché predicar en una graduación a los jóvenes pastores y quedé entusiasmado. ¿Qué podría haber sucedido en el corazón de un hombre que había sido tantas y tantas veces bendecido por Dios? ¿Adónde había ido a parar toda la luz que tenía? ¿Para qué servía todo el conocimiento bíblico que había acumulado?

En el versículo de hoy Jesús expresa tristeza por tres ciudades impenitentes: Corazín, Betsaida y Capernaúm. Estas ciudades habían sido testigo de los grandes milagros. Jesús anduvo en persona por sus calles. Las multitudes que habitaban en ellas vieron personalmente los grandes actos de amor de Jesucristo, pero endurecieron el corazón y no aceptaron el mensaje. Reclamaron más evidencias y dejaron pasar la oportunidad. Ahora Jesús miraba con tristeza a esas ciudades, y decía: "Por tanto os digo que en el día del juicio será más tolerable el castigo para Tiro y para Sidón que para vosotras".

¿Significa eso que Dios tiene más de una forma de medir a las personas en el día del juicio? ¿Qué está queriendo decir aquí el Señor?

Tiro y Sidón habían recibido menos oportunidades que Corazín, Betsaida y Capernaúm. Y en el día del juicio cada uno tendrá que dar cuenta de la luz que recibió. Tú no serás condenado por las verdades bíblicas que no conocías. Pero tampoco serás declarado inocente por las verdades bíblicas que dejaste de aceptar, sea cual fuere el motivo que usaste como disculpa.

Estudiar y conocer la Biblia es un privilegio y también una gran responsabilidad. ¿Qué hacer cuando descubrimos una verdad bíblica que no conocíamos antes? Está escrito: "Blanco". Muy bien. ¿Qué hacer ahora si toda la vida yo pensé que era amarillo? ¿Qué hacer si mis padres, mis amigos, mi tradición y mi historia me dicen que es amarillo, cuando en la Palabra de Dios está escrito "blanco"?

Los que por la comunión diaria con Jesús sienten que su carácter es transformado a semejanza del Redentor, caerán de rodillas y le dirán: "Señor, ayúdame a hacer tu voluntad".

13 de diciembre

Hacer y no prometer

¿Cuál de los dos hizo la voluntad de su padre? Dijeron ellos: "El primero". Jesús les dijo: "De cierto os digo que los publicanos y las rameras van delante de vosotros al reino de Dios". S. Mateo 21:31.

La parábola de los dos hijos presenta dos clases de personas, dos tipos de actitudes, dos tipos de posiciones ante la salvación.

El primer hijo dijo que iría, pero no fue. El segundo dijo que no iría, pero finalmente fue.

En la historia del pueblo de Dios hubo una ocasión en la que los principios eternos de la ley de Dios fueron presentados escritos en tablas de piedra ante el pueblo. Y éste, sin resistencia, exclamó: "Haremos todo lo que Jehová ha dicho" (Éxodo 19:8). No mucho tiempo después el pueblo era esclavo de sus promesas no cumplidas, víctima de sus decisiones de barro.

¿Cómo prometer y cumplir con nuestra pobre voluntad pecaminosa, víctima pasiva de la naturaleza maligna que cargamos dentro de nosotros?

"Debemos comprender nuestra relación con Cristo. Cristo debe habitar en nuestro corazón para que podamos mantener ante nosotros principios puros, motivos elevados y rectitud moral. Nuestra obra no consiste únicamente en *prometer*, sino en *hacer*" ("Comentarios de Elena G. de White", *Comentario bíblico adventista*, t. 5, pág. 1072).

Ningún hijo de Dios tiene por qué temblar delante del desafío de vivir una vida de integridad. Es decir, ése es el plan de Dios para nuestra vida. Debemos mirar alto, aspirar a la excelencia del carácter, pero en ningún momento podemos depositar la confianza en nuestra fuerza de voluntad o en nuestro dominio propio.

No es un asunto de palabras. Es un asunto de hechos. Tú puedes decir cuanto quieras acerca de tu confianza en Dios y en el poder que viene de él para una vida victoriosa, pero si no pasas diariamente tiempo a solas con Jesús, y si no aprendes a relacionar todo lo que haces a lo largo del día con Jesús, entonces estás confiando en tus propias fuerzas. Estás diciendo: "Haré", "Iré", "Cumpliré". Y todas esas promesas, sin una vida de comunión con Cristo, son promesas de arena que el agua del mar borra en pocos minutos.

El Señor Jesús, en el versículo de hoy, menciona a los publicanos y a las prostitutas como los que recibieron más fácilmente el plan de salvación. ¿Sabes por qué? Porque eran gente cansada de caer y caer. Nadie creía en ellos. Todo el mundo los rechazaba. Ellos no tenían confianza en sus propias fuerzas ni en su conducta moral correcta, porque ni siquiera tenían dichas fuerzas. Por eso, cuando Jesús dijo: "Venid a mí todos los que estáis trabajados y cargados", ellos corrieron (S. Mateo 11:28). ¡Era la única oportunidad de salvación que tenían, y no la desperdiciaron!

¿Sientes que necesitas a Jesús? ¿Te sientes cansado de prometer y prometer? Ve a él hoy y sé victorioso.

353

14 de diciembre
El resumen de todo es el amor

Jesús le dijo: "Amarás al Señor tu Dios con todo tu corazón, con toda tu alma y con toda tu mente". Este es el primero y grande mandamiento. Y el segundo es semejante: "Amarás a tu prójimo como a ti mismo". S. Mateo 22:37-39.

Frecuentemente encuentro personas sinceras, temerosas de Dios y deseosas de hacer la voluntad del Padre, que preguntan: "Pastor, ¿por qué tenemos que guardar los Diez Mandamientos de Éxodo 20, si nosotros no somos ahora el pueblo de Israel?" Muchos hasta citan los versículos de nuestra meditación de hoy para demostrar que Cristo mismo dijo que sólo existen dos grandes mandamientos para los cristianos: amar a Dios y amar al prójimo.

En realidad, el amor es más que un principio. El amor es Dios (1 S. Juan 4:8). La esencia de Dios es el amor, y todo el que permite que Dios habite en él, por la presencia de su Santo Espíritu, está dejando habitar al amor en su corazón. Una persona que vive esta maravillosa experiencia de comunión con Dios, que permite que el amor habite y controle su vida, santificando su voluntad, vivirá de manera natural los principios de la santa ley de Dios. No necesitará de mandamientos escritos, porque tendrá los principios de esos mandamientos escritos en su corazón, y guardar la letra será algo natural en él. Pero, ¿qué decir de alguien que piensa que vive en comunión con Jesús y tira a la basura los Diez Mandamientos? ¿Cómo puede alguien que vive en comunión con la Persona-Amor desobedecer una ley de amor?

Los Diez Mandamientos fueron escritos para ayudar y orientar a un pueblo que, durante cuatro generaciones de esclavitud, había perdido de vista los elevados principios del Dios-Amor. Más tarde, cuando el pueblo perdió de vista el espíritu de los principios y comenzó a dar exagerada atención a la letra, Jesús comentó esos principios en el Sermón del Monte y los amplió. "Oísteis que fue dicho: 'No cometerás adulterio'. Pero yo os digo que cualquiera que mira a una mujer para codiciarla, ya adulteró con ella en su corazón" (S. Mateo 5:27).

Jesús no nos libera de los principios de su ley. Los escribe cuando es preciso y los amplía cuando es necesario. Pero su deseo es que esos principios queden grabados de manera indeleble en el corazón humano.

Los primeros cuatro mandamientos de la ley resumen el amor a Dios, y los últimos seis el amor al prójimo. Por tanto, simplemente, el amor lo resume todo.

En Dios no hay contradicción. Todo tiene sentido, pero, para entenderlo, el ser humano necesita vivir en comunión diaria y permanente con la Persona-Amor: Cristo.

15 de diciembre

Esperar vigilando

Velad, pues, porque no sabéis a qué hora ha de venir vuestro Señor. S. Mateo 24:42.

¿Pensaste alguna vez por qué el Señor Jesús no dejó establecido el día y la hora de su retorno?

En el siglo pasado, un grupo de hombres y mujeres descubrieron una profecía que señalaba el 22 de octubre como un día especial. Investigando las Escrituras, descubrieron que en ese día la Tierra sería purificada, y llegaron a la conclusión de que la única manera en que la Tierra podía ser purificada era por la presencia de Jesús. Por tanto, esos hombres comenzaron a predicar que el 22 de octubre de 1844 sería el regreso de Jesús.

La historia dice que cerca de dos millones de personas vendieron todo lo que tenían y se prepararon para encontrarse con Jesús. Pero la historia también registra que, como Jesús no vino en la fecha esperada, sólo quedó un pequeño grupo de personas que se mantuvo fiel, el que dio inicio a lo que hoy es la Iglesia Adventista del Séptimo Día.

¿Adónde fue la mayoría de las personas que esperaba a Jesús el 22 de octubre? Volvieron a su vida normal, renegaron de la fe, se volvieron incrédulos y nunca más quisieron saber nada del evangelio.

En la dolorosa experiencia del 22 de octubre está incluida la respuesta de por qué Dios no dejó establecida en la Escritura la fecha de la venida de Jesús a la Tierra.

Interesado y egoísta como es el ser humano, hasta en las cosas espirituales, sin duda alguna viviría dando rienda suelta a sus instintos, y cuando faltara poco tiempo para la vuelta de Cristo, arreglaría las cuentas y trataría de engañar a Dios, estando "listo" para encontrarse con Jesús.

Por ese motivo, todo intento de llevar a la iglesia al reavivamiento mostrando la "proximidad" de la vuelta de Cristo, todo intento alarmista de mostrar a la iglesia que el tiempo de angustia y el fin del mundo están a las puertas, nunca conseguirá llevar a la iglesia a un auténtico espíritu de reavivamiento y reforma espiritual.

¿Me preparo porque Cristo está volviendo? ¡Muy bien! ¿Y qué sucede si él no vuelve? La vida del cristiano no es un juego de ajedrez, en el que tienes que estar alerta para dar el jaque mate final y ganar la salvación. La vida cristiana es una experiencia de amor con la Persona-Salvación. El ser humano, ya en la Tierra, aprende a disfrutar el compañerismo diario y permanente con Jesús y se prepara para continuar esa experiencia por toda la eternidad, cuando Jesús vuelva.

La vuelta de Cristo es una realidad. Todo en la profecía indica que Cristo está a las puertas. Pero no es eso lo que debe motivar nuestro amor y nuestro servicio a Dios. Por eso Jesús dijo: "Velad, pues, porque no sabéis a qué hora ha de venir vuestro Señor".

¿Qué significa estar salvado?

Y las insensatas dijeron a las prudentes: "Dadnos de vuestro aceite, porque nuestras lámparas se apagan". Pero las prudentes respondieron diciendo: "Para que no nos falte a nosotros y a vosotras, id más bien a los que venden y comprad para vosotras mismas". S. Mateo 25:8, 9.

La parábola de las diez vírgenes nos enseña la gran lección de que en la vida espiritual nadie puede prestar su experiencia a otro. La salvación es un asunto completamente personal.

Los dos grupos de vírgenes eran parte de la misma iglesia. Cantaban y cumplían sus deberes de miembros de iglesia. Aparentemente las diez eran iguales por fuera. Daban buen testimonio de su fe. Se vestían y se alimentaban correctamente, respetando los principios de la salud. Todo parecía perfecto en tiempos de paz. La diferencia saltó a la vista en la crisis.

El novio se aproximaba. Era la hora de salir al encuentro del amado. Era él el motivo de la gran esperanza. Pero lo que para un grupo fue motivo de alegría y regocijo, para el otro se transformó en causa de desesperación y miedo. Las vírgenes insensatas habían vivido toda la vida en función del evento. Las prudentes habían vivido en función del novio. Los que viven en función del evento, sólo se preparan ante la proximidad de los hechos. Los que viven en función del novio, viven permanentemente preparados.

"¡Ayúdennos, por favor!", gritaron las vírgenes insensatas. Y las prudentes, con tristeza exclamaron: "No, porque en cierto modo no alcanzaría el aceite para nosotras y para vosotras. Es mejor que vayáis a los que venden, y que compréis para vosotras".

Demasiado tarde. El tiempo había pasado. Esas vírgenes nunca entendieron que la esencia del cristianismo es una vida de permanente comunión y dependencia de Cristo. Corrieron a buscar solución para su problema. Golpearon las puertas de los comerciantes, lloraron, trataron de resolver el problema con sus propias manos, pero llegaron tarde. Las puertas estaban cerradas.

"¡Ábrannos, por favor!", gritaron. Y del otro lado oyeron la voz del novio: "En verdad os digo, no os conozco" (ver los vers. 11 y 12).

"¿No nos conoce? ¿Cómo no nos conoce si nuestro nombre está en la lista de invitados? ¿Acaso no teníamos un cargo en la iglesia, no guardábamos el sábado, no cantábamos en el coro de la iglesia?"

"Es posible, hijo/a, es posible que hayas hecho todo eso, pero no convivías conmigo. Vivías preocupado en otras cosas, eras aparentemente un buen miembro, parecía que tenías nota diez. Pero no pasabas tiempo conmigo. No me buscabas cada día, no andabas conmigo. Yo no te conozco".

La pregunta de esta mañana es: "Esas vírgenes insensatas, ¿se perdieron porque eran buenos miembros de la iglesia?" No. No hay nada de malo en vivir preocupado por ser un buen miembro de iglesia. El problema es pensar que eso es suficiente para ser salvo y olvidar lo que realmente es importante.

17 de diciembre

Nacido para morir

Yendo un poco adelante, se postró sobre su rostro, orando y diciendo: "Padre mío, si es posible, pase de mí esta copa; pero no sea como yo quiero, sino como tú". S. Mateo 26:39.

La noche del Getsemaní fue la más terrible que un ser humano pueda haber vivido. Jesús debía morir al día siguiente. Al venir a la Tierra, había aceptado voluntariamente ser el sustituto de la raza humana y morir para pagar el precio del pecado del hombre. Pero Jesús vino a la Tierra como hombre. Era plenamente Dios y plenamente hombre. No se disfrazó de hombre. Asumió nuestra naturaleza humana, y como hombre tenía instinto de conservación. No quería morir. Detestaba el dolor y el sufrimiento, y haría todo lo posible para evitar ser herido y sangrar hasta morir.

La lucha en el jardín del Getsemaní fue una lucha de la salvación humana. Jesús se sentía solo y abandonado. Sentía sobre sí el pecado de toda la humanidad y sabía que su Padre no podía soportar el pecado. Por lo tanto, se sentía lejos del Padre.

Por otro lado, tenía miedo de morir. Tenía tanto miedo que dijo a su Padre: "Padre mío, si es posible, pase de mí esta copa; pero no sea como yo quiero, sino como tú".

Hubo un momento en que en las manos de Jesús estuvo nuestra vida o nuestra muerte eterna. Jesús tembló. "La naturaleza humana habría entonces muerto allí bajo el horror de la presión del pecado, si un ángel del cielo no hubiera fortalecido a Cristo para que soportara la agonía" ("Comentarios de Elena G. de White", *Comentario bíblico adventista*, t. 5, pág. 1078).

Jesús podía haber abandonado todo esa noche y regresado al cielo, pero si lo hubiera hecho, la raza humana hubiera quedado perdida para siempre. Fue el amor por el hombre lo que llevó a Jesús a soportar la terrible prueba y beber el cáliz de la muerte.

Por eso ningún ser humano tiene derecho a pensar que no vale nada o que no significa mucho. Si tú no significases nada, Jesús no habría derramado su vida en la cruz del Calvario por ti. Él te ama sin importarle tu posición social o tu raza. Tú, solamente por ser tú, eres lo más lindo que Dios tiene en este mundo.

A la mañana siguiente, el Señor Jesús estaba listo para enfrentar la muerte. Cargó una cruz ajena, porque para él nadie preparó una cruz, simplemente porque él no la merecía. Subió a la montaña del Calvario. Allí fue colgado entre dos ladrones. Al final de cuentas, murió de la misma manera en que vivió: entre pecadores. Fue por causa de los pecadores que había venido a este mundo.

Cuando miro a la cruz del Calvario, quedo enternecido. Bajo los ojos y le agradezco por su amor. ¿Qué sería de mí si él no me amase? ¿Cómo puedo dejar de darle mi corazón y de colocar mi mano en su mano, si fue para conquistar mi corazón que él vino y murió en la cruz?

Yo era ciego y ahora veo

Entonces él respondió y dijo: "Si es pecador, no lo sé; una cosa sé, que habiendo yo sido ciego, ahora veo". S. Juan 9:25.

Era un pobre hombre condenado a una vida de tinieblas. Por lo menos hoy el ciego puede aprender a leer y escribir en braille y tiene acceso a la cultura y al conocimiento de nuestro tiempo. Hoy hay ciegos ilustres, luminarias de la sociedad, artistas, abogados, profesores, formadores de opinión pública. Pero en esos tiempos un ciego estaba condenado a una vida miserable, a pedir limosna en la calle y a depender de la caridad de las personas para poder vivir.

En opinión de los judíos, el ciego pagaba el precio de sus propios pecados o el de los pecados de sus padres. Existía entre los judíos la tradición de que el hombre pagaba por lo que hacía, justamente en las circunstancias en que ofendía a Dios. Así, según ellos, Sansón vivió para satisfacer sus ojos y los filisteos le quemaron los ojos. Absalón vivió para su cabello, y su cabello fue la causa de su muerte. O sea, en la vida de este pobre ciego no bastaba la vida de sufrimiento y miseria; tenía que cargar también el estigma de sus pecados o de los de sus padres.

Los seres humanos son así por naturaleza. Dios nos libre de caer en las celadas del enemigo, pero si un día caemos, que Dios nos libre de caer en el juicio de los hombres, porque la raza humana es implacable con ella misma.

El versículo de hoy nos coloca ante una vida sin futuro, sin sueños y sin perspectivas. Pero Jesús pasó por esa ciudad, y gloria a Dios por eso. Alabado sea su nombre porque un día Jesús vino a este mundo y encontró una raza sin futuro, sin sueños y sin perspectivas. Jesús era la luz y también la visión, y ante Jesús no hay tinieblas capaces de resistir. La oscuridad desapareció para ese hombre. La ceguera terminó. Sus ojos se abrieron para contemplar los colores nunca antes vistos, para mirar el azul infinito y contemplar la noche y la belleza del cielo estrellado. Sus ojos se abrieron para alabar el nombre de Dios, porque no existe salvación sin alabanza, no existe evangelio sin música, ni liberación sin cánticos.

El milagro había acontecido, pero a los hombres no le bastan los milagros. Una vida miserable condenada a la oscuridad, transformada ahora por el poder divino, nunca es suficiente para llevar a los incrédulos a creer. Un criminal que abandona su vida y llega a ser útil a la sociedad y a la familia, no es argumento suficiente para acabar con las dudas. Los hombres piden más pruebas. Quieren llevar todo al laboratorio, quieren analizar todo en el microscopio. Discuten, argumentan, cuestionan y racionalizan.

Sin embargo, el ciego responde: "Si es pecador, no lo sé; una cosa sé, que habiendo yo sido ciego, ahora veo".

No hay en la historia mayor filosofía práctica. El mundo puede creer o no creer; argumentar y racionalizar todo lo que quiera. Yo no necesito decir nada. Yo sé que era ciego y ahora veo. El ciego había encontrado a Jesús y eso le bastaba.

Una canción más hermosa

Y ciertamente, aun estimo todas las cosas como pérdida por la excelencia del conocimiento de Cristo Jesús, mi Señor. Por amor a él lo he perdido todo y lo tengo por basura, para ganar a Cristo. **Filipenses 3:8.**

Los antiguos griegos ilustraron en su mitología, tal vez sin darse cuenta, la manera maravillosa como los cristianos pueden ser victoriosos sobre el pecado. La mitología griega decía que las sirenas atraían a los marineros con sus canciones, y que cuando éstos se acercaban a la playa para oír mejor la seductora música, el barco golpeaba contra las rocas y morían. Muchos trataron de pasar por ese lugar encantado apelando a incontables recursos. Unos se tapaban los oídos con cera para no oír la música de las sirenas; otros se amarraban al palo mayor para no dirigir el barco hacia la playa. Pero hubo un marinero que llevó a bordo a Orfeo, un músico divino, que cantó y tocó el arpa tan maravillosamente que las voces seductoras de las sirenas fueron superadas por una canción más hermosa.

Hay tres maneras de resistir la tentación. La primera es "taparse los oídos con cera", enfrentar la tentación contando hasta cien, o cerrando los ojos o marcando tres minutos en el reloj. (Dicen que la tentación llega al clima de su intensidad en tres minutos y después disminuye.)

La otra manera es amarrarse al palo mayor de los principios, con promesas y decisiones que casi nunca se cumplen. Cuando llega el momento de la tentación, no hay nada que nos detenga y partimos hacia la tierra de soledad y desesperación.

La única salida, el único método que realmente vale, es llevar una "canción más hermosa" a bordo. Tenemos que llevar a bordo de la vida algo tan divinamente dulce, que las notas del pecado parezcan no tener armonía ni belleza. En otras palabras, tenemos que apasionarnos por alguien tan hermoso, que el pecado, ante él, no sea más que basura repugnante.

En la vida de una persona que nunca fue convertida, sólo existen las voces de las sirenas, pero en la vida que alguien que conoció a Jesús, existe la música de los ángeles. Nosotros seguimos a Jesús, no sólo porque no queremos continuar en el pecado, sino también porque él es el único. Ante él, todo lo demás es nada. El pecado pierde su atractivo, no significa nada.

"Pastor", puede ser que pienses, "¿no está siendo un poco teórico? ¿Es posible perder en esta vida el gusto por el pecado?" Bueno, quiero que sepas que Jesús vino justamente para eso. Él no vino sólo para perdonarnos y salvarnos de las consecuencias del pecado, sino para librarnos del poder que el pecado ejerce en nosotros. Pablo dice: "Por amor a él lo he perdido todo y lo tengo por basura". Podemos llevar todavía la naturaleza pecaminosa dentro de nosotros, pero el pecado ya no tiene dominio sobre los hijos de Dios.

Pero para que eso sea una realidad en tu experiencia, tienes que hacer de Jesús el centro de tu vida cotidiana.

Nuevos motivos para viejos instintos

Entonces él se sentó, llamó a los doce y les dijo: "Si alguno quiere ser el primero, será el último de todos y el servidor de todos". S. Marcos 9:35.

¿Anula el cristianismo los rasgos de la personalidad humana? ¿Hace del intrépido Pedro un cobarde, y del valeroso Juan un miedoso discípulo del amor?

Entendemos mal el evangelio cuando pensamos que las facultades humanas son sustituidas por el control divino, y que a partir de la conversión pasamos a ser marionetas en las manos de Dios. No, él no anula nuestra voluntad, sino que, santificada por el Espíritu Santo, la reorienta hacia cosas positivas. Los instintos naturales continúan allí, sólo que ahora son dirigidos por la voluntad santificada hacia fines más elevados. En el versículo de hoy Jesús dice: "Si alguno quiere ser el primero, será el último de todos y el servidor de todos". Hay lugar para los hombres ambiciosos en el reino de Dios. Jesús no trató de sacar del hombre el deseo de ser grande; simplemente demostró un camino diferente para alcanzar su objetivo: estar dispuesto a ser siervo de todos.

Dios no quiere hijos conformistas, fracasados, que anden o estén siempre en los últimos lugares. Desea hijos que sean "grandes" y "primeros", pero para los que anhelan ser semejantes a Jesús, él tiene un camino diferente. "El Hijo del hombre no vino para ser servido, sino para servir y para dar su vida en rescate por todos" (cap. 10:45).

Notamos entonces que Jesús no vino para acabar con la ambición humana, sino para sacar de ella el egoísmo y colocar en su lugar el deseo de una gran entrega para el servicio.

Pablo dice: "Así pues, ya que anheláis los dones espirituales, procurad abundar en aquellos que sirvan para la edificación de la iglesia" (1 Corintios 14:12).

Según el apóstol, el espíritu de querer tener más y de destacarse de los cristianos auténticos, ya no trae en sí mismo el virus de la destrucción sino el deseo de la edificación. El impulso continúa latente, pero su poder egoísta y nocivo no existe más.

Así puede suceder con todos los otros instintos. Hay personas que antes de conocer a Cristo viven concentrando toda su energía en organizar sindicatos, promover huelgas y armar piquetes. Usan todos los recursos, inclusive la violencia, para conseguir lo que desean. ¿Qué sucede cuando esa persona conoce el evangelio de manera real, auténtica, y no apenas de manera superficial? El Espíritu Santo santifica su voluntad, sus apetitos y sus instintos. Ahora, con la voluntad santificada, orienta todas sus fuerzas hacia las cosas que edifican y construyen. Sus viejos prejuicios desaparecen y, al vivir en Cristo, descubre que aprecia a todos como personas por quienes "Cristo murió". ¿Ya experimentaste los nuevos motivos que Cristo ofrece? ¿O simplemente estás luchando para terminar con todo lo que hoy consideras equivocado pero que, bajo el control de Espíritu Santo, podría ser usado para cosas positivas?

Él vendrá

No se turbe vuestro corazón; creéis en Dios, creed también en mí. En la casa de mi Padre muchas moradas hay; si así no fuera, yo os lo hubiera dicho; voy, pues, a preparar lugar para vosotros. Y si me voy y os preparo lugar, vendré otra vez y os tomaré a mí mismo, para que donde yo esté, vosotros también estéis. S. Juan 14:1-3.

Hoy existen muchas teorías con relación al fin del mundo. La ley de Malthus dice que la producción aumenta en progresión aritmética, mientras que la población crece en progresión geométrica. Eso quiere decir que va a llegar un momento en que la producción no va a ser suficiente para atender las necesidades de la población, y que entonces vendrá el caos.

Otros creen que el mundo va a desaparecer debido a la contaminación ambiental. El ser humano no cuida el planeta en que vive, y un día este planeta quedará tan envenenado que llegará el exterminio de la humanidad.

Otros tienen miedo de una tercera guerra mundial. Creen que el planeta no resistirá a la explosión de una guerra nuclear. Y están los que aseveran que la Tierra va a chocar contra otro planeta y entonces será el fin de todo.

Pero el versículo de esta mañana nos hace mirar al futuro con optimismo. Nadie necesita atemorizarse con el hambre o la bomba atómica, ¿sabes por qué? Porque la ciencia siempre demostró que la Biblia tiene razón.

Durante años la ciencia decía que la tierra era plana, mientras que la Biblia afirmaba que la Tierra era redonda (Isaías 40:22). En 1492, Cristóbal Colón demostró al mundo que la Tierra es redonda y hoy la ciencia lo confirma de varias maneras.

Por lo tanto, si la Biblia afirma que Jesús, antes de regresar al cielo, reunió a sus discípulos y les prometió volver otra vez, podemos descansar seguros de que todo sucederá exactamente como él prometió.

Entonces surge la pregunta: ¿Estás preparado para encontrarte con Jesús y vivir con él por la eternidad? Recuerda que para vivir con él en los cielos necesitamos hacer de Jesús, hoy, nuestro amigo y compañero de todos los días y de todos los momentos.

Al salir hoy a las luchas de la vida, tómate del brazo poderoso de Jesús. Permite que él participe de todas tus actividades. En el trabajo, en el taller, en la oficina, en el aula de clases, en la calle y hasta en el campo de deporte, siente la presencia de Jesús. Así es como se vive el cristianismo. Andando cada día con él se va reproduciendo su carácter en nosotros, y va preparándonos para la maravillosa experiencia de vivir con él eternamente.

¿Miedo al futuro? ¿Por qué? Jesús ya está por regresar para buscarte a ti y a tu familia. ¿No es una gran noticia?

22 de diciembre

Los principios en el corazón

Oísteis que fue dicho: "No cometerás adulterio". Pero yo os digo que cualquiera que mira a una mujer para codiciarla, ya adulteró con ella en su corazón. S. Mateo 5:27, 28.

Cuando Dios creó a Adán y Eva no necesitó escribir los mandamientos, porque los principios de su santa ley estaban escritos en el corazón de la primera pareja. Al entrar el pecado, esos maravillosos principios comenzaron a perder la belleza y la nitidez que habían tenido para nuestros primeros padres. Con el correr del tiempo la tendencia fue olvidar. Durante el cautiverio de Egipto, los hijos de Dios no vivieron a la altura de la vida espiritual para la que habían sido creados. Por tanto, fue necesario que Dios escribiese los eternos principios de su ley con letras de fuego, en tablas de piedra.

La ley escrita fue entregada a Israel entre fuego, humo y truenos. Ahora el pueblo de Dios tenía los mandamientos escritos, para que nadie pudiera disculparse alegando ignorancia.

Pero el tiempo continuó pasando, y el ser humano comenzó a perder la claridad de la ley escrita. Perdió el sentido espiritual de la misma y comenzó a preocuparse solamente con la observancia externa de las palabras. Entonces fue necesario que Jesús, en persona, comentase la santa ley. "Oísteis que fue dicho: 'No cometerás adulterio' ", dijo Jesús. Ese pueblo, que había perdido la visión espiritual de este principio, no practicaba el adulterio en sí. Muchas veces no llegaba al acto en sí. Pero tenía la mente completamente contaminada de adulterio. Claro, la letra escrita no decía nada de los pensamientos. Entonces, era preciso que Jesús comentase y explicase el principio subyacente.

¿Te diste cuenta de cómo se desarrolló la historia de la ley a lo largo del tiempo? Al comienzo no había ni se necesitaba ley escrita, porque los principios estaban escritos en el corazón del hombre. Después fue necesario escribir esos principios en tablas de piedra, y más tarde eso ya no era suficiente y fue necesario comentar esos principios. Todo por causa de la rebeldía y del endurecimiento del corazón humano. Pero el ideal de Dios, lo que él realmente quiere, es volver a escribir esos principios en el corazón.

Los verdaderos hijos de Dios, los que aprenden a vivir una vida de permanente comunión con Cristo, obedecen, no porque haya una ley escrita en tablas de piedra. No están buscando la letra para saber cuál es lo mínimo que pueden hacer o dejar de hacer. Ellos tienen esos principios escritos en el corazón y se deleitan en hacer la voluntad de Dios.

El evangelio no da permiso para pecar, no libera a nadie de la obligación de obedecer. Al contrario, lo compromete por amor a vivir una vida de obediencia, natural y auténtica, nacida de un corazón transformado.

¿Podemos ir hoy a Jesús y pedirle que escriba sus principios en nuestro corazón?

362

23 de diciembre

Baño de ración

Santifícalos en tu verdad: tu palabra es verdad. **S. Juan 17:17.**

Mientras viajaba por el interior del estado de Minas Gerais, Brasil, oí la historia de dos hacendados que eran vecinos. Uno se llamaba Chico, y el otro José. Chico tenía una hacienda hermosa, llena de caballos engordados y de pelo brillante, mientras que José tenía los caballos flacos y enfermos. Un día José le preguntó a su vecino:

—Dígame, compadre: Si ambos tenemos la misma tierra, el mismo Sol y la misma lluvia, ¿por qué sus caballos son más bonitos que los míos?

—Es por causa del baño de ración, compadre —fue la respuesta de Chico.

—¿Baño de ración? —preguntó el vecino intrigado–. Yo nunca oí hablar de eso, compadre.

Entonces Chico le explicó pacientemente en qué consistía el baño de ración:

—Usted prepara una ración abundante y deja que los caballos coman todo lo que quieran. Entonces, cuando están hartos, con lo que sobró los baña, y verá cómo en poco tiempo sus caballos estarán hermosos.

José le agradeció por el secreto y comenzó a ponerlo en práctica. Le dio comida a los caballos y en poco minutos corrió a buscar al vecino.

—No sobró nada de la ración, compadre —le dijo todo afligido.

—Coloque más —fue la respuesta de Chico.

Media hora después, volvió José.

—No sobró nada, compadre.

—Coloque más —continuó respondiendo el señor Chico—. El baño de ración tiene que ser como para que sobre.

¿Entendiste el mensaje? El secreto no era el baño de ración. El problema de José era la mezquina ración que le daba diariamente a sus caballos.

Cuando el cristiano se siente a veces frustrado, débil y derrotado —cuando se cansa de luchar, sin lograr vivir a la altura de los principios que conoce—, lo que le está faltando tal vez sea un poco de "baño de ración". Y aunque esta ilustración sacada del folclore brasileño parece medio fuerte, creo que explica claramente por qué algunos cristianos son fuertes, felices y victoriosos, mientras otros viven una vida de constante fracaso.

La única fuente de poder es Cristo. Tenemos que separar diariamente tiempo para pasar con él. La oración y el estudio de la Biblia no tienen poder en sí mismos. El poder viene de Cristo. La Biblia y la oración son los medios a través de los cuales mantenemos comunión con el poder que es Cristo, pero, es a través de su Palabra como somos santificados. "Nadie vivió como Jesús vivió, porque nadie oró como Jesús oró". Él vino para enseñarnos el secreto de su poder.

Al salir para las actividades de este día, ¿por qué no llevar una canción en el corazón y, a través de ella, mantener siempre viva la presencia de Jesús contigo?

24 de diciembre

La hermosura del ayuno

Después de haber ayunado cuarenta días y cuarenta noches, sintió hambre. S. Mateo 4:2.

Mientras realizábamos un campamento, vi que cierto joven conversaba animadamente con otros durante el almuerzo, pero no comía.

—¿Ya almorzaste? —le pregunté.

—No pastor, hoy no voy a almorzar porque estoy ayunando —fue su respuesta.

Después me explicó que aunque tenía hambre, le había prometido a Dios que ese día ayunaría para que Dios lo ayudara a resolver un problema.

¿El ayuno consiste en el acto de no comer? ¿O dejamos de comer porque en el ayuno hay algo mucho más sublime entre Dios y nosotros? Veamos el siguiente comentario sobre el ayuno: "Cristo ayunó mientras estaba en el desierto, pero era indiferente al hambre. Cristo, en constante oración ante su Padre, con el fin de prepararse para resistir al adversario, no sintió las angustias del hambre. Pasó el tiempo en ferviente oración, apartado con Dios. Era como si hubiera estado en la presencia de su Padre. Buscaba fortaleza para hacer frente al enemigo, para la seguridad de que recibiría gracia para llevar a cabo todo lo que había emprendido en favor de la humanidad. *El pensamiento de la contienda que estaba ante él hizo que se olvidara de todo lo demás,* y su alma fue alimentada con el pan de vida, así como serán alimentadas hoy las almas tentadas que van a Dios en busca de ayuda... Se vio a sí mismo curando a los enfermos, consolando a los desesperanzados, reanimando a los abatidos y predicando el Evangelio a los pobres: *haciendo la obra que Dios había diseñado para él;* y no sintió ningún apremio del hambre hasta que terminaron los cuarenta días de su ayuno. La visión se terminó, y entonces con anhelo vehemente la naturaleza humana de Cristo pidió alimento" ("Comentarios de Elena G. de White", *Comentario bíblico adventista,* t. 5, pág. 1056; la cursiva es mía).

Cristo no luchó contra el hambre en ningún momento de su ayuno. Dios no iba a responder su oración por el hecho de que estuviera pasando hambre. El Padre no se alegraba con el hambre del Hijo, sino con su compañía. La compañía del Padre para Jesús era de tanto significado que el alimento pasaba a un segundo plano.

Los que, por vivir una vida de comunión diaria con Jesús, son cada día más semejantes a él, nunca perderán de vista la esencia de las cosas para concentrarse en las exterioridades. Cuando en un día de ayuno, que debe ser un día especial de comunión con Jesús, dejar de comer llega a ser más importante que el compañerismo divino, alguna cosa está equivocada y debe ser corregida urgentemente. En el verdadero ayuno cristiano, Dios debe ocupar el centro de todos nuestros pensamientos y sentimientos. El estudio de su Palabra y la meditación deben absorbernos de tal modo que "no deberíamos sentir las angustias del hambre".

¿Consigues verlos?

Vinieron, pues, apresuradamente, y hallaron a María y a José, y al niño acostado en el pesebre. **S. Lucas 2:16.**

Anduvo por las calles de Belén, golpeando de puerta en puerta, sin encontrar abrigo. No había despertado todavía a la vida terrena, pero ya sabía lo que era el rechazo. Nadie le abrió las puertas. Nadie le dijo "¡Bienvenido!" Todo el mundo tenía algo que hacer, y tenía prisa. Había fiesta, luces y colores en Belén. ¿Quién podía perder tiempo, dando hospedaje a dos peregrinos? Lo que nadie podía prever era que estaban rechazando al príncipe de la paz y privándose de la oportunidad de servir al huésped más ilustre que pasó por el mundo.

Si Jesús hubiese llegado vistiendo sus ropas reales y ostentando su título celestial, con seguridad los hombres habrían preparado la mayor de las recepciones, con mucha música, pompa y fuegos de artificio. Habrían ofrecido un banquete suntuoso y enviado invitaciones a las grandes personalidades del mundo social, político y religioso.

Pero las cosas con Jesús con diferentes, imprevisibles e inesperadas. Vino en el vientre de una mujer pobre, a quien las personas miraban con sospecha, porque la historia de su gravidez "estaba mal contada". Vino en forma de un niño simple. Vino como a veces vienen las cosas que realmente valen: sin brillo. ¡Y nadie lo recibió! Tampoco podían: en una época de tanto correr, tantas cosas para hacer, tantos regalos por comprar, tantas tarjetas de navidad que enviar, ¿quién tendría tiempo para prestarle atención a un simple niño?

Las cosas no cambiaron hoy. Por increíble que parezca, todo continúa igual. Míralo tocando de puerta en puerta, míralo andando por las calles de las grandes ciudades, entrando en los *shoppings*, míralo con los ojos suplicantes, preguntando: "Hijo, ¿tienes un lugar para mí en tu vida? ¿Puedo hacer algo por ti?" Y las personas ni se dan cuenta de que él existe, porque están demasiado ocupadas en prestar atención a su invitación.

Si él anunciara su llegada a la capital, en un avión en vuelo directo del cielo hacia tu país, con seguridad todo el mundo dejaría las compras, las tarjetas y los árboles de Navidad para otro día. Ciertamente, todos correrían al aeropuerto, con la máquina fotográfica y la filmadora en la mano. Con seguridad, los periodistas se pelearían por conseguir una declaración exclusiva; sin duda, las mayores personalidades disputarían una foto a su lado.

Pero las cosas con Jesús son diferentes, impredecibles e inesperadas. Él está ahí, cerca de ti, hablándole a tu corazón: "Hijo, es hora de detenerte un poco y prestarme atención; es la hora de pensar en mí".

En medio de las luces y fuegos de artificio y en medio de las guirnaldas, ¿te paraste a pensar en él, a conversar con él, para abrirle tu corazón y dejar que él entre y lo revolucione todo? ¿Serás capaz de verlo?

A solas con Dios

Se enardeció mi corazón dentro de mí; en mi meditación se encendió un fuego y así proferí con mi lengua. **Salmos 39:3.**

En la vida de todos los grandes hombres de la Biblia hay momentos de soledad. Los héroes bíblicos eran, en cierto modo, hombres solitarios. No se trataba de esa soledad que destruye y enloquece, sino la de esos momentos en que, lejos del bullicio de esta vida, el ser humano se encuentra con Dios.

En los momentos de soledad, al aire libre, mirando las estrellas del cielo infinito, Abraham recibió la promesa de que su descendencia sería en número abundante. En las horas de meditación, lejos de todo el mundo, Moisés vio la zarza ardiente y recibió la orden de liberar al pueblo de Dios. En esas horas silenciosas, a solas con Dios, David recibió del Señor los más hermosos poemas que embellecen la literatura bíblica.

En el versículo de hoy, el salmista dice "en mi meditación se encendió un fuego". ¿Cómo saber qué es sentir el fuego divino ardiendo en el corazón si no se pasa tiempo a solas con Jesús?

Cuando el Maestro estuvo en este mundo, trató muchas veces de enseñarnos esta lección. Los Evangelios dicen que él "se apartaba de la multitud". Muchas veces entraba en la barca y pasaba al otro lado del mar para estar a solas con su Padre. Después de realizada su labor, difícilmente lo encontraban. Iba a agradecer a Dios por las maravillas que había operado en la vida de ese pueblo sufriente. Iba para recibir más poder, porque toda su fuerza venía de arriba. Pasaba horas en silenciosa compañía con su Padre, mientras los demás dormían.

Si los seres humanos aprendieran hoy a dejar de correr y permanecer en silencio, en la compañía de Jesús, se ahorrarían muchas frustraciones en la vida espiritual. ¿Cómo es que el Espíritu Santo toma posesión de nuestra vida? Cuando meditamos es cuando se "enciende un fuego", y estamos listos para hablar del amor de Dios. En el silencio de la meditación es cuando el fuego del Espíritu se enciende en nuestro corazón para consumir los sentimientos, pensamientos y hábitos errados de la vida.

Una persona que pasa por la vida corriendo detrás de las cosas que, aunque importantes, no son vitales para la vida eterna, nunca tiene tiempo ni energía para quedar a solas con Dios, y nunca sabrá qué es en realidad la vida cristiana auténtica. Porque el verdadero cristianismo trasciende las fronteras de la iglesia. No se limita a una vida en un templo y en la compañía de otros cristianos. El verdadero cristianismo es una experiencia que se vive a solas con Cristo, y de ese compañerismo es de donde vienen las fuerzas para andar en medio de este mundo moralmente deteriorado. En ese compañerismo es donde brota el cristianismo-amor que no condena, pero que no acepta el pecado, que no lastima a las personas, sino que las anima a abandonar la vida pecaminosa por la transformación que viene de Cristo.

Los cielos abiertos

Aconteció en el año treinta, en el mes cuarto, a los cinco días del mes, que estando yo en medio de los cautivos, junto al río Quebar, los cielos se abrieron y vi visiones de Dios. Ezequiel 1:1.

Ezequiel era un joven de solamente 24 años de edad cuando vio que los cielos se abrían delante de él, a orillas del río Quebar. ¿Qué hacía un joven de esa edad junto al río? Ezequiel estaba solo. Disfrutaba de las horas maravillosas de comunión con Dios. Había aprendido a estar a solas con su Padre. En las horas de recogimiento, de meditación y de oración; en las horas de contemplación del carácter de Jesús es donde los cielos siempre se abrirán ante nosotros.

El versículo 3 dice que "vino allí sobre él la mano de Jehová". ¿Cómo puede fracasar un hombre sobre quien está la mano del Señor? ¿De quién viene su fuerza? ¿En quién descansa su confianza?

Al abrirse los cielos ante sí, Ezequiel tuvo una visión maravillosa que nunca había imaginado. Esta es la recompensa para los que aprenden a gastar tiempo en compañía de Jesús. De repente los ojos se abren a nuevas dimensiones de la vida, nunca antes soñadas.

Cuando Ezequiel tuvo la visión, estaba en medio de los cautivos. Todo el mundo estaba preso a su alrededor. No había libertad, nadie podía ir adonde quería. Los pueblos estaban vigilados y controlados. Pero ninguna prisión fue incapaz de impedir que Ezequiel quedara a solas con Dios y tuviese la visión.

Los hombres pueden prender nuestro cuerpo, pero no pueden aprisionar nuestro corazón. Los hombres pueden impedirnos ir y venir, pero no pueden sacarnos el derecho de soñar.

Aún en medio de un mundo prisionero del pecado, podemos buscar nuestro río Quebar y quedar a solas con Dios. Las corrientes de la mediocridad, de la religiosidad puramente exterior, de la hipocresía, junto con las cadenas de los vicios, la promiscuidad y la incredulidad, pueden aprisionar a todo el mundo a nuestro alrededor, pero no existe nada que sea capaz de impedirnos estar a solas con Jesús y ver el cielo abierto. ¿Abierto para qué?

"Abriré las ventanas de los cielos, y derramaré sobre vosotros bendición hasta que sobreabunde" (Malaquías 3:10; RVR 1960), es la promesa divina. ¿Puede existir mayor bendición que la paz que inunda el corazón de alguien que aprendió a andar con Jesús?

Dios está invitando a sus hijos a esa maravillosa experiencia de amor. Él quiere que el ser humano aprenda a disfrutar ese compañerismo divino, y que, como resultado, viva una vida de obediencia auténtica a los principios eternos de su santa ley.

¿Dónde queda tu río Quebar? ¿En tu sala? ¿En tu oficina? ¿En tu dormitorio? ¿En tu cámara de oración? ¿Debajo de un árbol en el patio de tu casa? El lugar no importa, lo que importa es que tengas tu río Quebar, de donde puedas ver los cielos abiertos, diariamente.

¿Por qué perdonar?

Entonces su señor, enojado, lo entregó a los verdugos hasta que pagara todo lo que le debía. **S. Mateo 18:34.**

Hay personas que serían incapaces de matar, robar o adulterar, pero que también son incapaces de perdonar. "Pastor", me preguntan, "¿qué hago para poder perdonar? Yo quiero, pero no puedo".

El versículo de hoy está dentro de la parábola de los dos deudores. Había un rey que tenía dos siervos. Uno de ellos le debía el equivalente a 1.200.000 dólares. Era una cantidad incalculable, pero el siervo suplica: "Ten paciencia conmigo y yo te lo pagaré todo" (vers. 26). ¿Cómo podría un pobre trabajador juntar esa cantidad de dinero? Jesús exageró la suma a propósito, para mostrar al ser humano que la deuda con Dios no puede ser pagada con los esfuerzos del hombre. Nuestra única salida es confiar en alguien que pagó la deuda por nosotros.

La parábola muestra a un siervo perdonado que no creía en el perdón recibido. El rey había dicho: "Estás libre", pero él continuó pensando que debía pagar la deuda. Por eso salió buscando a las personas que le debían a él algún dinero. Encontró a un consiervo suyo, a quien le había prestado 200 dólares, y comenzó a afligirlo y lo mandó a prisión para que le pagara. Este siervo perdonado no era un hombre feliz. Vivía angustiado y desesperado. No tenía paz, porque pensaba que debía pagar lo que debía.

El resultado de toda la confusión interior era que él vivía atormentando a los demás, poseía una personalidad desagradable. Pensaba que nadie lo quería, vivía atormentado por el complejo de inferioridad y no era feliz.

La parábola termina con el versículo de hoy: "Entonces su señor, enojado, lo entregó a los verdugos hasta que pagara todo lo que le debía". Los verdugos son aquí símbolo de los propios sentimientos de rencor, odio y resentimiento que atormentan el corazón del hombre que no aprendió a perdonar.

Conocí a una persona que había sido disciplinada por la iglesia, pero que, en su opinión, era víctima de una injusticia, porque no era "culpable de nada". Para vengarse de sus disciplinadores, esta joven abandonó la iglesia y se entregó a una vida de promiscuidad. No quiso saber nada más de la iglesia, ni de Jesús, ni de nadie. Descendió hasta lo más profundo en el pecado, pero no era feliz.

Se angustiaba por dentro; el complejo de culpa la atormentaba día y noche, hasta que un día tuvimos la oportunidad de conversar: "¿Por qué haces eso, si no eres feliz?", le pregunté. "Ellos me disciplinaron injustamente y ahora quiero darles motivo de verdad para que la disciplina sea justa", me respondió.

No era feliz. Las personas culpables ni se acordaban más de ella, y ella era la única que sufría, se lastimaba, se hacía sangrar y estaba muriendo poco a poco.

Esa mañana entendió que no perdonaba porque nunca había entendido el perdón de Dios hacia ella. Corrió a Jesús, sintió la paz que solamente Jesús puede ofrecer y se levantó para buscar a sus ofensores y decirles que los amaba. El milagro había sucedido. El tormento había llegado a su fin.

Tu gran oportunidad

Así será bendecido el hombre que teme a Jehová. **Salmos 128:4.**

En 1981, Gladis Silva fue coronada Miss Perú y dos meses después fue clasificada entre las diez mujeres más bonitas del mundo, en el concurso de Miss Universo que se realizó en Nueva York. Sin duda, las luces, los aplausos, la fama y las glorias de este mundo no eran capaces de llenar el vacío interior que la acompañaba casi inconscientemente. En 1988, Gladis enfrentaba un grave problema en su vida y no sabía dónde encontrar la solución. En esas circunstancias se encontró con una amiga cristiana que le dijo: "Gladis, tú vives angustiada en este mundo y te desesperas porque no conoces a Jesús. Si lo conocieras, sabrías que podrías contar con él ahora y siempre".

Cuando su amiga se fue, Gladis se quedó sola en el cuarto y comenzó a pensar: "¿Quién es Jesús? ¿Dónde está? ¿Cómo puedo conocerlo?" Comenzó a estudiar la Biblia con ahínco y descubrió a Jesús como su Amigo, Salvador y Compañero de todas sus horas. Le abrió su corazón a Jesús y hoy se deleita en la bendita esperanza del regreso de Cristo.

Cuando la conocí y me contó su historia, vi lágrimas en sus ojos. "No son lágrimas de tristeza, pastor", me dijo, "son lágrimas de alegría. Finalmente encontré lo que me faltaba en la vida. Soy feliz. Diariamente encuentro fuerzas en Jesús, y los aplausos, las luces y las glorias de esta vida ya no tienen valor para mí".

Este año prácticamente se termina. Es tiempo de tomar nuevas decisiones. Tal vez en este año que termina hayamos dejado atrás ciertos valores que, a pesar de ser necesarios, no fueron los que dieron sentido a nuestra vida. Es posible que estemos heridos y frustrados. También es posible que estemos casi sin fuerzas para poder levantarnos, pero lo que tiene de maravilloso el evangelio es que Jesús desea salvarnos. Desde el jardín del Edén está preguntando: "¿Dónde estás?" (Génesis 3:9). Su voz ha traspasado el tiempo y la historia. Su clamor a tocado a millares y millares de vidas a lo largo de los siglos. Los hombres la han rechazado; otros la han aceptado; y otros simplemente siguen indiferentes, sufriendo por dentro, sabiendo que la única salida es seguir a Jesús, pero siguen como paralizados, amarrados a sus preconceptos, a sus dudas y temores, sin poder decir Sí.

Gladis Silva decidió decir Sí. Abrió su corazón a Jesús. Hizo de él su amigo, Salvador y el centro de su vida. Continuará brillando, mas no por su belleza extraordinaria, sino por la paz que refleja su rostro, por la sencillez con que habla de Jesús, el gran amor de su vida.

Si tú, por algún motivo, hasta ahora dejaste pasar las oportunidades, aprovecha los últimos días de este año para meditar y llegar a la conclusión de que Jesús es la única salida. Puedes correr hacia él como estás, llevándole todo lo que eres. A sus pies encontrarás la paz, y en sus brazos te sentirás amado/a y entenderás que la vida merece ser vivida.

En nombre del Señor

Y todo lo que hacéis, sea de palabra o de hecho, hacedlo todo en el nombre del Señor Jesús, dando gracias a Dios Padre por medio de él. **Colosenses 3:17.**

Ahí está. Lleno de expectativas y oportunidades. Con las alas blancas de la esperanza. Listo para despegar en el valle de los sueños, rumbo al infinito de las realizaciones. Es un año más que llega, abierto, limpio y promisorio. Entra en él, en el nombre de Jesús.

En medio de las expectativas de un nuevo horizonte, te invito a mirar hacia atrás. ¿Cómo? ¿No dice todo el mundo que la gente debe dejar de mirar hacia el pasado y ver apenas el futuro? Pero mi invitación es: ¡Mira hacia atrás! ¿Sabías que nosotros sacamos fuerzas del pasado, a pesar de nuestra vertiginosa proyección hacia el futuro? Entonces, mira hacia atrás, mira especialmente las cosas que no salieron bien, las que salieron mal. Mira las frustraciones y las derrotas.

Todo el mundo dice que debemos olvidar las derrotas y los fracasos y estar siempre listos para nuevos intentos. Bueno, intentar de nuevo, sí; pero dejar de mirar nuestras derrotas y fracasos, jamás. Porque en la batalla de la vida gana quien sabe perder, quien sabe capitalizar la derrota, quien no vive lamentando porque algo salió mal, sino que, por el contrario, mira la derrota sin rencor, sin pena, analizando y preguntando por qué fue una derrota.

El nuevo año está ahí. Lleno de expectativas y oportunidades. Es todo tuyo. Limpio, abierto y promisorio. Llega con las alas blancas de la esperanza. Pronto para decolar del valle de tus sueños rumbo al infinito de tus realizaciones. Míralo sin miedo, como el águila mira el brillo del sol. Aunque sus pupilas queden ofuscadas por la luminosidad del astro, ella siente hervir la sangre en sus venas, abre las alas y parte, rompiendo el azul del cielo en busca de nuevos horizontes.

Si el año que pasó fue bueno o fue malo, poca diferencia hace. El nuevo año ahora es tuyo. Eso es lo que cuenta. No te lamentes de los errores del pasado. No huyas de ellos. Encáralos. Al fin de cuentas, perder todo el mundo pierde. Unos más pronto, otros más tarde. Perder nunca fue problema. Pero tú tienes que saber sacar provecho de la derrota, porque en la batalla de la vida gana siempre el que sabe perder.

Comienza entonces el nuevo año sin miedo, en el nombre de Jesús.

El año está terminando

Por lo demás, hermanos, todo lo que es verdadero, todo lo honesto, todo lo justo, todo lo puro, todo lo amable, todo lo que es de buen nombre; si hay virtud alguna, si algo digno de alabanza, en esto pensad. **Filipenses 4:8.**

Fue bueno conversar diariamente a lo largo de este año. Mientras escribía estas meditaciones, aprendí muchas cosas. A veces quedaba emocionado. Cuando llegaba al fin de la meditación de un día, sentía que todo era para mí y trataba de hacer de Jesús el gran Amigo y Salvador de cada minuto.

Estando en Miami, en enero de 1993, fui asaltado y los asaltantes se llevaron, junto con todas mis cosas, casi 90 meditaciones escritas. Eran muchas, me sentí triste, frustrado e incomprendido. Casi todas mis vacaciones habían sido empleadas escribiendo ese material. Me había levantado temprano y me había acostado tarde; había sacrificado horas de recreación al lado de mi familia, ¿para qué? ¿Para que en un segundo todo se fuese por los aires?

Recomencé todo de nuevo y sentí el brazo poderoso de Jesús ayudándome y orientándome. Hoy llego al fin de este trabajo. Tuve la oportunidad de dirigirme a ti a lo largo de todo un año; es un motivo muy grande para agradecer a Dios por ese privilegio.

Escogí el texto de hoy como la última meditación de este año porque me gustaría que miraras con optimismo el futuro. Quiera Dios que las meditaciones de este año te hayan mostrado de alguna forma que no basta con ser un miembro de iglesia. También es preciso ser cristiano, y una persona cristiana es la que descubrió a Jesús como la persona más linda, como el Salvador, el Sustentador y Amigo de todas las circunstancias.

Un año más está por comenzar. Muchas veces el enemigo te hará aparecer espejismos en el desierto de esta vida. No te dejes engañar por las luces de este mundo. Fija tus ojos en Jesús, concéntrate en él, haz de él el centro de tu vida. Piensa en él y en todas las virtudes maravillosas que provienen que él. No permitas que las engañosas luces de neón de esta vida ofusquen tu visión al punto de perder de vista la maravillosa persona de Jesús.

Sin duda, creciste en este año. Aprendiste, adquiriste experiencia. Y para eso, pagaste el precio con dinero o con tiempo, o con sufrimiento, pero creciste. No eres la misma persona que eras al comienzo del año.

Si las cosas fueron bien, alaba el nombre de Jesús; si las cosas fueron adversas, y si la tragedia golpeó la puerta de tu corazón, alaba también el nombre de Jesús.

Que Dios continúe bendiciéndote en el año que viene. Cae de rodillas el atardecer de un año más. Toma el brazo poderoso de Jesús, haz planes para separar diariamente tiempo para quedar a solas con él en este nuevo año.

Mi familia y yo haremos lo mismo, y entre nuestros planes estará el de verte y abrazarte personalmente en la gloriosa mañana de la resurrección. En ese día, con seguridad, el más caro sueño del corazón humano estará realizado. Lo veremos cara a cara y viviremos con Jesús eternamente.

ÍNDICE DE REFERENCIAS BÍBLICAS

Texto — Página

GÉNESIS
1 331
1:28 169
1:31 28
2:1-3 322
2:3 .... 28, 169
2:7 235
2:16, 17 144
3:9 369
3:15 148
5:24 29
6:9 53
15:16 .... 74, 210
17:1 82
19:14 174
21:17 73
22:12, 13 68
25:30, 31 309
27:18, 19 20
27:36 ...... 224, 275, 309
32:22-30 20
32:26 205
32:31 83
38:6 119
38:13-26 346
49:10 172

ÉXODO
3:2 156
12:13 179
15:23 21
17:15, 16 172
19:8 353
20 354
20:8-11 322
21:5, 6 54
25:10 164
31:2-6 177

LEVÍTICO
10:2 280

18 74
26:3, 4 284

NÚMEROS
9:16 128
14:8, 27-33 283
20:8, 10 282
21:7, 8 281
22:28 65
32:23 89

DEUTERONOMIO
6:5 292
6:7 121
9:6 127
18:10, 11 261
24:1-4 314
28:13 313
30:19 72
32:10 188
32:49 129
33:16 156
34:1, 4, 5 129

JOSUÉ
1:8 76
1:11 209
2:18 210
3:5 120
10:13 212
24:15 178

JUECES
4:8, 9 218
7:2 287
14:1-3 86
15:18, 19 33
16:17 78
16:20, 24, 25 224

RUT
1:16 .... 27, 175

1 SAMUEL
2:22-25 12
3:1, 10 12
3:17 215
4:1-11 315
4:15, 18 286
7:3 217
10:6 177
10:19 216
15:22 211
15:27, 28 224
24:6 213
25:12-35 184

2 SAMUEL
11:27 203
12 203
13:37 205
16:7-9, 11 278
21:15-21 181
21:22 181

1 REYES
3:5 207
4:29, 34 207
11:33-38 327
18:17, 18 341
19:4 267
19:9 117

2 REYES
5:12 206
13:21 219
24:9, 13 197
25:27-30 197

1 CRÓNICAS
17:7 220
29:15 158

2 CRÓNICAS
7:14 88

Texto	Página
25:2	195
28:3	91

ESDRAS
8:21, 22, 31	193

NEHEMÍAS
6:3	222

ESTER
4:14	218
4:16	194

JOB
1:1, 9	196
1:11	196, 307
9:4	199
19:25	196
26:2	203
30:20	189
37:5	200
42:10	202

SALMOS
6:2	275
9:20	276
11:3, 7	277
14:1	162
16:1	18
17:8	66
22:6	242
23:4	248, 254
25:5	278
27:5	256
39:3	366
40:4	249
40:6	54
40:8	164
41:3	271
42:3	270
42:5	267, 300
42:6	267
44:22	266
46:1	85
46:2, 3, 7, 11	87

Texto	Página
51:5	275
51:7	26, 204
51:10	226
55:6, 7	104
55:22	104, 267
61:5	25
62:5	246
71:9	63
91:4, 5	268
100:2	149
103:13	122
119:9	274
119:105	46
121:4	269
126:6	258
128:4	369

PROVERBIOS
5:18-20	169
8:35, 36	324
13:13	230
14:12	79
15:1	184
15:3	237, 301
19:2	289
22:3	77
22:6	166
25:11	67
25:21, 22	257
27:4	115
28:13	57, 133

ECLESIASTÉS
1:3, 4	259
9:5, 6, 10	235
11:1, 6	32
12:1	130
12:7	235

CANTARES
2:4	263
7:12	260

ISAÍAS
6:5	120

Texto	Página
8:19	261
9:2	262
25:9	34
28:17	162
30:21	125, 263
33:20-22	263
37:10, 11, 20, 34	264
40:22	361
40:26	264
40:30, 31	171
41:10	201
41:14	242
43:2	156, 243
49:14, 15	59
50:10	339
52:1	288
53:1	243
54:9, 10	279
55:1	311
56:1, 2, 6-8	322
56:5	312
58:12, 13	322
59:16	313
60:8	172
64:6	15, 19
65:24	191

JEREMÍAS
2:11	314
2:13	150
3:1	314
6:16	93
7:12	315
12:5	316
17:5, 7	317
17:9	14, 86
18:6	317
23:6	9
30:7	318
52:31	197

LAMENTACIONES
4:2	320

EZEQUIEL
1:1	367

Texto	Página
9:4	322
18:2	323
34:12	326
36:25, 26	296
36:25	80
36:26	80, 228
37:4, 5, 8, 10, 11	221
37:19	327

DANIEL

2	344
2:20	328
6:22	190
7:25	322
8:14	91

OSEAS

5:4	329
7:8	16, 329

JOEL

1	37
2:1	37
2:15, 16, 32	38
2:26	330
2:28	38, 330
3:14	155
3:17	38

AMÓS

5:8	331
9:3	301

ABDÍAS

3, 4	332

JONÁS

1:5	70
4:2	101, 333
4:3	267

MIQUEAS

2:10	91
6:3, 6, 7	334
6:6, 8	131

Texto	Página
7:19	103

NAHÚM

2:1	335
3:1	101

SOFONÍAS

3:16, 17	250

HAGEO

1:2	251
2:8	144
2:9	24

ZACARÍAS

3:3, 4	252
4:6	253

MALAQUÍAS

3:10-12	144
3:10	144, 367
4:1	156

MATEO

1:1	346
3:11	214
4:2	364
5:16	146
5:17	234
5:20	15
5:21-30	263
5:27	354, 362
5:28	362
5:44	257
5:45, 46, 48	60
6:5-7	236
6:7	69
6:33	30
7:7	90
7:12	348
7:22, 23	17
7:24	81
8:14, 15	349
9:2	350
10:39	198

Texto	Página
10:42	185
11:3, 11	351
11:22	352
11:28, 29	93, 170
11:28	28, 353
11:30	107
12:31	133
12:34, 36	95
14:25	140
16:24	107
18:20	38
18:26, 34	368
21:31	353
22:37-39	354
23:27	16
23:37	93, 216
24:27, 50	183
24:32, 33	229
24:42	355
25:4, 5	182
25:8, 9, 11, 12	356
25:25	244
26:38	267
26:39	357
26:52	193
27:46	269
28:20	60

MARCOS

1:35	50, 123
5:2	145
5:17	305
5:23	136, 231
5:28, 30, 34	342
5:36	231
5:39	52
6:50	325
9:33, 34	134
9:35	360
10:45	360
13:13	272
16:9	340

LUCAS

2:16	365

(375)

Texto	Página
2:34	297
2:43	298
2:52	234
4:14	234
6:27	170
7:39	10
8:2	135
9:22	297
9:45	238
9:62	61
10:17	337
10:25, 26, 27, 28	111
10:29, 30	98
10:33	227
10:42	135
11:23	145
12:49	214
17:3, 4	132
17:10	154
18:1-8	205
19:10	180
19:22	321
22:31, 32	307
22:33	92
22:35, 36	337
22:42	297
23:49	138
23:56	28
24:15, 16, 21	306
24:21	338

JUAN

Texto	Página
1:4-9	262
1:4, 5	147
1:11	38, 326
1:42	139
1:46	173
2:10	107
3:6	296
3:14	297
3:14, 15	281
3:30	351
4:3, 4	100
4:6, 7, 9	208
4:11	108

Texto	Página
4:13, 14	116, 208
5:2, 8	106
5:5, 7	137
5:13, 14	97
5:24	344
6:35	68
6:67	116
7:37	232
8:11	135
8:36	75
9:2	238, 323
9:3	238, 271
9:4	28
9:25	358
10:10	163
10:11	297
10:27	161
11:3	136
11:11, 12	235
11:39, 43	233
12:20	96, 143, 160, 239, 343
12:23	141, 160
12:25	343
12:26, 37, 42, 43	96
12:21	142, 343
12:23	239
12:31	148
12:32	172
12:46-48	339
13:7	192
14:1-3	361
14:6	93, 278, 344
14:15	161
14:23	99
14:27	24, 319
15:5	82, 113, 116, 150, 280
15:15	325
16:8	204, 330
16:33	107, 141, 319
17:1	310
17:3, 15	336
17:17	363
19:15	216

Texto	Página
19:19	94
19:30	28
21:15	225
21:22	105

HECHOS

Texto	Página
1:8	62
2	330
2:1	109
2:3, 4, 47	214
3:6	214, 245, 308
3:19	176
4:12	277
4:19	22
8:26	152
16:25	254
27:23, 24	255

ROMANOS

Texto	Página
3:10, 23	252
3:23	281
4; 5	47
5:3	272
5:8	36
5:10	333
6	47
6:1, 2	47, 223
6:14	114
7:7	277
7:15-20	48
7:24	41, 48
8:7	42
8:15	58
8:28	124
8:31	51
8:35-39	266
12:2	157
11:33	71
14:7	84, 219

1 CORINTIOS

Texto	Página
1:3	247
2:2	7
2:5	247
5:19	247

Texto	Página
6:19	99
9:25	110
9:27	42
10:11, 12	159
10:13	159, 271
10:24	240
12:22	186
14:12	360
15:53	187
15:57	35, 153, 187
15:58	153

2 CORINTIOS

Texto	Página
5:17	10
5:21	13, 82
6:2	126
6:14	11, 134
12:7-10	104
12:9	271

GÁLATAS

Texto	Página
2:20	30, 125, 345
3:28	347
5:6	291
5:13	151
5:17	238
6:14	167

EFESIOS

Texto	Página
1; 2; 3	39
1:5	302
3:20	44
4:15	285
5:22, 23	39
5:25	169
6:1	45
6:18	102

FILIPENSES

Texto	Página
1:6	48, 303
3:8	359
3:13	48
4:6	273
4:7	319
4:8	371

Texto	Página
4:13	48, 116, 134
5:14	118

COLOSENSES

Texto	Página
1:12, 13	345
1:27	161
2:12	56
3:1, 5, 8, 11	347
3:17	370

1 TESALONICENSES

Texto	Página
2:9	50
3:10	50
5:7	118
5:17	50
5:18	304

1 TIMOTEO

Texto	Página
2:5	290
2:12	337
6:6	293
6:7	294

2 TIMOTEO

Texto	Página
1:12	196
2:17	165
4:7	41, 48
4:8	41

HEBREOS

Texto	Página
6:10	185
6:18	94
10:22, 23, 25	161
10:30	257
11:6	31
12:11	271
12:12, 13	64
13:2	185

SANTIAGO

Texto	Página
3:2, 11	40
4:4, 7	112
4:17	245
5:9-11	257
5:17	285

1 PEDRO

Texto	Página
1:5	241
1:7	242
3:7	49
3:15	23

2 PEDRO

Texto	Página
1:4	275

1 JUAN

Texto	Página
1:3	62, 299
3:2	8
4:8	354
4:18	244

APOCALIPSIS

Texto	Página
1:8	168
2:17	312
3:5	312
3:10	256
3:15-18	16
3:15	214
3:20	191, 205
4:1	256
4:3	279
5:6	141, 295
6:16	34
7:15	256
12	339
12:17	55
13	322
13:8	322
14:1	38
14:6-12	38, 91, 322, 326
14:12	43
14:13	219
16:14	322
18:3	322
21:3	256

GUÍA PARA EL
AÑO BÍBLICO EN ORDEN CRONOLÓGICO

ENERO

- ❑ 1 Gén. 1, 2
- ❑ 2 Gén. 3-5
- ❑ 3 Gén. 6-9
- ❑ 4 Gén. 10, 11
- ❑ 5 Gén. 12-15
- ❑ 6 Gén. 16-19
- ❑ 7 Gén. 20-22
- ❑ 8 Gén. 23-26
- ❑ 9 Gén. 27-29
- ❑ 10 Gén. 30-32
- ❑ 11 Gén. 33-36
- ❑ 12 Gén. 37-39
- ❑ 13 Gén. 40-42
- ❑ 14 Gén. 43-46
- ❑ 15 Gén. 47-50
- ❑ 16 Job 1-4
- ❑ 17 Job 5-7
- ❑ 18 Job 8-10
- ❑ 19 Job 11-13
- ❑ 20 Job 14-17
- ❑ 21 Job 18-20
- ❑ 22 Job 21-24
- ❑ 23 Job 25-27
- ❑ 24 Job 28-31
- ❑ 25 Job 32-34
- ❑ 26 Job 35-37
- ❑ 27 Job 38-42
- ❑ 28 Éxo. 1-4
- ❑ 29 Éxo. 5-7
- ❑ 30 Éxo. 8-10
- ❑ 31 Éxo. 11-13

FEBRERO

- ❑ 1 Éxo. 14-17
- ❑ 2 Éxo. 18-20
- ❑ 3 Éxo. 21-24
- ❑ 4 Éxo. 25-27
- ❑ 5 Éxo. 28-31
- ❑ 6 Éxo. 32-34
- ❑ 7 Éxo. 35-37
- ❑ 8 Éxo. 38-40
- ❑ 9 Lev. 1-4
- ❑ 10 Lev. 5-7
- ❑ 11 Lev. 8-10
- ❑ 12 Lev. 11-13
- ❑ 13 Lev. 14-16
- ❑ 14 Lev. 17-19
- ❑ 15 Lev. 20-23
- ❑ 16 Lev. 24-27
- ❑ 17 Núm. 1-3
- ❑ 18 Núm. 4-6
- ❑ 19 Núm. 7-10
- ❑ 20 Núm. 11-14
- ❑ 21 Núm. 15-17
- ❑ 22 Núm. 18-20
- ❑ 23 Núm. 21-24
- ❑ 24 Núm. 25-27
- ❑ 25 Núm. 28-30
- ❑ 26 Núm. 31-33
- ❑ 27 Núm. 34-36
- ❑ 28 Deut. 1-3

MARZO

- ❑ 1 Deut. 4-6
- ❑ 2 Deut. 7-9
- ❑ 3 Deut. 10-12
- ❑ 4 Deut. 13-16
- ❑ 5 Deut. 17-19
- ❑ 6 Deut. 20-22
- ❑ 7 Deut. 23-25
- ❑ 8 Deut. 26-28
- ❑ 9 Deut. 29-31
- ❑ 10 Deut. 32-34

❑	11	Jos. 1-3
❑	12	Jos. 4-6
❑	13	Jos. 7-9
❑	14	Jos. 10-12
❑	15	Jos. 13-15
❑	16	Jos. 16-18
❑	17	Jos. 19-21
❑	18	Jos. 22-24
❑	19	Juec. 1-4
❑	20	Juec. 5-8
❑	21	Juec. 9-12
❑	22	Juec. 13-15
❑	23	Juec. 16-18
❑	24	Juec. 19-21
❑	25	Rut 1-4
❑	26	1 Sam. 1-3
❑	27	1 Sam. 4-7
❑	28	1 Sam. 8-10
❑	29	1 Sam. 11-13
❑	30	1 Sam. 14-16
❑	31	1 Sam. 17-20

ABRIL

❑	1	1 Sam. 21-24
❑	2	1 Sam. 25-28
❑	3	1 Sam. 29-31
❑	4	2 Sam. 1-4
❑	5	2 Sam. 5-8
❑	6	2 Sam. 9-12
❑	7	2 Sam. 13-15
❑	8	2 Sam. 16-18
❑	9	2 Sam. 19-21
❑	10	2 Sam. 22-24
❑	11	Sal. 1-3
❑	12	Sal. 4-6
❑	13	Sal. 7-9
❑	14	Sal. 10-12
❑	15	Sal. 13-15
❑	16	Sal. 16-18
❑	17	Sal. 19-21
❑	18	Sal. 22-24
❑	19	Sal. 25-27

❑	20	Sal. 28-30
❑	21	Sal. 31-33
❑	22	Sal. 34-36
❑	23	Sal. 37-39
❑	24	Sal. 40-42
❑	25	Sal. 43-45
❑	26	Sal. 46-48
❑	27	Sal. 49-51
❑	28	Sal. 52-54
❑	29	Sal. 55-57
❑	30	Sal. 58-60

MAYO

❑	1	Sal. 61-63
❑	2	Sal. 64-66
❑	3	Sal. 67-69
❑	4	Sal. 70-72
❑	5	Sal. 73-75
❑	6	Sal. 76-78
❑	7	Sal. 79-81
❑	8	Sal. 82-84
❑	9	Sal. 85-87
❑	10	Sal. 88-90
❑	11	Sal. 91-93
❑	12	Sal. 94-96
❑	13	Sal. 97-99
❑	14	Sal. 100-102
❑	15	Sal. 103-105
❑	16	Sal. 106-108
❑	17	Sal. 109-111
❑	18	Sal. 112-114
❑	19	Sal. 115-118
❑	20	Sal. 119
❑	21	Sal. 120-123
❑	22	Sal. 124-126
❑	23	Sal. 127-129
❑	24	Sal. 130-132
❑	25	Sal. 133-135
❑	26	Sal. 136-138
❑	27	Sal. 139-141
❑	28	Sal. 142-144

❑	29	Sal. 145-147		
❑	30	Sal. 148-150		
❑	31	1 Rey. 1-4		

JUNIO

❑	1	Prov. 1-3
❑	2	Prov. 4-7
❑	3	Prov. 8-11
❑	4	Prov. 12-14
❑	5	Prov. 15-18
❑	6	Prov. 19-21
❑	7	Prov. 22-24
❑	8	Prov. 25-28
❑	9	Prov. 29-31
❑	10	Ecl. 1-3
❑	11	Ecl. 4-6
❑	12	Ecl. 7-9
❑	13	Ecl. 10-12
❑	14	Cant. 1-4
❑	15	Cant. 5-8
❑	16	1 Rey. 5-7
❑	17	1 Rey. 8-10
❑	18	1 Rey. 11-13
❑	19	1 Rey. 14-16
❑	20	1 Rey. 17-19
❑	21	1 Rey. 20-22
❑	22	2 Rey. 1-3
❑	23	2 Rey. 4-6
❑	24	2 Rey. 7-10
❑	25	2 Rey. 11-14: 20
❑	26	Joel 1-3
❑	27	2 Rey. 14: 21-25
		Jon. 1-4
❑	28	2 Rey. 14: 26-29
		Amós 1-3
❑	29	Amós 4-6
❑	30	Amós 7-9

JULIO

❑	1	2 Rey. 15-17

❑	2	Ose. 1-4
❑	3	Ose. 5-7
❑	4	Ose. 8-10
❑	5	Ose. 11-14
❑	6	2 Rey. 18, 19
❑	7	Isa. 1-3
❑	8	Isa. 4-6
❑	9	Isa. 7-9
❑	10	Isa. 10-12
❑	11	Isa. 13-15
❑	12	Isa. 16-18
❑	13	Isa. 19-21
❑	14	Isa. 22-24
❑	15	Isa. 25-27
❑	16	Isa. 28-30
❑	17	Isa. 31-33
❑	18	Isa. 34-36
❑	19	Isa. 37-39
❑	20	Isa. 40-42
❑	21	Isa. 43-45
❑	22	Isa. 46-48
❑	23	Isa. 49-51
❑	24	Isa. 52-54
❑	25	Isa. 55-57
❑	26	Isa. 58-60
❑	27	Isa. 61-63
❑	28	Isa. 64-66
❑	29	Miq. 1-4
❑	30	Miq. 5-7
❑	31	Nah. 1-3

AGOSTO

❑	1	2 Rey. 20, 21
❑	2	Sof. 1-3
❑	3	Hab. 1-3
❑	4	2 Rey. 22-25
❑	5	Abd. y Jer. 1, 2
❑	6	Jer. 3-5
❑	7	Jer. 6-8
❑	8	Jer. 9-12
❑	9	Jer. 13-16